L'homme-ouragan
de Lucie Dufresne
est le sept cent quarante-quatrième ouvrage
publié chez
VLB ÉDITEUR.

La collection « Roman »
est dirigée par Jean-Yves Soucy.

D1282228

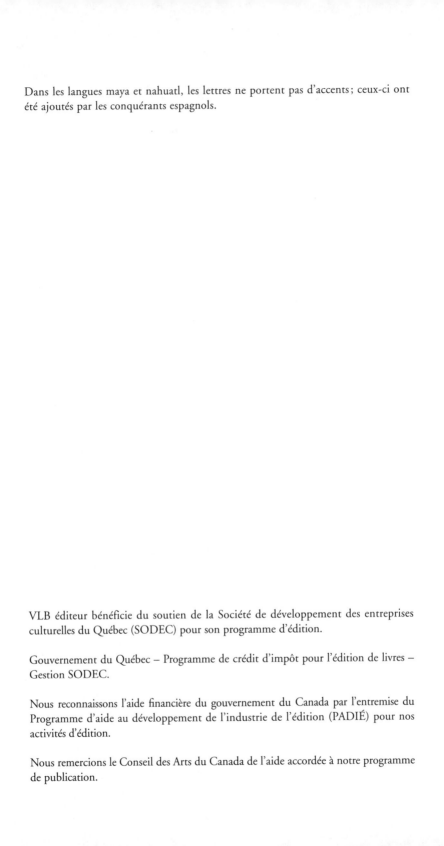

Dans les langues maya et nahuatl, les lettres ne portent pas d'accents ; ceux-ci ont été ajoutés par les conquérants espagnols.

VLB éditeur bénéficie du soutien de la Société de développement des entreprises culturelles du Québec (SODEC) pour son programme d'édition.

Gouvernement du Québec – Programme de crédit d'impôt pour l'édition de livres – Gestion SODEC.

Nous reconnaissons l'aide financière du gouvernement du Canada par l'entremise du Programme d'aide au développement de l'industrie de l'édition (PADIÉ) pour nos activités d'édition.

Nous remercions le Conseil des Arts du Canada de l'aide accordée à notre programme de publication.

L'HOMME-OURAGAN

Lucie Dufresne

L'HOMME-OURAGAN

roman

vlb éditeur

VLB ÉDITEUR
Une division du groupe Ville-Marie Littérature
1010, rue de La Gauchetière Est
Montréal (Québec) H2L 2N5
Tél.: (514) 523-1182
Téléc.: (514) 282-7530
Courriel: vml@sogides.com

Maquette de la couverture: Julie Gauthier
En couverture: bas-relief d'un joueur de balle de Chichen Itza
Cartographie: Julie Benoit

Catalogage avant publication de la Bibliothèque nationale du Canada

Dufresne, Lucie, 1951-

    L'homme-ouragan

    (Roman)

    ISBN 2-89005-852-2

    I. Titre.

PS8557.U307H66	2003	C843'.6	C2003-940890-6
PS9557.U307H66	2003		
PQ3919.3D83H66	2003		

DISTRIBUTEURS EXCLUSIFS:

• Pour le Québec, le Canada
et les États-Unis:
LES MESSAGERIES ADP*
955, rue Amherst
Montréal (Québec) H2L 3K4
Tél.: (514) 523-1182
Téléc.: (514) 939-0406
* Filiale de Sogides ltée

• Pour la Belgique et la France:
Librairie du Québec / DEQ
30, rue Gay-Lussac, 75005 Paris
Tél.: 01 43 54 49 02
Téléc.: 01 43 54 39 15
Courriel: liquebec@noos.fr

• Pour la Suisse:
Transat S.A.
4 Ter, route des Jeunes
C.P. 1210
1211 Genève 26
Tél.: (41.22) 342.77.40
Téléc.: (41.22) 343.46.46

Pour en savoir davantage sur nos publications,
visitez notre site: **www.edvlb.com**
Autres sites à visiter: www.edhomme.com • www.edjour.com
www.edtypo.com • www.edhexagone.com • www.edutilis.com

*À Jean, l'inventeur, qui a un jour remarqué, perplexe :
« Le dieu des Mexicains était roux ! Comment est-ce possible ? »
et à Catherine, qui m'a enseigné à foncer sans me casser les dents.*

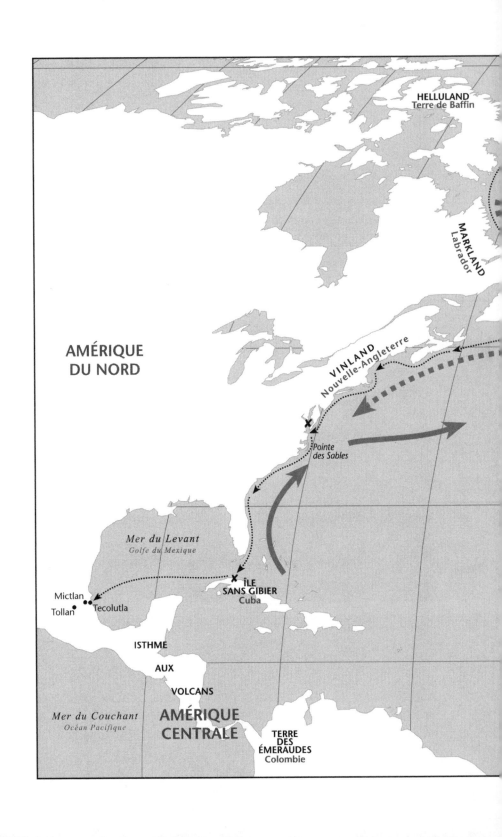

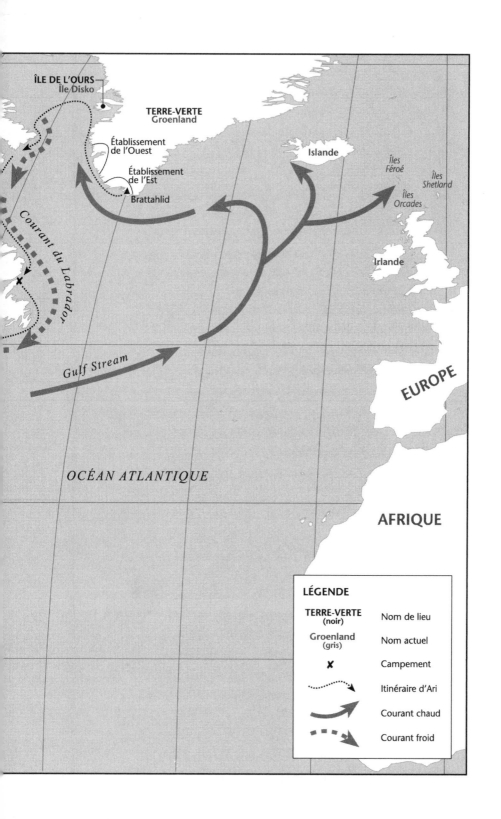

ÎLE DE L'OURS
Île Disko

TERRE-VERTE
Groenland

Établissement
de l'Ouest

Établissement
de l'Est

Brattahlid

Courant du Labrador

Gulf Stream

Islande

Îles
Féroé

Îles
Shetland

Îles
Orcades

Irlande

EUROPE

OCÉAN ATLANTIQUE

AFRIQUE

LÉGENDE

TERRE-VERTE
(noir)   Nom de lieu

Groenland
(gris)   Nom actuel

✗   Campement

                         Itinéraire d'Ari

                         Courant chaud

                         Courant froid

PRÉFACE

Voici l'odyssée d'un homme si exceptionnel qu'on en fit un dieu. C'était il y a longtemps, aux environs de l'an mil, sur le plateau central du Mexique. Le mystère de ce prince devenu le dieu Quetzalcoatl me captive. Il faut dire que l'histoire mexicaine me passionne. J'ai voulu raconter l'existence de cet être prodigieux qui marqua son époque et les siècles suivants.

L'apparition, au Mexique, d'un homme grand, au teint pâle, à la barbe rousse et à la tête casquée coïncide avec les incursions des Vikings en terre américaine. Coïncidence trop frappante pour être négligée. Afin de vérifier dans le détail la possibilité d'un Quetzalcoatl d'origine nordique, j'ai recréé l'incroyable parcours de cet homme qui devint un dieu. Saga qui s'est vraisemblablement déroulée à la fin du Xᵉ siècle, quelque part entre l'an 950 et l'an 1050. Cette fiction historique se situe ainsi à la jonction des épopées viking, toltèque et maya.

Le Mexique connaissait alors une période troublée par la décadence de Teotihuacan et des grandes cités mayas, sises au sud-est. L'ordre ancien s'était écroulé et rien encore ne semblait pouvoir le remplacer. Le peuple doutait de ses dieux, dont Quetzalcoatl. Autour des lacs entourés de volcans, plusieurs villes s'affrontaient, se disputant la suprématie de la région.

Un nouveau Quetzalcoatl émergea de ce maelström. Il fut sacré grand prêtre et roi de Tollan, ville qui devint la plus puissante de l'époque. On lui attribua l'invention de l'écriture et de la métallurgie. De nombreux poètes chantèrent ses louanges :

> *Dans son temps, Quetzalcoatl a découvert de grandes*
> *richesses,*
> *Les pierres précieuses, les véritables turquoises,*
> *Et l'or et l'argent,*
> *Le corail et les coquillages,*
> *Les plumes de quetzal et de l'oiseau couleur de turquoise...*
> *Et il a aussi découvert*
> *Les différentes sortes de cacao,*
> *Les différentes variétés de coton.*
> *Il était un grand artiste*
> *Dans toutes ses œuvres*[1]*...*

On adora Quetzalcoatl de l'Arizona à l'Amérique centrale pendant des siècles, jusqu'à ce que les Espagnols imposent leur religion. Si, dans le centre du Mexique, ce dieu se nomme Quetzalcoatl, dans la péninsule du Yucatan on l'appelle Kukulkan. Pour les Mayas Quichés, établis dans l'actuel Guatemala, il porte le nom de Cucumatz. Leur livre sacré, le *Popol Vuh* (appelé aussi *Pop*

---

1. Tiré de «El templo de Quetzalcoatl», poème recueilli par Miguel León Portilla (voir Roberto Godoy et Angel Olmo, *Textos de Cronistas de Indias y Poemas Precolombinos*, Madrid, Editorial Nacional Torregalindo, 1979, p. 73-75). Traduction de l'auteure.

wooh), y fait d'ailleurs référence à différentes reprises : « [...] là où était Tulan, d'où venaient leurs dieux tutélaires. [...] C'est ainsi qu'ont commencé les Quichés, quand ils ont été gouvernés par Cucumatz (Kukulkan), le serpent Quetzal, qui portait en lui un pouvoir surnaturel[2]. »

Les archéologues pensent que l'illustre roi Ce-Acatl Topiltzin Quetzalcoatl aurait régné à l'apogée de Tollan, qu'on situe généralement entre l'an 900 et l'an 1200. Des légendes et des chants rapportent que Quetzalcoatl serait ensuite disparu vers l'est. Certains affirment qu'il est retourné sur Vénus dans un serpent de feu.

Cinq cents ans après la disparition de l'Homme-dieu, le frère Diego Durán, qui accompagnait les conquistadors, fera de lui cette brève description : « [...] je l'ai vu peint [...], sur un papier si ancien, dans la ville de Mexico, dégageant une présence vénérable. Il apparaît comme un homme mature, la barbe, longue, mêlée de blanc et de rouge ; le nez, un peu long, avec des pustules, ou un peu rongé ; de grande taille ; la chevelure, longue ; solide, assis avec dignité[3]. »

Ces mots attisent ma curiosité. Notamment à cause de la barbe d'une couleur qui rappelle un autre conquérant de l'époque, Erik le Rouge, dont le fils, Leif, parti du Groenland, la Terre-Verte, parcourait les côtes de l'Amérique vers l'an mil. Là commence l'épopée.

---

2. Pierre DesRuisseaux, *Pop wooh : Popol Vuh, le livre du temps*, Montréal et Bordeaux, Triptyque et Le Castor astral, 2002, p. 165 et 209. Cette version du livre sacré des Mayas Quichés aurait été rédigée peu après la conquête espagnole, entre 1545 et 1555.
3. Fray Diego Durán, *Historia de las Indias de Nueva España e Islas de la tierra firme*, México, Editorial Porrúa, 1984, p. 9. Traduction de l'auteure.

Cependant, avant de devenir un dieu, cet être hors du commun fut d'abord un jeune homme plein de rêves et d'ambitions.

CHAPITRE PREMIER

Terre de rêve

L'hiver s'essouffle. Des cris d'oiseaux traversent allègrement les dernières rafales de neige mouillée. Les ruisseaux courent sous la glace avec plus de force chaque jour. Je n'ai même pas mis mon gros manteau de laine pour venir à la forge ce matin. Le dégel annonce la fin du travail chez le forgeron et le début des tâches d'été. En compagnie de mes frères de sang, j'irai bientôt cueillir le duvet d'eider, les œufs et les oisillons de faucons et de gerfauts. Je pourrai enfin parcourir le littoral plutôt que de rester enfermé à ouvrer comme un homme, moi qui n'en ai même pas l'âge.

Je frappe avec ardeur pour enlever les scories du fer. J'entends crier. Un de mes frères me fait de grands signes dans l'embrasure de la porte.

— Ari! Un bateau remonte le fjord!

— Ah oui! Lequel? dis-je, laissant tomber mon marteau sur l'enclume.

— Je ne sais pas, mais c'est un ami. L'homme de guet vient juste de l'annoncer. Je vais voir...

Il déguerpit. Une idée folle me saisit pendant que je martèle le fer comme un forcené. Et si c'était Leif?

Leif, l'aîné d'Erik le Rouge, est parti l'été dernier explorer l'autre côté de l'océan. Un voyage impossible, sans destination précise. Sans jamais les avoir vues, nous supposons qu'il y a des terres à l'ouest. Deux signes indiqueraient leur proximité. Du haut des montagnes, derrière l'établissement de l'Est, on peut observer la formation de nuages à l'horizon. Et, de la plus haute cime à l'établissement de l'Ouest, les meilleurs yeux de la colonie devinent des reflets de montagnes dans la mer. Sauf ces indices, les régions au-delà de l'océan demeurent un rêve.

Seul le commerçant nommé Bjarni aurait aperçu les terres mythiques. Parti d'Islande pour Brattahlid, la ferme d'Erik le Rouge dans l'établissement de l'Est, il s'était laissé guider par les vents, comme les marins d'expérience le lui avaient recommandé. Après des semaines de tempête, égaré, Bjarni aurait vu des forêts extraordinaires, qui ne ressemblaient à aucune autre. Ce récit m'a intrigué au plus haut point, surtout qu'après avoir dérivé si loin Bjarni était quand même revenu à bon port, comme s'il connaissait le chemin.

Leif et nous tous admirons ce navigateur. Il n'y a qu'Erik le Rouge pour le mépriser, surtout que Bjarni n'a rapporté aucun gage de ces terres mystérieuses. Découvreur et chef incontesté de la Terre-Verte, Erik le Rouge brûle sans doute de jalousie : les exploits d'un autre marin surpassent les siens. Pourtant, sa réputation de navigateur et d'explorateur est établie depuis longtemps. Après avoir été banni d'Islande à cause d'une nébuleuse affaire de meurtre, il a survécu à trois années d'exil dans les eaux redoutables de la mer du Nord.

Trop excité pour travailler, je délaisse mes outils et descends vers la mer. Chemin faisant, je remarque le knorr qui s'engage dans le dernier bras du fjord. Aussi curieux que moi, les gens se rassemblent sur la berge. Un enfant accourt sur les galets.

– C'est Leif! J'ai reconnu son bouclier! C'est bien lui, le bateau chargé à pleine capacité!

L'annonce provoque des exclamations de surprise. La communauté accueille en héros celui qui a osé défier l'inconnu.

Les hommes halent le bateau vers la grève. Sans prendre le temps de débarquer, Leif, exalté par les acclamations, monte sur un tonneau et lève son bonnet de fourrure.

– Mes amis! Il existe bien des terres à l'ouest. Nous les avons explorées! Bjarni disait vrai. Le Markland et le Vinland sont couverts d'arbres immenses: conifères, noyers, chênes, bouleaux. Il y a aussi quantité de petits fruits sucrés, d'animaux à fourrure, de poissons.

Erik le Rouge s'avance devant l'attroupement. Appuyé sur son bâton comme un religieux sur sa crosse, il tente de retrouver sa voix de stentor.

– Rapportes-tu des preuves de l'existence de ces nouvelles terres? Ou s'agit-il encore de racontars…

On s'esclaffe en se rappelant que Bjarni est revenu bredouille de son exploration, de sa prétendue découverte. Celui-ci, appuyé au plat-bord, regarde la foule avec dédain et ignore la remarque, visiblement agacé. Leif saute à ses côtés. Radieux malgré les rigueurs du périple en mer, il ouvre grand les bras avec un sourire éclatant.

– Des preuves? Cette fois, nous en avons! Et des bonnes! Marins, passez les barils!

Les gens entrent dans l'eau pour agripper la coque. Le déchargement commence. On se bouscule pour mettre la cargaison sur la grève.

Avec prestance, Leif descend à terre sans se mouiller les pieds. Il entreprend de soulever un couvercle. On s'agglutine autour de lui. Le baril craque : l'assistance frissonne. Leif plonge dans un jus violacé une grande écuelle qu'il ressort pleine de petits fruits.

— Voyez la merveille parfumée ! Ces baies poussent en abondance là-bas. Nous pourrons faire autant de vin qu'il est possible d'en boire !

Enchantée, la foule applaudit. Chacun hume les fruits. Tous veulent goûter. On se rougit les mains et la bouche avec délice. Leif referme le baril.

— Vous n'avez pas tout vu. Débarquez le reste ! lance-t-il à ses compagnons sur le bateau.

Des plouf sonores font écho à ses paroles. Les hommes jettent d'énormes madriers par-dessus bord. Épatés, mes frères les empilent sur la berge. La grosseur et la longueur des troncs étonnent. Leif déroule de larges écorces de bouleau.

— Nous n'aurons plus besoin d'en acheter aux Norvégiens ! Et ces troncs vont faire des mâts exceptionnels. Nous rapportons aussi quantité de poissons séchés et de fourrures épaisses.

L'explorateur se pavane devant ses trésors. Éblouis, les gens assaillent les marins de questions. Erik le Rouge rayonne d'un orgueil sans limites. Son fils vient de supplanter le prétentieux Bjarni. L'honneur est sauf. Il en oublie ses os douloureux qui le clouaient au lit depuis des semaines. Il inspecte les troncs, soupèse les peaux. Mère, principale voyante en Terre-Verte, n'a pas le triomphe modeste non plus. Elle se promène la tête haute, ses mains blanches effleurant les fourrures et les écorces.

– J'en étais certaine. Exactement ce que j'avais auguré. Un voyage très fructueux…

Le Rouge fait mander le scalde de passage pour qu'il invente quelques strophes à propos des nouveaux territoires. Le poète arrive à la hâte. Il réfléchit un instant, les fesses appuyées sur un baril de fruits. Puis, il égrène des notes joyeuses et fait rimer la couleur des fruits avec le roux des barbes, l'ouest avec richesse et ivresse et le Markland avec l'Irlande qu'il surpasse.

Leif ordonne de monter la cargaison dans les granges de Brattahlid. Les bâtiments se dressent en haut de la grève au milieu de prairies qui ondulent avec grâce sous les pics blancs qui barrent le ciel au loin. Des moutons errent joyeusement à la recherche d'herbe fraîche entre les plaques de neige. Les bras chargés, tous se dirigent vers la ferme, reprenant et déformant les couplets du scalde.

Dans la cohue, les marins racontent leur version de l'aventure à leurs proches. Les histoires se chevauchent, chaque narrateur fait valoir son rôle. Sans attendre d'invitation, les gens se massent devant la maison, une solide construction en longueur recouverte de tourbe. Je circule entre les groupes pour tout apprendre. Une rumeur pique ma curiosité au plus haut point : des créatures insaisissables peupleraient ces contrées. Je ne peux m'empêcher de crier par-dessus le brouhaha :

– Leif ! C'est vrai que ces lieux sont habités ?

Content de la question, l'explorateur jette un coup d'œil à la ronde, ses poings sur les hanches. On forme un cercle respectueux autour de lui. Il se tourne en faisant voler sa cape.

– En effet, Ari, nous avons vu des êtres qui ressemblent à des humains. Nous les avons surnommés Skraelings, parce qu'ils ont l'air de diables pitoyables ! Ils ne mesurent même pas quatre pieds de haut. Ils ont un front fuyant, des yeux noirs comme taillés d'un coup de lame, des pommettes hautes. Le teint foncé. Ils sont vêtus de fourrures. Certains vivent dans des maisons de glace, d'autres dans des carcasses de baleine. Mais nous en avons vu très peu, ils sont craintifs et disparaissent dès que nous tentons de les approcher.

On murmure d'étonnement. Je profite de l'accalmie.

– Tu parles de deux nouveaux pays, mais Bjarni en avait vu trois…

– Ah ! tu es toujours aussi curieux… Avant d'atteindre le Markland et le Vinland, il faut longer le Helluland. Mais cette terre paraît peu prometteuse, il n'y a que de la glace et des pierres plates.

Je voudrais en savoir plus, mais, avant que j'aie le temps d'ouvrir la bouche, les notables entourent Leif et l'entraînent à l'intérieur.

Pour célébrer le retour de son fils et celui de l'été, Le Rouge, en tant que chef de la colonie, organise une grande fête. Au matin, il sacrifie deux moutons et les offre aux dieux en échange de leur clémence. Les invités se présentent au cours de la journée avec leur plus belle corne à boire et s'excusent à l'avance des injures qu'ils pourraient proférer sous l'effet de l'alcool. Le Rouge profite de l'occasion. Il parade avec ses bijoux en or, sa rutilante cape de Norvège relevée sur l'épaule pour laisser voir le pommeau de son épée incrusté de pierreries. Tout à la ferme témoigne de sa richesse : les tables chargées de victuailles, les fourrures lustrées, les vêtements brodés, les nombreux musiciens. Au soir, quand le repas est prêt, la fête se poursuit à l'intérieur à la lueur du feu et des lampes à huile. Tous s'entassent sur les bancs de bois qui courent de chaque côté de la maison. La place du chef est marquée par deux colonnes sculptées surmontées de têtes de monstres pour éloigner les mauvais esprits. On s'imbibe de bière et de vin, on mange exagérément.

Belle comme une déesse, Mère reste près du feu, parmi les hommes, ses cheveux de miel garnis de fleurs. Elle se tient loin de l'estrade des femmes dressée au bout de la maison et dominée par l'épouse officielle.

L'assistance se repaît des récits de Leif et de Bjarni. Mes demi-frères et moi buvons leurs paroles, les uns contre les autres. Nous sommes une douzaine, encore des enfants, mais travaillant comme des adultes, unis par de solides liens d'amitié et d'entraide. Intrépides, nous vivons en éternelle compétition pour savoir qui se rendra le plus vite au bout de la baie ou en bas de la côte, en patins, en skis, à la nage ou à la course. Nous rêvons d'égaler les exploits des grands guerriers qui naviguent sur toutes les mers. Cependant, n'étant que des fils naturels, reconnus par Erik le Rouge mais sans droit à l'héritage, nous n'avons pas les moyens de réaliser de telles ambitions. Les trois fils légitimes, dont Leif, ont été éduqués ailleurs, chez de riches parents. Nous, simples protégés, devons besogner sans arrêt pour assurer notre subsistance, attendant qu'un des nombreux marchands nous propose d'embarquer avec lui.

Aussi loin que je me souvienne, Le Rouge était toujours en expédition. Il rapportait des merveilles d'Irlande, d'Écosse, des îles Féroé, des Orcades ou des Hébrides. Il hissait la voile, le vent soufflait et il repartait. Il connaissait les gens et les coutumes de tous les ports où il accostait. J'ai vu l'ivoire de morse, les cornes de narval, les faucons et les peaux qu'il transportait vers le sud, le bois qu'on charriait vers le nord, les esclaves pris au hasard des haltes. Il n'hésitait pas à user de force pour amasser ses trésors. Il racontait ses pillages et ses tueries autant que ses autres prouesses.

Voyageurs insatiables, à peine arrivés, Leif, Bjarni et leurs compagnons échafaudent déjà d'autres expéditions. Les hommes, ivres, délirent devant leur richesse qui s'étend à la grandeur d'un continent encore infini. La ripaille se poursuit tard dans la nuit, jusqu'à ce que tous roulent au sol, rassasiés de vin et de récits épiques.

Les knorrs partent et reviennent, les étés passent, chassés par les hivers qui nous ensevelissent sans merci sous la neige. Les maisons de la colonie s'agrandissent de pièces supplémentaires pour les nouveaux colons qui arrivent surtout d'Islande. Les troupeaux prospèrent ainsi que la fortune de mon fameux protecteur, Erik le Rouge.

En plus des corvées qu'on nous assigne, à moi et à mes frères, Mère me fait travailler sans répit. Les plantes médicinales importées d'Islande et de Norvège ne suffisent pas à ses besoins. Il faut dénicher dans la flore locale ce qui manque. Elle m'envoie de mont en val quérir

fleurs, feuilles, racines, champignons ou algues nécessaires à ses décoctions, ses emplâtres. Je me lasse de ces
tâches, sauf quand il s'agit de préparer les mélanges
qui ouvrent le monde des esprits. Avec Mère, je dose la
potion selon la constitution de ses clients. Quel plaisir
alors de voir les hommes les plus récalcitrants errer
dans une réalité impalpable! Certains s'y perdent à jamais, et ceux qui ressuscitent vouent à la druidesse un
véritable culte.

Les glaces contournent à nouveau la pointe de la
Terre-Verte et annoncent les grands froids. Je retourne
à la forge. Les derniers bateaux partent, quelques-uns
vers l'établissement de l'Ouest pour la chasse à l'ours
blanc, d'autres vers le sud pour la vente de nos produits.
Nous nous préparons à vivre de nuit pour profiter de la
lumière de la lune et des étoiles sur la neige. L'hiver
nous garde autour des feux bienfaisants.

Le solstice d'été inaugure une autre saison pour la
colonie et une nouvelle vie pour moi. Je célèbre ma qua-
torzième année : je deviens un homme libre, j'aurai au
moins le droit de parole lors des assemblées. Tôt ce
matin-là, Mère me donne trois superbes pierres vertes,
montées sur un fin lacet de cuir qu'elle passe autour de
mon cou, l'air solennel. Ses mains embaument les herbes séchées. Elle les laisse reposer sur mes épaules et
m'offre ses dernières visions, son souffle tiède contre
mon oreille :

— Ari, les dieux ont décidé de ta naissance et t'ont
gratifié de dons rares : la chance et la clairvoyance. Si tu
t'appliques, tu deviendras un devin aux pouvoirs formidables. Je connais ton destin. Je t'ai vu mêlé aux plus
grands, rois et druides confondus. Ne perds pas trop de

temps à jouer au marin, ta vocation est ailleurs. Développe ta double vision afin de pouvoir lire le destin et connaître l'avenir. Ces pierres, identiques aux miennes, t'aideront. Serre-les dans tes mains pour que ton regard intérieur les transperce. Ne crains pas les esprits, ce sont tes alliés.

Nous restons en tête à tête. Mère m'étreint. La force des dieux coule dans mes veines. Si Mère dit que je deviendrai puissant, je le serai. Elle est infaillible. Elle seule peut prédire l'avenir et affronter les spectres, présider aux enterrements et aux accouchements. Le Rouge lui-même ne vient-il pas la chercher pour aller discuter avec les guerriers et les marchands de passage ?

Pour souligner mon entrée dans l'âge adulte, Le Rouge me donne ma première épée à double tranchant avec un pommeau en argent finement ciselé. La lame, longue comme une bonne enjambée, mesure un pas. La richesse du cadeau me sidère. Leif et ses frères m'offrent un fourreau, assorti d'une ceinture en cuir martelé. Je peux donc fêter le solstice, paré de ma lame, mes cheveux roux au vent comme mon protecteur. Je me pavane devant les filles qui s'étonnent de voir le gamin d'hier transformé en guerrier.

Ainsi commence ma vie d'homme libre en Terre-Verte.

CHAPITRE II

Terre-Verte

Après le solstice, Leif se prépare à partir pour l'Islande et la Norvège, car la colonie manque de tout. J'aimerais l'accompagner, mais il ne requiert pas mes services : il se contente des augures de Mère. En compagnie de mes frères, je participe de mauvais gré aux derniers préparatifs. Je goudronne la voile. La veille du départ, Le Rouge vient saluer l'équipage :

– Mes amis, avec autant d'ivoire et de fourrures, vous obtiendrez ce qu'il nous faut. Mais attention ! Surveillez bien ce que vous direz. Surtout pas un mot de nos découvertes aux Islandais ou aux Norvégiens ! Ces gens seraient capables de s'emparer de nos richesses.

Les hommes acquiescent dans un grondement unanime. Le secret sera bien gardé, car, malgré son âge avancé, ce guerrier autrefois redoutable jouit encore d'une grande influence.

À l'aube, plutôt que d'assister à la partance, je monte au col, là où les lèvres du fjord se touchent presque. Le bateau de Leif file en bas, entraîné par un furieux tourbillon qui éparpille des chants gaillards. Soudain animé d'un fol espoir, au lieu de retourner travailler, je cours le long du sentier pour suivre le bateau. Si les marins me voyaient, peut-être qu'ils accepteraient de me prendre… Le vent me porte. Je rêve d'arriver à la mer avant eux, mais les rafales charrient inexorablement la nef au loin. De toutes mes forces, je hurle et lance des pierres pour attirer l'attention. En vain. Morose, je regarde l'embarcation disparaître entre les îles qui camouflent l'entrée du fjord. Sans voile ni souffle, je reste les pieds englués au bord de la falaise.

Tandis que les lunes se succèdent, j'essaie d'imaginer le voyage de Leif. Mais je ne connais de paysage que celui de la Terre-Verte. Les corvées s'enchaînent jusqu'à la fin de l'été. Il faut construire et réparer des maisons, des bateaux, des clôtures, récolter et entreposer les grains, le fourrage, faire sécher les viandes et les poissons et faire paître les moutons sur des collines plus grises que vertes.

Pour célébrer les récoltes, la population dispersée sur le littoral converge vers Brattahlid. Un nouveau scalde fascine l'assistance avec ses histoires. Le Rouge l'a fait venir spécialement d'Islande pour que le poète réputé immortalise ses exploits dans des sagas qui seront transmises d'une génération à l'autre. En attendant de remplir sa commande, le scalde chante les prouesses de nos personnages les plus célèbres, disséminés sur un vaste territoire, certains jusqu'à Byzance. Le clan est suspendu aux lèvres du bellâtre qui déclame :

— Les rois nordiques se sont mis à imiter les étrangers et prétendent maintenant qu'il n'y a qu'un dieu.

Les astres et le tonnerre n'auraient aucun pouvoir. À cause de la crédulité des hommes et de la vanité des femmes, nous serions condamnés au malheur...

Le scalde se couvre alors d'une longue cape, joint les mains et fait mine de se recueillir un instant, tel un moine. Hautain, il fait un grand signe de croix, puis lève un index solennel.

— Pauvres païens! Vous irez brûler au feu éternel! Il faut vous soumettre, impies! Faites pénitence. Et recevez le baptême au plus vite.

Il brandit un crucifix improvisé et aboie de lugubres litanies. D'un geste vif, il s'empare d'un broc d'eau et le vide sur la tête d'un invité alangui par le vin. L'arrosé s'éveille brusquement et bondit vers le farceur qui l'évite en sautant sur l'unique table. Bombardé de pain dur qu'il pare avec sa croix, le faux moine recule entre les plats et enjoint au pécheur de se repentir. Avant que le grabuge ne dégénère, le scalde arrache une corne de vin des mains d'un convive et la tend à sa victime. Il lance la croix dans le feu au centre de la pièce et demande à Thor, son ami, de les protéger tous. Des voix bourrues s'élèvent:

— Maudits soient ces foutus chrétiens!

— Surtout les rois. À cause d'eux, nous avons dû quitter la Norvège et l'Islande.

— En se faisant chrétiens, ils deviennent encore plus puissants.

— Ouais, ils se mettent à dicter la conduite de chacun!

Excité par le vin, Le Rouge crache par terre.

— Je vous jure que le roi de Norvège ne viendra pas commander ici! Ces chrétiens tremblent devant leur dieu. Pas moi! Thor et moi sommes unis par un pacte de confiance. Jamais je ne le renierai. Si les chrétiens veulent s'établir ici, je n'ai rien contre... mais qu'ils ne viennent pas nous dire comment mener notre barque! Ces efféminés ne savent même pas construire un bateau! Nous continuerons à commercer à notre façon!

Les hommes renchérissent, les joues rougies par la colère et le vin. Le chef s'emporte. Il agite son épée et réussit à surmonter le tapage :

– Thor, dieu des cieux, à la victoire, tu nous convies!

À cette phrase qu'ils reconnaissent, tous se lèvent d'une traite. Le Rouge entonne alors son chant de guerre, aussitôt accompagné par les musiciens :

Thor, dieu des cieux,
À la victoire, tu nous convies!
Lance tes éclairs,
Jette ton tonnerre,
Anéantis nos ennemis,
Orage des dieux!

Les cornes pleines dansent au-dessus des têtes. La strophe est chantée à plusieurs reprises, de plus en plus fort. Le scalde ajoute des couplets féroces contre ces chrétiens sans courage ni honneur. Les lourds pieds scandent le rythme viril.

Appuyée au mur près de la porte, les bras croisés, Mère reste calme au milieu du chahut. Narquoise, elle me glisse à l'oreille :

– Tu sais, Ari, nous n'avons rien à craindre du roi de Norvège, chrétien ou pas. Il est trop éloigné pour imposer quoi que ce soit en Terre-Verte.

Mère continue à sourire, le regard vague. Elle incline le buste en direction du scalde, qui semble maintenant ne déclamer que pour elle.

Fasciné par la druidesse, le poète entoure Mère d'attentions. Il invente maints prétextes pour nous rendre visite et nous divertir au cours des froides lunes d'hiver. Le scalde me fait mémoriser de longues sagas et réciter les plus fameuses généalogies des Islandais. Il m'apprend à lire les runes, à graver des messages et des noms sur la pierre ou le bois. Mère et lui devisent souvent, mutuellement intéressés par leur savoir. Elle seule à la colonie peut improviser des vers si compliqués que je m'y perds. Mais le scalde paraît ébloui par ses talents. À scander ainsi les sagas et à battre le fer sur l'enclume, les temps froids sévissent sans que je m'ennuie. Puis à nouveau les capuchons glissent pour découvrir les chevelures, les lourds manteaux de laine tombent, inutiles. L'air tiède embaume, des expéditions s'organisent.

Un équipage s'embarque pour le Markland. Les bras chargés d'herbes cueillies pour Mère, maussade d'être encore coincé en Terre-Verte, je le vois s'éloigner. Tout l'été, j'assiste aux départs et aux arrivées des knorrs. J'aide les hommes à attacher les bêtes à la base du mât, au fond du trou ménagé dans le pont à leur intention. J'arrime les provisions sous les bancs, décharge des cargaisons de bois ou de barriques de poissons. Je rêve du vent qui fouette le visage, de la voile qui claque, du sel qui brûle les lèvres et les yeux, alors que mon épée rouille dans son fourreau.

Pendant que je prépare une décoction pour mon protecteur souffrant, j'en profite pour lui demander de me faire engager sur un bateau, car je sais qu'on cherche des marins. Le Rouge voudrait bien m'aider, mais il hésite. Il n'ose priver la druidesse de son apprenti. Malgré cela, je l'implore tant qu'il accepte d'intercéder en ma faveur.

Il appelle Mère. Elle se présente, contrariée. J'écoute Le Rouge tenter de la convaincre. Cependant, elle refuse toujours que je m'éloigne, ne serait-ce que pour une saison. Il insiste, presque avec délicatesse :

— Grimhildr, tu t'entêtes à ce qu'Ari soit devin...

— C'est pour le bien de la colonie! Il me remplacera un jour.

— Mais je n'aime pas qu'un de mes protégés soit initié par les sorciers. Ça me répugne! Une femme, je comprends, mais pas un homme...

— Ça te répugne! Et les marins qui satisfont leurs appétits sur les jeunes matelots lorsqu'ils s'embêtent en mer? Ça ne te répugne pas?

— Ça n'arrive pas dans mes équipages. J'ai toujours des esclaves à bord.

— Pas question qu'Ari touche à une de ces pauvresses!

— Grimhildr, ce garçon n'oserait pas faire ça! Il est sérieux. Il ferait un excellent marin.

— Mais je le forme pour en faire un devin, pas un vulgaire marin! Je sais que vous avez besoin d'hommes, mais pas de lui. Je ne vais pas risquer de perdre mon apprenti juste pour te plaire! Ari a encore beaucoup à apprendre ici. Il n'a que quinze ans!

Le Rouge soupire, puis se tait. Grimhildr sort sans plus se préoccuper de la santé défaillante du fondateur de la colonie. Ainsi, Mère l'emporte et je dois rester à Brattahlid, pas tant pour éviter les dangers de la mer que pour demeurer à son service. Et je devrais lui en témoigner de la reconnaissance! Je peste contre la toute-puissance de cette femme qui me retient prisonnier, alors que la plupart de mes frères ont déjà navigué. Sans mot dire, plein d'amertume, j'envoie au feu des bûches qui lancent des gerbes d'étincelles à travers toute la pièce. Et je reste à la ferme à écouter les récits des autres.

À la fin de l'été, Leif revient à la colonie, après deux hivers passés au loin. De nouveau, on le reçoit en héros. Il rapporte, entre autres, de la farine, des grains, du miel, de la fonte, des outils, des piles de tissus et de précieux ballots de plantes séchées pour Mère. En plus de sa cargaison, Leif arrive avec une mission. Il a été baptisé à la cour du roi de Norvège, à qui il a promis de répandre la foi chrétienne. Cependant, il ne semble pas habité d'un zèle exceptionnel, comme si le dieu des chrétiens n'était qu'un dieu de plus. Je l'ai vu faire ses offrandes à Thor pour le remercier du voyage profitable. Habile, Leif, voulant ménager ses appuis, porte à son cou un marteau de Thor surmonté d'une croix. Je suis content qu'il ne renie pas nos convictions ancestrales. Mais Mère le méprise, lui et tous ceux qui adoptent la nouvelle croyance.

Le Rouge prépare le traditionnel festin en l'honneur de son fils. Devant les gens déjà rassemblés en face de la grande maison, Leif tient sa promesse au roi et organise une cérémonie de baptême. J'y assiste par curiosité. Deux personnes au moins n'ont pas honoré l'invitation: Mère s'est enfermée chez elle, rageuse, et Le Rouge est introuvable. Thjodhild, l'épouse officielle, dite «Poitrine de navire», n'allait pas rater pareille occasion. La grosse femme, tout en noir, un lourd crucifix entre les seins, va se planter derrière son fils qui lui lance un coup d'œil agacé. Face à l'assistance, Leif fait un grand signe de croix. Il marmonne quelques suppliques aux sonorités ronflantes. Tout de suite après, il se frotte les mains.

– Voilà une chose réglée ! J'ai tenu parole : vous êtes baptisés. Maintenant, passons aux choses sérieuses. Que la fête commence !

La cérémonie de Leif s'est résumée à un signe de croix ! Moi qui espérais un rituel grandiose, digne d'un roi, je me sens vaguement dupé. Thjodhild aussi, sans doute, car elle s'élance devant Leif en gesticulant. Sans bruit, malicieuse, Mère apparaît à mon côté. Thjodhild lève son crucifix et crie d'une voix aiguë :

– Le Christ est le seul dieu qu'il faut adorer ! Puisque mon mari refuse de se convertir, et son absence le prouve, je déclare que je n'habiterai plus avec ce païen. Je dresserai une église à Brattahlid et nous baptiserons tous ceux qui voudront adopter la vraie foi !

Mère pétrit ses pierres vertes et fixe Thjodhild en remuant les lèvres. Avec application, elle jette un sort à cette chrétienne qui, vouée à un dieu de mécréants, tente de soustraire Le Rouge aux traditions. Son incantation achevée, Mère ricane :

– Ha ! Ari, c'est la joie ! Cette hystérique veut se cantonner dans son église. Et mieux encore, elle se refuse à son mari ! J'aurai Erik pour moi seule.

Thjodhild glapit des prières. Mère lui tourne le dos, comme la plupart des gens. La fête vire aux débordements habituels et se termine lorsque tous s'écroulent, ivres morts.

L'hiver de force nous bouscule avec ses lourds sabots de glace et ensevelit tout. La vie se tasse dans les maisons et se rapetisse autour des feux. Leif nous fait vivre une saison enfiévrée par la préparation de deux bateaux qui partiront au dégel pour le Markland et le Vinland.

Un jour où les bourrasques de neige volent à l'horizontale, Leif entre dans la forge. J'y travaille seul. Je fais fondre de la limaille d'argent pour mouler une broche, semblable à celles qu'on a rapportées d'Islande, à l'effigie du serpent, symbole de sagesse. Leif s'avance vers le feu, sûr de lui. Mère prétend que son teint de lait, ses yeux verts, sa chevelure brillante et son élégance ensorcellent les femmes comme la flamme hypnotise les insectes. On l'a surnommé « le Chanceux » depuis qu'il a récupéré la cargaison d'une épave qui dérivait à l'entrée du fjord. Il a usé de son droit de bris : les survivants sont devenus ses esclaves. Aimable, il s'assoit au bord du feu et prend un soufflet pour m'aider à activer les flammes.

— Il faut que je te parle d'homme à homme. Tu sais qu'une vingtaine de nos gens sont déjà installés au Markland. Là-bas, les choses vont bien. Les Skraelings de l'endroit se montrent conciliants. Ils aiment commercer avec nous, alors que ceux du Vinland sont beaucoup plus agressifs. Remarque que nous pouvons quand même y récolter le bois et les fourrures en quantité. Ce qui va enfin régler les pénuries en Terre-Verte. Mais on a besoin de personnes de qualité au Markland. On aimerait avoir quelqu'un qui peut lire le destin et préparer les morts. Avec ton expérience, tu serais très utile. Tu sais que nous armons deux bateaux pour aller à la nouvelle colonie. Mon père m'a dit que l'aventure t'intéresserait…

Avec un sourire enjôleur, il guette ma réaction. J'imagine qu'Erik le Rouge a dû tenir un discours semblable à Grimhildr pour qu'elle vienne en Terre-Verte. Voilà la chance que j'attendais! Mais Leif ne doit pas savoir à quel point il me fait plaisir. Je dissimule mon enthousiasme. Avec application, je retire le creuset du feu et coule le métal en fusion dans le moule.

– C'est vrai que je connais les plantes, les rites, mais j'ai beaucoup de travail ici. Et, si je pars, Grimhildr va nous maudire gravement.

– Oui, j'y ai pensé. Je la dédommagerai en conséquence. Nous lui dirons que ce périple te permettra de découvrir des plantes.

Quelle excuse banale! Il devra trouver mieux pour calmer Mère. Mais son empressement laisse transparaître une certaine urgence. Je vais négocier ma participation. Sans doute agacé par mon silence, le Chanceux prend les devants.

– Bien sûr, tes conditions seront les miennes. Un homme de ta réputation vaut son prix.

J'ai tellement écouté les marins discuter de leurs voyages que je connais tout des tractations dont font l'objet l'équipement des navires et la distribution des marchandises. Je secoue un peu le moule.

– Pour compenser ce que je pourrais perdre pendant que nous sommes au loin… j'aurais besoin d'une part généreuse…

Leif joint les mains sur son genou avec une moue pensive. J'inspire profondément avant de souffler :

— Le dixième de la cargaison me paraîtrait un bon arrangement.

Devant l'énormité de ma demande, les yeux lui sortent de la tête. Il laisse choir un soupir, puis il joue avec les pointes de sa moustache.

— Grimhildr contribue à nos expéditions. Elle est bien payée au retour. Mais toi, tu exiges beaucoup et tu n'apportes rien.

— Je peux payer ma part. Je dispose de certaines sommes. Mère et moi partageons nos gains.

— Eh bien! si tu participes, c'est une autre histoire. Fournis le quart des provisions et je suis prêt à payer ce que tu exiges.

— Alors, marché conclu, je me joins à ton équipage!

Je lui serre les mains. Lui m'étreint avec fougue. J'en tremble de joie. Enfin, on me traite en homme libre!

Comme je le craignais, l'annonce de mon départ provoque chez Mère une colère terrible. Elle me jette un regard noir.

— Tu veux partir? Tu es sur le point de devenir un véritable devin et tu veux tout laisser tomber, détruire des années d'enseignement?…

— Mais je ne serai absent qu'une année ou deux.

— Tu parles d'une année comme s'il s'agissait d'une journée! Ingrat! Tu sais pourtant que j'ai besoin d'aide. Et pas dans deux ans! Les chrétiens sont de plus en plus arrogants. Sais-tu qu'ils font des évêques avec les devins et qu'ils brûlent les druidesses? Et Le Rouge qui est malade… Si tu n'es pas là, qui me défendra ? Tout ça pour aller t'amuser dans une misérable colonie qui n'est même pas encore reconnue. Je t'interdis de partir ! Ton protecteur aussi va t'en empêcher.

– Mais ce voyage sera un apprentissage…, avance Leif.

– Quelle sorte d'apprentissage ? C'est ici qu'il le fait, son apprentissage ! Pas avec des Skraelings ! Entraîner des jeunes dans une pareille aventure, quelle honte !

Elle se tourne vers moi, écarlate.

– En plus, tu ne peux pas abandonner Le Rouge. Irresponsable ! Il a besoin de soins constants.

– Je le sais trop bien ! Je passe mon temps à veiller sur lui. J'ai admiré ce père, mais plus maintenant. Il est tellement acariâtre… aigri par les succès des autres. Il voudrait provoquer en duel la colonie tout entière ! Je me demande lequel de nous deux est le protecteur de l'autre !

Mère agrippe mon précieux collier de pierres.

– Comment oses-tu parler ainsi ?

Je la repousse.

– Parce que j'en ai assez de jouer à la guérisseuse ! Que quelqu'un d'autre s'occupe de père.

Ma réponse l'enrage davantage. Elle jure, me prédit des calamités et lance une ultime perfidie :

– Je comptais t'emmener à la prochaine rencontre des druides d'Islande. Tu as suffisamment progressé pour leur être présenté. Ils t'auraient reconnu comme un des leurs. J'étais si fière…

– M'emmener en Islande ! Et tu ne m'en aurais jamais parlé ? Tu dis n'importe quoi ! La vérité, c'est que tu veux me garder le plus longtemps possible…

— Sans-cœur! Après tout ce que j'ai fait pour toi! Je lancerai des esprits malins à ta poursuite! Le mauvais œil te suivra partout!

Je n'ai pas peur de ses menaces. Elle est trop rusée pour compromettre mon retour. Mais comme elle ne décolère pas, je vais me réfugier chez Leif pour le reste de l'hiver.

Enfin, le départ! Je vais saluer Mère, mais sans me faire d'illusions, car elle ne m'a pas adressé la parole de toute la saison. Je traverse le ruisseau qui fend la prairie. Je grimpe le sentier qui mène à la maison, environ cinq cents pas plus haut. La pente est couverte de fleurs odorantes. La vue est splendide: au-delà du col, je devine l'embouchure du fjord et, plus loin, la haute mer. J'y serai bientôt... mon cœur bat d'allégresse. De sa demeure à mi-falaise, Mère peut observer les mouvements des bateaux et des visiteurs, ce qui favorise ses prédictions. Je crie son nom depuis les rochers où commence le chemin clôturé. Rien. J'attends. J'appelle à nouveau, personne ne se manifeste. Les esclaves devraient pourtant être là. J'ai soigné mon apparence, ma cape retenue par l'une des deux plus belles broches que j'aie jamais façonnées. Mes frères me hèlent depuis les knorrs, je dois partir. Je mets les mains en porte-voix.

— Mère, je m'en vais, mais je serai bientôt de retour... Alors, nous irons ensemble en Islande. Je t'ai fabriqué une amulette en forme de serpent. J'en porte une identique, en argent comme la tienne. Les mêmes esprits nous protégeront.

La porte reste résolument close, tout est silencieux.

– Bon… je te la laisse sur la grosse pierre à l'entrée. Que les dieux te gardent!

Sans recevoir de réponse, je tourne le dos à ce foyer qui fut le mien pendant des années. Déçu, je descends vers les bateaux. Mère aurait pu faire un effort! Mais non, l'immensité de son orgueil lui interdit le moindre geste de tendresse.

Erik le Rouge se tient sur la berge. Ses yeux me paraissent pleins de larmes. Serait-ce d'impuissance? Trois de mes frères m'attendent. Je leur fais un sourire complice et nous embarquons dans notre bateau lourdement chargé. Chacun s'assied à son banc, les rames sont sorties. Les deux embarcations prennent le large en même temps. Des cris de joie se mêlent aux chants d'au revoir. Mère n'apparaît même pas devant sa maison. Que les monstres la dévorent! Mais, tout à coup, au passage du col, alors que les rames sont rentrées et que la voile nous pousse gaiement vers le large, j'aperçois là-haut une nuée scintillante soulevée par les vents. Mère… tout de blanc vêtue. Elle agite le bras, quelque chose brille dans sa main. La broche! Je brandis mon bonnet. Inutile de crier, elle est trop loin.

Vite, je fais miroiter ma broche dans sa direction. Des rayons d'argent s'entrecroisent au-dessus du vide dans des adieux de lumière…

CHAPITRE III

Markland

Des bélugas, des phoques et des goélands accompagnent nos deux bateaux le long du fjord. Après avoir dépassé les îles d'entrée, nous empruntons le sentier de la baleine, l'itinéraire des chasseurs. Le courant nous entraîne vers le nord jusqu'à l'établissement de l'Ouest. Là, quelques familles descendent et d'autres marins s'embarquent. Nous naviguons de jour comme de nuit, puisque le soleil, ou sa réverbération, nous éclaire continuellement. En trois jours à peine, nous atteignons l'île de l'Ours, où la baie, libre de glaces, regorge d'animaux. Plutôt que de se diriger comme à l'habitude vers l'intérieur, le Chanceux désigne la haute mer d'un geste altier.

– Nous quittons le sentier de la baleine. L'aventure commence !

Les knorrs virent plein ouest vers l'infini. Leif envoie la main à l'autre équipage que nous risquons de perdre de vue bientôt. Malgré l'été, une bise glaciale nous fait ballotter sur des eaux noires agitées de mouvements contraires. Il faut constamment louvoyer entre les icebergs. Armés de longues gaules, les hommes repoussent les glaces, sans réussir à éviter tous les chocs. Le vent siffle un air sinistre. Après deux nuits harassantes, nous arrivons en vue du Helluland. Leif et moi contemplons le paysage, à la fois terrifiant et magnifique, où des vagues de neige figée se chevauchent sans fin. Je frissonne.

– C'est encore plus blanc que notre prétendue Terre-Verte...

– Oui. Mon père a osé nommer ainsi une colonie enneigée la moitié de l'année. Tout ça pour attirer des colons! Mais ici il ne pourrait dire une telle énormité. C'est blanc et froid en permanence. Jamais vu personne... sauf une fois. Un Skraeling assis au milieu d'une petite embarcation fermée nous a filé sous le nez. Il avait le visage strié de lignes bleues et avançait à toute vitesse en plongeant sa longue rame à deux pales d'un côté, puis de l'autre. Nous avons voulu le rattraper, mais il a disparu entre les glaces.

– De quoi peut-on vivre dans un endroit pareil?

– De la chasse et de la pêche, peut-être... Chose certaine, il n'y a pas de cultures!

De larges baies s'échancrent vers l'ouest, mais nous poursuivons droit vers le sud. Contrairement aux prédictions de Grimhildr, les dieux se montrent favorables. Le vent souffle du nord, dans le même sens que le courant: voilà les conditions idéales pour faire un voyage rapide! La voile est hissée à son plus haut, ouverte à pleine largeur. Le bateau file sur la crête des vagues à une vitesse folle. Ravi, l'équipage entonne des chants rythmés par la houle. La côte de glace s'estompe derrière nous. Par moments, du haut des plus grandes lames, loin devant, nous voyons une ligne floue, plus pâle que l'océan. Le deuxième knorr apparaît lui aussi de temps à autre. L'horizon s'amplifie. Nous approchons de formidables montagnes qui se dressent face à l'océan, dénudées par les intempéries et chargées de glace. Après quatre nuits à pleine voile, le paysage s'adoucit. De petits arbres s'accrochent aux rochers d'un plateau raboteux. À mesure que nous progressons, la forêt s'étoffe et s'étale en différents tons de vert. Nous voguons au large, avertis que le territoire est occupé par de fines colonnes de fumée.

Huit nuits plus tard, Tyrker, le navigateur de Leif, nous prévient d'une passe dangereuse. Le courant menace de nous pousser vers une mer intérieure que personne n'a encore explorée. Malgré les appréhensions, je suis émerveillé. Entourés d'une joyeuse cacophonie, nous évoluons au milieu d'un extraordinaire foisonnement de vie. Des milliers d'animaux, mouettes, macareux, morses, baleines, s'ébattent dans les eaux et dans le ciel. En face, un paysage se dessine dans la lumière hésitante de l'aube. Puis, vers midi, nous arrivons devant des caps emmitouflés dans une végétation abondante. Au sourire du navigateur, je comprends que le danger est passé. Leif annonce que nous arrivons au but: l'euphorie règne à bord, surtout que nous venons d'apercevoir le deuxième bateau qui nous a suivis sans trop de mal. Le navigateur indique la baie où se cache la colonie du Markland.

Des silhouettes menues s'agitent sur la grève. Nous nous ancrons au large. Les modestes familles de la colonie nous accueillent avec effusion. La cargaison est descendue peu à peu grâce aux petites barques. Les deux knorrs vidés, on les hale sur le sable pour les démâter et les mettre hors de vue. Il faut éviter d'être repérés. Farine, tissus, armes et outils sont remorqués le long du ruisseau dit des «Canards noirs». Les quatre moutons et le cheval sont amenés devant la maison plantée sur une petite élévation en face de la baie. Les colons gloussent devant l'abondance des marchandises. Ils salivent à l'idée du lait et des fromages. Les femmes se réjouissent de plus à l'idée d'avoir un peu de laine pour réparer les vêtements.

Nous dressons les tentes, puisque l'espace manque dans l'unique maison. J'accroche tout de même mes divers sacs d'herbes, de graines, d'écorces et de champignons à un mur de l'habitation, bien au sec. En guise de premier repas, on nous donne une bouillie de grains sauvages agrémentée de petits fruits colorés. Nous nous empiffrons. Pas de fête, ce soir-là. Je me couche exténué, les doigts, les cheveux et les lèvres imbibés d'odeurs marines, content d'être rendu aussi loin à dix-sept ans. Le sol tangue sous moi comme si j'étais encore dans le bateau. Je m'endors bercé par un roulis imaginaire, exalté d'avoir enfin atteint le Markland de mes rêves.

Le lendemain, on capture des lièvres au collet. Leif en offre les têtes aux dieux. D'office, il prend le contrôle de la colonie. Devant les marins et les colons rassemblés, environ une soixantaine de personnes, femmes et enfants inclus, Leif décrète :

— Il nous faut un deuxième bâtiment, le premier ne suffit plus. Je veux que le nouveau ait une porte face à l'océan. Il faut pouvoir jeter un regard rapide sur la mer.

J'approuve. Moi aussi, j'aime voir l'horizon en me levant. L'ampleur et la couleur du ciel, la densité de l'air et les mouvements des oiseaux me renseignent sur le temps qu'il fera, sur l'arrivée d'amis ou d'ennemis. Ce matin, un ciel resplendissant annonce un séjour agréable. Leif s'avance vers moi.

— La moitié du groupe travaillera à la construction. Les autres s'occuperont des animaux, des bateaux, des provisions. Et voici Ari. Un protégé d'Erik le Rouge et fils de Grimhildr, devineresse de la Terre-Verte…

Un murmure d'admiration parcourt l'assistance. Je me sens gonflé d'importance. Leif toussote.

— Hum… Je vois que vous la connaissez… au moins de réputation. Son apprenti est venu nous aider. Il sera notre devin. Sachez que je compte partir pour le Vinland avant l'hiver. Nous disposons de quarante jours pour tout préparer et finir la maison. J'espère que vous aurez le cœur à l'ouvrage !

Tous acquiescent. L'arrivée de Leif et son projet d'expédition constituent la meilleure nouvelle de l'année. Le voyage rêvé aura lieu ! Les arbres du Vinland ont encore plus de valeur que ceux du Markland. Le soir, un festin composé de lièvres et d'autres viandes sauvages nous est servi, un régal pour nous qui sommes habitués à la frugale nourriture à bord.

Leif somme les plus costauds et les esclaves de ramasser les pierres et la tourbe, de faire la charpente. Il me traite en véritable frère et m'envoie avec d'autres jeunes monter l'enclos. Une fois les bêtes en sécurité, mon groupe pêche, chasse et s'attelle à la corvée du bois, tâche beaucoup moins lourde qu'en Terre-Verte. Nous n'avons pas à partir plusieurs jours en mer pour récolter du bois de flottage: il n'y a qu'à se pencher pour en trouver. Les meilleurs troncs servent à la construction, alors que les branches finissent à la cuisine.

En mer comme sur terre, nous travaillons toujours en équipe et dûment armés. C'est une vieille habitude héritée des ancêtres: prendre ses armes dès le lever et ne pas s'en départir de la journée. Cette prudence est renforcée par la présence de Skraelings qui campent au fond de la baie voisine. Ils nous épient continuellement, mais sans nous menacer. Il est toutefois impossible de prévoir leurs intentions.

J'observe parfois de loin ces corps parés de rouge. Les femmes et les enfants cueillent des coquillages sur la grève. Les hommes trapus, avec des tignasses noires dans le dos, portent un morceau de peau ou d'écorce, attaché à la taille, qui pend sur les cuisses. Ils vont pêcher en mer dans des embarcations aux bouts relevés. On dit que l'hiver ils ont des tuniques en fourrure et qu'ils couvrent de plumes la tête de leurs enfants. Ils migrent alors vers l'intérieur. Pour l'instant, ils vivent dans une dizaine d'abris pointus, à l'orée de la forêt.

Il y a tant de choses à découvrir. J'aimerais explorer les alentours, déterminer si nous sommes sur une île ou une presqu'île, étudier les plantes, mais Leif s'y oppose.

– Ce serait de la folie que de partir seul. La survie de la colonie n'est pas encore assurée. Et je ne vais quand même pas nous priver de deux ou trois hommes pour que tu ailles cueillir des feuilles!

Quelle ironie! Il avait pourtant fait miroiter à Mère la possibilité que je découvre d'autres plantes. Inutile de protester, je dois ravaler mon orgueil et travailler sans relâche sous les ordres du chef.

À côté de la première maison, nous construisons un bain de vapeur, qui sera à demi enfoui dans le sol. Il n'y en avait pas encore. Nous nous hâtons de poser le toit. Nous faisons un feu à l'intérieur et attendons avec impatience que la flamme baisse. Le trou à fumée est obstrué par une roche pour conserver la chaleur. Nous allons enfin pouvoir nous laver, après tant de jours en mer froide. Les vêtements sales sont empilés à l'extérieur. Nu devant la porte, Leif y va de quelques sages paroles :

— Mes amis, j'inaugure ici la première sépulture de poux et de puces ! Désormais, nous pourrons nous décrotter chaque samedi, à tour de rôle.

Il entrouvre la porte. Un épais nuage chaud jaillit hors de la petite pièce.

— Ah ! les bons côtés de la tradition ! Que le jour du bain soit un jour de fête !

Nous sommes six, aussi nus que le chef, à applaudir. Nous nous tiraillons joyeusement pour pénétrer dans l'intense chaleur humide. Des braises rougeoient sous de larges pierres plates que Leif arrose généreusement. Dégoulinants de sueur, nous savourons ce plaisir retrouvé. Nous nous fouettons avec des branchages et frictionnons le moindre coin de peau avec des herbages pour enlever la crasse et les parasites. Un autre groupe attend à l'extérieur. Nous leur cédons la place et allons sauter dans le ruisseau aux eaux glacées, où les femmes chantent en faisant le lavage.

Mes compagnons et moi paressons ensuite dans l'herbe, pendant que nos vêtements sèchent. Les cheveux sont peignés avec soin, les barbes, lissées et tressées à nouveau. Un brin de foin salé au coin des lèvres, je savoure mon bonheur. Quel pays merveilleux! Il y a tant de gibier et de poissons que des centaines de personnes pourraient vivre ici sans souffrir de la faim, sans jamais manquer de bois ni de feu. Mère avait raison sur un point: ma chance. Les ressources de ce pays me permettront peut-être de réaliser ses visions.

Tout le monde est finalement propre. La peau rose des femmes embaume le pin. Il y a de l'excitation dans l'air. L'inauguration du bain et de la deuxième maison s'organise dans la gaieté. Des viandes cuisent au four et répandent un fumet exquis. Pour marquer l'événement, nous ouvrons l'un de nos rares barils de bière. Nous buvons et chantons autour du feu sous un ciel piqué d'étoiles bienveillantes. Lorsque le repas est prêt, nous entrons. Trônant dans le siège à colonnes, Leif reçoit la communauté, comme son père l'a fait à tant d'occasions.

Après un repas digne d'un roi, Tyrker, oubliant sa dignité de navigateur, relate une folle expédition de chasse. Il en profite pour exhiber une branche sculptée en torsade, qui rappelle une dent de narval. Il se la plante droit entre les cuisses et imite le gémissement des rennes en rut. Les convives éclatent de rire. Tous veulent porter la corne. On l'enfourche et entonne un air dont le rythme saccadé évoque les ébats amoureux. Flûtes et tambourins accompagnent les flonflons. Dans le plus grand désordre, on simule des accouplements à cheval sur la corne. Emportés par l'exubérance, tous s'enivrent sans retenue.

Je m'affale sur des fourrures, imbibé d'alcool, fatigué d'avoir tant ri. Une femme roule à mes côtés. Elle glisse sa jambe entre les miennes. C'est la première fois qu'on m'accoste de la sorte. À Brattahlid, Mère veillait jalousement à ce qu'aucune ne m'approche. Ici, je me sens incroyablement libre. Autour de moi, des corps s'agitent. Je prends la dame par la taille. Je ne sais plus si c'est elle ou moi qui commence, mais nos lèvres se touchent. Elle défait ma ceinture, je parviens à détacher une de ses broches et à enfouir mes mains sous sa chemise. Sa poitrine abondante, un rêve de douceur, me rend fou. Je l'étreins avec fougue, je tremble contre son ventre chaud. Sa langue se fraie un passage dans ma bouche. Enhardi par les ébats des voisins et par cette langue qui m'envahit avec force, je retrousse sa tunique et descends la main jusqu'à sa toison humide. La jolie roucoule. Quelqu'un halète derrière moi :

– Signy s'est trouvé un prétendant !

Sans chercher à savoir qui s'intéresse à ladite Signy, je coule mes jambes entre les siennes et, guidé par son désir, je plonge et m'enfonce dans la chair rose, moite et chaude, bordée de duvet. Avec un gloussement animal, elle m'agrippe les fesses et y plante ses ongles. Ses cuisses m'enserrent. Nous nous balançons à l'unisson. Elle gémit, la bouche ronde. Possédé par une sensation envahissante, viscérale, j'explose de plaisir au milieu des râlements de jouissance. La belle frémit d'extase sous moi. Le souffle court, je l'embrasse, étourdi par l'ampleur de la découverte. Je me laisse choir dans ses bras, repu. Ses cheveux mêlés à la terre, elle me serre contre sa poitrine moelleuse. Je m'y endors avec volupté. Je suis un homme accompli.

Une fois évaporés les excès de la fête, aucun homme de la famille de Signy ne porte plainte. La jeune veuve me sourit de loin. Elle prend soin de son bébé en regrettant son mari perdu en mer. On espère probablement qu'elle se remariera et on doit estimer qu'un protégé d'Erik le Rouge constituerait un bon parti. Voilà pourquoi je ne peux faire montre d'un grand empressement. Je doute que mon protecteur accepte de m'unir à cette veuve sans fortune. Et c'est sans parler des prétentions de Grimhildr! Qu'en dirait-elle? Moi, fils de druidesse, épouser une simple paysanne! Alors, je reste prudent et la salue, moi aussi, de loin. De toute manière, nous avons peu de temps pour échanger, les tâches se succèdent du matin au soir.

Mon équipe est désignée pour extraire le fer, de la même manière qu'en Terre-Verte. Nous devons fouiller le marais derrière la première maison. Hélas, Leif ne peut m'épargner toutes les tâches pénibles.

Une fois séchés, les grains de fer sont déposés dans un grand trou, alternant avec des couches de charbon de bois. Quand le four est rempli, on l'allume. Puis on recouvre le tout de grosses pierres. Sous l'action de la chaleur, le métal se liquéfie et s'agglomère en masses informes qu'il s'agit par la suite de marteler pour en extraire les scories. Je retourne sur l'enclume à la forge. Je n'ai donc pas à jouer de la pelle dans la boue froide trop longtemps. Il y a tant de rivets et d'éléments à remplacer sur les navires abîmés par les glaces que je passe l'été à mouler et à démouler des pièces.

Un matin, en traversant le ruisseau pour nous rendre à la forge, Leif et moi apercevons deux Skraelings debout devant leur canot débordant de fourrures. Nous allons à leur rencontre. Lorsque nous arrivons près d'eux, le premier, rouge de la tête aux pieds, une plume de corneille sur l'oreille, se frappe la poitrine en disant : « Béothuk. » Il sort une peau, presque aussi longue que lui, et touche l'épée de Leif, suggérant un troc. D'un geste ferme, Leif met plutôt un pan de son épaisse cape vermeille dans la main du Skraeling, qui tâte et finit par tirer sur le tissu. Leif s'accroche à son vêtement.

— Apportez-moi un des petits ballots d'étoffe.

Après de laborieuses discussions, Leif fournit au Skraeling plusieurs échantillons de vilain tissu brun et un seul morceau de toile rouge, si précieux, en échange de toutes ses peaux. Le demi-homme repart, en apparence satisfait. À cause de sa plume, nous le surnommons « Corneille Béothuk ». Bien que Mère tienne la plupart des corneilles pour des êtres maléfiques, ce Skraeling semble inoffensif. Il revient les matins suivants avec d'autres fourrures, parfois du poisson ou du gibier. Il se montre de plus en plus entreprenant. Néanmoins, un acolyte l'attend toujours dans le canot, sur le qui-vive. Nous avons apporté beaucoup de toile, sachant que ces gens l'appréciaient, surtout l'écarlate, importée de Norvège, pour laquelle nous exigeons beaucoup plus. Les Béothuks découpent les pièces rouges en lanières qu'ils s'attachent autour de la tête.

Un samedi, pendant le bain, Corneille Béothuk traîne près des enclos à observer les bêtes. Leif lui offre de la bière. Après quelques rasades, le Skraeling devient complètement ivre. Il perd sa discrétion habituelle : il rit, beugle et titube. Les colons s'amusent de la scène, eux qui peuvent boire longtemps avant de s'enivrer. Après plusieurs chutes, le Skraeling finit par rejoindre son canot, où il s'étale. Le compagnon déguerpit avec l'ivrogne qui délire.

Le lendemain, ce n'est plus deux, mais une quarantaine de Skraelings qui attendent en face des maisons. Sitôt qu'ils nous voient, ils demandent à boire l'eau-qui-fait-rire. Il ne nous reste qu'un baril de bière. Nous tentons de leur expliquer qu'il n'y en a plus. La rébellion gronde, ils veulent entrer de force dans la première maison. Leif fait transvaser la bière. Il leur montre le baril vide. Il imite Corneille Béothuk, la gueule pendante, les yeux quasi fermés, qui boit jusqu'à la dernière goutte de sa corne. Leif s'appuie sur le tonneau et fait mine de puiser, mais en vain. Les Skraelings viennent vérifier à leur tour. Déçus, mais beaux joueurs, ils reprennent l'imitation de Corneille Béothuk, qui s'enfuit devant l'hilarité générale. Les Skraelings s'en retournent à leur campement. Silencieusement, nous suivons des yeux les haches de pierre qui pendent aux ceintures, tous ces bras et ces dos musclés. Il s'en est fallu de peu. Un frisson me parcourt l'échine.

Même si l'incident de la bière est clos, le malaise perdure. Les Skraelings sont vraiment plus nombreux que nous ne l'imaginions. Ceux qui vivent dans la baie voisine ne nous dépassent pas en nombre, mais nous savons qu'ils ont des alliés à proximité. De plus en plus de canots circulent dans la baie. Par précaution, Leif ordonne de construire une palissade autour des maisons.

Des nuages s'entêtent à cacher le soleil levant, alors je traînasse un peu. Soudain, j'entends crier de la barrière :
– Ashwans ! Ashwans !

La voix de Corneille Béothuk a résonné comme un cri d'alarme. Je me précipite. Le temps que la porte s'ouvre, il est déjà loin. Leif sort pour voir les derniers Skraelings s'enfoncer à la hâte dans les bois, chargés de paquets. Avant de disparaître avec les siens, un enfant tend le doigt vers l'océan.

— Pourquoi s'enfuient-ils? grommelle Leif.

Une main en guise de visière, je scrute la mer grise dans la direction indiquée. Des nuées de points noirs ondoient sous l'horizon. Je plisse les yeux.

— Vois-tu ça au large?

— Par Thor! Qu'est-ce que c'est?

— Des canots?

— Des dizaines de canots fermés… comme celui que nous avons vu au Helluland.

— Ils s'approchent. Et vite!

— Alerte! Tout le monde debout! hurle Leif en direction des maisons.

Les colons sortent en courant, à peine vêtus, l'épée en avant. Je rugis:

— Des Skraelings arrivent!

— Les enfants dans l'enceinte! Dépêchez-vous! Soyez prêts au combat! tonne Leif.

Je cours chercher un sac de poudre, un des mélanges favoris de Mère, préparé à base de fausses oronges, qui donne un cœur fort pour livrer bataille. J'en distribue une pincée à chacun, même aux esclaves. Les hommes grognent de plaisir en l'avalant, ils savent ce qui attend les misérables Skraelings. Je vide le fond du sachet dans mon gosier. Nous courons nous embusquer derrière le bourrelet de sable en haut de la grève pour surprendre l'ennemi. Cependant, les attaquants ne se ruent pas vers nous, mais se dirigent vers la baie voisine. Ils débarquent et foncent, les harpons bien haut, vers les abris de peaux. Leif nous fait signe de nous déplacer vers la crête qui sépare les deux baies.

Dépités de ne trouver personne, les Skraelings ashwans détruisent les huttes, puis courent sur la trace des fuyards, dans notre direction. Juste avant qu'ils nous aperçoivent, Leif se dresse et nous nous élançons alors sur eux, hurlant nos cris de guerre. Le chef ashwan vocifère à son tour pour faire reculer les siens. Frappés de stupeur, les assaillants devenus assaillis lancent leurs harpons avant de déguerpir, mais trop tard. La baie retentit de nos voix. Saisis d'une rage assassine, nous tombons sur ces Skraelings qui affrontent leur destin avec des armes d'os ou de pierre, plus courtes et moins efficaces que les nôtres. C'est ma première bataille, et je compte m'illustrer. Je frappe tout ce qui bouge. Je n'aurais jamais cru qu'il était si facile de trancher une tête. L'eau et la grève rougeoient de sang. Les Skraelings périssent tous. Nos hommes attachent les corps ensemble et vont s'en débarrasser au large. Toute trace de l'ennemi disparaît, brûlée ou submergée.

Un de nos compagnons a été tué d'un coup de harpon en pleine poitrine. Il vogue déjà vers le paradis des braves occis au combat. Sa dépouille ne sera pas enterrée, les Skraelings pourraient venir piller la tombe et libérer son spectre. Il aura une sépulture de marin, en haute mer. Il faut le préparer. Des femmes lavent le corps, puis je bouche les orifices avec de la cire, comme Mère le faisait, pour que l'esprit ne puisse en sortir et revenir nous hanter. Je lui fais mettre des habits propres. En son honneur, nous buvons ce qui reste de bière en relatant ses exploits d'aventurier. Le cadavre est porté en mer. Nous le couchons sur un radeau avec son épée. Dans sa besace, un bol et un peigne. Tandis que j'implore Thor et Odin de veiller sur ce preux guerrier, on dispose des fagots de bois et d'écorces autour de lui. J'y mets le feu. Le radeau en flammes s'éloigne au gré des vagues. Malgré la tristesse ambiante, je serre le pommeau de mon épée, fier de l'avoir enfin étrennée dans un affrontement à l'issue glorieuse.

L'été tire à sa fin. Tous vont cueillir les fameuses baies bleues qui poussent en abondance dans les clairières. On fait sécher la récolte en prévision du voyage au Vinland et de l'hiver. Leif fait accélérer les préparatifs. Il a décidé que toute la colonie l'accompagnerait, pour ne pas exposer un groupe amoindri à la menace skraeling. Il lui plaît en outre d'avoir une équipe nombreuse pour la corvée du bois, l'expédition n'en sera que plus profitable.

La perspective d'aller explorer le Vinland m'enchante. L'hiver paraîtra moins long, réchauffé par la présence de la plantureuse Signy. Je trouverai bien là-bas une façon discrète de l'approcher. Ici, il faut faire attention, il y a toujours quelqu'un qui surveille. Elle me coule encore des yeux doux, mais nous avons peu d'occasions de parler. Je rêve à sa peau de lait, le soir, avant de dormir.

En vue du départ, on aiguise haches et couteaux, on enroule les longues cordes qui serviront à attacher le bois, on empile les provisions : viandes et poissons séchés, beurre salé, fromage et lait caillé. Les bateaux calfatés à neuf sont remis à l'eau. Je regarde avec orgueil les rivets qui luisent au soleil. On embarque le gréement.

Tout est prêt. Les animaux sont attachés au pied des mâts au fond des coques. Accompagnés du même équipage qu'à l'aller, Leif et son navigateur, mes frères et moi embarquons dans notre knorr. Les colons, dont Signy et sa famille, sont envoyés sur les deux autres navires. L'un, presque aussi grand que le nôtre, comprend trente rameurs, tandis que l'autre, plus petit, n'en compte que vingt. Les maisons vides sont abandonnées derrière leur enceinte de pieux. Leif a fait installer des têtes de monstres sculptées dans le bois de chaque côté du portail afin d'effrayer les mauvais esprits et les pillards.

Au large, le nordet souffle avec entrain et fait mousser les vagues. Nous sortons de la baie et filons en suivant la côte, face au soleil levant. La longue pointe du Markland s'estompe peu à peu derrière nous.

CHAPITRE IV

Vinland

Nos navires se suivent à vue, direction sud-est. Au troisième jour, avant que l'obscurité s'installe, nous jetons l'ancre, à l'abri de la dernière île du Markland. Là, il n'y a que la mer hargneuse, aussi loin que porte le regard. Sans obstacle pour le freiner, le vent hurle de toute sa puissance. Le navigateur paraît soucieux.

– Si ces rafales perdurent, nous ne pourrons pas repartir demain. Impossible de voguer avec de tels vents de face.

– Au moins, nous sommes en sécurité, réplique Leif sans s'émouvoir.

Son calme aura peut-être tempéré les éléments, car, à l'aube, l'air est presque immobile. Une brume laiteuse et nonchalante flotte sur les eaux. Difficile de s'orienter. Tyrker tend donc sa pierre bleue vers le ciel afin de concentrer la lumière diffuse et de repérer avec exactitude la position du soleil. Satisfait, il pivote sur lui-même et désigne d'amples vagues grises.

– Voilà la direction à prendre. Nous allons traverser une immense baie, qui pourrait être l'embouchure d'un fleuve incroyablement large.

– Que les dieux nous protègent! dis-je par habitude.

Une petite brise nous entraîne vers le sud, effilochant les nuées autour de nous. La côte disparaît presque immédiatement. En haute mer, le navigateur détermine sa route grâce au gnomon, un instrument muni d'un petit plateau rond marqué de pointes sur lesquelles une aiguille centrale projette une ombre. Il tente de maintenir le cap vers l'ouest, mais le courant nous fait quelque peu dériver vers le sud; il paraît quand même sûr de son itinéraire. Le soleil n'a pas atteint le zénith qu'il jubile.

– Voyez-vous les stries vertes dans les eaux noires? Nous sommes sur la bonne voie!

Leif se penche par-dessus le plat-bord avec bonne humeur. Tyrker insiste pour que nous, jeunes marins sans expérience du Vinland, en fassions autant. Il poursuit:

– Ici se croisent deux courants. Les eaux froides et sombres que nous suivons depuis le Helluland se mêlent aux eaux chaudes et claires qui remontent en sens inverse vers le nord. Tout comme le courant qui passe entre l'Islande et la Norvège. Une zone très poissonneuse qui...

Ses commentaires sont interrompus par un clapotis insistant. Autour des bateaux, la surface de l'onde frétille de milliers d'écailles qui brillent entre des masses sombres qui se meuvent à vive allure. Émerveillés, mes frères et moi contemplons le spectacle. Leif s'égosille:

– Rabattez la voile! Sortez les filets! C'est le temps de pêcher!

Après avoir fait le plein de maquereaux et d'éperlans, nous redéployons les voiles, qui se gonflent aussitôt. Contents, les marins font circuler le lait caillé.

La chance nous suit et nous filons quatre nuits sans problème jusqu'à atteindre le Vinland. Nous ne jetons l'ancre dans une baie qu'à la noirceur venue, car nous redoutons les attaques. Ce soir-là, un homme d'expérience me montre une large cicatrice qui lui creuse l'épaule. Il me plaque un objet dur dans la paume : une pointe de pierre, aussi fine et tranchante que le bout d'une épée, taillée en triangle avec des encoches à la base. J'imagine très bien les dégâts que cette pointe peut causer dans les chairs. À bord, d'ailleurs, personne ne parle.

Dès que possible, nous repartons vers le sud-ouest pour traverser une autre baie. Des baleines nous suivent. Après un voyage agréable, le Vinland se déploie à nouveau dans la brillance du matin, tel un véritable paradis. De nombreux cours d'eau s'enfoncent dans des forêts touffues, tachetées de rouge et de jaune. Des nuages d'oiseaux, attirés par les entrailles des poissons nettoyés, survolent nos bateaux. Des phoques aussi se régalent et font sauter des bancs de petits poissons sur leur passage. Tant de vie… et aucun Skraeling en vue.

Transporté d'aise, je rêve de coucher la belle Signy dans l'herbe. Que je sache, elle ne s'est engagée avec personne. Espère-t-elle revoir son mari ?… J'ai l'impression que je ne lui déplais pas. Si je pouvais la rencontrer en cachette… Qu'elle soit un peu plus âgée que moi, quelle importance ? Ses belles cuisses roses me font saliver.

Au bout de deux jours à longer des forêts, en apparence infinies, Leif repère l'endroit où il a fait abattre des arbres lors de sa dernière expédition. Nous poussons un peu plus loin et accostons dans une anse aux parois abruptes d'où il sera facile de faire descendre le bois. Il nous aura fallu neuf jours de voile pour atteindre notre but. Sur la berge, les marins se séparent en deux groupes. Nous partons à la recherche de chênes, noyers cendrés ou bouleaux. Je suis ébloui par ces arbres, tellement grands qu'il faut se renverser la tête pour en apercevoir les cimes, et par ces troncs, si énormes que trois hommes, les bras étendus, n'arrivent pas à en faire le tour. Après une demi-journée de marche, nous retournons sur la grève. Enchantés, les hommes concluent qu'il y a suffisamment de bois pour remplir les trois bateaux. Personne n'a vu la moindre trace de Skraelings : la voie est libre.

Nous établissons notre campement à un emplacement choisi par des colons lors de voyages précédents. Il faut attendre la marée haute pour franchir l'embouchure d'un petit fleuve, engorgée par des îles de sable, puis remonter quatre méandres. Leif vérifie continuellement la profondeur du cours d'eau. Enfin, nous débarquons et organisons le camp pour y demeurer jusqu'au printemps suivant. L'endroit est poissonneux, giboyeux, abrité des grands vents et proche des arbres à abattre. L'équipement est déchargé. Les anciennes huttes sont radoubées. Les femmes préparent des feux pour faire sécher le poisson pris en route, tandis que les hommes refont le duit, piège qui se remplit de poissons, sans effort, deux fois par jour au jusant. Il suffit d'empiler des pierres en un muret; lorsque l'eau est haute, les poissons passent par-dessus, mais, quand elle se retire, ils restent prisonniers derrière le petit mur. Les saumons sont encore plus gros ici qu'en Terre-Verte.

Pour célébrer notre arrivée, Leif sacrifie un cerf. Il ne va pas tuer le cheval, nous n'en avons qu'un. Il dépose les bois de la bête devant l'idole de Thor, pour qu'il nous donne un hiver doux. Je m'amuse: le nouveau chrétien ne se signe même pas...

Avant que la neige recouvre tout, je me hâte de ramasser et de faire sécher des végétaux qui ressemblent aux plantes que je connais. Femmes et enfants vont cueillir les dernières baies, certaines, rouges et acides. La récolte est mise à fermenter pour remplacer la bière. Les femmes qui pressent les fruits ont les mains violacées, d'une couleur qui s'apparente à celle du vin. La bonne humeur règne.

Les bateaux sont tirés à terre. En prévision du retour, il faut les calfater avec de la graisse de phoque pour que les tarets transportés par le courant d'eau chaude ne s'attaquent pas au bois immergé. L'abattage commence lorsque tombent les premiers flocons de neige. Des arbres énormes sont coupés à grands coups de hache pour être ensuite ébranchés et écorcés. Après quelques rudes journées de travail, je remarque avec fierté mes mains rougies et crevassées, calleuses comme celles d'un véritable bûcheron. Mère n'apprécierait pas, elle qui tenait leur blancheur pour une marque de supériorité.

Signy et les siens vivent dans les huttes des colons. Nous sommes installés depuis une vingtaine de jours et je n'ai même pas eu le temps de lui parler. Moi qui pensais folâtrer au Vinland! Il faut travailler plus fort ici qu'au Markland ou à Brattahlid. Le jour, je bûche et, le soir, je soigne les petites blessures de chacun. Par chance, Signy s'est fait une entaille à la jambe. Je peux au moins effleurer sa peau sans craindre de représailles de la part de ses parents. Mon cœur bat quand elle entre dans notre hutte pour que je nettoie sa plaie. Si ce n'était de sa famille, j'aimerais bien passer quelques saisons avec elle au Markland. J'imagine la rage de Mère qui espère retrouver son assistant au plus tôt.

Les journées raccourcissent, le froid devient plus mordant. Un jour, une violente tempête s'abat sur le campement. Le ciel, l'air, le sol, tout devient d'un blanc opaque. Le vent charrie la neige avec furie : impossible de sortir pendant deux jours. Les paquets d'herbages qui sèchent aux murs des abris m'emplissent de fierté. J'ai là l'essentiel pour guérir plusieurs maux et éloigner les principaux maléfices. Après cette tourmente, la chasse peut commencer. Les bêtes tuées en été ne donnent que des fourrures minces, sans valeur. Avec la neige, les pelages épaississent. Les femmes posent des collets pour attraper des lièvres et des perdrix, les hommes tuent le cerf à l'arc. Leurs prises abondantes nous permettent de festoyer au solstice d'hiver, alors que nous savourons le vin de petits fruits. Malgré l'inconfort et l'exiguïté des huttes, l'hiver s'annonce supportable.

Je rentre de bûcher dans l'obscurité naissante. À la lueur d'un ciel qui rosit la neige chatoyante, j'aperçois Signy qui transporte une brassée de bois derrière sa hutte.

Elle me sourit. À voir ce visage laiteux et un coin de gorge quand elle dépose son fagot, mon cœur bondit. Je prends soudain conscience que je n'ai pas goûté à cette chair tendre depuis longtemps. Ma faim surgit, impérieuse.

Je laisse tomber ma hache et me rue vers elle en silence. Elle ne tente pas de s'esquiver, elle m'attend en secouant les miettes d'écorce accrochées à ses vêtements. Je la rejoins et enfouis mes mains sous son manteau. Je l'embrasse avec fougue. Elle glousse. À travers les étoffes, j'étreins sa taille, je palpe ses seins, ses fesses. Tant de rondeurs, ce parfum musqué, la tiédeur humide de la peau : je ne peux résister. D'un solide coup de jambe, je lui fais lever les pieds. Elle s'étale lourdement dans la neige épaisse. Je la suis dans sa chute et plaque mes lèvres contre les siennes. Je voudrais enlever ses pelures de laine, mais les cordons résistent. Je m'énerve. J'arrache le dernier. D'un coup de genou, j'ouvre ses cuisses. Je m'enfouis en elle. Un spasme de jouissance me transperce.

Je reprends mon souffle et me presse contre elle. Pendant un court moment, nous restons liés, sa tête au creux de mon cou. Je l'entends haleter. Je me soulève pour lui embrasser le front, où perlent des gouttes de sueur. Elle me repousse violemment sur le côté, se relève et secoue ses vêtements. La neige de son manteau me tombe sur le visage. Je proteste. Elle déguerpit vers sa hutte sans se retourner.

Pendant le repas, des éclats de voix retentissent dehors. Autour du feu, on me regarde à la dérobée, avec des mines d'envie ou des yeux sévères. Un esclave m'annonce que Leif me demande. Je sors, les mains un peu moites. Leif m'attend avec le père de Signy et ses deux frères. Il me regarde d'un air irrité.

— Cet homme prétend que tu as déshonoré sa fille.

— Ce n'est pas vrai !

Le père fonce sur moi et m'attrape par l'encolure.

— Et tu lui as brisé ses habits, vermine ! Veux-tu que je te la déchire, ta cape ?

Il m'étouffe, j'essaie de me dégager.

— Je ne l'ai pas déshonorée, elle voulait…

Le père lève un énorme poing, les frères me retiennent. Leif s'interpose.

— Arrêtez ! Vous n'allez pas vous entretuer pour une femme ! Nous courons déjà assez de risques. Nous réglerons ce problème à la prochaine réunion des hommes libres…

— Non, je n'attendrai pas une année ! Je veux réparation maintenant ! gronde le père.

Leif nous tient chacun à bout de bras.

— Reculez ! Écoutez-moi. Justice sera rendue. D'abord, vu que l'offense a été commise par un membre de mon équipage, j'offre un bon manteau de laine à Signy. Ensuite, d'après nos lois, le prétendant doit marier la femme, si le père y consent. Autrement, le fauteur doit travailler des années pour le père.

L'offensé maugrée, mais finit par baisser les bras.

— Puisque tu offres réparation… Mais j'exige que ce fils de sorcière se tienne loin de ma fille. Et puisqu'il en a envie, qu'il la marie quand nous serons au Markland. Sinon, moi et mes gars, nous lui laisserons des souvenirs gravés si profond qu'il ne les oubliera jamais, jusqu'à sa mort !

Je veux protester, mais Leif m'oblige à me taire. J'enrage. En mon nom, il accepte les conditions du manant et se porte garant de moi. Il me condamne ainsi au mariage, sans discussion. Découragé, je vois son manteau changer de mains. L'affaire conclue, Leif me pousse sans ménagement à l'intérieur. Sitôt le seuil franchi, il me gratifie d'une claque si brutale que je vais buter contre une poutre ; ma colère fond dans un choc sourd, je sombre dans le noir.

À cause de cet incident stupide, qui m'a laissé le front mauve et difforme, ma réputation est démolie. On m'abreuve de moqueries. Mes frères et compagnons prétendent m'enseigner comment défaire un nœud sans rompre le lacet, d'autres me font des yeux doux. On s'interroge sur ce mariage… Plein de rancœur contre cette femme et sa famille qui m'ont bêtement eu par la ruse, je me promets de repartir pour Brattahlid aussitôt que possible. Et d'abandonner l'équipage de Leif, ce faux seigneur, un despote pire que Mère.

À mesure que l'hiver avance et que le froid s'intensifie, le gibier se fait de plus en plus rare. Le travail en forêt devient aussi très pénible dans la neige profonde. Le bétail n'a plus rien à brouter. La nourriture et les céréales commencent à manquer. La famine sévit. Plusieurs tombent malades. Mes infusions empêchent le pire, mais personne ne guérit vraiment et mes réserves de plantes s'épuisent. Colons et marins se méfient maintenant de mes remèdes. Certains vont jusqu'à m'accuser de supercherie, sans que Leif prenne ma défense. Le mauvais sort s'acharne sur nous et c'est moi qui écope pour tous ! Mère les enverrait paître. Mais je n'ai pas sa renommée pour les faire trembler de peur. Un premier cadavre est enterré dans la neige. La situation devient intenable.

Un jour de redoux, Leif décide d'abandonner le camp avant que la mort ne décime les équipages. Nous allons nous réfugier dans les îles au bord de la mer, où les cerfs se cachent pendant les grands froids. Là, au moins, il y a encore un peu d'herbe verte. Les bêtes prennent du mieux et nous aussi, puisque nous avons à nouveau de la viande. De temps en temps, les hommes les plus robustes doivent retourner au campement en amont pour chasser et prendre du poisson.

Au dégel, les marins font une pêche de harengs si miraculeuse que nous pouvons en faire sécher des centaines en prévision du retour. Après le solstice d'été, nous entreprenons de tailler les troncs abattus au cours de l'hiver. Une fois grossièrement découpées à la hache, les poutres sont alignées au soleil. Bien carrées et sèches, elles prendront moins de place sur les navires et ne menaceront pas d'écraser les marins avec le roulis. Le travail avance rondement.

Le Chanceux prévoit quitter le Vinland avant que les arbres virent au rouge, car personne ne veut affronter un autre hiver en ces lieux. Jusqu'à maintenant, nous avons amassé du bois en quantité, des écorces et des pelleteries sans subir d'attaques des Skraelings. Les marchandises étalées sur la grève, Leif évalue la charge qu'emportera chaque bateau. Confortablement calé au creux d'épais ballots de peaux, je finis de lier des fourrures. Le navigateur arrive, l'air soucieux.

– Leif, je dois te parler, avant que les préparatifs soient terminés.

– Il y a un problème, Tyrker?

– Non, mais te souviens-tu de cette immense pointe que nous avons atteinte il y a longtemps?

– Oui, c'était un endroit unique. Des vagues, des vents forts. Les bancs de sable faisaient reculer l'océan. Tu l'as surnommé la «pointe des Sables». De l'autre côté, l'eau devenait beaucoup plus chaude et remontait du sud.

– Nous n'avions pas pu aller plus loin. Depuis, je réfléchis à ce phénomène. J'aimerais bien retrouver ce courant chaud pour voir où il mène.

– As-tu oublié la férocité des Skraelings sur cette côte? On ne pouvait s'arrêter nulle part, c'était trop dangereux. Pourquoi courir un tel risque? Nous avons déjà une cargaison imposante et seulement trois navires pour tout ramener.

– Justement, si j'y allais avec un seul bateau, un équipage réduit et une part de la cargaison, j'aurais le temps d'explorer et de revenir avant l'hiver, grâce au même courant chaud qui passe près du Markland.

L'idée du navigateur m'intrigue énormément. Toujours niché dans les ballots, j'observe Leif qui devient songeur et demande:

– Penses-tu, Tyrker, que c'est le même courant qui circule depuis la pointe des Sables jusqu'au Markland?

– J'en suis presque certain. Il n'y a qu'une façon de vérifier. Je pourrais prendre le plus petit des trois navires et le manœuvrer avec cinq ou six marins.

Leif réfléchit intensément. J'imagine qu'il hésite entre sa curiosité d'explorateur et sa responsabilité de nocher à la tête de trois navires. Il pèse ses mots:

– Tout va comme prévu. Les Skraelings ne nous ont ni retardés ni menacés. On a vu quelques pistes en forêt, mais rien de trop inquiétant...

Il finit par sourire.

– Il reste encore plusieurs semaines avant la fin de l'été. Et nous avons amplement de provisions. Vous pourriez emporter suffisamment de hareng fumé pour ne pas être obligés d'arrêter avant une vingtaine de jours.

– Alors, tu m'autorises à partir?

– Ce serait toute une découverte… Un courant qui nous ramènerait directement au Markland. Si tu avais raison, le retour serait vraiment plus rapide.

– Est-ce que je pourrais partir avec dix hommes?

– Dix? Mais tu viens de dire cinq ou six! Ce sera suffisant, vous n'aurez pas à ramer ni à faire de portage. Mais qu'on s'entende bien. Après avoir navigué dix jours vers le sud, que vous ayez trouvé quelque chose ou non, j'exige que vous alliez directement au Markland.

Heureux, Tyrker lui donne une grande tape dans le dos.

– Tu peux compter sur moi. Je ne suis pas assez fou pour me perdre juste avant l'hiver. Avec ce bateau léger, je serai à la Pointe en cinq nuits. Nous remonterons les eaux chaudes. Dans une vingtaine de jours, nous devrions être au Markland, un peu après toi, puisque tu prendras la longue route de la côte.

– J'aimerais bien t'accompagner. S'il n'y avait pas la cargaison à surveiller… Cette fois, ce sera toi le chanceux qui reviendras avec de bonnes nouvelles!

– Et nous aurons tout l'hiver pour en parler!

Les deux hommes se donnent l'accolade pour sceller leur entente. Le navigateur se frotte les mains.

– Si nous faisons vite, nous pourrons partir demain à l'aube.

Il se dirige d'un pas vif vers son nouveau knorr. L'aventure me tente follement. Je ne peux m'empêcher de surgir d'entre les ballots.

— Leif, je t'ai entendu discuter avec Tyrker. J'aimerais faire partie de son équipage!

— Ah! toi, la fouine, tu n'es pas explorateur. Il est hors de question que tu t'éloignes.

— Mais le voyage ne durera pas plus de vingt nuits. Je veux y aller!

— C'est toi qui donnes les ordres maintenant? Pour qui te prends-tu? Tu n'es qu'un minable protégé... qui cause des problèmes en plus!

— Pas besoin de m'insulter. Tu oublies que je connais le monde des esprits.

— Pour ce que ça donne! Tu t'imagines supérieur à cause des croyances de ta mère...

— Je le suis! Je prouverai que la force des dieux coule dans mes veines!

— Oh! la belle histoire! En attendant ce grand jour, fais donc comme les autres: obéis et travaille! Surtout que je me suis porté garant de toi. Et que ton beau-père te surveille de près, vaurien! Bon, ça suffit, Ari! Je n'ai plus de temps à perdre. Embarque les ballots... et vite!

Leif me tourne le dos. Enragé, je serre le dernier nœud à en casser la lanière.

Quatre hommes relèvent le défi de Tyrker: deux marins exercés et deux protégés avec qui je me suis déjà bien amusé. Le Chanceux désigne deux esclaves pour compléter l'équipage. Il a décidé que Tyrker partirait avec une partie du bois et des écorces ainsi qu'avec le cheval qui n'a plus d'utilité au campement. Toute la nuit, frustré, j'empile des sacs à l'arrière du bateau, pendant que la bête attachée au mât me regarde. Je besogne avec un sentiment d'impuissance semblable à celui qui m'assaillait lorsque Mère me retenait à Brattahlid. Pourquoi devrais-je encore supporter qu'on m'empêche de voyager ?

La noirceur achève son règne lorsque les têtes de monstres en bois sont installées à la proue et à la poupe de l'embarcation. Orgueilleux comme un coq, le navigateur salue à la ronde :

– Nous nous reverrons au Markland. En route !

À son cri, la voile se déplie au vent. Léger, le bateau entreprend sa course. Par un trou de rame, je regarde colons et marins lancer leurs adieux. Les deux grands knorrs restent amarrés dans la baie, le temps de terminer le chargement, tandis que le petit les dépasse et fonce vers le large.

Heureux comme un roi qui vient de remporter une bataille décisive, je somnole, enroulé dans un vieux sac, bien caché. Aux secousses fortes et régulières, je sais que les vagues nous emportent à grande vitesse. Je ne pouvais rater une telle occasion. De toute façon, je sais très bien que je ne deviendrai jamais le devin d'un marchand comme Leif. Et puis, je ne suis pas pressé de me marier. En embarquant avec le navigateur, j'échappe au destin que le Chanceux veut m'imposer. De passage au Markland, j'éviterai l'affreuse famille de Signy. Bercé par la houle, je dérive dans des rêves fous : des monceaux d'ivoire luisent au soleil, des arbres géants grimpent jusqu'à la lune, Signy me sourit et Mère, furieuse, la repousse dans le néant puis pointe vers moi un index accusateur. Je ricane, hors d'atteinte.

Je reste dissimulé derrière les barils toute la journée et la nuit. Au matin, affamé, je vais faire le feu avant que les autres se lèvent. Le marin au gouvernail, fatigué de sa nuit, ne remarque rien de suspect. Je prépare une bouillie chaude. Je redoute les réactions de mes nouveaux compagnons, car les clandestins sont toujours malvenus. Le premier homme à me voir fronce les sourcils, il gronde et m'empoigne par le cou.

– Y a un rat! Je le jette à la mer? hurle-t-il.

L'autre marin vient lui prêter main-forte. Une bousculade s'ensuit. Les deux hommes s'apprêtent à me faire danser dans les flots. J'entends alors une voix perçante :

– Non, attendez, vous ne pouvez pas faire ça à Ari!

C'est un protégé qui a crié, un frère de mon âge. Il s'interpose entre nous et le plat-bord.

– Qu'est-ce qui se passe? demande Tyrker qui se réveille, courroucé.

On me soulève comme un lièvre pris au collet. Le navigateur me dévisage.

– Mais c'est Ari Eriksonn! Toi, ici! Laissez-le tranquille. On ne va pas envoyer un protégé d'Erik le Rouge par-dessus bord!

On me relâche. Tyrker me prend par l'épaule en ricanant :

– Un devin! Exactement ce qui nous manquait! Mais tu as joué un vilain tour à Leif. Il doit être furieux.

– Je tenais à faire partie de ton expédition, mais il ne voulait pas.

– Bien sûr, son honneur était en jeu. Il ne pouvait te laisser partir! Le père de la belle Signy doit lui faire une de ces colères. Oh! ce qu'il va exiger en dédommagement! Un autre mariage raté…

– Laisse tomber cette sale histoire. Tu me gardes?

– Évidemment, comme si j'avais le choix! Un marin supplémentaire ne me dérange pas.

Il regarde la bouillie fumante.

– Surtout s'il sait cuisiner! Dorénavant, tu seras responsable des repas. Et tu devras trouver de quoi remplacer ce que tu mangeras.

Content, je lui tends un bol plein. Sans autre commentaire, je sers les marins, avec une double portion pour celui qui a pris ma défense.

Le périple s'annonce d'abord facile, le courant froid nous emmène à bonne allure. Mais les choses se gâtent assez vite. Il nous faut faire un interminable détour pour éviter des hauts-fonds, semés de gros rochers à fleur d'eau. Ensuite, des vents presque de face nous freinent. Il faut neuf nuits pour atteindre notre but. Malgré tout, Tyrker exulte.

– Enfin, voici l'endroit dont je rêvais depuis des années!

– Qu'est-ce qu'elle a d'exceptionnel, cette longue pointe?

– Ce n'est pas la côte, mais le courant qui m'intéresse. Te rends-tu compte que, de l'autre côté de la pointe des Sables, nous remonterons un immense courant chaud, peut-être jusqu'à sa source?

– Mais nous ne pouvons pas! Tu as promis à Leif de rebrousser chemin après dix jours!

Surpris, le navigateur laisse tomber le gouvernail et me pousse furieusement à l'écart, au creux de la poupe.

— J'aurais peut-être dû te faire jeter par-dessus bord ! Qu'est-ce que tu as dit ? marmonne-t-il entre ses dents.

— Je vous ai entendus, Leif et toi, avant le départ.

— Tu sais donc que j'ai promis d'être au Markland avant l'hiver. Et je respecterai ma parole.

— Mais comment serons-nous de retour à temps, si nous filons vers le sud ?

L'autre se calme et reprend le gouvernail. Il poursuit à voix basse :

— Je vais t'expliquer, mais à toi seul. J'ai beaucoup réfléchi aux récits des marchands qui se rendent aux califats. Les descriptions concordent. En continuant, nous pourrions contourner la mer et arriver aux côtes de l'Afrique, pour nous retrouver chez les califes. Nous pourrions leur vendre directement l'ivoire et les esclaves. Car c'est là que mène ce courant… à la richesse !

Son discours me laisse sans voix. Cet homme, qui semble pourtant sérieux, prétend faire le tour de la mer ! Je vérifie.

— Tu crois que les eaux chaudes arrivent de chez les califes ?

— Oui, je pense qu'elles proviennent d'Afrique. En avoir le temps, nous pourrions y aller…

— Combien de temps faudrait-il ?

— Un ou deux mois… Une chose est certaine. La position des étoiles ressemble à ce que les marchands décrivaient. Imagine…

Ici se joue peut-être le destin que Mère a prévu pour moi. Une vie de roi, grâce à la découverte d'une route insoupçonnée. Cependant, l'ampleur du risque m'inquiète. J'ai un pincement au cœur en pensant à Signy, à Mère, à la vie agréable de Brattahlid. J'émets un doute:

– Et si tu te trompais?

– Je ne parle pas d'atteindre un califat aujourd'hui même! Nous examinerons un peu la côte et nous rebrousserons chemin, pour arriver à temps au Markland. L'hiver est loin.

– Pendant combien de nuits veux-tu encore voguer?

– Peut-être une dizaine. Nous aurons fait au moins une partie du trajet.

Je lui réponds à l'oreille:

– Tu sembles certain de ton affaire. Ta quête m'inspire. Moi aussi, je veux être découvreur! Allons-y pour dix nuits. Mais pas une de plus…

– As-tu peur?

– Non, mais je pense à Leif. Après tout, c'est son bateau et sa cargaison.

– Quel enfant! Mais il va retrouver tous ses biens, ton Chanceux, et avec nos découvertes en plus!

Chapitre V

Voyage sans dieux

Dépassé la pointe des Sables, nous naviguons à proximité des côtes pour ne pas affronter le courant dans toute sa force. L'air devient de plus en plus chaud, chargé d'humidité. Nous nous arrêtons lorsque la nuit devient trop opaque ou que nous avons besoin d'eau. L'exploration me passionne. D'une halte à l'autre, la végétation change. Il y a moins de conifères, remplacés par de grands feuillus et des massifs d'arbustes en fleurs. Appuyé au plat-bord, je rêvasse devant la côte luxuriante :

— J'ai l'impression que des walkyries vont surgir de ces dunes.

— Crois-en mon expérience, si quelqu'un apparaît, ce sera un Skraeling meurtrier ! remarque Tyrker d'un ton suffisant.

Au cours de l'arrêt suivant, nous n'avons pas mis le pied à terre que des volées de flèches jaillissent de partout. Le navigateur avait donc raison. Nous rembarquons aussitôt, sans reconstituer nos réserves d'eau. Un marin est blessé, je referme la plaie du mieux que je peux. Tyrker décide de s'éloigner du littoral pour éviter que les Skraelings nous rejoignent. Par chance, le courant moins puissant à cet endroit ne ralentit pas trop notre progression.

Nous longeons des terres basses, couvertes de marais salants et bordées de sable pâle. Pas de Skraelings en vue et pas d'eau douce non plus. Excédés par la chaleur, les hommes s'inquiètent. Les deux plus âgés prétendent que nous risquons d'approcher du bord de la terre et de tomber dans le vide. Ils reprochent au navigateur sa témérité. Je ne me joins pas à leurs protestations, au contraire. J'appuie Tyrker, même si le climat est accablant et la soif, terrible. Il devient impératif de trouver une rivière. Pour calmer l'équipage, le navigateur promet d'entreprendre le retour dès le lendemain. Les quatre marins finissent par accepter de le suivre une dernière journée.

La côte marécageuse obliquant vers l'ouest, nous nous en éloignons quelque peu pour continuer franc sud. L'eau demeure très chaude, mais le courant a faibli. Au coucher du soleil, le navigateur croit apercevoir une terre montagneuse droit devant. Il met le cap dans cette direction. Vers le sud-est, je remarque une immense masse nuageuse. Tyrker ne s'en préoccupe pas, trop heureux de réaliser son rêve. Il vogue toute la nuit à la lueur de la pleine lune. Nous approchons d'une terre. Le soleil brille au zénith lorsque nous atteignons des plages scintillantes comme neige. De fins troncs incurvés se balancent au-dessus du sable, couronnés d'une unique touffe de feuilles tombantes. Nous avançons sur des eaux si claires que l'on voit des bancs de poissons fuir devant l'ombre du bateau. Tyrker est enchanté.

– Nous avons atteint notre but! Demain, nous retournerons chez les nôtres. Faut pas oublier qu'on attend Ari avec impatience, là-bas... Voyez, il y a une chute au fond de cette baie. Allons faire nos provisions avant de repartir pour le Markland.

Contents eux aussi, les hommes retrouvent le sourire. Nous accostons en douceur sur la plage, sans voir d'empreintes de pas sur le sol. Nous débarquons dans un monde de végétation exubérante, où se dressent des murs de feuilles dentelées, larges comme des dos d'homme. Des odeurs de terre humide, de fleurs, de végétaux en putréfaction nous assaillent. Des oiseaux jacassent à pleine gorge. Les marins courent se jeter dans le bassin creusé dans la roche au pied de la cascade. J'ai très envie de jouer. En compagnie des deux protégés, je grimpe sur les rochers couverts de mousse de chaque côté de la chute. De là-haut, nous sautons au cœur de l'eau fraîche. Les esclaves, eux, remplissent les tonneaux.

Le bain terminé, nous partons à la chasse, légèrement vêtus mais bien armés. Curieusement, il n'y a aucun animal, pas même une piste. Privés de gibier d'importance, nous nous rabattons sur les oiseaux, les tortues et les poissons. Pour cette dernière nuit, nous installons le campement près d'une grotte, à flanc de colline, avec vue sur la mer.

Nous préparons notre ultime repas en terre lointaine. Nous ne l'avons pas terminé qu'un fort vent se lève. La pluie commence à tomber dru peu après. Il pleut toute la nuit, tellement que des gouttes s'infiltrent à travers les tentes. Au matin, les marins pestent contre ce mauvais sort. Fâchés de ne pouvoir chasser, ils escaladent la petite falaise derrière la caverne pour tirer des flèches en direction des nuages et se venger ainsi de l'ingratitude des dieux. Tentative inutile, car les vents et la pluie persistent et même s'intensifient au cours de la journée. Tyrker se ronge les doigts.

– Le ciel ne se dégage pas du tout. Nous devrons attendre une autre journée. Au moins, le knorr est en sécurité. Sinon, avec des bourrasques pareilles…

La deuxième nuit s'avère pire que la première. La tente où je m'abrite avec le navigateur tient au sol de justesse, celle des marins est arrachée. Les hommes vont se réfugier dans la grotte. Personne ne dort. Au matin, dans le fond de la caverne, ils découvrent de longs os semblables à ceux des humains. Il y aurait donc du gibier. Les deux marins expérimentés partent chasser malgré le mauvais temps. Ils reviennent presque aussitôt, livides. L'un dit avoir vu, en amont de la cascade, des bandes de diables nus qui marchaient dans notre direction ; l'autre bredouille que ces êtres transportaient des cages pleines de bêtes, on aurait dit des enfants. Le navigateur tente de les calmer. Mais sans rien écouter, ils ramassent leurs affaires et, dans l'affolement le plus complet, filent vers le bateau. Les deux protégés et les esclaves cèdent à la panique et s'enfuient eux aussi. Tyrker et moi n'hésitons pas longtemps.

– Pas question d'affronter les Skraelings à deux ! lui dis-je en me ruant vers nos biens.

– Vite au bateau ! Dans l'état où sont ces femmelettes, ils pourraient partir sans nous !

En quelques enjambées, nous sommes tous embarqués. Le navigateur empoigne le gouvernail, aidé d'un solide marin. Il hurle, une main en porte-voix :

– N'ouvrez la voile qu'à moitié, nous allons suivre la côte et entrer dans la première baie.

Malgré la mer déchaînée, nous prenons le large sans chercher à savoir qui habite ces lieux. Des éclairs aveuglants déchirent le ciel d'un noir violacé, et Thor abat ses marteaux dans un fracas assourdissant. Au moins, nous ne manquerons pas d'eau, il en tombe des cataractes.

Le vent souffle si fort et les vagues s'abattent avec tant de force qu'elles menacent de nous pousser contre les récifs. Tandis que le navigateur essaie de les contourner, des lames de plus en plus hautes nous entraînent loin des côtes. Dépassé, Tyrker s'affole.

– Nous sortons trop au large. Le mât risque de se casser! Virons lof pour lof et retournons d'où nous venons. Mieux vaut braver les Skraelings que l'ire des dieux.

Personne ne proteste. Grâce à notre rapidité, la manœuvre réussit. Malgré ce coup de chance, le knorr est irrémédiablement emporté vers l'ouest, la poupe en avant.

La côte s'efface, avalée par des rouleaux de brume dense. Des montagnes de nuages lourds nous encerclent, la pluie tombe à torrents. L'équipage lutte pour garder le bateau à flot. Il fait plus noir que par une nuit sans étoiles. La pierre de soleil n'a aucune utilité, le gnomon non plus. Un vent déchaîné dresse des remparts d'eau devant nous. Les hommes sont épouvantés. Tordue par les vagues, la charpente du knorr lance des craquements sinistres, prête à se disloquer. Le tonnerre répond en écho. Le mât gémit sur son socle et la voile est aspirée vers le haut, comme si les dieux voulaient faire voler le bateau. Cramponné au gouvernail, Tyrker paraît pétrifié d'horreur. Soudain, il voit le danger.

– Rentrez la voile, fainéants! Elle va se déchirer! hurle-t-il.

Avant que les marins puissent replier la voile, ses attaches de racines tressées se rompent les unes à la suite des autres. Subitement détachée, la voile claque en l'air comme un drapeau. Le roulis et le vent empêchent sa récupération. Les rafales de pluie, les nuages et les vagues se confondent en tourbillons sauvages, un atroce maelström où tout vire du gris au noir. Le bateau semble à tout moment sur le point de sombrer. Les manœuvres désespérées du navigateur et des marins pendus au gouvernail nous empêchent de couler. Nous, les protégés, écopons sans relâche: moi, à la proue, les autres, au mât et à la poupe. Pour éviter la catastrophe, Tyrker ordonne de jeter la cargaison par-dessus bord. Les flots en furie happent ma part des marchandises, sans que j'aie le temps de m'apitoyer. Les poutres disparaissent, emportées comme des brins de paille.

Délesté de sa cargaison, le navire tournoie. Les griffes de l'orage déchirent la voile en fins rubans. Des masses liquides nous soulèvent à des hauteurs vertigineuses pour nous laisser retomber à une vitesse folle au fond de vallées mouvantes et nous hisser aussi vite vers d'autres sommets. Déséquilibrés, un marin et un esclave sont enlevés par l'onde. Mes deux frères vont seconder Tyrker subitement seul. Trop loin pour leur prêter assistance, je m'attache avec la corde de l'ancre à l'étrave, arc-bouté contre les membrures. Je lutte pour ne pas être emporté ou avoir la tête fracassée contre le plat-bord.

Une lame, dix fois plus haute que les autres, nous fait chavirer. Le temps d'un éclair lugubre, tout bascule. Plutôt que d'être engloutis, nous roulons comme un vulgaire tonneau en bas d'une pente. Au lieu de sombrer à jamais, le bateau se rétablit, dans un craquement de mort.

Après cet instant de terreur absolue, toujours encordé, suffoqué, je risque un regard autour de moi. Tout a été balayé. La tête de dragon à la poupe et les boucliers qui haussaient les plats-bords ont tous été arrachés. Le mât, cassé en deux, gît enroulé dans les loques détrempées de la voile. Seuls quelques manches de rames pendent entre les bancs vides. Vides! Mes entrailles se crispent d'angoisse. Tout l'équipage a disparu! Plus de navigateur ni de gouvernail. Mes deux frères envolés, sans un mot ni une plainte. Je suis seul face aux dieux déchaînés, captif d'un cauchemar. Dans la paroi obscure d'une vague qui s'enfuit, je vois dériver des barils de vivres et, dans l'écume tout en haut, un corps se débat. Pendant un court moment, il me semble percevoir de sombres râlements. Je m'accroche de toutes mes forces, les dents serrées, les yeux fermés. J'attends que la mer m'entraîne à mon tour au fond des abîmes.

Après une éternité, la tempête s'apaise un peu, l'eau balaie toujours le pont mais avec une force moindre. Transi, épuisé, je grelotte. Je défais mes liens. Dans la grisaille d'une nuit qui n'en finit plus, là-haut, dérisoire, la figure de proue défie la tempête. Je rampe dans l'eau salée, entre les deux rangées de bancs. J'aperçois les pattes du cheval, droites en l'air. Son ventre émerge aussi du trou, alors que sa tête est au fond ; encore garrotté à la base du mât, il a le cou brisé.

– Au lieu de rester là, bouche grande ouverte, le noble Ari daignerait-il m'aider un peu ?

La voix caverneuse a semblé sourdre des creux de l'océan, comme celle d'un mort revenu hanter les vivants. Est-ce ainsi que périssent les derniers naufragés, attaqués par les esprits des marins noyés ?… Glacé d'effroi, je serre mes pierres de clairvoyance et j'invoque la puissance de Thor. Décidé à faire face à mon destin, j'avance vers la voix, à quatre pattes. Au bout des bancs, je distingue un dos courbé, surmonté d'une masse noire hirsute. Spectre ou humain ? J'affronte l'inconnu.

– Qui es-tu ?

Pas de réponse. On m'ignore. J'entends grogner :

– Toute la mer dans ce bateau… Suis seul pour écoper…

Je suis prêt à défendre ma peau. Frappé d'une vive inquiétude, je tâte ma hanche. Ouf ! Mon couteau est toujours dans son étui. L'autre grommelle tandis qu'il se déplie et se tourne vers moi :

– Les seigneurs, eux, restent bien au sec, en attendant que tout s'arrange.

Des cheveux tombent sur le front de l'homme et se mêlent à une barbe de charbon qui lui mange la moitié du visage. Il darde sur moi un regard angoissant sous des sourcils touffus qui se rejoignent à la glabelle.

– Inutile de faire cette face, je ne suis pas un fantôme…, maugrée-t-il entre ses dents.

Sa réplique me gifle. Cet homme… c'est la première fois que je l'entends parler, mais je le reconnais. Un esclave de Leif! Il a survécu, caché comme moi; j'étais à la proue, lui, à la poupe. Il paraît fort et peut-être un peu plus vieux que moi. Sans avertissement, il me lance un seau que j'attrape de justesse pour ne pas être assommé.

– Monseigneur a mis longtemps à venir me prêter main-forte, rumine-t-il. Sers-toi du seau, on coule!

Je voudrais répliquer à cet esclave insolent, mais la cime d'une vague vient lécher la coque et me projette contre les bordages. L'eau se répand partout. L'asservi recommence à écoper avec l'énergie du désespoir. Au moins, je ne suis pas complètement seul. Cet homme est musclé comme un bœuf. À deux, nous aurons plus de chance de survivre. Je prends un des câbles qui retenait le mât et je m'attache au plat-bord. J'entreprends d'évacuer l'eau avec lui. Maître et esclave réunis par une même cadence. Nous travaillons, lui assis, les jambes repliées sous le pont, et moi debout, solidement arrimé. Il puise l'eau et me passe son seau; je lui tends le mien, qu'il remplit à nouveau, tandis que je vide le sien par-dessus bord. Il faut prendre l'océan de vitesse. Mais, à chaque vague, tout est à recommencer. La journée se passe à lutter.

Entre deux seaux, le temps de reprendre haleine, l'esclave lève les yeux au ciel et se signe comme le ferait un vrai moine. Dépité, fatigué moi aussi, j'arrête mon mouvement.

– Tu es chrétien! Les dieux m'envoient un chrétien pour m'aider!

– Un solide chrétien…, souffle-t-il dans ses mains gonflées.

Il me fait un bref sourire et ajoute :

— Croyant ou païen, quelle importance? C'est plus rapide à deux!

— C'est vrai que seul… le bateau aurait coulé. Notre situation est vraiment désespérée.

— Il n'y a que Dieu pour nous sauver.

— Si ton dieu pouvait s'unir aux miens pour nous protéger…

L'esclave secoue sa tignasse dans un grognement amusé. Nous reprenons la tâche, remplir, verser, et ce, sans répit, toute la nuit. Parfois, nous changeons de place. Nous continuons. Les vagues nous assaillent sans presque faiblir, mais, à force de travail, l'eau dans le bateau finit par descendre quelque peu. Je me sens à bout de forces.

— Quelle corvée! lui dis-je en me pétrissant le bas du dos.

— Tout ça, juste pour rester à flot.

— J'ai faim et froid. Pas toi… heu… l'Écopeur?

— Hum… oui, j'ai le ventre vide.

— Il faudrait d'abord faire un feu.

Autour, tout est trempé. Dans la pénombre d'un matin sans espoir, je distingue des débris de bois, mais je n'ai plus de pierres à feu ni de mousse séchée. L'esclave m'observe.

— Pas besoin de feu. Si le maître me prête son couteau, je vais me servir, la viande est là.

Il me transperce de son regard d'ours affamé, avec des yeux qui brillent à travers une incroyable forêt de poils. De quelle viande parle-t-il? De moi? Je divague, c'est sûrement la fatigue. Je porte la main à mon étui. J'essaie de gagner du temps.

– Que veux-tu en faire?

– Devine… Passe ton arme, tu verras bien.

Je suis maître à bord, vu que tous les autres sont disparus. Cependant, je n'ai qu'un petit couteau pour faire respecter mon autorité. J'hésite devant plus costaud que moi, mais, avec ou sans couteau, s'il veut retrouver son statut d'homme libre, il n'a qu'à me balancer par-dessus bord. Je n'ai pas le choix. À regret, je m'exécute. L'esclave saisit l'arme avec un plaisir évident et se lève. Je recule, il s'avance et me plaque son seau sur le ventre.

– Tiens, à ton tour de te battre seul contre la mer. Peut-être que t'es plus rapide que moi?

En titubant, il va au centre du bateau. Il s'étend sur le ventre et la moitié de son corps disparaît dans le trou. Il remonte avec une corde qu'il vient de couper. Il tire et réussit à sortir la tête du cheval. Il fait une entaille sous la mâchoire. Un sang épais gicle aussitôt. Il se penche et s'abreuve. Il relève le crâne pour me sourire, la barbe dégoulinante de sang épais. Il se penche à nouveau. Il revient à la poupe, ragaillardi. Il s'essuie la bouche avec sa manche.

– Le repas est prêt. Vas-y, tu vas aimer…

Il me tend le couteau et recommence à puiser. À le voir s'accommoder de son sort, j'éprouve une certaine sympathie pour ce compagnon de mauvaise fortune. J'y vais à mon tour et bois goulûment ce sang foncé qui donne une force surhumaine. Après m'être rassasié, je m'agenouille devant le cheval pour remercier les dieux. Inspiré, je coupe le cou de l'animal. Après une brève lutte contre les os et les tendons, je parviens à séparer la tête du corps. Je l'empale sur un manche de rame que je fiche entre un banc et les bordages. Ainsi dressée, la tête, gueule ouverte, semble crier vers les cieux. L'esclave écope toujours. Je me prosterne.

– Monstres des mers, dieux des tempêtes, votre puissance est immense. Vous n'avez pas voulu que je périsse et vous me fournissez de quoi manger. Merci de votre bonté. Je vous offre tout ce qu'il me reste. Que mon cher ami Thor me vienne en aide!

Vent et tonnerre répliquent à l'unisson. Une nouvelle lame s'abat sur le navire et me projette contre des bancs. L'onde me charrie. L'esclave m'attrape de justesse par un bras et me retient contre lui. L'offrande a été emportée par la vague brutale. Ébloui par le prodige, meurtri et ruisselant, je me retourne vers mon nouvel allié.

– Les dieux ont accepté le don… Finis les maléfices!

L'esclave desserre son étreinte avec une moue de dédain.

– Naïf! Au lieu de dire n'importe quoi, tu ferais mieux de t'attacher!

Sans lui prêter attention, les poings en l'air, je crie de toutes mes forces:

– Thor! Et toi, serpent des abîmes! Je jure de vous honorer jusqu'à la fin de mes jours!

L'esclave me repousse. Il joint les mains pour prier en silence pendant que j'enroule le câble autour de ma taille. Son recueillement n'en finit plus. Il m'agace.

– Le Rouge n'endurerait pas de pareilles prières. Il te ferait rouer de coups.

– Et sa bonne femme me bénirait!

– Ces deux-là et leurs chicanes… qu'ils me paraissent loin! Nous n'allons pas faire comme eux! Nous avons réglé nos comptes avec les divinités: j'ai offert un cadeau aux miens et tu as parlé au tien. Alors, finissons de vider ce navire!

Nous écopons et écopons encore, une autre journée contre l'océan hargneux. Sentant de nouveau venir la fatigue, je me rends au cheval. Je découpe une languette de viande dans le haut du cou et la mâchonne avec bonheur. Mes forces reviennent à mesure que j'avale la chair et que je lape du sang. Je passe de nouveau mon couteau à l'esclave qui va se nourrir lui aussi. Lorsqu'il me rejoint, je ne peux m'empêcher de le narguer:

— Je croyais qu'il était interdit aux chrétiens de manger du cheval.

Il lève les épaules avec mépris.

— Les païens croient que cette viande donne une force divine. C'est pour ça que l'Église défend d'en manger. Mais moi, j'ai faim. Je ne l'ai pas sacrifié à un quelconque dieu, ce cheval, alors j'en mange et tu penses ce que tu veux.

La mine renfrognée, avec des filets de viande et de sang coagulé dans la moustache et la barbe, sa crinière noire secouée par des vents frénétiques, il ressemble à un monstre. Je ne serais pas surpris de voir saillir des crocs s'il desserrait les lèvres. Au moins, il ne m'est pas hostile et me reconnaît pour son maître.

Je suis seul avec un esclave chrétien dans une tempête de fin du monde. Vers quel destin m'entraîne l'épave?

J'entrouvre les yeux, tout est noir, humide. Il n'y a que des étoiles qui veillent sur moi. Les étoiles? Le ciel est dégagé! Le bateau a terminé sa cavalcade. Et je suis toujours vivant!

Je tangue, roulé en boule contre les côtes d'un cheval étêté. J'ai dû m'endormir la dernière fois que je suis venu calmer ma soif. Épuisé, seul dans la nuit, je revois mes frères, les deux protégés, ces compagnons de jeux avec qui j'ai tant ri et échafaudé les projets les plus fous. J'ai toujours cru qu'aucune difficulté ne nous arrêterait, que nous pourrions aller au bout du monde. C'est bien là où je suis rendu, alors qu'eux nageront dans les flots jusqu'à la fin des temps. Des larmes brûlantes d'amertume courent sur mes joues, je me recroqueville un peu plus. Je me sens si dépouillé, coupable de leur mort, d'avoir trompé Leif et abandonné Mère, elle qui voulait tellement me garder. J'enserre mes pierres en pensant à elle. Je m'enferme dans un passé réconfortant.

Lorsque j'étais enfant, elle me berçait et fredonnait des incantations pour me conduire au pays des rêves. Belle comme une walkyrie. Ma tête reposait au creux de son cou si blanc, mon nez enfoncé dans ses cheveux de soleil. Ses mains délicates et parfumées me caressaient et me serraient contre son cœur. Elle me répétait que j'étais son chef-d'œuvre vivant, issu des dieux.

Je n'ai compris que plus tard le sens de ses paroles: le jour de mes quatorze ans, lorsque Mère me révéla que les déités s'étaient unies à elle une nuit de pleine lune en Islande. Des brumes translucides drapaient le paysage de mystère, le vin le plus doux coulait en abondance, les philtres de clairvoyance décuplaient les pouvoirs. Au son des harpes, des flûtes et des tambourins, les jeunes sorcières en transe virevoltaient, nues, pour convier les dieux à la clairière sacrée. Les sorciers, portant des masques à l'effigie des puissances divines, formaient un cercle magique autour d'elles. Les dieux s'incarnèrent en eux. Leur puissance céleste alimenta ces corps enfiévrés. Je naquis de cette rencontre, doté de pouvoirs surnaturels. Ce n'était pas encore suffisant pour Mère.

J'étais sans père mortel, aussi fit-elle en sorte qu'un seigneur me reconnaisse. Craignant sans doute la magie et les poisons fulgurants, le chef de la colonie fit donc officiellement de moi un de ses protégés. C'était un homme avisé.

À la pensée de ces parents redoutables, dieux, guerrier et druidesse, le courage me ranime. J'ai été triplement choyé par le destin. À moi maintenant d'en tirer parti. Je souris aux astres favorables.

L'étoile du Nord est suspendue au-dessus de l'horizon, comme si elle avait dégringolé de sa place. Dans la direction opposée, des constellations inconnues brillent avec intensité. Avons-nous atteint le bout de la terre ?

Je me lève et risque un œil par-dessus bord. Dans l'aube hésitante, je distingue une bande de collines qui s'affale en un littoral plat, coupé par un large cours d'eau qui se jette dans l'océan. Le courant nous entraîne doucement dans sa direction. De l'autre côté de ce fleuve brille un point qui ne peut être une étoile.

La tempête a chargé la mer de débris. Des îlots faits de troncs entremêlés, de branches et de feuilles flottent autour du knorr. De ces amas s'élèvent des cris d'animaux à la dérive. L'immensité céleste vire au violet. Dernière à céder devant le jour, Vénus brille doucement. Soudain, le soleil encore sous l'horizon pare d'or et d'ocre une épaisse masse de nuages qui s'enfuient, comme des larrons après leur méfait.

Dans une lumière pâle, un paysage émerge, semblable à celui de l'île Sans Gibier. De grandes plages s'étalent, bordées de ces arbres sans branches avec leur unique touffe de feuilles ; plusieurs n'ont d'ailleurs plus rien d'autre à balancer sous la brise tiède que leur tronc maigrelet. L'onde nous pousse vers l'embouchure du fleuve. Des oiseaux gazouillent. Tout paraît féerique… Serais-je à la porte du paradis ? Plutôt que de me laisser éblouir par la beauté de l'aurore ou berner par des visions, je scrute chaque détail de ce monde inconnu.

Un monceau de plantes, couronné de fougères grandes comme des arbres, vient se ranger contre le bateau. Des rameaux plus hauts que moi, dentelés en minces lanières rigides, raclent la coque. De petits animaux, prisonniers des arbres déracinés, s'agitent en vain. Il y a là des serpents et de curieuses araignées à pinces montées sur des pattes rouges en aiguilles, qui se déplacent de côté. Une autre créature, longue comme la main, tient ses poings rouges au-dessus de sa tête comme pour menacer, en relevant sa queue crochue.

Tout d'un coup, un dragon à crête et à longue queue verte saute sur le plat-bord. Devant le maléfice, je tressaille. Je serre mes pierres et lui jette un regard de feu. L'apparition ne bouge pas. Lentement, je sors mon couteau. À la vitesse de l'éclair, l'animal déroule une langue démesurée pour attraper un moucheron. Il cligne de son œil globuleux, puis s'enfuit dans le feuillage. Je soupire de soulagement, il s'agit seulement d'une pauvre bête apeurée. Je rengaine mon couteau, quand tout à coup une grosse patte s'abat sur mon épaule.

— Faut pas avoir peur des bestioles…

La voix grave et le contact soudain me font sursauter. Je voudrais mordre l'esclave qui rigole dans mon dos. Je crache :

– Sauf quand elles sont aussi laides !

Notre situation est dramatique et cet homme, un pauvre hère, me nargue. Moi, son maître ! Et je n'ai ni la force ni les armes pour me faire respecter. Je suis sans défense : voilà ce qui l'amuse. Par contre, j'ai des connaissances qu'il n'a pas. Si nous survivons, ce sera grâce à mon savoir. À ma chance et à ma clairvoyance, comme l'a déjà dit Mère.

Le littoral défile lentement. Je crois que l'esclave est retourné se coucher. Il faudrait que j'écope, mais je prends un répit. J'examine les alentours. Nous sommes maintenant tout près du fleuve. Les flots salins luttent contre les eaux boueuses du cours d'eau qui vomit des masses de débris et trace un chemin ombreux au milieu de l'écume. Soudain, la menace m'apparaît. Il faut jeter l'ancre au plus vite, sinon le courant nous repoussera au large. Nous serions alors perdus. Je fonce à la proue et tire sur le câble de l'ancre avec anxiété. Je n'arrive pas à sortir l'énorme masse de fer de son trou. Je beugle :

– L'Écopeur, viens m'aider !

Sa tête émerge de sous le pont à la poupe. Je crie :

– Dépêche-toi, le chrétien ! Accours !

Je trépigne, il finit par arriver, l'air aussi avenant qu'un dragon en furie. Je le presse :

– Il faut jeter l'ancre. Vite, avant d'arriver au fleuve. Sors-la de ce maudit trou, tout de suite !

Il me prend la corde des mains et tire. Il peine. Dans un grondement, il réussit à hisser l'ancre sur le pont. Immédiatement, nous la lançons par-dessus bord.

Elle sombre avec un grand plouf comme un soupir de contentement. Le bateau s'immobilise, juste avant le fleuve, à deux ou trois cents pas de la plage. J'éclate de joie :

— Nous avons réussi ! Nous l'avons échappé belle ! Par chance, je veillais…

— Et je l'ai sortie !

Dans un moment d'euphorie, nous tombons dans les bras l'un de l'autre. Après cette brève accolade, gênés, nous nous appuyons au plat-bord pour admirer une multitude d'oiseaux : des blancs ou des bleus à longues pattes, des gris, petits, des canards noirs ou bruns, des aigles, des vautours. Au milieu de cette agitation, j'essaie de comprendre où nous sommes.

— Dis-moi, connais-tu les terres des califes ?

— Tu veux rire ! Je ne connais rien d'autre que l'Irlande. Les Vikings m'ont entraîné bien loin pour aller semer la terreur, mais pas jusque chez les califes, le Christ soit loué ! Pourquoi ? Tu y es déjà allé, toi ?

— Moi non, mais des parents s'y sont rendus. Il paraît que là-bas le soleil se lève d'un coup, en plein centre du ciel, un peu comme ici. Et qu'il y a des hommes à la peau noire et des singes. On parle aussi de serpents comme ceux que je viens d'apercevoir.

— Impossible qu'on soit rendus aussi loin !

— C'était pourtant le plan du navigateur. Lui est mort, et c'est nous qui avons atteint les terres chaudes. Mais sans contourner la mer, puisque le soleil est sorti au-dessus de l'eau, comme si nous étions encore au Vinland. Et ce matin, j'ai vu l'étoile du Nord à un empan au-dessus de l'horizon. La Terre-Verte est fort loin…

– J'ai entendu dire par les marins qu'il ne fallait pas s'aventurer trop au sud, de peur de tomber.

– Je sais. Mais nous n'avons pas encore basculé dans le vide. Nous flottons…

– On flotte, on flotte… jusqu'à ce qu'on tombe !

– Si on descend dans le vide, tu diras tes prières.

– J'espère qu'on pourra faire demi-tour avant.

– J'espère aussi ! Nous verrons comment plus tard. Pour l'instant, j'ai faim et hâte de débarquer de cette épave qui prend l'eau.

– Comment vas-tu descendre à terre si nous n'avons plus de barque ?

– À la nage, bien sûr !

– Je ne sais pas nager…

Son aveu me laisse sans voix. À mesure que les problèmes se résolvent, d'autres surgissent. Il pouvait bien écoper comme un damné ! À tout hasard, j'invente une solution :

– Je pourrais toujours m'encorder et haler le bateau. Les vagues m'aideront à le pousser sur la plage. Mais, avant de courir ce risque, nous allons attendre un peu. Il m'a semblé apercevoir un feu cette nuit. Nous ne sommes peut-être pas seuls ici. Quelqu'un pourrait venir nous aider.

Le soleil monte dans le ciel d'un bleu intense, dilué à l'horizon par la vapeur d'eau. Le bateau ballotte doucement. À l'aide d'une branche, l'esclave attrape un poisson mort. Il l'étête, le vide et le gobe tout rond. Il recrache les arêtes et s'esclaffe :

– Regarde, une souris sur un radeau !

Un souriceau trempé surnage, agrippé à la carapace d'un animal à pinces. Je n'adresse qu'un bref regard au pauvre équipage. Aveuglé par la brillance du matin, je scrute plutôt le littoral pour tenter d'y lire mon avenir.

– Vois-tu ces pignons entre les arbres ? On dirait des huttes…

– Dans l'eau !

– Oui, submergées jusqu'au toit ! Il y a donc des gens ici. Il faut inspecter le navire, nous pourrions trouver des choses à échanger. Au cas où quelqu'un arriverait…

L'esclave se met au travail, cherche entre les bancs. Soudain, il me semble distinguer des mouvements furtifs sur la berge.

– L'Écopeur, cesse de fouiner ! Viens voir. Ça bouge là-bas.

– Oui, il y a des ombres au bord du fleuve ! Peut-être des animaux ?…

CHAPITRE VI

Le bout de la terre

– Des canots arrivent par le fleuve! Deux, quatre…
Non, six qui se dirigent par ici!

– Enfer, damnation! C'est la mort assurée, dit l'esclave en se signant.

– Tu capitules vite! Ils ne sont que quatre par canot.
Ils rament lentement. Ils viennent en reconnaissance.

– Pour nous réduire en bouillie! Dieu seul pourrait
nous sauver!

Les yeux clos, il marmonne des prières. Il m'énerve.

– Ce n'est pas le temps de t'affoler, le chrétien!
Thor ne m'a jamais abandonné. Mon destin est de commander. Pas de trembler devant une bande de misérables!

Je déballe les maigres ressources du navire. Si j'avais
encore de cette poudre de fausses oronges… Il faut que
cet esclave se ressaisisse.

– Ces minables n'auront que des pierres pour guerroyer. Souviens-toi des Skraelings du Markland, ils
avaient peur des étrangers, comme toi tu crains le diable. Affrontons l'ennemi avec courage!

Piteux, l'esclave reste les bras pendants :

– Tu parles, mais tu ne peux rien faire d'autre ! Des brutes vont bientôt aborder… Et que feras-tu ?… Un beau discours ?

À l'aide d'une rame cassée, je sors une caisse humide de sous un banc.

– Il ne faut pas céder à la panique.

Sous les coups, la boîte vole en éclats. Des plis d'étoffe détrempée se répandent sur le pont avec une odeur de moisissure. Je poursuis mes recherches. Ne trouvant rien, je plonge la tête la première dans le trou autour du mât. Au fond, je distingue une autre caisse coincée entre les membrures. Je réussis à la sortir, bien qu'elle soit fort lourde. D'un geste brusque, je fais sauter le couvercle. Tout à coup, sous l'eau qui fuit de toutes parts, un trésor apparaît : un casque, une cotte de mailles, de même que deux superbes épées. J'en soulève une. Mon cœur palpite. Une joie guerrière s'empare de tout mon être.

– Ces primitifs vont goûter au fer de nos bonnes lames !

Les yeux de l'esclave courent d'un estoc à l'autre. Je lui broie l'épaule de bonheur.

– Tu vois bien, les dieux me protègent !

Au loin, les pirogues se séparent pour nous encercler. L'esclave prie mais, cette fois, les mains jointes sur le pommeau de sa nouvelle épée. Je le force à s'accroupir. Les frustes approchent et observent l'épave. Couché par terre, je les épie par un trou de rame et à travers les franges du casque. Méfiants, les rameurs manœuvrent dans le plus grand silence. Ils atteignent le bateau mais, étant plus bas, ils ne peuvent nous apercevoir. Ces hommes armés examinent la coque. Leur peau est basanée, pas noire. Nous ne serions donc pas en Afrique. Leurs yeux en coups de couteau et leurs cheveux noirs indiquent qu'il s'agit encore de Skraelings. Des murmures circulent entre les équipages des embarcations. Devant l'absence de mouvement, ils s'enhardissent. Presque sous mon nez, une main agile glisse une corde pour amarrer un canot au bateau.

Pendant que les Skraelings se consultent à voix basse, un des guerriers se hisse sans bruit au-dessus du plat-bord, juste à l'endroit où je l'attendais. Je me dresse aussitôt. En me voyant, il se fige de stupeur. Je hurle comme un démon et fais tournoyer ma lame, lui assène un coup parfait, fatal. La tête vole au-dessus des canots. Le corps étêté s'affaisse dans une longue gerbe de sang. Une pagaille indescriptible s'empare des assaillants. Certains crient d'effroi et se jettent à l'eau, d'autres se prosternent, pliés au fond des embarcations, les bras étendus devant eux. Après un instant d'hésitation, des ordres fusent et des guerriers tentent de m'atteindre avec leurs larges bâtons. Les coups s'abattent sur le plat-bord. Les plus braves se lancent à l'abordage. Je lutte d'un côté du navire, l'Écopeur se bat de l'autre.

Nous tentons de les empêcher d'embarquer, mais impossible de défendre tout le bateau à deux. Nous sommes vite débordés. Des Skraelings montent à bord, hurlant plus fort qu'une meute de loups. Le nasal et les œillères du casque, les franges de la cagoule m'empêchent de bien voir, surtout que des gouttes de sueur me tombent dans les yeux. Par bribes, les assaillants apparaissent : visages découverts, coiffures à plumes, cuirasses tissées. Ainsi que je l'imaginais, leurs armes semblent faites de bois et de pierre.

Face à une dizaine de Skraelings, nous nous retirons vers la proue. Sur un cri, l'ennemi forme deux files. Ils progressent entre les bancs, brandissant leurs bâtons hérissés de pierres avec des hululements de mort. Juste avant qu'ils parviennent à notre hauteur, je beugle de toute la force de mes poumons, comme le faisait mon père. L'esclave grogne tel un ours. Je fais tournoyer mon épée au-dessus de ma tête mais, avant qu'elle ne s'abatte, on me donne un grand coup qui me projette contre les restes du mât. Heureusement, la cotte de mailles m'a protégé. Je me relève, saisis ma lame à deux mains et, d'un coup sec, je décapite le téméraire qui a failli m'assommer. Le corps s'écroule, provoquant la stupeur des autres. Je veux transpercer le suivant, mais la cuirasse épaisse qui couvre sa poitrine arrête ma lame. Au moins, je le repousse et réussis à lui trancher un poignet avant qu'il lève son arme. Je le fais basculer par-dessus bord. Mon heaume et ma cagoule me bloquent la vision de côté, mais j'entends l'esclave se démener. Je l'encourage :

– Nos armes sont meilleures ! Frappe vite et fort !

Il répond par des sons furieux. J'attaque de plus belle. Les Skraelings parent mes assauts et ripostent : leurs bâtons s'abattent sur ma tunique de fer tels des marteaux sur l'enclume, mais sans me jeter par terre. Devant la force de la réplique, je recule prudemment vers mon acolyte. Dos à dos, nous formons un couple infernal qui ferraille à coups et à cris. Nous décimons un ennemi en proie à une terreur divine. Les cadavres jonchent le sol poisseux de sang. Deux nouveaux guerriers montent à bord. Devant l'hécatombe, ils hésitent. Je fonce vers eux en mugissant. Affolés, ils se jettent à la mer. Les derniers combattants en profitent pour s'esquiver. Ils sautent dans leurs canots et s'enfuient à une vitesse remarquable. Devant l'adversaire en déroute, je rugis de joie :

— Gloire à Thor ! Nous les avons repoussés, deux contre vingt !

L'esclave éclate d'un rire nerveux. Noirâtre et gluante, sa lame est agitée de légers tremblements. Je le serre dans mes bras.

— Tu t'es battu en brave. Avec le temps, tu deviendras un excellent guerrier ! Je trouve la victoire exaltante. Pas toi ?

Au lieu de se réjouir, il s'appuie sur son épée, l'air hébété.

— C'est la première fois que je découpe des corps vivants.

— Ce ne sont que des Skraelings…

— Des païens, ouais… mais quand même ! Tout ce sang répandu…

— Il faudrait laver le bateau à grande eau. Avec un tel soleil, l'odeur va devenir suffocante. Jetons les corps à la mer. Avant, aide-moi à enlever cet attirail. Quelle chaleur ! Je ne pourrais combattre longtemps avec ce haubert et ce heaume d'apparat. J'ai cru que j'allais étouffer !

— Sûr qu'avec toutes ces doublures de cuir et de laine il doit faire drôlement chaud. Mais quelle chance d'avoir trouvé de pareilles armes !

— Surtout de les avoir dénichées à temps…

— Je me demande qui a pu les cacher là.

— À l'aller, des colons se trouvaient dans ce bateau. Comme le navigateur a subitement décidé de partir, ceux qui les avaient mises là n'ont pas eu le temps de les prendre.

Je revois les colons arriver au Vinland. Je jurerais que la famille de Signy est descendue de ce knorr. Son paysan de père pouvait bien posséder ce genre de cuirasse. Les épées étaient sans doute destinées à ses fils. Il a dû en coûter très cher à Leif pour contenter ces trois bagarreurs, qui ont perdu le futur mari et les armes en même temps. Je préfère taire le sujet :

— Peu importe à qui elles appartenaient…

— Elles nous ont sauvé la vie !

— Oui, pour l'instant. Mais les Skraelings vont revenir et nous n'avons ni lance ni hache. Nous devrons aller à terre pour trouver de l'eau, de la nourriture. À moins que tu veuilles bouffer du Skraeling cru…

L'esclave grimace, dégoûté à la vue du dernier cadavre à joncher le pont.

— Du cheval, ça peut aller, mais pas du Skraeling !

— Ton dieu n'y verrait pas de mal. Ces païens sont plus proches des bêtes que des hommes !

Incertain, l'esclave secoue la tête avec une moue de dépit. M'étant un peu apaisé, je prends le temps d'examiner la dépouille du guerrier.

— Étrange, j'ai l'impression qu'il s'agit d'un proche parent de Corneille Béothuk.

— C'est vrai qu'il ressemble à un Skraeling du Markland.

— Il ne manque que la neige. Quelle folie ! Des Skraelings en terre chaude… Le sorcier qui nous a jeté ce sort doit être très puissant !

L'idée que Grimhildr soit pour quelque chose dans cette aventure m'effleure. Ses mauvais augures résonnent encore à mes oreilles. Pourrait-elle commander de pareilles apparitions ?

Nous lançons le dernier corps à la mer, puis faisons aussi basculer le cheval sans tête, qui commence à empester. Partout, des croûtes de sang noirâtres puent la mort. Une arme skraeling traîne entre les bancs, je l'étudie. Elle comporte six pierres tranchantes insérées de chaque côté d'un manche en bois et retenues en place par de fines lanières et une substance très dure. Je tâte un des fils qui m'entaille la peau : une goutte de sang perle aussitôt. Je suce mon doigt.

– Ces éclats de pierre coupent presque autant que nos lames. Sans les mailles de fer, j'aurais eu la poitrine déchirée.

L'esclave se frotte l'épaule.

– Mon bouclier a été détruit d'un seul coup. J'ai failli perdre un bras.

Il montre son écu, fendu en deux, ce qui n'annonce rien de bon. Mais je refuse de céder au désespoir.

– Nos problèmes ne sont pas terminés ! Il faut remercier Thor et lui demander de nous porter secours encore. Je vais lui offrir l'arme du dernier Skraeling.

Pendant que je parle à mon dieu, la face contre le sol devant le curieux bâton à pierres, l'esclave s'agenouille face à l'étrave. Il reste ainsi à conférer en silence avec son dieu. Moi, j'ai terminé, je dégage le pont des débris.

La journée avance. Le soleil darde ses rayons avec intensité. La soif me tenaille cruellement. J'enrage en pensant à toute cette eau qui nous est tombée sur la tête sans que nous en gardions une seule goutte. Je tourne en rond, l'inaction me pèse. L'esclave repose à l'ombre d'un pan de voile, l'épée maculée de sang à la main. Je contemple sa large poitrine velue et ses épaules solides. Malgré ses manières brusques et ses croyances chrétiennes, ce bougon suscite en moi une sorte d'amitié.

— Tu as fait preuve de courage, lui dis-je. Et tu m'as sauvé de la noyade quand j'ai fait mon offrande à Thor. J'ai une dette envers toi. Alors, peu importe ce qui nous attend, je te rends ta liberté. Tu es maintenant un homme libre. Leif approuverait sûrement.

Mon compagnon d'infortune ouvre un œil.

— Ah! Moi, un homme libre? Je n'osais même plus en rêver… Je peux faire ce que je veux? À part mourir?

— Tu ne vas pas te lamenter…

— Il n'y a aucune raison de se réjouir.

— Je t'offre la liberté! C'est quand même une bonne chose! Nous sommes maintenant égaux… Et je ne sais même pas ton nom.

— Je m'appelle Melkolf. Melkolf l'Ermite.

— Toi!… Un ermite?

— Oui, après une série de malheurs, j'avais fait le serment de vivre loin des tentations. Je m'étais isolé sur une île, au nord de l'Irlande. C'est là qu'Erik le Rouge m'a capturé… la première fois que je voyais des Vikings! J'aurais préféré ne jamais les connaître. Ils s'enivraient à même les vases sacrés qu'ils venaient de piller dans un monastère. Qu'est-ce que j'ai pu vous détester! Et c'est maintenant un Viking qui me redonne la liberté.

Je te préviens, si nous retournons à Brattahlid, tu devras rembourser ton frère.

— Nous aurons le temps d'y penser!

Pour l'instant, je n'ai qu'une idée : boire! J'ai la langue de plus en plus épaisse, les lèvres brûlées, les yeux en feu. Et une de ces faims! Il me tarde de réparer le navire. J'aimerais mieux combattre que de cuire comme un oiseau à la broche. Désœuvré, je regarde le canot skraeling encore attaché au bateau. Tout à coup, un éclair me traverse l'esprit.

— L'Ermite! Pourquoi ne pas aller à terre avec ce canot?

L'ancien esclave sursaute.

— As-tu perdu la tête? Ils sont peut-être des centaines, cachés derrière ces arbres. Pas question que je te suive!

— Si tu as peur, moi, pas! Je ne vais pas me laisser mourir. Ce n'est pas une poignée de misérables qui vont m'empêcher d'accomplir mon destin. S'il le faut, je les tuerai tous un par un. Je vais réparer ce bateau, le remplir de vivres et repartir, avec une dizaine d'entre eux pour ramer.

— Quel beau projet, digne d'un Eriksonn! Tuer la plupart et enchaîner les survivants : on croirait entendre ton protecteur. Mais ne compte pas sur moi pour t'aider dans tes sales besognes. J'aime mieux crever que de me battre. Je ne suis pas un Viking!

— Il faudra pourtant débarquer. Mais aussi bien attendre la nuit. Ah! que j'ai soif…

— Moi aussi et je ne me plains pas. J'attends la mort, elle va finir par se montrer. Je vivais tranquille sur mon île. Je pêchais, je faisais paître mes moutons. Je me couchais sur l'herbe fraîche pendant que mes truites cuisaient sur le feu...

Je le laisse délirer à l'ombre de la voile et me replonge dans la contemplation des brillances de la mer. Je ne l'écoute qu'à moitié, les yeux fixés sur la rive. Doucement, je tourne mes pierres de clairvoyance pour essayer de cerner l'avenir.

J'assiste à un incroyable déploiement de canots, en plusieurs files, décorés de hautes banderoles verticales aux inscriptions de couleurs voyantes. Ils traversent le fleuve dans notre direction. Devant une telle démonstration de puissance, l'angoisse me serre les entrailles. Nous ne vivrons pas assez vieux pour voir le soleil se coucher. Je me sens trahi par le destin, car jamais je n'ai entendu parler d'une pareille armée de Skraelings. Glacé d'épouvante, je n'ai pas le courage d'avertir l'ancien esclave qui se berce de souvenirs, toujours étendu sous la voile effilochée.

Les embarcations forment un demi-cercle sur deux rangées, au large, à distance prudente du bateau. J'attrape le casque de métal, j'en polis le nasal et les œillères de bronze massif avec le bout de ma manche et des crachats. Je pique le chrétien pour le tirer de sa léthargie :

— Quelle sorte d'affreux poissons pêchais-tu sur ton île battue par les vents ?

Fouetté par l'injure, l'Ermite bondit.

— Comment ça, d'affreux poissons ? Des truites longues comme le bras...

Il reste les doigts en l'air, la bouche aussi ronde que les yeux. Devant l'importance de la flotte qui nous fait face, la colère s'évapore par ses lèvres entrouvertes. Il pâlit d'effroi.

— Cette fois, on n'y échappera pas.

— Ce ne sont pas tes histoires de truites qui vont émouvoir les Skraelings!

— Tu ris, mais à deux contre cette multitude, on n'a aucune chance.

— Non, pas l'ombre d'une…

— Ils doivent être pires que les Vikings envers les vaincus.

— C'est bien ce que je crains. Aussi, je n'ai pas l'intention d'être fait prisonnier. Je vais me battre et mourir dans l'honneur.

L'Ermite frissonne et prie. Des larmes coulent de ses yeux fermés. Il m'exaspère.

— Plutôt que de pleurer sur ton sort, aide-moi à attacher les doublures. Un guerrier ne montre pas sa peur.

Confus, il s'essuie le nez du revers de la main et m'aide à enfiler le haubert. S'il faut périr, aussi bien le faire avec bravoure. Bardé de fer, je grimpe à côté de la figure de proue. Par pur défi, j'agite mon épée et hurle en direction des canots:

— Skraelings, venez que je vous embroche! Par qui je commence?

À mes pieds, l'Ermite remue mollement son arme. Les canots restent au large. J'entends une musique aiguë, une espèce de mélopée jouée à la flûte. Des voix de femmes scandent un chant joyeux. Je m'impatiente.

— Ils me font suer! Ordures! Au lieu d'attaquer, ils restent là à faire chanter des femmes! Toute une stratégie!

Mais je ne vois rien avec cette foutue cagoule. Dis-moi ce qu'ils font.

– Il y a plusieurs femmes. Certaines lancent... des fleurs! D'autres secouent des branches. Les rameurs portent des casques à plumes. Ils brandissent de longues banderoles couvertes de dessins. Je ne sais pas ce que ça veut dire.

L'envoûtante musique se dissipe pour laisser place à une odeur de bois sucré qui se répand en volutes épaisses. La fumée m'irrite la gorge.

– C'est quoi, cette cochonnerie? Un maléfice?

– Je ne sais pas. La fumée sort de grands bols...

– En respirent-ils autant que nous?

– Euh... oui. Il y en a partout.

– Ils ne vont quand même pas s'empoisonner eux-mêmes! Qu'il fait chaud! Si on pouvait se battre et en finir avec ces simagrées!

Je me sens furieux de ne pouvoir les pourfendre. Je gronde:

– Approchez que je vous décapite! Bande de foireux, avez-vous peur de la mort?

Ma voix roule comme le tonnerre sur l'onde, sans provoquer de réaction. L'Ermite soupire:

– Tu as beau t'égosiller... Ils ne bougent pas.

– Je vois bien qu'ils restent là comme des statues de merde!

– Il y a un homme en avant, plein de bijoux, il montre ses mains ouvertes. Il ne semble pas armé, ses rameurs non plus.

Les chants reprennent, portés par des fumées odorantes. Cette immobilité me rend fou.

– Attendent-ils qu'on sèche au soleil? Pourquoi des fleurs... pire, des femmes qui chantent?

– Ça ressemble à une cérémonie de bienvenue…

– Voyons, c'est impossible! Ils ont essayé de nous tuer!

– Peut-être, mais, chez les moines irlandais, l'encens est réservé à Dieu.

– Pourquoi ces idiots de Skraelings penseraient-ils comme tes moines d'Irlande?

L'Ermite rentre la tête dans les épaules. Il a parlé d'encens pour les dieux… C'est vrai que, comparé à leurs armes de pierre, notre métal a quelque chose de surnaturel. Notre bateau, même à demi détruit, peut aussi paraître fantastique. Et nous sommes deux fois plus grands qu'eux. Je me calme.

– Bon, admettons qu'ils pensent encenser des dieux. Nous allons prendre le risque. Nous n'avons pas le choix, nous manquons de tout.

– Qu'est-ce que tu vas faire?

– Mais… prétendre que je suis un dieu, quoi d'autre?

L'Ermite me regarde, stupéfait. Je descends à ses côtés.

– Tu viens de dire que l'encens brûlait pour les dieux, alors nous en sommes!… Des dieux amenés par la tempête. Ils veulent nous voir, alors qu'ils viennent. Je vais rester à la proue. Toi, va leur faire signe de monter, juste un petit groupe pour commencer, celui avec l'homme aux bijoux. Remarque qu'ils t'encensent aussi. Tu es passé d'esclave à dieu dans une même journée!

L'Ermite me jette un sombre coup d'œil et marmonne des injures que je ne comprends pas. Malgré son humeur, il se montre au plat-bord et gesticule. Des canots s'approchent. Je tremble sous la cuirasse… d'appréhension ou d'excitation? L'Ermite désigne le dignitaire qui, après une longue salutation, finit par venir à bord, avec ses hommes désarmés. Nous les recevons, moi, couvert de mon armure, mon compagnon à mes côtés, appuyé sur son épée. Les Skraelings gardent les yeux rivés au sol. Celui aux gros colliers et à la longue robe noire ose nous lorgner, bien qu'ébloui par les reflets du soleil sur le métal. De toute évidence, nous l'inquiétons: il ignore si nous lui porterons chance ou pas. Sans doute pour se faire pardonner leur premier assaut, lui et ses hommes se prosternent. Des objets sont hissés à bord, dont ces bols qui dégagent de lourds nuages parfumés. Le dignitaire s'avance. Psalmodiant je ne sais quoi, il me présente un panier débordant de fruits frais.

Le visage caché par la cagoule, je ne peux m'empêcher de sourire. La ruse fonctionne! Le noble m'honore comme s'il faisait ses prières. Celui-là ne doit pas être un guerrier, il ne porte aucune cuirasse. Comme j'ai vu Leif faire le geste tant de fois, je tends le bras en direction de l'offrande et j'émets un grognement que je souhaite pacifique. L'autre comprend et dépose le panier à mes pieds. Les rameurs lèvent furtivement le regard dans ma direction. La sueur me coule sur le visage et me roule dans le dos.

La robe noire me montre ses embarcations avec fermeté. L'invitation me déplaît. Un dieu n'irait pas dans de si misérables canots. De plus, je veux être sûr qu'ils ne me tendent pas un piège. Tout en conservant une prestance que je veux royale, j'ai peine à respirer. L'air circule mal sous ce maudit heaume. La cotte aussi me pèse. Elle me tombe sur les jambes et entrave mes mouvements. Celui qui l'a fait fabriquer était beaucoup plus gros que moi. Un court instant, je pense au père de Signy, avec un poitrail large comme celui d'un taureau. Il faudrait que j'ôte cet attirail au plus vite. Les Skraelings doivent partir, je ne peux me dévêtir devant eux! Je leur fais signe de se retirer. Ils ne remuent pas. J'insiste. Je fulmine et les menace. Après s'être brièvement consultés, ils finissent par quitter le bateau, tous sauf un, probablement un guerrier de haut rang, car ses bras sont couverts de bracelets. Prosterné, il reste immobile, la tête coincée entre ses bras allongés devant lui. Fidèle à la mission de narrateur que je lui ai imposée, l'Ermite reprend sa description des événements:

— Des canots s'en retournent de l'autre côté du fleuve. Les autres restent en face de nous.

Je ne sais que faire de ce Skraeling qui ose me défier et s'incruste dans le plancher, alors que j'ai besoin d'enlever ce métal qui m'écrase.

L'intrépide aux bracelets colorés relève le torse avec hésitation. Il s'assoit sur les talons. La cuirasse qui lui couvre la poitrine est ornée d'un emblème ressemblant à un animal aux yeux protubérants. Le jeune guerrier porte une sorte de courte jupe à plis, retenue par un ceinturon à boucle, et un couvre-chef surmonté de plumes.

Avec des mouvements lents mais des yeux vifs, il tend une autre corbeille de fruits à l'Ermite, qui imite mon geste d'acceptation. Toujours sur ses talons, il prend un bol d'encens et, avec respect, souffle vers mon visage. Envahi par l'épaisse fumée, j'étouffe. L'Ermite repousse le vase, tandis que le Skraeling, subjugué de m'entendre tousser, se lève et s'approche du casque. Il plonge son regard dans le mien avec une curiosité avide.

Je grogne et l'éloigne d'un solide coup de coude. Plié en deux, le Skraeling murmure, comme pour s'excuser de ce contact trop intime. Il m'encense encore une fois. Je suffoque de plus belle. Énervé, l'Ermite envoie le brûleur par-dessus bord. Privé d'air, je me sens faiblir, je chancelle. Je tente de conserver mon allure divine, mais je trébuche. Croulant sous le poids du métal et de la fatigue, je tombe à genoux parmi les mailles de fer qui s'entassent autour de moi dans un cliquetis dérisoire. Étourdi, j'essaie d'enlever le heaume qui reste coincé. Je réussis à hoqueter :

– Ôte-moi cet attirail !

Résolument, quitte à m'arracher les oreilles, l'Ermite tire sur le casque. Je relève la cagoule sur mon crâne. Délivré, je prends des bouffées d'air, tout en crachant des nuages de fumée. Je maudis ma faiblesse et ce guerrier de parade.

Prosterné à côté de moi, le Skraeling se met à trembler de tous ses membres. Il se balance en gémissant un flot de litanies. Mon visage l'impressionne plus encore que le casque de bronze : à cause de ma peau blanche, de ma barbe rousse ? Je remarque alors que ces hommes sont tous imberbes, comme les Béothuks. Terrifié, les yeux baissés, le Skraeling lève une tranche de fruit au-dessus de sa tête. Presque en pleurant, il promène ce morceau d'un beau jaune rosé, à l'odeur appétissante, juste sous mon menton. La soif et la faim me torturent, je n'en peux plus. Tant pis s'il tente de m'empoisonner. Je m'empare du morceau et l'avale tout rond. J'ignore ce que je mange, mais la saveur en est exquise. Le suave nectar roule sur ma langue râpeuse et irrigue mon gosier desséché. Quel délice !

Voyant sa bouchée engloutie, le jeune homme sourit. Il en découpe d'autres, grâce à une pierre tranchante comme un couteau qu'il tient au creux de sa paume. Il travaille rapidement pour peler et sectionner des fruits aux formes et aux couleurs inconnues, aux goûts insoupçonnés. Il y a là de grosses boules ovales à la chair rose, gorgée d'une eau fleurée, d'autres à la pelure verte bosselée avec une pulpe d'un blanc laiteux, très sucrée, et de petites balles à la chair brune et mielleuse. Je dévore tout, sans remords. L'Ermite se régale aussi. Malgré son accoutrement guerrier, le Skraeling ne semble pas nous vouloir de mal. Du moins, pas pour l'instant.

Des voix nous parviennent de la mer. L'homme aux bracelets va accueillir le dignitaire qui revient et répète ses salutations, entouré de gardes. Cette fois, débarrassé du casque, je peux l'examiner. Coiffé d'une énorme chevelure si emmêlée qu'elle lui fait une bosse dans le dos, il a vaguement l'air d'un moine avec sa tunique. Le guerrier lui résume la situation. Le dignitaire me salue bien bas puis, dans un ample mouvement, m'invite à voir quelque chose. Je prends mon casque sous le bras. Les rameurs ont amené une large barque munie d'un banc avec un toit de paille tressée orné de fleurs. Dans une autre, un groupe de musiciens aux vêtements colorés joue un air doux sur différents instruments : ces marques de respect me conviennent.

Malgré cette déférence, notre situation m'apparaît très précaire. Nous ne sommes que deux, jeune devin et ancien esclave, qui nous connaissons à peine. Sans provisions, peu armés, perdus dans une épave loin de tout allié, en face d'une armée de Skraelings bien entraînés et disciplinés. Je n'ai aucune idée de ce qui nous attend ni de ce que peuvent manigancer ces barbares. Un instant, la panique m'envahit à l'idée d'abandonner le knorr.

Cependant, j'entends bien entretenir la peur chez ces Skraelings. Car une chose est certaine : la différence entre vivre et périr ne tient qu'à un fil. Et je vais conserver l'initiative de l'action. Je proclame donc de ma voix la plus grave, comme si je récitais les lois au profit de l'assemblée des hommes libres :

– Je suis Ari Eriksonn, protégé d'Erik le Rouge, découvreur et fondateur de la Terre-Verte, et fils de Grimhildr, druidesse et guérisseuse réputée. Je viens des terres du Nord. Ce bateau m'appartient !

Pour bien me faire comprendre, de mon épée je frappe le plat-bord, puis ma poitrine. Je saisis la lame de mon compagnon et la heurte contre la mienne devant mon visage pour produire un son métallique. L'effet joue à plein : tous sont figés sur place. Avant de descendre dans leur embarcation, je glisse à l'Ermite :

– Remontons l'ancre. Il faut ramener notre bateau sur la plage. Tu prendras le câble pour le tirer. Fais-toi aider de ces Skraelings. Surtout, quoi qu'il advienne, ne montre pas ta peur.

L'Ermite hisse l'ancre. Je l'aide de mon mieux, malgré la lourde cotte de mailles. Je fais signe que j'irai dans la grande barque, mais je cogne le plat-bord à plusieurs reprises en me touchant la poitrine pour bien montrer que je n'abandonnerai pas mon bateau. Le jeune guerrier aux bracelets, après avoir chuchoté quelque chose à l'oreille du dignitaire en noir, crie aux rameurs en bas. Des canots se collent à la proue. L'Ermite lance le cordage aux rameurs qui s'en saisissent. Il s'embarque.

Heureux qu'on me comprenne et surtout qu'on m'obéisse, je veux suivre le dignitaire, mais je n'arrive pas à enjamber le plat-bord. La tunique de mailles me gêne. Le ridicule de la situation me saute au visage : alors que je voudrais bondir dans le canot avec une agilité de lièvre et une dignité de roi, je suis transformé en masse de métal, immobilisé devant une armée qui croit en une apparition divine. Je siffle en bas :

— L'Ermite, je ne peux pas descendre ! C'est cette maudite carapace… Viens me l'enlever !

L'affranchi monte aussitôt. Les rameurs nous observent, fort intrigués. Libéré, je vais enfin dans l'embarcation à fleurs. L'Ermite me passe le casque, puis me tend les deux épées enroulées dans le haubert. Je veux m'en saisir, mais les mouvements contraires des embarcations lui font lâcher le paquet, qui coule à pic. Je plonge aussitôt le chercher avant qu'il disparaisse dans l'eau turbide. J'attrape le fourreau de mailles et le hisse dans la barque, avec fracas métallique et éclaboussures. À mon grand désarroi, je remarque alors qu'il ne reste qu'une épée. Malheur ! L'autre m'aura glissé des mains. Je replonge immédiatement, mais reviens bredouille. Je lance un regard noir à l'Ermite.

La récupération de mon arme accroît la stupeur des Skraelings. Ces superstitieux pensent peut-être que plonger sous l'eau revient à défier les monstres des océans. La tête haute, je pointe ma lame vers le soleil et clame à Thor toute mon admiration. Le dignitaire vêtu de noir entonne une litanie que tous s'empressent de reprendre,

III

puis il prie à voix basse, le visage tourné vers le fond de la barque, dissimulé derrière un rideau de fumée.

Au son des flûtes et des tambours, nous partons dans une lente procession que ferme notre épave remorquée par un groupe de rameurs. Les hommes affrontent sans frémir le courant qui roule pêle-mêle de lourdes vagues dans la bouche du fleuve. Nous remontons ces eaux gonflées par les dernières pluies. Nous dépassons les huttes au toit de paille, toutes enfouies dans la fange jusqu'à mi-porte. Nous poursuivons vers l'amont en suivant un large méandre boueux. D'un des canots, derrière, jaillit un cri déchirant, grave comme celui du hibou mais amplifié cent fois. Une plainte semblable lui répond depuis le littoral d'où émane aussi une mélodie de flûtes et de tambours. Là-bas, entre des arbres majestueux, un groupe guette notre arrivée. Assis à l'ombre du toit fleuri, je conserve précieusement l'arme sur mes genoux.

Plongée dans l'inconnu : mon excitation surpasse ma peur. De nombreux signes annoncent une issue favorable à l'aventure : le vol des échassiers blancs dans un ciel d'une pureté éblouissante, le chant des femmes, rythmé par d'aimables vagues, l'encens aux parfums boisés, les parures des dignitaires, la crainte qui court dans le regard des guerriers.

Je suis un explorateur comme mon père et tous les guerriers marchands qui m'ont précédé. Et je découvre une terre avec des arbres encore plus grands que ceux du Vinland. Je deviendrai riche et puissant, plus que Leif et son père réunis !

CHAPITRE VII

Terre inconnue

Je débarque en terre inconnue comme on se retrouve dans un rêve. Une incursion dans l'imprévisible absolu. Mais j'arrive en conquérant. J'ai confiance en Mère qui m'a promis un destin exceptionnel.

Juste avant d'accoster, le Skraeling aux bracelets nous précède sur le sable d'un bond aérien pour retenir la barque, qui s'échoue en douceur. La musique éclate en vagues triomphantes. Une foule compacte, peut-être craintive, se presse de chaque côté de l'embarcation. Alignés sur plusieurs rangées, des gens psalmodient, les yeux respectueusement baissés. Il y a surtout des hommes, en jupe courte, quelques-uns avec une petite cape sur les épaules. Au fond, une poignée de femmes, vêtues de longues jupes droites, avec des bijoux de pierres et de coquillages au cou, certaines avec une blouse ou une cape en pointe. Derrière se tiennent d'autres hommes, modestes, pratiquement nus. Un peu en retrait, des musiciens jouent en cadence une marche victorieuse. On m'honore de chants d'allégresse en dirigeant des vapeurs parfumées vers moi à l'aide de larges feuilles. Quelle apothéose pour un naufrage !

Cependant, au milieu de cette fête, tout me déroute : les airs aux sonorités mystérieuses, l'extravagance des parures, les couleurs vives des costumes et les peintures sur les visages. Malgré mon appréhension, je toise cette plèbe qui tremble à mes pieds. Enorgueilli par son rôle, l'homme aux bracelets dirige sèchement le troupeau. Il s'agit sûrement d'une sorte de capitaine. Il commande dans une langue qui ne ressemble à aucune autre, sauf peut-être, après réflexion, à celle des Béothuks.

Avec l'aide des rameurs, l'Ermite ancre l'épave au bord du fleuve. En mettant le pied à terre, il tombe à genoux dans le sable mouillé et se signe en vitesse, avant que j'aie le temps de protester.

Le jeune capitaine indique trois dignitaires, debout un peu plus haut, en bordure de la plage. Les porte-étendard du convoi débarquent et vont se flanquer au pas de course de chaque côté de l'imposant trio. Encadrés du moine à la robe noire et du guerrier aux bracelets, l'Ermite et moi sommes dirigés vers ces nobles dont nous ignorons tout. Deux portent aussi des robes noires, bien que les leurs soient couvertes de capes brodées de rouge qui descendent jusqu'aux chevilles. Ils ont des coiffures compliquées, hautes, avec des nœuds, des plumes et des franges. Le troisième ressemble aux guerriers avec sa cuirasse. Le plus impressionnant de la triade, au centre, arbore de magnifiques colliers et une espèce de sceptre surmonté d'un médaillon entouré de plumes. La dureté de son visage est aggravée par une décoration plantée en travers du nez qui lui tombe sur les lèvres, comme le battant pend dans une cloche. S'agit-il d'un prêtre, d'un seigneur ?

Les trois nous saluent en repliant le bras droit vers l'épaule gauche. J'imite leur mouvement avec solennité, l'Ermite se signe à nouveau. Le bonhomme à la crosse emplumée discourt sans que je comprenne un mot. De la main, il montre les ravages causés par la tempête : les arbres arrachés, les barques brisées, les constructions démolies ou inondées. J'acquiesce et déclare une autre fois mon identité, mais avec plus de retenue que sur le bateau, car leur prestance m'intimide. Pour illustrer mes paroles, je tends le bras vers le nord, d'où je viens, et je le dirige à l'est, d'où j'arrive. Puis, saisi d'une inspiration, je termine l'index en l'air, pointé vers la demeure de Thor. Les trois me regardent gravement et s'inclinent avec respect. De son bâton à plumes, le chef désigne un sentier entre les arbres. Les trois dignitaires s'y engagent, nous leur emboîtons le pas.

Le casque toujours sous le bras, l'épée à la main, je marche derrière eux le plus dignement possible. L'Ermite me suit, le haubert roulé sur ses épaules. Nous montons le long d'une voie en pierres taillées, ravinée par endroits. De chaque côté, des maisons au toit de paille semblent avoir été écrasées par le pied géant de la tempête. La végétation est si dense que le soleil filtre à peine jusqu'au sol.

Nous parvenons à une place recouverte de dalles, mais noyée sous des coulées de fange. Des groupes de personnes attendent autour d'une construction érigée en plein centre. Je suis sidéré par l'ampleur de cette structure de pierre. Composé de plusieurs plateformes, disposées en ordre décroissant, l'édifice mesure environ cinq pas de hauteur. Au sommet brûle un grand feu. Peut-être la lumière que j'ai aperçue du bateau. De chaque côté du large escalier central se pressent des hommes, eux aussi parés de rouge. Des figures de monstres colorent les contremarches. L'estomac serré par l'inquiétude, je jette un coup d'œil à mon compagnon. Horrifié comme s'il voyait le diable en personne, les yeux exorbités, il fait des signes de croix à la ronde. Je lui lance un regard assassin pour qu'il cesse. En vain.

Les trois dignitaires s'approchent de l'escalier. Les hommes empourprés des gradins se mettent à souffler dans de larges coquillages en forme de cône. Leur musique, comme une respiration brûlante, emplit l'air d'une infinie tristesse et rythme la montée des trois nobles. Parvenus en haut, ils se placent devant les flammes, puis le chef au bâton emplumé nous fait signe. Le capitaine nous pousse, l'Ermite et moi, vers les marches. Je prends une longue inspiration et me coiffe de la cagoule et du heaume doré pour gravir les degrés au son des plaintes saccadées.

Lorsque nous atteignons le pinacle, le seigneur au nez déformé lève son sceptre face à la foule, une centaine de personnes maintenant; certaines s'agenouillent dans la boue. Solennellement, nous faisons avec lui le tour de la plateforme. Des bols d'encens fument à chacun de ses quatre coins. Mon casque, frappé par le soleil couchant, lance des rais de lumière sur le peuple en pâmoison. Nous nous arrêtons devant une table massive en pierre. Visiblement à notre intention, le chef pointe son bâton vers l'est, sur l'horizon infini de la mer que l'on distingue par-dessus les arbres. Puis, après un demi-cercle vers les cieux, il montre l'ouest, en direction des collines qui s'élèvent au loin. Il prononce des paroles incompréhensibles, je reste imperturbable. L'Ermite tente de m'imiter, mais son épaule frémit contre mon bras.

Des cris stridents retentissent. Le moine du bateau réapparaît, tirant une bête au pelage dru, ses courtes pattes entravées et le groin ficelé. Il hisse l'animal récalcitrant jusqu'en haut. Le seigneur pose son bâton cérémoniel dans un orifice de la table et exhibe une lame. Les deux prêtres subalternes immobilisent l'espèce de sanglier sur l'autel. Après quelques incantations, le chef l'éventre d'un coup vif, expose les entrailles et arrache le cœur. Les trois sacrificateurs, aspergés de sang, jettent des morceaux sanguinolents dans des récipients profonds où rougeoient des braises. Le sang déversé me rappelle la précarité de notre situation, mais l'odeur de viande grillée me réveille l'appétit. L'immolateur brandit son couteau ciselé, dégouttant. Il discourt d'une voix puissante, en s'adressant parfois à nous, parfois à la foule en bas. Puis, avec force, il entonne un chant, repris par les musiciens et les gens, qui se termine par des cris d'allégresse. Je salue par de légers mouvements de tête.

Renfrogné, l'Ermite se tient derrière moi, le dos légèrement voûté. Il fait piètre figure avec sa poitrine velue qui laisse voir des côtes saillantes et la barbe qui envahit ses joues creuses. Tout en lui rappelle son passé d'esclave et de pêcheur pauvre. Je lui murmure :

– Ces Skraelings ont une hiérarchie pour les religieux et une autre pour les guerriers. Il faut que les deux continuent à croire en notre divinité jusqu'à ce que nous puissions repartir. Notre vie en dépend.

L'Ermite bougonne dans sa barbe :

– Je suis prêt à tout pour déguerpir. Mais je ne sais même plus me comporter en homme libre… Comment je fais, alors, pour avoir l'air d'un dieu ?

Le prêtre au sceptre descend tout en nous invitant à le suivre. Les autres restent en haut, à patauger dans le sang frais. L'Ermite et moi quittons l'édifice avec soulagement. Le peuple s'écarte dans un bruissement révérencieux. Le capitaine nous guide vers une maison ombragée dont on répare le toit à la hâte. Le dignitaire dépose son bâton de pouvoir à côté de la porte. J'enlève heaume et cagoule. Nous entrons. Après plusieurs salutations, je comprends qu'il faut s'asseoir sur des nattes de paille, à même le sol, devant un petit feu.

Des femmes, des tabliers brodés sur leurs jupes longues, disposent dans des jarres des brassées de fleurs aux formes, aux couleurs, aux parfums jamais imaginés. D'autres apportent des boissons, des fruits, de fines galettes et de la nourriture chaude dans des bols ouvragés. Je suis affamé, mais je n'ose montrer à quel point. Un dieu ne peut souffrir de la faim ! L'Ermite ne se gêne pas pour goûter tous ces aliments nouveaux, aux textures inusitées, aux fumets envoûtants. Il lape ses plats en grognant de plaisir. Je salive, soumis à la torture par ces arômes alléchants. La prudence me retient. Le sacrificateur et le capitaine nous observent en silence. Le dos raide, je goûte du bout des lèvres à un jus fruité et sucré. Je déchire quelques bouchées d'une galette à la consistance sablonneuse, nourriture qui pourrait être empoisonnée. L'Ermite ne semble souffrir d'aucun malaise, bien au contraire. Gavé, il retrouve le sourire. Il penche la tête dans ma direction.

– Ari, une chose m'agace. Comment un guerrier aussi prétentieux que ce jeunot peut-il avoir une grenouille dessinée sur sa cuirasse ? Un aigle, un ours, je comprendrais. Mais… tu leur trouves quelque chose de terrifiant aux grenouilles, toi ?

Les yeux rivés sur la magnifique broderie animale, je lui fais un non de la tête, tandis que les deux nobles Skraelings s'échangent un bâtonnet qui fume et en aspirent les volutes à tour de rôle.

Le repas terminé, le religieux se retire après un long salut. Les servantes rangent tout sous la supervision du capitaine qui paraît grand et fort pour un Skraeling. Avec son panache, il dépasse les femmes de deux têtes. Il s'accroupit sur un tout petit siège et l'une d'elles retire le casque à plumes, défait sa coiffure. Une abondante chevelure noire et lustrée s'étale sur son dos. Il se lève et détache sa jupe, pendant que la femme dénoue la cuirasse à la curieuse effigie de grenouille. Juste avant que tombe sa protection, il nous lance un regard de défi. Ses yeux foncés brillent, non pas de haine mais d'orgueil. Dénudée, sans l'ombre d'un duvet, sa poitrine luit des jaunes dorés de la flamme. Il ne garde qu'une bande de tissu autour des hanches, laquelle, passée entre les jambes, est retenue sur le devant par un nœud. J'examine ce garçon presque nu, qui semble plus jeune que moi, tout en muscles saillant des épaules jusqu'aux jambes, qui dénotent un athlète capable de grandes prouesses. Fier, presque amusé par notre curiosité de le voir avec ce simple linge, il fait descendre trois filets d'entre les poutres du plafond. Souple comme un chat, il s'assied sur le premier au bord de la porte et s'y étend. De la main, il nous invite à en faire autant.

Avec précaution, je vérifie les amarres. À demi convaincu, je passe épée et casque à l'Ermite, et finalement, j'imite le Skraeling. En équilibre sur les cordes, je bascule. Par bonheur, le filet s'ouvre sous mon poids. Je me balance à l'horizontale, les pieds plus hauts que la tête, avec l'étrange sensation de flotter, ce qui n'est pas désagréable. L'Ermite ne veut même pas essayer. Il place ma lame sous la natte, enroule la cotte de mailles autour d'un de ses bras et s'étend, l'autre bras replié sur le heaume. Il marmonne une courte prière et s'endort. Il ronfle en peu de temps, tandis que je lutte contre le sommeil. Le capitaine m'étudie en feignant de se reposer.

Des femmes entrent. Une jeune beauté va laver les mains et les pieds du capitaine. Elle lui frictionne les épaules, puis la poitrine avec un baume parfumé. Une autre beauté souriante se plante devant moi avec un bol fumant et des toiles ; je comprends qu'elle veut me prodiguer le même service. Je refuse de me dévêtir ! Mais, pour répondre à son attente, je lui tends les mains. À ma honte, mes doigts sont meurtris, poisseux et encrassés. La fille dépose ses effets par terre. Des coquillages enfilés sur des lacets tintent doucement entre ses seins. Elle garde les yeux baissés pour me masser les paumes avec une huile odorante. Ce simple toucher m'emplit de bonheur. Ses doigts tremblent contre les miens. Sa peau moite chatoie comme de l'ambre. Elle m'essuie avec une étoffe duveteuse, tissée fin, qui n'est ni lin ni laine. Je déborde de gratitude. Sa tâche terminée, elle part sans mot dire et rejoint les autres femmes debout près de la porte.

Elles chuchotent et m'épient. Elles restent là, à attendre je ne sais quoi. Je ne bouge pas, hébété par l'épuisement. Je tente de garder les paupières ouvertes. Du revers de la main, sans même les regarder, le capitaine choyé fait signe aux femmes de sortir. Terrassé par la fatigue, je les regarde partir, leurs dos cuivrés et leurs chevelures noires multipliés à l'infini en ondulations qui se mêlent à la danse des flammes.

Sans cesse, le knorr, balayé par des vagues sinistres, sombre au milieu des cris. Mes frères sont emportés par les courants. J'aurais dû les attacher à l'ancre avec moi. Une chaleur écrasante me tire de ces songes tourmentés. J'ai l'impression d'avoir à peine fermé l'œil et pourtant, déjà, le soleil brille haut dans le ciel.

Avec un bout de corde, je me fabrique une ceinture pour conserver mon épée à portée de main. L'Ermite et moi avalons des galettes tièdes, puis descendons vers la rive, suivis du jeune guerrier et de gens sous ses ordres. Pas de trace des immolateurs de la veille. Les eaux du fleuve se sont quelque peu retirées. Je fixe l'estuaire au loin, avec l'espoir fou d'apercevoir un bateau qui serait venu à notre recherche.

Comble d'exaspération, la mer assagie nous invite à hisser la voile et à déguerpir. Le regard attaché à l'horizon comme à ma dernière chance, j'échafaude des plans pour remettre le bateau en état. Nous commençons par constater les dommages. Pour effectuer les réparations, il faudrait installer le bateau en cale sèche, donc le faire glisser sur des rondins. Sans outils pour couper les arbres, nous nous rabattons sur des troncs qui traînent pêle-mêle sur la plage. Nous les alignons à quelques pas d'intervalle. Avant de hisser, il faut vider. Nous écopons encore abondamment. Au crépuscule, une première tentative de halage échoue. L'Ermite secoue ses mains pleines de sable.

– La coque est enfoncée dans la vase et le bois, imbibé d'eau, Ari. À deux, on ne peut pas sortir le bateau.

– Il faut pourtant le remonter avant qu'il pleuve.

Il se gratte le crâne, je peste contre un destin injuste. De rage, je tire des galets vers les nuages pour manifester mon mécontentement à Thor.

Dans la fraîcheur du soir qui s'assoupit, le capitaine nous invite à aller manger. Nous rentrons avec lui. Des servantes disposent devant nous une série de plats succulents, surtout composés de poissons et de crustacés, accompagnés de racines et de feuilles tendres, relevés de sauces aromatisées. Cette fois, je déguste sans honte.

– Les dieux ont trop faim pour dédaigner un tel festin !

L'Ermite approuve, la bouche pleine, les doigts dégoulinant de sauce vermeille.

Malgré la ripaille, j'ai peine à dormir tant l'idée du retour me tracasse.

Tôt le lendemain, le chef, qui a renoncé à sa cuirasse, vient nous chercher, accompagné de ses hommes, pour explorer les alentours, semble-t-il. Ses guerriers, reconnaissables à leurs sandales lacées haut, déambulent vêtus d'un linge autour des hanches, le corps décoré de bouts de bois, de pierres et de coquillages, ceux-ci parfois incrustés dans la peau. J'étudie tout, à la recherche du moindre indice qui pourrait nous servir. Aux abords du sentier qui longe le fleuve, la plupart des maisons sont construites de branches entrelacées en hauteur, les toits recouverts de plusieurs couches de feuillage qui descendent presque au sol. Les bancs et les tables sont confectionnés de bois ou de jonc. Toutes sortes de plantes et d'arbres fruitiers entourent ces maisons. Nulle part je ne repère de pièces de métal, d'ivoire ou de verre, pas de rivets, pas de clous, nul anneau de fer pour amarrer les embarcations. On dirait que tout tient avec des nœuds de corde ou de racine.

Après une courte randonnée, nous arrivons à des champs étirés entre des arbres immenses. Panier au dos, des hommes travaillent au milieu d'un fouillis de végétaux. Je n'en reconnais aucun. Une plante prédomine : de deux à trois pas de haut, elle camoufle le long de sa tige fine quelques fruits oblongs. La plupart de ces plants ont été couchés par la tempête, sauf ceux au pied des arbres qui ont résisté. Le capitaine détache un des fruits et lui ôte ses enveloppes de feuilles séchées. Un épi émerge, couvert de grains serrés et jaunes, ronds comme des perles, et qui se termine par une pointe de poils dorés. Le jeune guerrier pose ces fils blonds sur ma barbe, puis tend le fruit vers le soleil et revient à ma tête en souriant. Il associe la barbiche de l'épi à mes cheveux et à l'astre du jour, comme si ces trois éléments formaient un tout. Coïncidence qui me donne l'air d'un dieu des cultures... ou de l'abondance ?

Le capitaine me regarde droit dans les yeux et écrase son doigt à la base de son cou.

— Huemac, articule-t-il lentement.

Est-ce son nom ? Je répète en plaçant mon doigt à côté du sien :

— Huemac ?

Il acquiesce, satisfait de ma prononciation. Il appuie son épi entre mes seins :

— Huracan.

Lorsque je prononce «ouracanne», un paysan grimace et tourne sur lui-même, les bras en l'air. Je comprends : je suis un tourbillon divin!

Le capitaine Huemac – je me familiarise avec ce nom – croque dans son épi et me le passe. J'y mords à mon tour. Les grains juteux ont un goût légèrement sucré. Autour de nous, on cueille ces fruits. On récolte aussi des graines dures et joufflues, extirpées de longues gaines qui pendent à des plantes grimpantes emmêlées aux hautes tiges. Au sol, d'autres végétaux se déploient et cachent sous leurs feuilles bouffantes des fruits ronds, striés de vert, parfois plus gros que des ballots de corde. Je suis médusé. Quelle variété de plantes, de grains et de fleurs! Après une brève pause sous un abri de branches, nous revenons sur nos pas.

Au village, on répare les ravages causés par la tempête. En peu de temps, la place et les sentiers sont nettoyés, les dalles, redressées, nombre de toits et de murs sont restaurés. Malgré toutes les tâches, jamais on ne nous laisse seuls. Le jour comme la nuit, on s'occupe de nous comme si nous étions des princes de passage. En observation permanente. Je ne me sépare jamais de mon épée, sauf pour prendre des bains dans le fleuve. Mon couteau reste toujours attaché à ma ceinture. Autant que possible, j'essaie de porter le haubert pour m'assurer qu'il ne disparaîtra pas, mais il est si lourd et douloureux à garder par cette chaleur que je dois l'enlever souvent. L'Ermite s'en charge alors et prend aussi mon casque.

Mon compagnon et moi passons nos journées à désencombrer le knorr. Tandis que nous œuvrons, des flottilles de canots transitent par le fleuve, le plus souvent des embarcations étroites, taillées dans des troncs évidés. Ces convois circulent dans les deux sens : certains descendent vers l'océan, tandis que d'autres en reviennent. Parfois, des porteurs arrivent des hautes terres de l'ouest. Courbés par l'effort, ils avancent en file avec d'énormes sacs sur le dos, la courroie au front. Je ne vois aucun cheval ni animal de trait, aucune brouette ni charrette. Passant à côté de pauvres diables qui croulent sous la charge, l'Ermite blêmit.

– Ces esclaves sont traités comme des bêtes ! C'est pire que sur un bateau viking !

– Eh bien ! Tu te mets à regretter les marchands islandais ! Il aurait fallu venir ici avant…

L'Ermite me menace de son gros poing un court instant. Je hausse les épaules : nous avons tous deux raison. Aucun homme du Nord ne malmènerait ainsi ses esclaves. Émaciés, sales et pieds nus, les porteurs besognent sans arrêt. Ils ont à peine le temps de déposer leur fardeau qu'ils s'embarquent et rament vers je ne sais quelle destination.

À notre intention, Huemac étale fièrement quelques pochetées de leur marchandise. Les équipages arrivés par la mer apportent du sel, de la corde, des tissus et des grains ; ceux qui partent vers le large transportent des poteries, mais surtout de gros blocs de pierre, presque carrés, d'un noir verdâtre.

Les commerçants de passage ne manquent pas de contempler le knorr échoué dans la vase. Chaque fois, quelqu'un leur fait le récit de notre arrivée. Avec révérence, on mime la furie du vent, on pointe le doigt vers l'est, puis vers la tête de dragon restée à la proue. Ces démonstrations m'inquiètent. J'ai peur qu'on s'empare du bateau. J'y dormirais, si ces Skraelings ne m'en empêchaient pas. Ils craignent sans doute que je m'enfuie. C'est bien ce que je ferais si je le pouvais!

Patiemment, j'essaie de raccommoder un bordage qui se disjoint sans cesse.

— Misère... Pas un morceau de bois qui en vaut la peine. Il faut pourtant reprendre la mer!

L'Ermite, qui se fortifie chaque jour, redresse une pointe de fer à l'aide d'un galet.

— J'ai hâte d'être en pays chrétien. Demandons de l'aide pour mettre le bateau en cale sèche.

— À qui? Les gens du village ne s'approchent même pas du knorr. Ils en ont peur! Ils ne viendront sûrement pas le haler pour nous.

— Ils vont venir. Je vais leur proposer des échanges...

— Des échanges! As-tu autre chose à offrir que des vieux clous?

— Moi, oui... Je peux leur montrer comment attraper beaucoup de poissons. Hier, des gens m'ont regardé pêcher au filet. Ils étaient épatés.

— Facile d'éblouir des Skraelings! Mais ce n'est pas ce qui va nous aider!

— Lâche tes airs de grand seigneur! Si je le demande aux pêcheurs, ils vont nous donner un coup de main. Change de ton avec moi, je ne suis plus un esclave! Mon nom, c'est Melkolf. L'Ermite, c'est du passé, je te l'ai déjà dit. Apprends aussi, grand explorateur, que ce fleuve se nomme Tecolutla.

Il me tourne le dos et s'éloigne par la plage. Ce qu'il est susceptible! Je cours pour le rattraper.

– Où as-tu déniché un filet?

– Je l'ai fabriqué, tiens! Avec leur corde la plus fine et des pierres à collier. Comment penses-tu que j'attrapais ces affreux poissons sur mon île? C'était le paradis. Maintenant que je suis libre, je compte bien y retourner.

Son audace m'étonne. Non seulement il prend des forces, mais il gagne en assurance. J'ai pourtant cru qu'il se comporterait encore longtemps en asservi.

Il fait des gestes pour attirer l'attention de jeunes qui se prélassent à l'ombre. Ceux-ci vont à sa rencontre. Melkolf leur mime le halage. Ils hésitent. Melkolf insiste. Finalement, certains vont chercher des câbles que l'ancien esclave noue aux ouvertures de rame. Une douzaine de gaillards s'attellent à la tâche. Le premier en avant, Melkolf tire et crie en cadence. Mû par ces efforts, le bateau, extrait de la fange, est hissé à la limite des arbres. J'enfonce des pieux pour étayer la coque et la maintenir droite. Melkolf remercie tout le monde avec chaleur. Intimidés, les jeunes se dispersent et rejoignent les autres qui nous observent à une distance prudente.

Heureux de ce premier succès, je grimpe à l'intérieur. Je vais à la proue, surmontée du dragon piteusement rentré dans les broussailles. J'enlève la tête de bois à la crête de métal. Encore gorgée d'eau, elle pèse lourd et Melkolf m'aide à la descendre sur la plage. Nous la posons debout, mais, mal équilibrée, elle tombe sur le côté. Les Skraelings courent se cacher, effrayés. Nous la relevons. Certains s'agenouillent devant l'effigie que nous tenons par ses gros yeux. Ébahi, je les regarde psalmodier et s'incliner à répétition. Un prêtre arrive à la course. Il dépose à nos pieds un bol de braises rougeoyantes qu'il parsème de morceaux d'encens. Il entonne un chant, lugubre comme une litanie mortuaire.

Voyant la terreur des Skraelings face au monstre, soudain je comprends. Je revois notre combat à la proue de l'épave lors de l'arrivée. Si nous avons vaincu ce matin-là, ce n'était pas grâce à notre force, mais plutôt à la protection de l'animal terrible. Cette crédulité nous est donc précieuse. Il faut encourager l'adulation. J'improvise une petite plateforme de cailloux. Melkolf et moi y plaçons la figure de proue bien à la verticale. L'opération restaure un peu de calme. Deux par deux, des femmes transportent de lourds récipients aux parois percées. Les trous dessinent des visages de démons aux yeux et à la bouche remplis de braises incandescentes. Les servantes égrènent de l'encens dans ces brûleurs disposés autour du dragon.

Parmi elles, il me semble reconnaître la belle qui est venue me soigner les mains. D'ailleurs, ce sont les mêmes femmes que j'ai vues ce premier soir. Elles portent un insigne à la base du cou, une espèce de coquillage plat et blanc qui fait ressortir l'ivoire de leur sourire. Après avoir déposé l'encens, elles exécutent une danse rythmée par les clochettes de terre cuite liées à leurs poignets. Le regard absent, elles murmurent, avancent et tournoient à l'unisson, reculent et reviennent vers l'idole, se prosternent à demi et reprennent les premiers mouvements. Leurs pieds effleurent à peine le sable. Elles ondulent comme des vagues ou des roseaux sous la caresse du vent. La tête basse, elles font entendre un carillon frénétique, les bras tendus vers l'effigie, la croupe haute, leurs chevelures balayant le sol. Les clochettes frémissent encore, puis s'éteignent en douceur.

Une des danseuses, peut-être la plus âgée, lance un ordre. La plus délicate détale, la taille fine campée sur des jambes nerveuses. Lorsqu'elle revient avec ses paquets, nos regards se croisent. Une brève lueur illumine ses yeux encadrés d'une cascade de cheveux noirs, si abondants qu'ils la couvrent jusqu'aux hanches, mais s'écartent pour laisser poindre des seins superbes. C'est ma bienfaitrice. J'ai peine à m'arracher à cette vision enchanteresse.

Séduit par la manifestation, je contemple les ornements autour de l'idole. Une douce excitation parcourt ma peau. Notre séjour en terre skraeling pourrait s'avérer plus agréable que prévu. Les femmes alimentent à nouveau les brûleurs, installent des fleurs et des palmes, puis se retirent après plusieurs génuflexions. Alors que je me réjouis, Melkolf paraît furieux, le regard noir. D'un grand coup de pied, il envoie du sable dans leur direction.

— Bande d'impies! Adorer du bois…, fulmine-t-il.

— Mais c'est parfait! Ils nous associent à cette divinité. À moins qu'ils nous considèrent nous-mêmes comme des dieux…

— Oui, toi, le dieu du tonnerre et des éclairs! Ah! ma foi! Ces niaises te prennent pour Thor en personne!

— Toutes ces prêtresses! Si elles dansaient pour moi…, lui dis-je en esquissant une pirouette.

Melkolf ne sourit même pas. Il martèle sa paume du poing.

— Je ne veux rien savoir de ces femelles en rut qui vénèrent une tête de bois! Désespoir! Je veux qu'on répare ce bateau et qu'on quitte cet endroit maudit au plus vite.

En l'entendant gronder, les derniers adorateurs du monstre sautent derrière les buissons. Sa colère contre les danseuses me fouette.

– Raclure, pour qui te prends-tu? Me donner des ordres sur ce ton!

Il m'agrippe par la barbe.

– Pour un homme libre qui veut rentrer chez lui! Je ne veux pas que tu fasses danser ces pouliches et que tu tombes dans la luxure, perverti… Je veux qu'on commence les réparations.

J'ai une violente envie de l'assommer, mais je doute d'y parvenir du premier coup. C'est lui qui pourrait me cogner. Il faut plutôt calmer cet ermite dégoûté par les rondeurs des belles.

– Pas besoin de m'arracher la face! Je n'ai pas l'intention de marier une de ces Skraelings! Nous n'allons pas nous battre, maintenant que le bateau est sorti. Moi aussi, j'ai hâte d'être à la maison. Assez de temps perdu, au travail!

– Ouais, c'est mieux…

Nous réussissons à sortir de sa base le mât cassé. Je fabrique un support de rondins et nous y installons le knorr à l'envers. Soulagement: la quille n'est pas trop endommagée. Ce sont les bordages qui ont le plus souffert, plusieurs n'adhèrent même plus à la coque. Melkolf en soulève un bout d'un air inquiet.

– C'est grave…

– Oui, mais, avec du fer, nous pourrions remplacer les rivets manquants. Puis, tailler un mât et des rames, confectionner une voile et l'imperméabiliser. Le plus difficile sera de convaincre des Skraelings de nous accompagner à Brattahlid. Ils seraient la meilleure preuve de ma découverte!

Fascinés par les possibilités du filet, les gens des alentours viennent chercher Melkolf pour aller pêcher. Je le laisse profiter de sa réussite. Il est de bonne humeur avec ses poissons. J'examine méticuleusement l'épave. Près de la proue, je découvre, bien enchâssée sous le plat-bord, une planche longue et mince, couverte d'inscriptions. Je n'en crois pas mes yeux: la plaque à mesurer le temps de feu le navigateur! L'une des faces porte des encoches sur toute sa longueur, l'autre n'est gravée qu'à moitié. Les marques rappellent les voyages au Markland et au Vinland. Le calcul du temps s'arrête aux jours de la tempête. En tout, presque deux années y figurent. Je suis transporté de joie.

La précieuse planche sous le bras, je cours chercher Melkolf. Je le découvre, entouré d'apprentis pêcheurs, au fond d'une crique ombragée où des collines chevelues se mirent dans l'eau verte. Devant ma trouvaille, il se gratte le menton.

– Tu peux compter le temps si tu veux, Ari. Mais… qu'est-ce que ça nous donne?

– C'est vital! Il faut calculer le passage des nuits. Nous vois-tu arriver au Markland en plein hiver?

– Quoi? Tu veux dire qu'on ne sera pas de retour avant la neige?

Melkolf avale sa salive avec difficulté. Un poisson se met à frétiller dans le piège. J'en profite.

– Eh bien, sûrement pas cette année… Il va falloir couper du bois et attendre qu'il soit sec. Et puis, nous avons besoin de rivets. D'ici le départ, il ne faut jamais oublier de compter les nuits. Toutes. Pour commencer, depuis quand sommes-nous ici?

Il réfléchit, les mains immobilisées sur une belle prise dans les mailles de corde.

– Après avoir repris la mer au Vinland, il nous a fallu plusieurs nuits pour atteindre l'île Sans Gibier. On a dormi là deux fois, puis il me semble avoir écopé… euh… peut-être deux ou trois nuits.

– Oui, la tempête a duré trois nuits, plus une passée dans l'épave et quatre à Tecolutla. Je vais tout graver.

J'entreprends aussitôt de sculpter la plaque du temps avec l'impression de reprendre enfin le contrôle de mon destin. Le capitaine m'épie, visiblement intrigué par mon travail.

Après une nuit à élaborer des calendriers fantastiques, je me réveille. Ma plaque n'est plus là où je l'ai laissée. Dans la pénombre, je bondis vers Melkolf que je secoue.

– Qu'as-tu fait de ma plaque?

Trop endormi pour répondre, il grommelle. Une main s'abat sur mon épaule.

– Huracan…

Huemac m'indique la sortie. Nous descendons vers la plage. Somnolent, Melkolf nous rejoint.

Dans le mauve de l'aurore, j'aperçois un modeste vieillard, la tête penchée sur ma précieuse plaque du temps. Ses doigts inspectent les encoches, il marmonne et semble compter mentalement. Tout à coup, il tourne la tête et me fixe intensément. Il savait que j'étais derrière lui. Il se redresse, tend ma plaque au capitaine et s'approche de moi. De l'index, il indique Vénus, à l'est.

Lentement, il poursuit vers la tête du dragon qui, encensée jour et nuit, croule sous les fleurs. Pendant que sa main gauche reste pointée sur le monstre, il pose avec recueillement la droite sur ma poitrine vis-à-vis du cœur, comme s'il voulait faire descendre un dieu en moi. De son visage tout ridé jaillit un regard qui me transperce.

Les yeux grands ouverts, je laisse son esprit pénétrer le mien. Les devins, amis de Mère, m'ont déjà fait subir un examen semblable. En émoi, je reste immobile, sans peur. Qu'il me sonde, qu'il consulte ses dieux; les miens me soutiennent, Thor m'accompagne. Il récite une prière envoûtante, d'une voix de plus en plus forte. Une ardeur céleste émane de sa main et se diffuse dans tout mon corps. Un vertige me saisit. Un esprit autre que le mien s'immisce en moi, une puissance extraordinaire m'habite. Subjugué, je dérive vers un ailleurs insondable, retenu par la sensation de force qui m'unit à cette main décharnée.

Le charme se dissipe. Je chemine avec cette voix qui me guide jusqu'à la plage. Le maître, plus magicien que skraeling, opine gravement et murmure avec douceur et respect. Il récite des incantations face à Vénus. Puis, il va se recueillir devant l'idole, me laissant là, avec Melkolf à genoux dans le sable et le capitaine au visage impassible qui tient ma plaque du temps tel un sceptre.

Est-ce un devin et un guérisseur comme Mère? Une chose est certaine, il a lu mon destin. Il m'a associé à Vénus et au dragon. Il paraît impressionné, ou plutôt rassuré. Son respect est de bon augure. Huemac se détend. C'est sûrement lui qui a convoqué le dignitaire, il m'accorde donc une réelle importance. Ainsi, sur l'avis de ce jeune, les nobles se déplacent.

Après une expérience aussi éblouissante, je n'ai aucune envie d'étriller l'épave. Je veux jouir de mes fabuleuses relations divines et profiter du bon temps. Melkolf parti à la pêche, je reste à proximité de la figure de proue. Les danseuses reviendront peut-être l'honorer…

CHAPITRE VIII

Deux voyages en un

Les jours se succèdent lentement. Nous réparons le bateau. La coque a été complètement grattée, l'étoupe remplacée par de la vieille corde et les rivets perdus par des goujons taillés dans un bois très dur. Au moins, les bordages garderont leur forme arrondie. Même sans être goudronné, le bateau pourrait tenir sur l'eau un certain temps. Si je ne trouve rien pour l'imperméabiliser, je pourrais recouvrir la coque de peaux, comme on le faisait autrefois.

Melkolf et moi nourrissons le rêve de retourner chez nos ancêtres : moi, pour accomplir les augures de Mère, lui, pour vivre parmi les chrétiens. Le voyage en vaut le risque. Bien que j'aie peu navigué, je connais les étoiles. Et nous avons déjà fait le trajet une fois. Bjarni a bien repéré son chemin sans ne l'avoir jamais parcouru ! Le plus difficile sera d'atteindre l'île Sans Gibier, mais, en voguant vers le nord-est, nous croiserons le courant chaud qui nous emmènera vers le Vinland.

Les eaux du Tecolutla ont regagné leur lit. Le capitaine et ses guerriers ont quitté le village pour se réinstaller à l'embouchure, au bord de la mer. Melkolf et moi avons accepté de les suivre. Je préfère la proximité du grand large à celle du fleuve. Si des knorrs venaient à passer, je ne les manquerais pas! L'épave gît à la hauteur du village, trois cents pas en amont. Nous nous établissons dans une des huttes ovales aperçues dans l'eau le premier jour. Peu de femmes vivent là, à part le groupe des danseuses, quelques musiciennes et cuisinières. J'ai l'impression d'être dans un camp destiné à protéger les convois.

Devant notre abri, on a planté une mystérieuse bannière décorée d'un serpent à deux têtes: en haut, un visage aux traits vaguement humains, entouré de rayons de soleil et, en bas, un autre, celui-là ceint de rayons noirs. Comme si mon compagnon et moi représentions le jour et la nuit.

Je consacre quelques jours à étudier les espèces de bois, tandis que Melkolf guette son filet tout en taillant un crucifix avec mon couteau. Un soir que je déguste ses poissons, délicieusement accompagnés de légumes et de noix grillées, une longue plainte retentit soudain depuis la plage. Le son me frappe.

– Tiens! Le même cri de hibou que celui qui a été lancé à notre arrivée.

Melkolf acquiesce. Les guerriers nous entraînent vers la rive, où une douzaine de canots accostent au milieu de saluades allègres. Le chef de l'expédition débarque avec prestance et va vers le capitaine, qui le reçoit avec chaleur. Ils échangent quelques mots, puis le voyageur vient vers moi. Il me fait une révérence solennelle, abaissant son front jusqu'au sol. Je m'incline, frappé par la beauté de ses vêtements et de ses bijoux. Après ces courtoisies, le chef fait transporter ses ballots vers les cabanes.

Assis autour du feu, le capitaine, Melkolf et moi écoutons le visiteur raconter des aventures, mouvementées à ce qu'il me semble. Il nous fait admirer le contenu d'écrins en écorce : des plumes incroyablement longues, chatoyantes de verts lumineux. Il en a beaucoup, de grandeurs différentes, avec des coloris brillants qui illuminent l'intérieur sombre de la hutte où nous nous trouvons. Il sort de sa ceinture un petit sac rempli de pierres aux tons de vert contrastés. Le capitaine échappe un court sifflement d'admiration. J'aimerais les examiner, mais l'autre les dissimule bien vite dans les plis de son vêtement. À ce geste, observé souvent, je devine que ce type est un marchand. Pour faire diversion, celui-ci ouvre un premier ballot et nous fait humer de petits grains presque ronds, fendus au centre : ceux de couleur brun foncé dégagent une odeur veloutée et persistante.

Avec l'apparition de ce personnage, une fébrilité certaine s'empare du campement. Les guerriers préparent des paquets qu'ils empilent sur la berge. On offre un repas léger à l'équipage. Tandis que le capitaine Huemac gobe ses galettes de maïs, il indique le marchand et fait monter ses doigts sur une montagne imaginaire : « Mictlan ! » Il nous désigne en répétant le mot. J'en déduis qu'il veut que nous allions à Mictlan avec le commerçant. Je pose la seule question que je peux, un doigt sur ma poitrine :

– Mictlan ?

Le capitaine acquiesce et montre deux doigts qu'il fait avancer. Ainsi, ce jars nous annonce que Mictlan, une bourgade, une montagne ou quelque chose d'autre, se trouverait à deux jours de marche.

– Non, dis-je en touchant l'épaule de Melkolf et la mienne.

Je frappe le sol à plusieurs reprises pour signifier mon intention de ne pas bouger, même si Mictlan est l'endroit le plus merveilleux du monde! J'espère que ces deux-là saisissent le message. S'il le faut, j'irai m'attacher au bateau. Le capitaine et le marchand semblent avoir compris. Ils n'insistent pas et sortent presque aussitôt, l'air affairé. Le va-et-vient des hommes se poursuit dans la nuit.

Avant le lever du soleil, on nous réveille pour nous servir en vitesse une bouillie chaude. J'entends caqueter et courir dehors. Le capitaine a revêtu sa cuirasse brodée et un nouvel attirail de plumes. Il m'attire à l'extérieur où une trentaine de guerriers aussi en costume d'apparat attendent, suivis d'autant de porteurs, paquets aux pieds, prêts à partir. Je replie le bras sur l'épaule pour les saluer. Le capitaine secoue la tête avec impatience. Il répète, un doigt vers l'ouest:

– Mictlan!

Le mot a sonné comme un ordre, mais je ne quitterai pas le littoral. J'appelle mon compagnon qui arrive au pas de course. Le capitaine le prend fermement par le bras et indique de nouveau les collines. Le ton laisse peu de place à l'interprétation. Melkolf me regarde, les yeux ronds. Je comprends que seule la force pourra nous éviter Mictlan. Malheur! Dans mon énervement, je n'ai pas pris mon épée! Une sueur glacée perle sur mon front. Je me force à sourire et glisse à Melkolf:

– Il faut prétendre que nous allons partir. Je veux aller dans la cabane prendre mon épée. S'il le faut, j'embrocherai cette face de grenouille!

Je gesticule un peu pour calmer l'impatience du capitaine et m'en retourne avec Melkolf, de plus en plus nerveux. Le capitaine fait signe à ses hommes de nous accompagner.

Je me précipite vers la hutte, Melkolf se hâte derrière moi. Les guerriers nous rejoignent. J'accélère. Ils rattrapent Melkolf que j'entends jurer. Je fonce. Le capitaine hurle. Au moment où j'atteins la hutte, des guerriers se jettent devant l'entrée. À coups de couteau, j'essaie de forcer le passage. Protégés par leurs cuirasses, ils résistent. Dans la mêlée, j'échappe ma courte lame, le capitaine s'en empare. Je veux lui sauter au cou. On me tord les bras dans le dos. J'aperçois Melkolf qu'on tente de ligoter. Je me bats à coups de pied. On réussit à immobiliser mes jambes. On me fait basculer, on m'applique un bandeau sur les yeux. Je me démène comme un renard pris au piège. On me maintient au sol. Melkolf ne répond pas à mes appels. On me renverse la tête en arrière en me tirant les cheveux : ils vont me trancher la gorge ! Non, on me force à boire un liquide épais. Des nausées me secouent. Les salauds m'en redonnent. Mon corps abandonne le combat.

On m'attache sur un grabat et on m'emporte. Ma peau se glace. Malgré moi, mes dents claquent, je grelotte. On me place dans une embarcation, j'entends ramer : nous voguons. Une étrange ivresse me fait dériver dans le monde des esprits, je me liquéfie. Des couleurs ardentes m'emplissent les yeux. Mère, ailée comme une walkyrie, me contemple du haut du ciel.

Souriante, elle plane au-dessus de moi. Dans un cri d'aigle, je m'élance vers elle. Nous volons au milieu des nuages. Puis, nous frôlons la crête des vagues à une vitesse fulgurante. Au loin, des montagnes enneigées se dessinent. Je reconnais Hvitsark, l'homme de pierre, sous son capuchon de neige. Ce pic majestueux au-dessus des brumes annonce la Terre-Verte. De joie, j'accélère. Nous enfilons un fjord aux falaises connues. Au fond s'esquissent des prairies aimées. J'entre dans la maison aux odeurs familières. Erik le Rouge et Leif sont là, entourés des richesses du Vinland. Je crie :

– Le Rouge ! Leif ! C'est moi, Ari…

Le Chanceux scrute l'air, sans rien voir. Je tonne :

– Je suis vivant ! Au sud du Vinland… Venez me chercher…

Je vocifère à en perdre la voix, mais ils ne comprennent pas que je suis là. Ma tête est sur le point d'éclater. Malgré mes cris répétés, leurs visages se voilent d'une obscurité qui m'aspire. Clarté et noirceur alternent à une vélocité folle. Je glisse le long d'arcs-en-ciel qui s'entrecroisent. Je me fonds dans cette lumière. J'explose en milliers de gouttelettes multicolores qui se disséminent dans l'immensité des cieux. Je suis à la fois air, mer et terre, à la fois homme et dieu.

J'émerge de ces visions abasourdi, épuisé, encore ligoté au grabat. Les étoiles scintillent. Au moins, on m'a enlevé le bandeau. J'ai mal à la tête et à chacun de mes os, comme si on m'avait roué de coups. Trop souffrant pour bouger, je reste coi. J'entends Melkolf ronfler. Agacé par ces dissonances, je retombe dans une douloureuse torpeur.

Plus tard, j'ouvre les yeux. Le ciel s'éclaire faiblement. Je murmure :

– Melkolf…, Melkolf!

Au passage, les sons écorchent ma gorge endolorie. L'ancien esclave lève une paupière craintive. En me voyant éveillé, il se signe.

– Que le Christ et tous les saints soient bénis… Tu es vivant! Tu étais… possédé par le diable! Tu as beuglé comme un fou. Ensuite, tu es tombé, sans vie, la bave aux lèvres. J'ai cru que tu m'avais abandonné en enfer.

– Où sommes-nous?

– Au bord du fleuve Tecolutla. On a navigué hier une partie de la journée.

– J'ai soif.

Il se lève sans bruit et verse un peu d'eau entre mes lèvres. J'avale goulûment. La fraîcheur du liquide calme mon gosier en feu et chasse la mort qui m'envahissait.

La silhouette du capitaine se dresse derrière Melkolf. Sans émotion, il ordonne qu'on défasse mes liens. J'ai peine à me relever, faible comme un vieillard à l'agonie. Melkolf me soutient pour descendre au fleuve qui n'est plus qu'un mince cours d'eau. Je me laisse flotter dans le courant vivifiant. Un guerrier me suit sur la berge. J'essaie de comprendre ce qui vient de m'arriver. Mère a toujours dit qu'on ne pouvait déplacer quelqu'un en voyage astral, car son esprit risquait de se perdre à jamais. Comment le mien a-t-il pu réintégrer mon corps, puisqu'on m'a transféré, et ce, en plein pays inconnu? Quelle puissance me protège?

Sous étroite surveillance, je me sèche au bord du feu, enroulé dans une couverture moelleuse. Melkolf se tourmente.

– Depuis que j'ai décidé de vivre en ermite, les malheurs se succèdent. J'en viens à me demander si Dieu existe.

Je ricane malgré mon crâne douloureux.

– Ton dieu! Il est sourd…

– Tes dieux ne valent pas mieux que le mien!

Un éclair me sépare les yeux.

– Ah, ma tête…

Melkolf crache à terre.

– C'est quoi, ce Mictlan où nous allons?

– Peut-être un marché d'esclaves ou de mercenaires.

– Oh! non! pas encore!

– Cesse de te lamenter et trouve mon épée.

Terrassé, Melkolf ne bouge pas. Il fixe le sol entre ses pieds. Comment ai-je pu sortir sans ma lame et me laisser berner par un morveux de Skraeling qui joue au chef?

Dans la clarté naissante, guerriers et serviteurs organisent sans presse le départ. Les canots sont cachés sous le feuillage. On m'installe sur une chaise à porteurs, chevilles et mains liées. Le voyage se poursuit à pied le long d'un affluent trop petit pour être navigable. Nous suivons un sentier étroit qui serpente entre des collines arrondies, ensevelies sous des enchevêtrements de verdure.

Nous faisons une longue halte, sans que j'en voie la nécessité. Il fait chaud et je me sens si las. J'espérais ressembler à un dieu, j'ai plutôt l'air d'un prisonnier dont on va se débarrasser. Le soleil se couche. Nous reprenons notre progression, comme si les guerriers avaient attendu la pénombre pour passer inaperçus. Nous n'avançons pas longtemps. Le capitaine montre au loin une vaste lueur.

– Mictlan.

Découpées par une pâle lumière jaunâtre, de massives silhouettes anguleuses surgissent au milieu de la végétation. Un murmure d'aise parcourt la troupe. À mes côtés, Melkolf roule des yeux terrifiés.

Des sentinelles autorisent notre convoi à entrer et nous nous enfonçons en silence dans un labyrinthe de constructions impressionnantes, illuminées par une multitude de feux. Nous passons quantité d'édifices, non plus de branches, mais de pierre, très hauts, avec de larges escaliers, des porches surélevés, des corniches sculptées, des façades décorées de murales élaborées de toutes les couleurs. Le cerveau encore englué par le poison, je me sens écrasé par ces inquiétantes merveilles couvertes de visages de monstres.

Nous montons un escalier monumental, taillé dans la pente raide et dûment gardé. Après quelques détours, celui que je crois être un commerçant s'arrête devant une longue maison à la façade entièrement couverte d'inscriptions et de figures d'animaux. Il parle au capitaine à voix basse. Depuis le portail de pierre, des serviteurs munis de torches se précipitent à leur rencontre. Le convoi se sépare en deux. Le marchand, ses porteurs et leurs précieux écrins s'engouffrent sous le porche. Nous continuons à grimper. Le capitaine nous fait pénétrer dans une vaste demeure. Il installe une partie du groupe dans la première salle. On me détache enfin. Le pas incertain, je m'appuie sur Melkolf. Le capitaine nous entraîne à travers une série de portiques et de jardins pour aboutir dans une pièce spacieuse, fermée à chaque extrémité par une porte de paille tissée.

Un feu brûle dans un coin sous la surveillance d'une femme âgée qui somnole, accroupie. Elle nous entend, se lève et prend le bras du capitaine avec sollicitude. Son lourd chignon de mèches argentées un peu défait, elle remplit des gobelets et des plats qu'elle dépose sur des tables si basses qu'on dirait des meubles d'enfants. Elle dénoue les filets pour dormir. Je me laisse choir dans l'un d'eux. Le capitaine se retire avec la dame en fermant la cloison derrière eux. Tandis que Melkolf se gave, je replonge dans mes rêves hantés.

Une cacophonie de cris, de couinements et de musique nous tire du sommeil. De l'autre côté du mur se déroule un marché, ou une fête, d'où nous parvient un bouquet d'odeurs appétissantes. Melkolf émerge de son hamac.

– Hum… Que ça sent bon! On cuisine… peut-être une fricassée?

Il saute sur ses pieds.

– J'ai faim. Je vais voir ce que je peux dénicher.

Il pousse la porte et se retrouve face à deux guerriers qui refusent de le laisser sortir. Melkolf tempête contre ces gardes, qui lui tiennent tête. L'affaire dégénère en bousculade. Le capitaine apparaît par l'autre porte. Avec force gestes, Melkolf lui fait comprendre qu'il veut avoir sous la dent ce qu'il n'a pour l'instant que sous le nez. Le capitaine appelle un garçon dans la cour intérieure. Il lui donne une poignée de grains et quelques explications. Le gamin crie à l'intention d'une vieille femme qui lui tend un panier et un gobelet. Il s'éclipse entre deux murets en angle au bout de la cour en terre battue. Il réapparaît presque aussitôt, sa corbeille pleine couverte d'une serviette brodée et son pot débordant de mousse. L'enfant donne le gobelet au capitaine, puis présente craintivement son panier à Melkolf dont le visage s'épanouit dans un large sourire : rien pour rassurer le petit qui détale. Melkolf écarte l'étoffe. De petits paquets rectangulaires sont entassés, chacun joliment emballé dans une feuille luisante. Melkolf en déballe un pour découvrir une pâte molle et gluante farcie de divers morceaux. La bouche pleine, le menton baveux, il gargouille d'extase :

– Hum… C'est plein de viande, de fruits, de fines herbes. Ah ! un vrai péché tant c'est bon ! Ari, goûte à ça !

Il me refile un pâté, tout tiède, mais, juste à l'odeur, mes nausées reviennent. Le capitaine met le gobelet entre mes mains et me fait signe d'en boire. Le liquide froid et mousseux fleure un peu la prunelle. Sa fraîche saveur me revigore.

J'ai assez de force pour suivre le capitaine qui retourne diriger une meute de domestiques dans la cour intérieure, ce vaste carré à ciel ouvert délimité par une suite de pièces semblables à celle où nous sommes logés. Chaque façade comporte une ouverture. Toutes sont fermées par de solides nattes. Nous sommes ainsi entourés, pour ne pas dire encerclés, de portes closes, sauf pour l'entrée oblique entre les murets. Huemac, debout

145

en plein centre, commande aux serviteurs qui apportent des plantes, des arbustes, des arbres en pot qu'ils disposent selon ses indications. Du seuil, j'observe cet homme jeune, déjà si autoritaire, les régir d'une main de fer. On creuse, bêche, transplante, arrose. Un nuage terreux colle aux vêtements et aux corps. Sous mes yeux, comme par magie, un jardin prend forme.

Je ne peux rester longtemps debout. Mes jambes ont peine à me supporter et ma tête veut se fendre en deux, comme si j'avais reçu un coup de gourdin sur le crâne. Parfois, un vertige me saisit. Je dois me cramponner de peur d'être emporté par une horrible illusion. J'ouvre les yeux et le jardin est toujours là, de plus en plus beau à mesure que la journée progresse. Au coucher du soleil, tous s'en vont, laissant derrière eux un espace touché par la grâce des dieux. Au milieu se dresse un autel de pierre sur lequel trône une idole de bois. De l'encens brûle, mêlant ses effluves aux parfums capiteux des fleurs.

Par l'autre issue, trois servantes s'introduisent silencieusement pour s'occuper du feu, apporter des boissons, de la nourriture, des bols pour que nous puissions nous laver. Melkolf les regarde œuvrer. Son regard circule entre elles et les guerriers debout à la sortie.

— Eh bien, quoi? On est des princes ou des esclaves? C'est fou… j'ai l'impression d'être les deux en même temps, fulmine-t-il, les mains dans une jatte pleine d'eau fumante.

Je suis moi-même perplexe.

— C'est à n'y rien comprendre… Des prisonniers traités en rois.

— Ouais, mais c'est mieux que d'être vendus comme esclaves!

– Bien sûr. Mais je me demande pourquoi on nous cache plutôt que de nous exhiber. Redouterait-on nos pouvoirs à ce point ?

Melkolf lance un petit os derrière lui. Repu, il s'assoupit. Je ne peux dormir. Dans le calme du soir, je sors contempler l'idole, mi-homme, mi-serpent, avec des crocs et un collier de plumes. Je tente de communiquer avec Mère. Je voudrais connaître mon destin, mais rien ni personne ne se manifeste. Ma tête reste amèrement vide. Seul me parvient le murmure des familles que je devine groupées autour de petits feux, dont j'aperçois la clarté sous chaque porte tissée.

Le matin suivant, un pansu vient rencontrer le capitaine dans la cour fleurie. Il devise sans fin, les bras confortablement croisés sur son ventre bien rond qui luit au soleil. Soudain, je le reconnais : le commerçant qui nous a accompagnés de Tecolutla ! Il a troqué ses somptueux ornements contre un simple linge passé autour des hanches et entre les jambes. Voyant que je les observe, le capitaine touche l'épaule du marchand et lève la main vers l'ouest.

– Tollan, dit-il haut et fort.

Une nouvelle destination ? Le capitaine ouvre grand ses deux mains, les doigts bien écartés. Dix jours de marche ! Incrédule, je me touche la poitrine.

– Tollan ?

À mon grand soulagement, le capitaine me fait comprendre que nous ne participerons pas à cette expédition. Tant mieux, je ne veux pas m'enfoncer encore dans les terres. D'ici, je peux encore trouver une astuce pour retourner à la mer qui n'est qu'à un jour et demi de marche.

La deuxième journée à Mictlan se déroule sans autre incident. Les effets de mon voyage astral s'atténuent. Je reprends des forces. Nous restons confinés, sans savoir pourquoi, dans cette chambre avec un jardin princier que personne ne fréquente, à part le capitaine. Les gardes ne me laissent pénétrer dans aucune des pièces voisines, d'où nul ne sort. Melkolf se fait un petit crucifix avec des bouts de bois et de corde. Pour tromper l'ennui, j'examine ma prison en détail. Les murs sont fabriqués en carrés de boue séchée, semblables à ceux de nos maisons de tourbe. Cependant, ici, les parois à la verticale sont presque toutes recouvertes d'un enduit lisse et dur comme la pierre et décoré par endroits de dessins compliqués. Les toits semblent construits de la même matière, sur un lit de branches entrelacées.

L'inaction me pèse malgré les soins attentifs des servantes. Le caractère de Melkolf ne s'améliore pas non plus. Le soir, avant de dormir, il s'agenouille dans son coin et se flagelle devant sa croix avec un bouquet de cordes rêches en priant à voix basse. Comme s'il pouvait ainsi améliorer son sort! Se punit-il du naufrage ou de vivre parmi des Skraelings? Je ne peux comprendre pourquoi il croit en un dieu qui donne si peu, mais exige tant. Le fouet s'abat sèchement sur le dos de l'ancien esclave. Je tourne en rond comme un ours en cage.

Mère pouvait accéder à la double vision quand bon lui semblait. Je croyais pouvoir en faire autant, mais je ne vois plus le destin. Des armées de Skraelings m'ont emprisonné en compagnie d'un chrétien qui se torture :

je ne parviens pas à saisir la signification d'un tel voyage. Ni à trouver comment m'échapper. Et, à part le ciel qui demeure résolument muet, il n'y a personne avec qui en parler.

CHAPITRE IX

Gestation

Je supporte mal d'être enfermé comme un lapin qu'on engraisse. Comment me soustraire au mauvais sort et tirer Melkolf de son abattement? Le quatrième jour de notre réclusion, pendant que nos gardes digèrent leur repas du matin, Melkolf guette mon signal. Sans autre idée que la fuite vers la mer, nous assommons les deux premières sentinelles et nous nous emparons de leurs couteaux, d'un bâton à lames et d'une lance. Les deux autres guetteurs, eux aussi assaillis par surprise, sont terrassés après un bref échange de coups. Inquiétées par le bruit, des femmes appellent à l'aide. En quelques instants, des guerriers apparaissent dans toutes les embrasures. Il faut déguerpir au plus vite. Une seule issue possible: les toits. Je croise les mains vers le bas, Melkolf y pose le pied, puis grimpe sur mes épaules. D'une solide secousse, il s'élève. Une fois en haut, il me tend la main et me hisse le long du mur crayeux.

Vue du faîte, la maison où nous étions enfermés apparaît reliée à des demeures semblables. Le quartier se présente comme une succession de toits et de cours intérieures, tel un échiquier en pente. Facile de s'enfuir sur ces carrés de terre battue érigés à flanc de colline, il n'y a que les gouttières à enjamber. De toiture en passerelle, nous nous éloignons du centre et de ses édifices bien défendus. Nous obliquons vers la droite, où la forêt semble à proximité. L'évasion paraît plus simple qu'il n'était prévu. Pourrons-nous rejoindre la mer?

Des coups de sifflet stridents et des cris rauques montent du dédale des rues. Soudain, des dizaines de guerriers surgissent d'un peu partout sur les toits pour se lancer à nos trousses. Nous voulons fuir par une ruelle, mais des gardes nous coupent la voie. Toutes les issues bloquées, nous n'avons d'autre choix que de sauter au hasard dans la première cour accessible. À nous voir tomber du ciel, femmes et enfants s'envolent en piaillant. Nous traversons une enfilade de pièces, sans savoir où nous allons. Puis, nous atteignons un endroit obscur. Il n'y a pas d'autre porte. Acculés au mur, nous faisons volte-face. Des guerriers affluent par la seule entrée. Pris au piège, je découvre inopinément une petite ouverture cachée derrière un autel de pierre. Je m'y précipite, Melkolf passe à peine, même plié en deux. Nous pénétrons dans un long couloir incliné et descendons dans le noir vers une tache de lumière. Le souffle court, nous débouchons sur une vaste plateforme vide, éblouissante de soleil.

Juste en bas se tient un marché achalandé. J'ai à peine le temps d'évaluer la situation que des poursuivants émergent du couloir en gueulant. Ils rameutent les troupes qui accourent des rues avoisinantes. Avertis par le vacarme, acheteurs et vendeurs au bord de l'esplanade nous aperçoivent. La stupeur déferle à travers la foule comme un raz-de-marée. Les gens reculent dans le désordre, des guerriers arrivent en sens inverse, augmentant la confusion. Des étalages, cages et paniers sont renversés : volatiles et autres bêtes s'échappent au milieu de la panique. Les marchands qui sont coincés là s'agenouillent. Les hommes de guerre se déploient autour de la plateforme.

Armes brandies, Melkolf et moi sommes prêts à trucider le premier qui approchera. À travers les bruits et les cris, il me semble reconnaître la voix du capitaine qui aboie des ordres. Rapidement, un mur de boucliers aux figures grimaçantes nous encercle. Impossible de se défiler. L'étau se resserre dans un intense martèlement de bâtons et de pieds. Nos lames s'avèrent aussi inutiles que nos coups contre cette paroi d'écus, bardée de pointes acérées qui se rapprochent et menacent de nous transpercer. Devant l'imminence d'une catastrophe, Melkolf demande pardon à son dieu, j'implore la puissance des miens.

De nouveaux ordres retentissent. Armes et guerriers s'immobilisent. Le capitaine se glisse entre les boucliers, s'approche, nous désarme d'un air furieux, nous attache les mains dans le dos et se retire. Les piques disparaissent. En masse compacte, les guerriers se déplacent pour nous forcer à descendre sur la place. Autour de nous, la foule entonne un hymne soutenu par des roulements de tambours. Nous ne pouvons qu'ouïr, cachés dans un enclos d'écus surmonté de lances. Bercés par le chant de toute une populace, nous réintégrons notre geôle en peu de temps.

Accompagné de deux dignitaires en robe noire, le capitaine nous précède dans notre pièce. Les deux prêtres vocifèrent contre nous et contre Huemac qui argumente, les poings serrés. Melkolf et moi les écoutons, passifs comme des enfants blâmés par leurs tuteurs. Sans comprendre la discussion, je devine que Huemac prend notre défense. À voir ces deux prétentieux en noir agir de la sorte envers notre capitaine, je sens que je dois intervenir. Lorsque l'un d'eux fait claquer son bâton contre un mur, j'éclate comme un volcan trop longtemps contenu. Je les abreuve d'injures de toute la force de mes poumons. Enhardi, Melkolf en rajoute. Des jurons fusent, parfois dans la langue si particulière des Irlandais. Nous vociférons tellement que les prêtres se taisent, anxieux. Ils restent là, à attendre… Quoi? Que notre colère les pulvérise à l'instant même? Si seulement je le pouvais…

Huemac enchaîne d'un ton ferme. Les deux dignitaires finissent par acquiescer. Je crois que Huemac nous a évité un grave châtiment. Finalement, les trois s'en vont. La porte se referme derrière eux. Melkolf me regarde, admiratif.

— Tu avais raison, Ari. Les toits étaient sans protection. Et ces impies tiennent à nous garder vivants. Ils nous ont ramenés ici sans nous faire de mal. Sans même nous fouetter.

— Toi qui croyais que c'étaient des démons. Ce ne sont que des Skraelings avec leurs faiblesses. Il s'agit de les découvrir et d'en abuser!

Une servante entre, portant des plats qu'elle dispose autour du feu. Le serviteur qui l'accompagne défait mes liens. Je me frictionne les poignets et lance un coup d'œil averti à mon compagnon.

— Tu vois, ils ont tellement peur de nous que, malgré notre fredaine, ils nous nourrissent copieusement.

Libéré à son tour, Melkolf fait honneur au repas du soir. Content de sa journée, il ricane:

– Ha! C'était bon de courir sur les toits pendant qu'ils s'affolaient en bas!

– Oui, j'ai bien aimé. Mais nous ne tenterons plus une sortie pareille. Les guerriers réagissent vite et bien. Ils sont difficiles à déjouer. Pour l'instant, nous allons attendre bien tranquilles. Une occasion de retourner à la mer finira par se présenter. Si tu penses à quelque chose...

Il termine une cuisse de volatile dodue. Quelques vagues «hum, hum» m'assurent de sa collaboration. Résigné à une longue captivité, je place quatre petites roches au pied du mur: une pour chaque nuit passée à Mictlan.

À la suite de la tentative d'évasion, nos conditions de vie s'améliorent. On m'offre une pièce pour moi seul, garnie de nattes, de sièges, de bols. Melkolf a aussi droit à la sienne. Nous sommes autorisés à circuler dans les pièces autour du jardin, maintenant occupées par des guerriers. Je profite du confort pour faire une toilette approfondie, réparer un peu mes vêtements et tailler ma barbe à l'aide de mon couteau. De temps à autre, des musiciens et des danseurs viennent nous divertir. Souvent, grimpés sur des échasses, ils miment des jeux d'animaux d'une taille surnaturelle.

Malgré les amusements et la diligence des servantes, la captivité me paraît interminable. J'ai déjà aligné dix cailloux au bas du mur. Melkolf est retombé dans sa mélancolie : après avoir été esclave des Islandais, le voilà prisonnier des Skraelings. Il se croit oublié de son dieu. Je m'inquiète moi aussi. Pourquoi nous tient-on enfermés si longtemps ? Le fait que je ne comprenne rien à leur langue m'empêche d'élucider bien des mystères. Je ne suis pas le seul à être agacé par l'incapacité de communiquer. Les Skraelings semblent l'être aussi, car ils envoient un noble pour nous apprendre leur langue, le nahuatl. Je m'applique. Je répète ces mots hachurés qui doivent jaillir du fond de la gorge et résonner entre les joues avec un son grave. Sans doute encouragé par mon enthousiasme, le maître vient chaque matin pour m'enseigner, et je fais des progrès, comme lorsque Mère m'a montré à commander aux esclaves irlandais dans leur langue. Ce sont maintenant des Skraelings qu'il me faudra mener.

J'apprends à nommer et à différencier les armes, les habitations, les groupes de guerriers, d'artisans. Chaque mot nouveau est comme une clé qui m'ouvre leur monde. Un jour, tandis que je tente d'échanger avec l'érudit, un vendeur ambulant entre dans la cour. Il a une demi-lune insérée dans la lèvre inférieure et des rondelles rouges incrustées dans les lobes d'oreilles. Personne de la maison n'arbore ces disques de bois. Le vendeur cause avec le jardinier, à qui il laisse un bloc de pierre plus gros qu'une tête d'homme. Le voyant s'éloigner, le maître de nahuatl le désigne, non sans un certain mépris :

— Totonaque.

Avec orgueil, il se touche la poitrine.

— Toltèque.

Si celui-ci est toltèque, les guerriers le sont aussi. Je ne saurais dire si Toltèques et Totonaques parlent la même langue, mais j'en déduis que les premiers contrôlent l'accès à la mer, les routes commerciales et Mictlan, alors que les autres paraissent être des artisans, travailleurs mais subordonnés. Je préfère m'associer aux Toltèques dominants qu'aux Totonaques soumis : j'ai toujours côtoyé le pouvoir, la guerre et le commerce. Je mémorise bien ces noms et prononce un « Toltèque » bien senti à l'intention du maître.

Le jardinier vient nous faire admirer la texture vitreuse de son bloc de pierre. Puis, il le pose par terre devant nous et s'assoit pour le tenir entre ses pieds. D'une main il applique sur le bloc une pierre fine comme un ciseau de menuisier, qu'il frappe plusieurs fois avec une roche ronde. La masse se craquelle. Quelques petits coups encore, puis, délicatement, le jardinier dégage un éclat, aussi long que le bloc est haut, de l'épaisseur du pouce à l'extérieur et mince à en être transparent sur le fil. Avec une satisfaction évidente, il exhibe la lame fraîchement coupée et extrêmement tranchante, d'un vert opalin. Il mime le découpage d'une multitude de ces lames. J'admire sa dextérité. L'ingéniosité de ces Toltèques, leur capacité de travail me fascinent, malgré l'état primitif dans lequel ils vivent. Sans métal ni animaux de trait, ils réussissent à tirer le maximum d'une nature particulièrement généreuse.

À mesure que j'assimile leur langue, des liens se tissent avec ces gens. Les femmes et les enfants qui habitaient les pièces contiguës aux nôtres avant notre tentative de fuite réintègrent peu à peu leur logis. Les nattes qui fermaient les entrées sont écartées. J'observe la vie du clan.

Les hommes, presque tous des guerriers, vaquent à leurs affaires. J'imagine qu'ils vont et viennent entre marchés, champs, ateliers et camps d'entraînement. Des sacs de grains, des poteries, des tissus, des outils, des armes entrent et sortent de la maison. Enfermées comme moi, les femmes travaillent sans arrêt. Elles moulent du maïs pour en fabriquer des galettes qu'elles cuisent sur des feux au sol, sinon elles en font de la bouillie ou une boisson qu'elles laissent fermenter. D'autres tissent, filent ou brodent. Des enfants courent partout. Je retrouve l'ambiance de la maison : les odeurs, les bruits, les femmes qui s'occupent du feu, qui produisent des fils, des toiles, des aliments. Aucune n'est engagée dans le métier de guerrier. Chez Le Rouge, il y en avait quelques-unes avec autant de droits que les hommes libres. Ici, les cuisinières servent des repas à n'importe quel moment de la journée. Parfois les hommes m'invitent à manger avec eux. J'en profite pour apprendre des mots nouveaux et utiliser ceux que je connais.

Si je parviens à élaborer quelques phrases vacillantes en nahuatl, Melkolf en reste à l'étape des grognements. Avec sa crinière, sa barbe et ses sourcils noirs hirsutes qui lui donnent un air effrayant, l'ancien esclave n'a qu'à pointer le doigt en maugréant pour que les Skraelings exaucent ses désirs. Il vit cloîtré dans sa pièce, comme autrefois isolé sur son île, loin des tentations et des démons. Il passe ses journées à gratter une pièce de bois à l'aide de petits éclats de pierre, sans jamais assister aux rites religieux de la famille.

Chaque matin, les habitants honorent leurs dieux, quelquefois dans notre jardin, mais le plus souvent dans la grande cour ornée d'une modeste pyramide à trois plateformes d'environ un pas et demi de haut. La cérémonie commence lorsque l'aïeul monte sur la plateforme supérieure pour déposer de l'encens fumant sur l'autel. Pendant les prières, femmes et enfants chantent, jouent de la flûte et du tambour à languettes, le teponaztli. Les hommes s'insèrent des épines dans les oreilles ou le nez jusqu'à ce que du sang coule sur des feuilles qui sont ensuite brûlées. Parfois, le vieillard immole un petit animal qui sera mangé au cours de la journée ou consacre des jarres de boisson fermentée, des aliments. Une fois, je l'ai vu déposer des pierres d'un vert océan dans les mains d'une idole. Les hommes terminent le rituel en s'échangeant une longue pipe qui disperse des arômes envoûtants.

Captif dans une demeure de païens, Melkolf ne sort de sa pièce que le soir pour venir partager mon repas. Il profite de ma présence pour pontifier sur ses thèmes préférés, toujours les mêmes, dont seul l'ordre varie : la grandeur de Dieu, les forces du mal, l'impureté des femmes, l'importance de la pénitence. Je ne supporte jamais longtemps ce discours ennuyeux. Dès la dernière bouchée, je file rejoindre les Toltèques qui devisent dans la fraîcheur du soir.

À leur contact, mon apprentissage du nahuatl s'accélère. Les jeunes s'amusent à me faire prononcer des mots inconnus. Ils croulent de rire à m'entendre balbutier les énormités qu'ils tentent de m'inculquer. Souvent, quand les plus petits enfants m'aperçoivent, ils se mettent à pivoter sur eux-mêmes, les bras en l'air, les joues gonflées pour évoquer un vent féroce. Un jour qu'un de ces moucherons se met à tournoyer, il va si vite qu'il en échappe son jouet qui vient buter contre mon pied. Surpris par le coup, je prends l'objet, une espèce de cheval rougeâtre en terre cuite aux yeux noirs et debout sur des pattes raides fixées à des roues mobiles. Étonné, je les fais tourner. Contrairement à ce que je croyais, ces gens connaissent la roue mais, curieusement, ils ne l'utilisent pas.

Le capitaine apparaît sur ces entrefaites. Je lui montre les roues. J'aimerais lui expliquer que des chevaux peuvent transporter des charrettes pleines de marchandises. Il me regarde vaguement agacé, sans comprendre. Il tasse le jouet d'une main. De l'autre, il sort ma plaque du temps de derrière son dos. Le petit cheval perd de son importance, je le redonne à l'enfant qui tendait les mains. Heureux de récupérer mon bien, je tapote l'épaule de Huemac : un large sourire éclaire son visage. C'est inexplicable, mais je me sens plus proche de cet homme, avec qui je peux à peine converser, que de Melkolf, emmuré dans son monologue avec un dieu courroucé. J'entreprends de graver ma plaque pour ne pas perdre le compte des nuits en cette terre lointaine. Je fais des entailles dans la planche, une pour chaque caillou déposé au pied du mur. Il y en a trente.

Tôt le lendemain, Huemac entre, fébrile, en grand habit d'apparat, avec un casque couronné de plumes très hautes. Il semble me féliciter, car des personnages importants viennent de loin pour nous rencontrer. Il fait entrer trois dames, fort intimidées. Avec autorité, il saisit une poignée de mes cheveux et leur explique quelque chose, tandis qu'il me fait asseoir sur un de leurs minuscules bancs. Les dames susurrent, rigolent un peu et finissent par consentir à se mettre à l'œuvre. Avec délicatesse, elles montent ma chevelure en une sculpture qui tient sur le dessus du crâne grâce à des bandes en cuir, rubans rigides et plumes. Un travail interminable. Elles n'osent toutefois pas toucher à ma barbe, qui se déploie maintenant jusqu'à la base de la gorge.

Melkolf, soumis au même traitement, n'endure pas longtemps que trois femmes le bichonnent comme si elles l'avaient mis au monde et il finit par les bousculer. Les coiffeuses cèdent devant son impatience. Avec hargne, il arrache les rubans et seules quelques cordelettes solidement entortillées résistent. Dans son énervement, l'ancien esclave m'apparaît sous un jour nouveau. Confiné à sa pièce depuis un mois, nourri à volonté, il a enrobé son squelette de très généreuses couches de graisse. Ses braies, qui ne peuvent plus faire le tour d'un ventre transformé en colline de chair, ne tiennent que grâce aux bretelles. Sa poitrine est devenue aussi charnue que celle d'une jeune femme, avec deux tétins roses protubérants qui jaillissent au milieu d'une toison noire. Huemac, tout en muscles, s'amuse autant que moi de cette transformation, mais il n'en laisse à peu près rien paraître, rien que Melkolf puisse déceler.

Huemac me tend une longue cape, magnifiquement brodée, et un large ceinturon à boucle sculptée. Il me passe un collier garni d'une pierre plate ciselée. Il insiste pour que je prenne ma plaque du temps, tel un insigne de noblesse. Il me regarde franchement, avec une réelle sympathie, sa main sur mon épaule. Ses dents luisent, éclairant son visage tanné. La première fois qu'il m'a souri, c'était pour me tendre un morceau de fruit dans mon bateau. La deuxième fois, il a comparé mes cheveux au soleil dans un champ de maïs. La troisième fois, hier, il m'a rendu la plaque à mesurer le temps. À présent, avec son air radieux, il semble m'offrir son amitié. Un flot de gratitude m'envahit. Je pose à mon tour ma main sur son épaule : nos yeux se croisent en un contact intense, mais, avant que j'aie le temps d'articuler quoi que ce soit, il tape dans ses mains. Un serviteur passe une cape à Melkolf. Deux esclaves accourent avec des paquets, ornementés comme si on les destinait à un roi. Nous sortons. Dehors, une escorte nous attend. Huemac l'inspecte, puis clame :

— Suivez-moi, nous allons à la grande salle du temple.

Un hululement de conque annonce le départ. Nous descendons dans des rues désertes surveillées par des meutes de guerriers aux boucliers dressés.

Nous pénétrons dans un palais. D'un bon pas, nous enfilons couloirs, jardins et pièces sombres. Huemac nous introduit dans une vaste salle, toute en bois sculpté, éclairée par des feux au sol. Debout au centre, derrière une table basse couverte de documents, se tient un important groupe de dignitaires qui se figent à notre entrée. Pendant que les guerriers s'alignent au fond, Huemac avance vers eux. Il salue bien bas, énonce ses noms et fonctions. Puis, il se tourne vers moi pour que, j'imagine, j'en fasse autant. Je l'imite. La main sur l'épaule, je parle fort, hélas, dans ma langue, car je ne saurais employer le nahuatl :

– Je suis Ari Eriksonn, devin. Mes parents sont Erik le Rouge, découvreur et fondateur de la Terre-Verte, et Grimhildr la druidesse, experte dans les pouvoirs des plantes et des esprits. Voici Melkolf l'Ermite, né en Irlande, marin d'une force peu commune, entraîné par les Islandais.

Je m'incline, inutile d'en rajouter. Tout est dans l'assurance du ton. Satisfait, Huemac se lance dans une longue tirade, comme s'il défendait ma cause devant les juges de l'Allthing, en Islande. Avec emphase, il adapte le récit de notre arrivée de façon à éblouir l'assistance, mais je ne comprends pas tous ses mots. Un nom revient souvent, quelque chose comme quetzz… coatte. J'ignore de quoi il s'agit, mais je me félicite d'avoir un tel allié parmi les Toltèques. Intimidé, Melkolf reste derrière moi comme une ombre, ses lèvres remuant à peine. Il murmure des prières.

Durant la harangue de Huemac, j'examine les nobles en face de moi: une vingtaine de guerriers et de prêtres que je n'ai jamais vus, sauf les trois dignitaires rencontrés sur la plage le premier jour. Tous richement vêtus, immobiles, concentrés sur le récit qu'on leur fait.

Au plus fort de son discours, Huemac somme ses esclaves d'ouvrir leurs paquets. Il se retourne vers moi et, pendant un court moment, une lueur de complicité parcourt son visage. D'un geste théâtral, il sort mon casque, puis mon bouclier. Saisis de curiosité, les nobles s'avancent d'un seul mouvement. Huemac fait circuler l'écu, puis déroule la deuxième toile et exhibe mon épée. Il mime une bataille et frappe l'épée sur le casque en poussant un cri guerrier. Des vibrations métalliques se répercutent dans la pièce. Un frisson de stupeur parcourt l'assemblée. Envoûtés, les dignitaires s'approchent pour voir cette magie de plus près.

Coupant court à la fascination, un homme tape rageusement sur une pile de documents, d'où monte un nuage de poussière. Ce rappel à l'ordre impose un silence subit. L'homme qui s'est ainsi manifesté se dresse face au groupe, imposant avec sa tunique noire couverte d'insignes et l'énorme parure nasale qui lui tombe sur les lèvres. Il déploie les mots comme des étendards qu'il agite devant l'assistance. Cependant, son bijou déforme son élocution, de telle sorte que je ne saisis même pas le sens de son exposé. Personne n'ose l'interrompre. Il finit en pointant vers moi un doigt accusateur.

Un vieux, sec comme une branche morte, fulmine. Je ne l'ai pas remarqué, il se tenait tête basse derrière la table. Maintenant qu'il est debout, je le reconnais : le dignitaire qui a sondé mon esprit lorsque nous étions à l'embouchure du fleuve Tecolutla. Il fait quelques remarques brusques au dignitaire arrogant, puis il interroge Huemac en indiquant les dessins et les symboles des documents. Celui-ci rétorque avec ma plaque du temps. Il montre la poignée ouvragée de l'épée, les œillères et les motifs du casque, qu'il compare aux signes des manuscrits. Certains nobles s'immiscent dans le débat, chacun abordant des questions dont j'ignore le sens. Le prêtre âgé riposte fermement. Tout à leurs arguments, les nobles en oublient notre présence.

Je les regarde discuter, surtout content de revoir mes armes. J'aimerais m'en saisir, mais la présence des gardes me retient. Huemac les fait remballer avec soin.

Le prêtre décharné lève les mains pour calmer l'assistance. Malgré son âge et sa robe élimée, il domine les autres : une force irrésistible émane de son être. Il discourt placidement et s'empare d'un épais document aux couleurs délavées. D'un geste autoritaire, il entraîne tout le monde dehors et, dans la lumière éblouissante du soleil, il tient l'objet à plat, le haut tourné vers l'est. Sur la couverture apparaît un oiseau stylisé, au centre d'un motif à quatre branches, chacune terminée par des plumes de couleurs différentes. Le dignitaire indique tour à tour chaque branche en levant la main vers l'est, le sud, l'ouest puis le nord. Ainsi, le dessin indiquerait les quatre directions du ciel, avec l'est en haut. Le vieux me darde un regard interrogateur. J'acquiesce et je refais ses mouvements, en insistant pour bien montrer que nous venons du côté du soleil levant. Les nobles approuvent, le prêtre sourit presque. Le groupe paraît se rallier à sa cause, laquelle semble être aussi la nôtre.

Melkolf s'approche de la couverture, médusé. Son doigt suit le pourtour du motif cruciforme. Y voit-il un message de son dieu ? Il se signe à maintes reprises en prononçant des litanies, son nouveau crucifix à la main. Les nobles l'observent intensément, quelques-uns imitent ses gestes. Ils tracent sur eux la croix des chrétiens, en apposant les noms nahuatl de l'est au front, de l'ouest à la taille, du nord à l'épaule gauche et du sud à celle de droite. Ils terminent avec recueillement au centre, les mains jointes vis-à-vis du cœur, là où se trouve l'oiseau.

Tout cela est trop beau. Les Toltèques et Melkolf communient grâce aux directions du ciel ! Je jubile intérieurement, Huemac se gonfle d'orgueil. Pour eux, comme pour Melkolf, la croix revêt une profonde signification religieuse, surtout pointée à l'est, d'où semblent venir leurs dieux… et nous aussi! Nous considéreraient-ils vraiment comme des êtres divins?

Après cette profonde méditation, chaque dignitaire vient s'incliner devant Melkolf et moi. L'autoritaire petit homme sec s'approche. Huemac me le présente: il s'agit du prêtre Quauhtli, qui m'honore d'un long salut. J'en fais autant, plein de respect pour ce vieillard tenace qui m'a si bien défendu, comme s'il avait par le passé souhaité ma venue. Le nombre de mes partisans augmente, ce qui, je l'espère, me permettra de recouvrer la liberté. Signe encourageant, au retour, on ne nous cache plus entre des remparts d'écus. Les rues sont toujours désertes. Après ces jours de réclusion, la vue d'un ciel immense me réjouit.

Forte en émotions, la journée s'achève dans le doux roulis du hamac. Tout à coup, un joyeux tintement attire mon attention. Dans le rose du soir, un cortège de femmes se glisse dans la cour et commence à prier devant l'autel, au rythme délicat des flûtes et des tambours à languettes.

Trop heureux de la diversion, je sors admirer la cérémonie. La prière s'exprime en mouvements gracieux qui me rappellent la danse exécutée sur la côte en l'honneur de la tête de dragon: les mêmes insignes au cou, les clochettes, les soubresauts au sol, les fleurs et l'encens. Une silhouette gracile retient mon regard et, entre deux virevoltes, je reconnais le visage de celle qui m'a lavé les mains le premier soir. Elle est là, à se mouvoir devant moi, me lorgnant sans retenue, la peau humide et les lèvres entrouvertes par l'effort. Un heureux hasard ? Impossible… Quelqu'un s'inquiète de mon bien-être. Par-dessus les têtes, je remarque Huemac dans l'embrasure en face, l'air imperturbable. Nos regards se croisent. Un éclair de satisfaction illumine son visage : c'est lui qui a organisé ce déploiement ! Pour souligner l'acceptation des nobles ?

Avec délectation, j'imagine la suite des événements. Croupes et clochettes frémissent à l'unisson. Ces gens savent vivre, malgré tout ! Les danseuses terminent leur prestation rituelle dans une frénésie de pulsations sautillantes qui s'éteignent en un soupir de flûtes graves. Je leur souris et retourne à l'intérieur. J'enlève ma tunique et m'asperge d'eau fraîche. Je ne garde que mes braies. Melkolf, qui attend notre repas, prie les bras en croix. Un serviteur vient raviver le feu qui dégage une odeur inhabituelle, capiteuse. Comme je l'ai supposé, la jeune prêtresse se présente sur la pointe des pieds, avec un plateau chargé de petits pots aux parfums délectables.

Le bruit des clochettes enroulées à ses chevilles déconcentre Melkolf qui ouvre les yeux et fixe la femme avec surprise. Les bras lui tombent, il se tourne vers moi, courroucé.

– Qu'est-ce qu'elle fait ici, celle-là ?

– Elle vient me tenir compagnie…

– Tu sais que les femelles sont malsaines, impures. Elles ne peuvent que provoquer des désordres. Nous corrompre, nous abaisser au rang de bêtes.

– À ton idée, peut-être. Moi, j'aime leur présence, leur voix, leurs arômes. Je voudrais qu'elles soient toutes à moi. Même ces petites à la chevelure si noire ont du charme. Une femme, c'est une promesse de plaisir! Sinon, comment jouir? Le sexe ne m'inspire aucun dédain, loin de là! Pourquoi je m'en passerais?

À mon air réjoui, Melkolf comprend qu'il ne peut rien contre l'intruse et que ses discours n'ont eu aucun effet. Maintenant que je peux faire ce que mon père s'est toujours permis, je ne vais pas m'en priver, surtout pas pour plaire à ce pauvre ermite. Dans un grognement, Melkolf prétend avoir besoin d'air. Qu'il aille se fouetter, si les ébats amoureux le dérangent! Moi, j'ai hâte de voir comment on traite les envoyés des dieux. Ces yeux coquins et ces rondeurs me font saliver.

Comme lors de la première nuit, la jeune femme me masse les mains lentement. Elle pétrit chaque jointure qu'elle enduit de crème parfumée. Avec joie, je la laisse travailler. Par de petits gestes circulaires, elle remonte vers les épaules, me frictionne la base du cou. Furtivement, elle sonde ma barbe. Elle descend vers la poitrine qu'elle explore du bout des doigts, sans oublier le moindre coin de peau. Rendue à la taille, elle glisse ses mains sous le ceinturon et le défait. De longs frissons me parcourent. Elle palpe avec application mes hanches et mon ventre. Je me retiens pour ne pas éclater d'excitation. Lorsque je retire mes braies, elle échappe un cri d'étonnement. Qu'est-ce qui la surprend?

Estomaquée, presque avec terreur, elle effleure la toison rousse de mon pubis comme si c'était un brasier. Après l'inspection, elle reprend son souffle, retrouve son aplomb et son sourire de miel. Avec une délicate détermination, ses doigts remontent le long de mon sexe durci. Je ne peux endurer plus longtemps cette passivité. Je l'attrape par la cuisse et fais basculer sa jambe par-dessus les miennes. Toute en souplesse, elle grimpe dans le hamac et s'accroupit sur moi avec grâce. Je presse mon bassin contre le sien, qui ondule avec douceur. En chuchotant, elle remonte sa jupe et frotte mon pénis gonflé contre sa vulve humide, chaude et douce. Je l'empoigne par les hanches et m'enfonce en elle avec un gémissement de plaisir. Les cordes craquent, la prêtresse s'agrippe aux bordures frangées, les seins dressés, la croupe relevée. Après quelques solides coups d'éperon, j'explose d'une jouissance féroce, les mains cramponnées à ses hanches. Haletant, je lèche la pointe empourprée de ses seins hardis; la tête haute, elle sourit, triomphante.

Toute une nuit avec cette jeune chatte juste pour moi. J'ai plusieurs jours de jeûne à rattraper. Quelle volupté! Elle ondoie dans le hamac comme un poisson dans l'eau, car ce genre de filet se prête bien aux jeux charnels: il épouse les mouvements, tangue, accentue l'effet de balancement. Les corps paraissent plus flexibles que sur un lit de bois. Des positions nouvelles, inattendues, augmentent le plaisir. Le haut se mêle au bas dans des ébats sans gravité.

Je me réveille seul, mais de fort bonne humeur. Ce pays où abondent les femmes, les fruits et la chaleur me semble de plus en plus intéressant à explorer. Je sors m'étirer au soleil, Melkolf ronchonne à l'ombre. Pendant que nous partageons nos galettes tièdes sous un arbuste en fleurs, sans lui demander son avis, je me remémore à voix haute les veillées à Brattahlid. J'ai bien supporté ses homélies, qu'il entende mes histoires!

– Lors des fêtes à la ferme de mon père, tout le monde, bien saoul, copulait par groupes à même le sol.

Les murs en tremblaient! Le plus drôle, c'était lorsque les marins revenaient avec un plein bateau de femmes à vendre comme esclaves. En riant, mes frères et moi les regardions s'agiter. La bacchanale durait jusqu'à ce que les hommes les aient toutes essayées. Ils se plaçaient en ligne pour les monter. Et hop! C'était à qui jouirait en premier!

La bouche pleine, Melkolf s'enfuit en se bouchant les oreilles pour ne pas entendre les détails de ces joyeuses festivités. J'espère que je l'ai chassé pour un moment. Si je peux choisir ma compagnie, autant prendre la joyeuse prêtresse que le chrétien sermonneur. Melkolf peut bien se flageller, moi, je vais m'amuser…

CHAPITRE X

Terre totonaque

Il aura fallu trente et un jours à ces Toltèques pour se convaincre de mon origine divine. Plus qu'une lune. Je m'habitue maintenant à l'idée avec bonheur : moi, issu d'un dieu qui les éblouit et les terrorise. Quelle situation idéale pour un explorateur ! Je vais tout observer à ma guise et repartir quand bon me semblera. D'après mes calculs, en Terre-Verte et au Markland, on se prépare à affronter l'hiver. Aussi bien attendre ici le dégel. La saison s'annonce riche en découvertes voluptueuses, au moins pour moi.

Depuis que j'ai été accepté par les juges religieux, qui sont d'ailleurs repartis, on m'ouvre grand les portes. Enfin, je peux parcourir Mictlan à mon aise. Avec Melkolf qui se fait entraîner contre son gré, nous circulons dans les rues, toujours flanqués d'une escorte de guerriers sous les ordres de Huemac qui nous guide fièrement. Le capitaine des premiers jours est devenu un compagnon inséparable, une ombre assignée à perpétuité à notre surveillance. Jamais il ne tolère que des gens s'approchent pour nous parler.

Il faut une demi-journée de marche rapide pour traverser cette ville incroyablement populeuse. La partie la plus impressionnante, celle du centre cérémoniel, occupe une pointe de terre délimitée par deux ruisseaux qui descendent des collines. Les rus se joignent à l'entrée principale de la palissade qui entoure ce quartier. Derrière ce lourd mur se côtoient de majestueuses pyramides, peut-être une douzaine, de vastes terrains ceinturés de gradins, environ une quinzaine, et d'amples terrasses au dallage uniforme. Des marchands envahissent parfois ces places pour y vendre poissons, bêtes, aliments, poteries et mille autres objets dont j'ignore l'utilité. Les palais et les résidences, où l'on nous a gardés au secret, forment un ensemble lui aussi entouré d'une lice. À flanc de colline, celui-ci surplombe la grandiose zone centrale. À l'extérieur de l'enceinte, artisans et paysans vivent dans de petites maisons de terre battue au toit de paille érigées entre des champs et des jardins entretenus avec soin.

La plus magnifique des pyramides est plantée au pied de la colline aux palais. Elle comprend sept plateformes, assez larges pour que des gens puissent circuler sur chacune. Un escalier monumental découpe le côté est. Certaines marches supportent comme par magie de petits abris de pierre qui répètent les ornements des quatre faces : d'amples niches creusées dans les parois et alignées côte à côte, un peu comme les alvéoles d'une ruche. Le fond des niches est peint de rouge foncé, le bord, de bleu clair. Ces cavités sont remplies de statues, d'urnes, de fleurs et d'encens. L'exubérance des couleurs et des odeurs, un véritable hymne à la joie de vivre, contraste avec la rigueur des rites religieux.

Parcourant les rues, nous voyons les gens vaquer à leurs occupations, se divertir. Nous visitons les temples, les demeures les plus somptueuses, enfouies sous une végétation luxuriante où abonde une grande diversité de plantes médicinales, d'aromates, d'arbres et d'arbustes à fleurs, à fruits et à noix, de palmes à tresser. Alors que les places et les édifices principaux brillent d'élégance, d'autres constructions gisent en ruine sous les lierres, comme si jadis Mictlan avait été plus puissante.

Je suis fasciné par tant de nouveautés. Au cours d'une promenade avec l'infatigable Huemac, nous traversons un marché où l'on vend des masses noirâtres. Piqué par la curiosité, j'en prends une : lourde comme du bois dur, elle est malléable comme de l'argile en surface. La marchande hoche la tête et dit « ulli ». Devant mon air intrigué, Huemac touche un grand arbre qu'il feint d'entailler pour en récolter une sève imaginaire, qu'il fait semblant de pétrir. Il saisit une boule qu'il lance en l'air.

– Balle de jeu tlachtli… Viens, je vais te montrer.

Il me tire par le bras vers un de ces longs terrains ceints de murets, me place au centre du couloir et se recule de quelques pas. Il me lance avec force sa balle que je lui retourne aussi sec de la main. Huemac la fait rebondir sur sa hanche. La balle ricoche sur un pan incliné et me frappe le torse. Surpris, je la renvoie plus fort. Huemac s'esquive et la fait dévier avec sa jambe. La balle rebondit sur l'autre mur et revient. Je réussis à la frapper de l'avant-bras. Huemac l'intercepte d'un coup de genou et me la relance. Trop rapide, la balle m'échappe, roule au loin. Nous allons la chercher. Mon inexpérience amuse Huemac.

— Un jour, je t'inviterai à une vraie partie de balle, dit-il avec indulgence.

De retour au marché, il me montre une hache faite d'une pierre pointue rattachée à un manche par des lanières très robustes en ulli, résine noire qui me fait rêver. On pourrait fabriquer tant d'objets avec cette matière : des frondes, des armures ou même des semelles. Voilà un produit idéal à transporter par bateau. Je me vois avec un de ces chargements, à négocier avec des marchands islandais s'enquérant de la provenance de cette substance. Magnanime, j'indiquerais le nord d'un geste vague. Personne à part moi ne pourrait remonter jusqu'à la source de cette richesse.

Les jours passent, jamais pareils. Revenant d'un bourg voisin, Melkolf et moi rentrons en ville par la porte principale. Celle-ci donne sur une vaste allée où trônent de part et d'autre quatre pyramides qui se font face. La voie centrale est découpée par des murets couverts de figures stylisées. La finesse et la complexité de ces reliefs me captivent, même si je ne peux en percer le mystère. À une extrémité, un profil à la paupière lourde, avec une langue fourchue et une crête de plumes, attire mon attention. À la détailler, je remarque que cette tête se prolonge en un corps qui se déploie le long de l'allée, pour se terminer par une queue hérissée de plusieurs pointes doubles. Au risque de déplaire à Melkolf, je ne tais pas mon admiration.

— Quel énorme serpent ! Regarde, ici, sa tête à la huppe, et là-bas, au bout, la queue, pleine de dards. Ces

Skraelings sculptent la pierre comme d'autres font de la broderie!

– Quelle créature diabolique!

– Avoue que leurs ornements sont aussi beaux que ceux des Islandais.

– Fais attention, le païen, tu es naïf. Tu tombes dans leur piège. Un jour, sans savoir comment, tu vas te retrouver du côté de Satan… Et tu ne pourras plus t'échapper!

– Encore le diable! Mais je te parle des serpents. Sur tous ces murs! Ces centaines de spirales, ça doit signifier quelque chose! Le vent, peut-être…

J'enrage de ne pouvoir traduire ces symboles. Pourtant, le serpent à plumes m'est familier.

Son œil torve à la paupière tombante me fixe. Il m'envoûte. L'esprit de l'animal m'envahit, mes oreilles bourdonnent, je me sens aspiré vers l'autre monde. Le corps de pierre ondule, la bête se dresse et gronde comme la terre qui tremble. Je vacille. Soudain, je comprends, stupéfié par la révélation: ce n'est pas le serpent skraeling que je contemple, mais bien ma figure de proue, tête relevée, gueule grande ouverte et naseaux dilatés! Les deux têtes monstrueuses se confondent dans mon esprit troublé.

Je revois le geste du vieux prêtre sur le littoral, lorsqu'il a désigné Vénus, le dragon et moi. Il associait ma figure de proue à leur serpent emplumé! L'animal mythique marié au vent m'aurait transporté depuis Vénus. Voilà pourquoi Huemac tenait tant à nous emmener dans cette ville marquée du symbole de la spirale, qui représenterait le serpent ou le vent. Stupéfié par cette découverte, je m'appuie sur mon compagnon.

– Melkolf, regarde ces gravures. Comprends-tu pourquoi ils nous vénèrent?

– Je vois seulement que ces ensorcelés veulent nous entraîner en enfer!

– Sais-tu au moins que cette ville est dédiée au serpent?

– Consacrée au diable, c'est bien ce que je disais! Je suis désespéré, Ari. Mes prières ne parviennent plus à Dieu depuis qu'on est au bout de la terre. Il faut déguerpir d'ici au plus vite, avant que le démon se soit complètement emparé de ton âme! Moi, je prie chaque jour pour éviter l'ensorcellement, mais tu es sans défense.

– Toi et ton obsession des démons...

Je reste là, sidéré. Abattu, Melkolf continue son chemin avec Huemac, pressé de rentrer. Notre escorte s'effiloche en deux groupes. Mes doigts suivent les contours de l'animal comme si la pierre pouvait me révéler le sens de cette incroyable coïncidence. Choqué par mon audace, un jeune prêtre se précipite avec de l'encens qu'il promène sous les naseaux de l'idole. Il murmure quelque chose:

– Quetz... coa...

Les syllabes rappellent le nom évoqué par Huemac devant les juges. J'attrape le zélé par les épaules pour qu'il redise le mot. Celui-ci panique. Le front en sueur, il couine telle une souris prise au piège. J'insiste, son malaise s'accroît. Les guerriers s'approchent, menaçants. Pour l'obliger à répéter le mot, j'écrase son encens contre la face du serpent. Pris de syncope, le religieux s'incline plusieurs fois.

– Quetzalcoatl... Quetzalcoatl... Quetzalcoatl...

Enfin, le nom que je cherchais! Quetzalcoatl: douce mélodie à mes oreilles. Je lâche le prêtre, les guerriers reculent, contents de ne pas avoir à intervenir en l'absence de leur capitaine. Tremblant, le prêtre humilié époussette la face de pierre avec un pan de sa tunique.

Je flotte de joie. On me considère comme l'incarnation du puissant serpent emplumé dont l'effigie tapisse les murs de cette ville. La révélation m'emplit d'une confiance sans borne, au contraire de Melkolf qui se croit oublié de son dieu. Dorénavant, je vais m'appliquer à agir tel un terrifiant Quetzalcoatl.

Melkolf boude, mais la prêtresse glousse. Elle revient régulièrement s'exécuter devant l'autel avec la troupe de danseuses qu'elle dirige maintenant. Le chant guilleret des clochettes traverse les murs pour annoncer son arrivée. Même si les pas et la musique varient peu, le spectacle me plaît toujours autant. Les prêtresses invoquent ou suscitent le désir du dieu-serpent pour qu'il tourbillonne et crée un vent qui amènera la pluie pour fertiliser le sol, comme la sève de l'homme irrigue le ventre des femmes. Je ne sais si le charme agit sur l'idole, mais avec moi il s'avère irrésistible. Suffisamment pour que je veuille rester quelque temps encore. La jeune femme, qui accompagne souvent mes nuits, porte le nom d'une déesse, une de celles qui incarnent leur aliment sacré, le maïs. La jeune beauté se nomme Xilonen. Sa vivacité, ses rires allègent l'atmosphère. Grâce à elle, j'apprends à nommer toutes les parties du corps, jusqu'aux plus petites. Je saisis maintenant très bien le sens de tous ces mots que les jeunes me faisaient prononcer pendant ma captivité !

Xilonen me fournit des vêtements neufs coupés dans un tissu plus doux et plus léger que la meilleure des laines d'Islande. Je m'en réjouis, les miens tombaient en loques. Elle m'attache d'abord un linge autour des hanches, le passe doucement entre les jambes avant de faire un nœud en avant. Par-dessus, elle met une jupe, maintenue par une ceinture de cuir. Elle pose une cape qui ne me couvre que les épaules. Je me sens vaguement ridicule. J'aurais voulu qu'elle descende au moins jusqu'à la taille. C'est la première fois que je déambule cuisses et torse nus, mais, par cette chaleur, c'est plus confortable que des vêtements de laine. J'ai aussi droit à une nouvelle paire de sandales aux semelles tressées, retenues par des cordons qui filent entre les orteils pour se nouer aux chevilles. Légères, elles sont agréables à porter.

Une matrone vient placer mes cheveux à la manière locale, avec des bandes à larges nœuds, agrémentées de mèches postiches que Xilonen a fait teindre de la couleur de mes cheveux. Sans trop savoir pourquoi, ce nouvel accoutrement me plaît. Je me sentirai moins étrange parmi les Skraelings.

Melkolf me contemple, stupéfait par le changement. Lui porte encore ses hardes d'étoffe rude, dont il ne garde que les braies et les bretelles. Il a adopté l'allure des prêtres, leurs cheveux emmêlés en une épaisse tignasse impossible à peigner. Ainsi, aucune coiffeuse ne l'approche. Il tourne autour de moi avec un sourire narquois.

– Ha, ha! Quelle transformation! La jupette te va à ravir! Si l'esprit de ta mère passe pour voir ce que tu deviens, il ne te reconnaîtra pas.

Qu'il se gausse, je me sens mieux adapté que lui.

Il n'y a pas que la prêtresse qui s'occupe de moi. De nombreux autres dignitaires viennent aussi m'offrir des cadeaux. Probablement des Toltèques, car tous portent de riches habits, resplendissants de couleurs, de plumes, de pierres, de nacre. Plusieurs arborent des emblèmes pectoraux ostentatoires, des signes peints sur les bras, les joues ou le front. Leur visite devient un rituel matinal. Ils saluent gravement, déposent leurs offrandes, m'observent et discutent entre eux. Certains osent effleurer ma peau ou ma barbe. Ils voudraient bien étudier Melkolf, mais celui-ci ne tolère aucune familiarité.

Un jour, le révéré prêtre Quauhtli apparaît au milieu des visiteurs. Il discourt au sujet de Quetzalcoatl. Je l'écoute expliquer notre présence et notre mission, mais sans comprendre ses arguments. Ma connaissance de leur langue est encore trop limitée pour saisir des idées aussi complexes, farcies de mots incompréhensibles. L'issue de toutes ces discussions semble peu importante, car on continue à nous donner des présents.

Nous recevons des bijoux, des vêtements en tissu vaporeux, des piles de papier-parchemin bien plié, des sacs de cuir, des idoles de toutes sortes, des encensoirs, des pipes. Un jour, un visiteur me présente une de leurs hautes coiffes à plumes et insiste pour que je la porte. Avec ce panache extravagant qui me tombe en cascade jusqu'au milieu du dos, je parais encore plus colossal qu'avant. Melkolf se cache dans sa barbe pour rire. À son grand dam, il doit aussi en mettre une, celle-là à plumes hérissées. En dépit de la moue dédaigneuse de l'ancien ermite, Huemac semble satisfait.

Lorsqu'il est heureux d'un cadeau ou d'un négoce, Huemac pose sa main sur l'épaule de son interlocuteur, lequel fait de même, avec la main opposée. Les deux amis, ou intéressés, se tapotent mutuellement l'épaule à quelques reprises pour sceller le marché. Ainsi, je vois Huemac remercier le dignitaire de ses coiffes. Suivant son exemple, je touche l'épaule du donateur. Après une légère hésitation, celui-ci finit par me palper gauchement le bras avec un sourire. Je sens que je progresse. La sympathie de ces Toltèques m'est aussi vitale qu'un solide tronc pour le mât ou qu'une toile épaisse pour la voile, car, quoi qu'en pense Melkolf, je tiens toujours à retourner en Terre-Verte. Je suis simplement moins désespéré que lui.

Stimulé par sa foi en mes relations divines, satisfait de mon apprentissage, Huemac m'intègre à sa communauté. Il multiplie les rencontres avec les personnages les plus importants de Mictlan, me présente à ses compagnons d'armes. Ceux-ci évoluent au sein d'une hiérarchie stricte où chaque grade s'accompagne de charges précises. La vie des prêtres est aussi déterminée selon les titres, auxquels se rattachent des fonctions bien définies et un costume distinctif.

Cependant, malgré toutes ces observations, j'ignore toujours qui détient l'autorité suprême en ce pays.

Un jour de soleil radieux, exultant, Huemac vient nous chercher pour assister à l'une de ces fameuses joutes de tlachtli dont il nous a souvent parlé. Il spécifie qu'il s'agit d'un jeu et non d'une cérémonie. Melkolf et moi nous joignons à la troupe joviale de ses compagnons. Chemin faisant, ces hommes discutent d'équipes venues de loin, de joueurs puissants. Ils miment des sauts, des passes. Une foule importante converge vers l'aire de jeux adjacente à la place centrale. L'enthousiasme est palpable. Partout, des vendeurs offrent des aliments préparés, des morceaux de viande piqués sur des tiges d'osier, des épis de maïs, de petites crêpes chaudes toutes garnies. D'autres vendent des crécelles, des flûtes, des bannières.

Melkolf et moi marchons au milieu de la bande. Les amis s'arrêtent à un étal pour acheter des gâteaux. J'entends ricaner derrière moi. Les rires fusent d'un coin où se dissimule un groupe de jeunes dont l'un tient dans ses bras un animal à longue queue. Quelle bête curieuse ! La petite face ridée, les yeux vifs et perçants sous des touffes de poils drus, les mains aux doigts minuscules évoquent un humain. Les voyageurs disaient donc vrai : voici un de ces fameux singes. Sans se retourner, Melkolf ronchonne :

– Ari, dépêche-toi ! Huemac s'en va. On va le perdre dans la foule.

Les jeunes s'amusent à montrer mon compagnon du doigt. Je lorgne Melkolf, puis la petite créature. La ressemblance est frappante ! Je réprime un sourire. Pour ces imberbes, mon acolyte doit ressembler à un hybride. Un homme-singe ! C'est peut-être à cause de lui qu'on nous prend pour des dieux… ou des monstres ? Voyant que je les ai repérés, les sauvageons se volatilisent avant que je puisse m'approcher de l'animal. Melkolf poursuit sa course, tête baissée, sans rien voir de la scène. Je fonce pour le rattraper.

Noyés dans la cohue bruyante, nous parvenons au fameux terrain. Au milieu de l'excitation générale, Huemac nous fait asseoir sur les plus bas degrés, au centre de l'estrade. Deux équipes de quatre joueurs, l'une en rouge, l'autre en bleu, s'agitent avec une énergie démente pour le contrôle d'une balle qui bondit sans toucher le sol. Les rouges et les bleus se la renvoient à grands coups de hanche, la taille et les fesses protégées par un épais ceinturon de cuir. Les joueurs font preuve d'une agilité incroyable. Ils se démènent comme si leur vie en dépendait. Ils roulent, sautent et pirouettent pour diriger la balle. Jamais les mains, les bras ou les pieds n'y touchent. Les spectateurs crient à chaque mouvement. On commente, injurie, encourage ou pleure. Des gens agitent des banderoles à la couleur de leur équipe préférée. Un athlète des bleus fait ricocher la balle à l'extérieur du terrain. On le hue. Mais, après une série de passes incroyablement rapides que les rouges ne peuvent intercepter, l'équipe des bleus réussit à envoyer la balle percuter le mur du fond. La foule hurle de joie, les trompettes sonnent. Unanimes, les juges se lèvent sur leur piédestal au bout de l'allée et brandissent une oriflamme bleue. Tout le monde est debout, les partisans des bleus se trémoussent, au bord de l'hystérie, les bras en l'air. Un homme devant moi enlève son emblème pectoral pour le donner à son voisin qui pavoise. Il règne une ambiance de fête digne des plus grands concours sportifs auxquels j'ai assisté au pays de mes ancêtres.

La plaque du temps laissée par feu le navigateur est remplie des deux côtés. J'en commence une nouvelle. Chaque soir, je fais une entaille. Comme à Brattahlid, j'inscris le passage des lunes et des principales étoiles. Les entailles s'accumulent. Melkolf me regarde inciser le bois. Ses doigts descendent lentement le long des anciennes et des nouvelles entailles comme s'il les comptait. Il soupire :

– Ça en fait beaucoup. Depuis combien de temps on est ici ?

– Environ une centaine de jours.

– C'est long…

– Bizarre, surtout… Depuis notre arrivée, le soleil se lève à peu près au même endroit. Les jours restent de la même longueur. Mais, en Terre-Verte, ce sera bientôt le solstice.

– C'est l'hiver ? Mais il ne fait même pas froid !

– C'est bien ce qui m'agace. Les nuits allongent à peine. Et elles sont juste un peu plus fraîches qu'avant. Personne ne porte de vêtements chauds. Les maisons sont ouvertes à tous les vents, comme si la neige n'allait jamais tomber.

Melkolf reste songeur un instant, les sourcils froncés. La bouche ouverte, il contemple le ciel, en quête d'un argument pour me contredire. L'immensité azurée, splendide, se rit de ses efforts.

– Il faudrait célébrer la naissance du Christ…, murmure-t-il, incrédule.

– Si l'on veut…

– Mais le Christ est né dans la froidure…

– Alors, c'était sûrement ailleurs !

– Oui. Ici, le soleil brûle sans arrêt. On est bien du côté de l'enfer !

— Nous sommes plutôt au sud du Vinland. Peut-être vis-à-vis de Byzance. Quelqu'un m'a déjà dit qu'il y fait toujours chaud. Et ce n'est pas l'enfer, c'est un califat!

— Une autre terre de païens! Il faut s'enfuir!

— Dans quelle direction?

Ses yeux parcourent l'horizon sans y trouver de réponse. Il finit par lever les épaules et secouer sa crinière. L'ancien esclave esquisse mollement un petit signe de croix pour éloigner les démons qui rôdent autour de lui, mais sans conviction, un peu comme s'il se résignait à partager l'enfer avec eux.

Pendant la période du solstice, Huemac tient à ce que nous assistions aux cérémonies du coucher et du lever du soleil qui ont lieu sur la fabuleuse pyramide aux niches, d'où s'élèvent des nuages d'encens. Chaque jour, les dignitaires portent des vêtements et des ornements différents. Ils sortent en procession, dans des bourdonnements de psaumes et des nuées de copal, pour gravir l'escalier monumental face au soleil levant. Là-haut, le grand prêtre sacrifie un animal. Les offrandes du sang sont ensuite déposées au pied des idoles, dans une niche particulière, jamais la même que la veille.

Les spectateurs se massent dans les degrés des divers édifices pour admirer les centaines de danseurs et de musiciens qui forment des cortèges derrière les prêtres. Tous portent des costumes éblouissants de couleurs, des chefs-d'œuvre d'ingéniosité qui simulent d'audacieuses formes animales. L'un d'entre eux me plaît particulièrement. Des plumes rutilantes le couvrent de la tête aux pieds, comme si elles sortaient de sa peau, et s'allongent aux bras pour former des ailes fantastiques. Sa danse rappelle le vol chaotique d'un oiseau blessé. Il assiste aux sacrifices, poussant des cris aigus et s'agitant autour des religieux.

Mère considère les oiseaux comme des êtres aux pouvoirs divins, puisqu'ils flottent dans l'air tels des esprits. Par leurs mouvements, ils décrivent la volonté des dieux… elle y lit le destin. Elle adorerait cet homme-oiseau. Je l'imagine endosser elle-même ce costume pour faire ses prophéties.

Paré de ma tunique de mailles et de mon heaume, j'accompagne les nobles qui président aux rituels. Du plus haut palier, je surplombe la verdeur ondoyante des collines qui flottent au-dessus des brumes laiteuses enroulées au creux des vallons. Devant ce paysage grandiose, les prêtres se mutilent avec recueillement. Les yeux tournés vers l'est, en proie à une sorte de transe, ils s'entaillent le bras ou la jambe jusqu'à ce que leur sang ruisselle sur les pierres sacrées. J'assiste aux sacrifices sans que personne me demande de pousser plus loin ma participation. Je tiens mon rôle d'incarnation divine sans trop savoir ce que l'on attend de moi. Les prêtres finissent leur rituel en me faisant parader au soleil levant, étincelant de lumière, devant la foule en pâmoison.

Après une célébration matinale spécialement longue, Huemac me quitte pour aller discuter avec des chefs venus d'ailleurs. Je rejoins Melkolf qui m'attend, attablé à un petit comptoir ambulant en face du grand escalier. Une mèche de cheveux entre les yeux, il observe les fidèles qui se dispersent en mastiquant une galette. Il gronde :

— Ils m'énervent avec leurs cérémonies interminables…

— Pires encore que celles des chrétiens ?

Il crache un morceau de galette à mes pieds.

— Ils pourraient attendre avant de commencer leur procession.

— C'est pour encourager le soleil à sortir des ténèbres.

— Quels barbares! Jouer de la trompette en pleine nuit pour faire couler du sang. Et comme leurs démons sont toujours affamés, il faut toujours sacrifier!

— Oui, j'en connais qui mangent sans cesse… Mais ce n'est pas ce qui m'intéresse. Les prêtres vont prier devant une niche différente chaque matin. J'aimerais savoir combien il y en a.

— Qu'est-ce que ça va changer à notre sort?

— Rien, mais tu vas m'aider. Je vais compter les niches des trois côtés et toi, tu compteras celles de la façade.

— Comme si je savais compter!

— T'as qu'à te servir de tes doigts. Une niche, un doigt, et, quand tu as mis chacun de tes doigts vis-à-vis d'une niche, tu déposes une pierre dans ta poche. Et tu recommences tant qu'il reste des niches.

— Puisque mon seigneur Eriksonn l'ordonne…

Après un instant d'hésitation, notre escorte se divise pour suivre chacun de nous autour de la pyramide. Le nombre de niches diminue à chaque étage. J'en compte quatre-vingt-onze sur le premier côté. Comme les trois faces sont identiques, je n'ai qu'à additionner. J'arrive à deux cent soixante-treize. En revenant face au grand escalier, je retrouve mon compagnon suivi d'un guerrier qui porte cinq cailloux dans la main. Candide, les doigts écartés, Melkolf spécifie qu'il faut ajouter six doigts au total. Il y aurait donc cinquante-six niches sur la façade. Je fais la somme avec une certaine fébrilité.

— Ça fait en tout… trois cent vingt-neuf niches. Décevant.

Dépité, je lance les cailloux au loin. Melkolf lève les sourcils, vexé par mon geste.

— Mon seigneur n'aime pas comment j'ai compté?

— Tes calculs sont corrects, j'espérais autre chose, c'est tout. Tu ne peux pas comprendre…

— Ah! Parce que je suis un idiot, peut-être?

— Non… J'avais espéré qu'il y ait autant de niches que de jours dans une année.

— Qu'est-ce que ça peut changer le nombre de démons qui hantent ce tas de pierres?

Inutile de discuter avec ce chrétien. Je suis sur le point de tourner les talons lorsqu'une dame richement vêtue s'agenouille au milieu des marches. De jeunes prêtresses chantent à ses côtés. Je remarque que certaines contremarches portent des carrés peints. Il y en a d'ailleurs à chacune des sept plateformes. Saisi d'une inspiration soudaine, je compte les carrés des contremarches. Il y en a trente-cinq. J'attrape Melkolf par les épaules.

— Combien ai-je dit qu'il y avait de niches?

— J'ai oublié.

— Attends… Il y en avait… trois cent vingt-neuf. Plus les trente-cinq des contremarches. Ça fait… trois cent soixante-quatre… Plus une pour l'autel sur le dessus. Il y a donc trois cent soixante-cinq niches. Exactement ce que j'espérais! Une pour chaque jour. Ouf! Quel soulagement! Melkolf, rends-toi compte! Les Skraelings comptent l'année comme nous. Nous sommes sur la terre qui nous a vus naître et non en enfer!

Melkolf lance un regard noir en direction de la pyramide, sans partager mon bonheur.

— Ça t'amuse de compter les diables? Tu peux bien aimer parader avec eux, maudit païen! On est chez des possédés, et toi, tu es sur le point de devenir démon, voilà la vérité!

– C'est toi qui es borné. Et têtu! Tu ne sais même pas combien il y a de jours dans une année!

– Non, et je ne vois pas à quoi ça m'avancerait de le savoir!

– Espèce d'animal! Même pas capable de reconnaître la valeur d'un monument construit pour mesurer le temps.

– Je ne compte pas les couchers de soleil. Toi, tu adores le soleil. Moi, je prie le Dieu unique qui a tout créé. Ma foi est supérieure.

– Supérieure!… Ton dieu te sert d'excuse pour tout et pour rien. Tu diabolises des hommes capables d'ériger une pyramide semblable. Même dans ta sainte Irlande, il n'y a rien de comparable!

Attirés par la dispute, des curieux s'attroupent autour de nous. Une querelle entre demi-dieux, du jamais vu! Insulté par mon attaque contre sa patrie, Melkolf s'égosille de rage:

– Ah! toi! Si tu es si savant, dis-moi où on est! Sinon, demande à ce drôle avec des rondelles dans les oreilles ou à celui-là, la lèvre bardée d'épines, un os en travers du nez… Avec un peu de sang, ils vont tout expliquer!

– Arrête de mépriser ces gens. Tu fais pareil…

– Quoi?

– Tu te fouettes pour plaire à ton dieu. Le fouet ou le couteau… Quelle est la différence?

– Damné Viking! Tu oses me comparer à ces païens!

Je sens que, s'il le pouvait, il m'écraserait son poing dans la figure, mais la présence des gardes le retient.

Profondément blessé, il me tourne le dos et s'en va, furieux. Je hurle derrière lui :

– Surtout, ne m'attends pas, je m'en vais prier comme un maudit païen !

De loin, je le vois faire une croix de ses deux index au-dessus de sa tête avant de s'éclipser entre les maisons. Porté par la colère et l'extraordinaire révélation de la pyramide, je traverse la foule d'un pas décidé, presque à la course. Les guerriers n'ont pas le temps de s'interposer que je grimpe le grand escalier où ils n'osent monter. Au cinquième palier, j'atteins la chaude lumière du soleil. Je supplie mes dieux :

– Thor, Odin. J'espère que vous êtes aussi puissants ici qu'au pays des Islandais. Revenez m'habiter et me guider, sinon j'adopte les dieux de cette terre.

Je poursuis ma montée à reculons, face à l'astre du jour dont je bois goulûment la lumière ardente. Une fois au sommet, je m'agenouille. Des prêtres arrivent à la course, en sueur, décidés à empêcher tout sacrilège. Me voyant près de l'idole, un jeune dévot me regarde intensément et me tend une lame dentelée. Je m'en saisis.

– Dieu du soleil, je te rends hommage comme le font les hommes d'ici.

D'un coup sec, je m'entaille le poignet. Le sang jaillit et recouvre les coulées noires qui roulent le long du serpent de pierre. Quelque part, un tambour vibre. Derrière moi, les dignitaires récitent des incantations de leurs voix profondes et trempent leurs doigts dans mon sang. Ils se marquent les tempes de mon offrande. Ils placent des boules de paille contre le serpent pour absorber le précieux liquide avant que le sol ne le boive. Je me sens défaillir après cette saignée. Un religieux me garrotte le bras et étale une pâte gluante sur la blessure qu'il recouvre d'une bandelette serrée. De grands tambours scandent notre descente. La populace, massée au bas, entonne un hymne en tapant dans ses mains avec gravité. On lance des fleurs sur mon passage.

Depuis notre dispute, Melkolf ne m'adresse plus la parole. Il couvait peut-être l'espoir de me convertir. Mais mon goût pour les femmes nous a éloignés, et maintenant la religion nous sépare. Le fossé s'élargit entre lui et moi. Pouvait-il en être autrement ? Difficile pour un ermite, un esclave, de se comporter en prince… voire en dieu ! Désormais, il m'évite, contrairement aux prêtres de Mictlan qui, eux, se pressent à ma rencontre. Ils me font pénétrer à l'intérieur de leurs temples où ils pratiquent leurs rites sacrés. Ils m'initient à leurs prières, à leurs rituels auxquels je participe parfois. Nous partageons de longues pipées apaisantes. Certains soignent avec des herbes, des massages, des prières. Je m'explique les gestes des guérisseurs, car je saisis suffisamment de mots pour comprendre le sens de leurs actes, mais pas encore assez pour décoder leurs croyances.

La sympathie des prêtres conforte celle des guerriers. On me laisse de plus en plus libre de circuler, parfois même avec juste un garde. J'en profite pour me fabriquer un arc et des flèches que je m'amuse à lancer contre une cible, ce qui provoque l'admiration des guerriers sans inquiéter personne. J'ai moins le sentiment d'être un prisonnier. Cependant, malgré ma liberté relative, je rêve toujours de retourner parmi les miens afin de réaliser les augures de Mère.

La célébration du solstice terminée, mon appréhension s'accroît. Voilà huit lunes que nous avons fait naufrage. En Terre-Verte, on fête le début de l'été, les glaces fondent ; il faudrait partir bientôt pour ne pas rater la saison chaude. Et, pour cela, réparer le bateau au plus vite. Cependant, Huemac invente toujours de bonnes raisons pour m'empêcher de retourner sur le littoral.

Une fumée épaisse et âcre flotte dans les rues. Huemac explique qu'on a commencé à brûler les arbres, coupés il y a plusieurs lunes et laissés sur place. Maintenant qu'ils sont secs, on les réduit en cendres avant l'arrivée des pluies. La forêt sera ainsi métamorphosée en champs. Je suis scandalisé : plutôt que d'en utiliser le bois, on brûle ces troncs énormes ! Avec calme, Huemac poursuit :

— D'ailleurs, mes guerriers seront de corvée sur la côte pour le brûlis. Je dois escorter une importante expédition de commerçants et en même temps relever un groupe de gardiens au bord du fleuve.

— À l'embouchure du fleuve Tecolutla ? lui dis-je, en proie à un espoir fou.

— Oui, là où vous avez accosté.

Malgré ma surprise et ma joie, j'essaie de rester maître de la situation.

— Il faut que je remette le bateau en état, sinon les dieux pourraient croire que je les abandonne.

– Je sais. Tu peux venir avec nous, ton compagnon aussi.

– Pourrai-je faire toutes les réparations?

– Si tu travailles vite, oui. Nous resterons là-bas une quinzaine de jours, le temps de terminer les corvées. Ensuite, le roi nous recevra en audience, car les prêtres s'entendent à ton sujet.

– Qu'est-ce que tu veux dire?

– Le prêtre Quauhtli a prouvé sans l'ombre d'un doute que tu es bien l'émissaire de Quetzalcoatl.

Je brûle de lui demander: qui est ce dieu? Mais je demeure stoïque, tout doit paraître normal. Intérieurement, je jubile: j'avais bien deviné. Me voyant silencieux, Huemac insiste:

– Le roi Mixcoatl veut te voir, puisqu'il est le grand prêtre de Quetzalcoatl. Tu pourras bientôt lui livrer ton message.

Rencontrer le roi! L'anxiété me tord les tripes. J'ai toujours imaginé qu'une autorité supérieure contrôlait mon destin en ces terres, et ce, dès notre arrivée, mais l'idée de me trouver en sa présence m'effraie. Le roi-prêtre pourrait découvrir ma nature humaine, d'autant plus que je ne sais rien de ce Quetzalcoatl. Par contre, le contact avec un personnage aussi important pourrait m'ouvrir les portes de l'empire. Mère m'a bien vu traiter d'égal à égal avec un roi. Cependant, il a trop attendu, ce souverain. J'ai enfin la possibilité de remettre le bateau à l'eau. Alors, si mon plan se réalise, la rencontre n'aura pas lieu de sitôt. Peut-être lors de mon prochain passage en pays toltèque? Je réagis avec réserve.

– Ce sera un grand honneur pour moi. Quand sera-t-il ici?

Perplexe, Huemac me regarde avec suspicion.

– Mais il faut aller à Tollan! Les dieux ne t'ont donc rien enseigné?

Je reste dans l'expectative. L'autre soupire et poursuit comme s'il s'adressait à un pauvre d'esprit:

– Mictlan est sous le contrôle de Mixcoatl, le roi le plus influent des Hauts-Plateaux. Il règne dans la capitale des Toltèques, Tollan, une ville immense, encore plus belle et plus grande que Mictlan. Il contrôle les clans de la région et la route du nord. Voilà pourquoi je suis ici, pour faire respecter sa loi jusqu'à la mer. Bientôt, je l'espère, tu seras introduit auprès de lui.

– D'accord, mais je veux d'abord réparer le bateau. Melkolf et moi vous accompagnerons.

– Bien. L'expédition part dans deux jours.

Enfin, le départ approche! Que le dieu qui nous a entraînés ici, l'Ermite et moi, se morde la queue, je n'ai plus le temps de jouer à l'envoyé divin. La frénésie s'empare de moi. Il faut de la toile, de ces larges pièces que j'ai vues au marché et que je coudrai ensemble, et aussi beaucoup de cordes, de différentes grosseurs. Et quelques-uns de ces objets rares qui n'existent qu'ici, pour prouver que j'ai bien découvert une terre nouvelle. Je ne vais pas répéter l'erreur de Bjarni et revenir les mains vides. Mais seul, je ne pourrai tout rassembler à temps. Je dois convaincre Huemac de m'épauler.

– Les dieux exigent un bateau digne d'eux… Il me faudra plusieurs choses avant de partir.

– Oui, demain, nous trouverons ce qu'il faut.

Je respire. J'aurai de l'aide. J'ai peine à dormir tant je suis énervé. Ce qui me préoccupe, c'est que je n'ai rien à offrir en échange de toutes les marchandises dont j'aurai besoin. J'espère que l'armée et les nobles, ou même le roi, fourniront le nécessaire pour les réparations, puisqu'il s'agit d'une œuvre divine!

Le matin suivant, Huemac m'accompagne au marché. Plusieurs vendeurs offrent toutes sortes de draps. Je repère le plus épais. Huemac comprend que la toile revêt une importance cruciale à mes yeux. Il palabre avec le marchand, puis réfléchit et sort de sous sa tunique mon couteau que je croyais perdu depuis longtemps. Il me l'agite sous le nez.

— Le couteau en échange de la toile?

Je ne peux refuser un troc aussi providentiel. Je tente d'en tirer le maximum.

— D'accord, si tu achètes tous les ballots de ce marchand. J'ai aussi besoin de cordages, d'outils.

— Ton couteau vaut bien la toile, mais pour le reste… As-tu autre chose à offrir?

Dépourvu d'idées, je tourne les pierres vertes de mon collier. Pensif, Huemac les examine.

— Tes perles sont vraiment remarquables. Il n'y en a pas de semblables ici. Sais-tu que les pierres vertes ont un pouvoir sacré?

— Oui, une grande prêtresse me les a données. Crois-tu que je pourrais les échanger?

— Avec un pareil trésor, tu pourrais avoir ce que tu veux!

— Parfait, mais tout doit parvenir au bateau.

Huemac me tapote l'épaule. Marché conclu! Je détache mon collier avec un pincement au cœur.

Avant la fin de la journée, j'ai acquis le nécessaire pour réparer et équiper le bateau. J'ai aussi des curiosités en quantité suffisante pour convaincre la Terre-Verte au complet d'armer autant d'expéditions qu'il me plaira. Des plumes, des peaux, de la résine noire, de l'ambre, des pierres d'un vert si profond qu'on croirait y voir la mer, des tissus doux et résistants, des grains de cacao, des plantes magiques. Je salive devant l'ampleur du commerce qui m'attend! Je m'imagine tel que Mère m'a vu dans ses visions, à la tête de navires chargés de trésors, dont des herbes puissantes pour contrôler les destins.

Nous quittons le marché, suivis d'une douzaine d'esclaves qui ploient sous les marchandises. Tout à coup, je ne peux refréner une suggestion:

— Le voyage va durer plusieurs jours. Des prêtresses ne devraient-elles pas nous accompagner?

— T'aimerais pas mieux des prêtres? dit-il avec un air sérieux.

Devant ma grimace, il touche mon épaule avec un sourire amusé.

— Ne t'inquiète pas. Les prêtresses nous suivent toujours. Il faut bien que quelqu'un s'occupe des dieux pendant que les guerriers travaillent…

Nous rentrons. Face à tant de paquets, Melkolf s'étonne, puis réprime avec difficulté un cri de joie lorsqu'il comprend que nous retournons vers le littoral. J'ai moi-même peine à conserver ma dignité d'émissaire divin. Une fois Huemac sorti pour préparer son départ, Melkolf sourit de toutes les dents qu'il lui reste, soupire de soulagement et se laisse tomber sur les monceaux de tissu qu'il caresse avec amour.

— Quelle belle toile! Ah, le cauchemar tire à sa fin… On va enfin décamper!

— Oui, avec de la chance, nous devrions repartir bientôt.

Il se lève et se racle la gorge. La tête basse, l'air contrit, il pose sa grosse patte dans mon dos.

— Ari, je pensais que tu étais vraiment devenu comme eux. Avec ces bâtons que tu t'es fait planter dans les oreilles, tu ressembles à un Skraeling géant. J'ai cru que tu ne voudrais plus jamais regagner Brattahlid à cause de cette maudite prêtresse qui habite avec toi.

— Je me suis accoutumé à vivre ici, c'est tout. Il y a du bon dans chaque endroit, aussi bien en profiter. Nous étions prisonniers, il fallait attendre la bonne occasion pour s'enfuir.

— Est-ce qu'on a tout ce qu'il faut pour reprendre la mer ?

— Je l'espère bien ! Le plus merveilleux, c'est que j'aurai assez d'esclaves pour ramer.

— Comment tu vas faire ?

— Je l'ai vu en rêve : l'envoyé de Quetzalcoatl choisira des guerriers vaillants pour leur faire essayer sa divine embarcation. Le vent nous poussera irrémédiablement vers le large, et ils découvriront… le Markland et la Terre-Verte ! J'aurai ainsi les rameurs nécessaires avec, en plus, une prêtresse pour amadouer les dieux.

Le sourire de Melkolf s'efface. Ses sourcils se raidissent en un trait rageur.

— Quoi ! Cette dévergondée va venir avec nous ?

Son expression indignée m'amuse.

— Bien sûr, pourquoi s'en priver ? Le retour va paraître moins long…

Devant son expression dégoûtée, j'éclate de rire.

Chapitre XI

Retour de feu

Nous courons vers le rivage, légers comme des oiseaux. Sur la berge du fleuve, nous découvrons le bateau tel que nous l'avons laissé. Je ne peux m'empêcher de tapoter la coque comme s'il s'agissait d'un vieil ami retrouvé. Dans un élan de bonheur, Melkolf me serre dans ses bras, avant d'embrasser le knorr. Il jette un regard haineux au dragon installé juste à côté sur une petite terrasse de pierre où s'amoncellent des bols de nourriture et d'encens, des gobelets, des fleurs. Le lieu m'indiffère. Plus question d'attendre les danseuses ni d'étudier les prêtres en transe, il faut agir vite. Nos précieux paquets sont entassés dans la hutte que nous avons occupée après notre naufrage. Pendant que Huemac veille au départ des commerçants, Melkolf et moi commençons à agencer les pièces de toile pour en faire une voile aussi large que le bateau.

Assis par terre, son aiguille d'os entre les mains, Melkolf ouvre avec fureur sans quitter son fil des yeux, comme si la grosseur de celui-ci le tracassait.

– Combien de temps on a pour tout finir?

— Huemac dit qu'ils en ont pour une quinzaine de jours.

— On ne sera jamais prêts en si peu de temps!

— Mais oui, nous ne réparons que l'essentiel. Pour le mât, nous choisirons parmi les arbres que les paysans ont déjà abattus. Le bois sera sec, donc plus léger et plus facile à tailler.

— As-tu prévu quelque chose pour les provisions?

— Nous n'emporterons que de l'eau. Je ne veux pas éveiller les soupçons. Pour ce qui est de la nourriture… Tu les as déjà sur toi, tes réserves! Tu arriveras à destination avec moins de graisse, c'est tout… Ah! Pas la peine de me faire ces yeux de tueur!… Tu sais pêcher, non?

Songeur, Melkolf soupire et continue à coudre sans rien ajouter. Nous travaillons tard dans la nuit, à la lueur du feu.

Il fait à peine jour lorsque nous partons en forêt, sans escorte, car Huemac a la certitude que nous reviendrons pour réparer le bateau. Sur ce point, il a raison. Munis de têtes de hache, de câbles, de galettes, d'eau et de deux hamacs, nous nous enfonçons vers les collines de l'intérieur. Autour du village et près de la mer, il n'y a pas de troncs massifs, que des pousses grêles. Accablés par la chaleur, nous progressons avec difficulté parmi des amas indescriptibles de souches, de branches et de branchages. Nous cherchons un mât convenable parmi les arbres coupés que Huemac et ses hommes réduiront bientôt en cendres. Griffé par les ramures desséchées, Melkolf enrage.

— Ça grouille de serpents ici! Comment on va découvrir un mât dans ce fouillis?

— Il y a assez d'arbres pour construire une flotte au complet. Huemac a parlé d'un bois rouge sous une écorce pâle. Il nous en faut un bien droit et à peu près gros comme mon tour de taille. Je ne parle pas du tien, on n'en finirait pas de bûcher.

Melkolf se tâte le ventre. Il veut répliquer, mais je le devance :

— Le problème est que nous n'avons que des haches de pierre. Les attaches de résine noire les rendent solides, mais jamais aussi efficaces que nos outils de fer.

Dans sa course, Melkolf halète :

— Admettons qu'on trouve le tronc idéal et qu'on réussisse à le couper… Comment on va traîner une pareille charge, à deux, dans cette forêt pêle-mêle ?

— Quand il sera taillé, nous le ferons rouler vers le fleuve, puis nous le laisserons flotter jusqu'à l'épave. Regarde à travers le feuillage, les eaux du Tecolutla brillent juste en bas.

Le deuxième jour, guidés par un esprit favorable, nous dénichons à quelque cent pas du fleuve le tronc parfait, droit comme une épée, long de quinze pas. Lorsque je me rends compte de ma chance, je saute sur l'arbre au bois rouge pour exécuter un pas de danse, tandis que Melkolf envoie des baisers au ciel. Nous commençons aussitôt à le dégager, pour ensuite le couper à la bonne longueur et l'ébrancher. Les mains gluantes, nous bûchons avec l'impression d'être transformés en fontaines tant la sueur ruisselle de partout.

Nous nous acharnons ensuite durant quatre jours pour amasser les autres pièces de bois dont nous avons besoin. La forêt résonne de nos coups et de ceux des guerriers de corvée avec les paysans pour dégager des sentiers afin que le feu ne se propage pas à toute la contrée. La proximité du bruit indique que leurs équipes nous rejoindront bientôt. Le temps presse. J'installe une rampe de rondins pour faire glisser les billes jusqu'en bas. Le septième matin, les futurs mât, vergue, gouvernail et rames gisent au bord de l'eau. Nous les attachons pour former un radeau grossier que nous guidons tant bien que mal sur le fleuve, étroit à cet endroit et semé de rochers et de bancs de sable. Au détour d'un méandre, le cours d'eau s'élargit enfin. Nous filons sans encombre vers l'embouchure et nous échouons le radeau à côté de l'épave.

Nous faisons basculer la coque à l'endroit. Melkolf entreprend de tailler les deux pièces du gouvernail, tandis que je rabote la base du mât pour qu'elle s'ajuste exactement à la bonne femme, cette pièce de bois creusée qui maintient le mât en position verticale. Ragaillardi par le trajet sur l'eau fraîche et par la brise du large, encouragé par l'excellence de nos poutres, je rêvasse à voix haute :

— J'aime bien cette terre des Toltèques. Je vais y revenir. Les habitants sont belliqueux mais traitables. Et les richesses, innombrables. Avec toutes les preuves que je rapporte de ma fabuleuse découverte, les Islandais vont se battre pour m'accompagner.

— Eh bien, pas moi ! Je ne vais pas risquer de finir mes jours dans ton Toltekland. Je veux vivre tranquille en Irlande. Et ne jamais en repartir. Si seulement je rejoins ses côtes si vertes…

— Mettrais-tu en doute le succès de notre voyage ?

— Hum… Je me demande comment on va trouver notre route sans navigateur, sur un bateau rapetassé, avec des guerriers enragés et sans provisions.

À écouter ses appréhensions, mon enthousiasme s'éteint. Il ne manquerait plus qu'il attire le mauvais sort sur nous ! La colère monte en moi.

— Toi, l'oiseau de mauvais augure, si tu penses un seul instant que nous n'arriverons pas au but, je t'interdis d'embarquer !

— Du calme. Si mon seigneur s'offusque à la moindre remarque… Tu feras un bon navigateur.

Je me tais et me concentre sur ma pièce de bois. Intérieurement, j'enrage. Pourvu que ce peureux de chrétien ne me porte pas malheur. Un court instant, je rêve de galoper vers l'horizon, toute voile dépliée, alors que Melkolf pleure, abandonné sur la plage, les bras tendus en vain vers le large…

La situation est déjà périlleuse, il y a tant d'embûches à surmonter. Le vent m'inquiète, car il souffle de face, franc est, direction que je voulais prendre. Nous ne pourrons sortir, à moins de louvoyer vers le nord. J'ai peur que les goujons de bois ne résistent pas, la voile non plus. Sans enduit de goudron, celle-ci sera vite détrempée. De plus, la coque a été calfatée, mais mal, avec de la vieille corde non goudronnée. Il faudra emporter les écuelles les plus grandes possible, car nous devrons écoper sans cesse.

Au loin, le tonnerre roule sa menace sur l'horizon violacé. Thor m'avertit des dangers. En ces jours de grande fébrilité, mes pierres de clairvoyance me manquent. J'étais habitué à les rouler sur leur fil pour qu'elles me guident. Ma nervosité monte d'un cran, mais, quels que soient les risques, je dois retourner en Terre-Verte pour accomplir mon destin : prouver que je suis un digne fils d'Erik le Rouge et de Grimhildr. Les exploits de Leif paraîtront fades à côté des miens. Il nous reste à finir la voile, à guinder le mât, à attacher la voile à la vergue et la vergue au mât, puis à tailler les rames. En travaillant jour et nuit, nous y parviendrons.

La noirceur nous chasse vers la maison. Nous reprenons la couture. Déjà rentré, Huemac chantonne en taillant un bâton. Sa bonne humeur m'agace.

– La vie n'est pas trop dure… Aurez-vous terminé bientôt?

– Nous serons prêts à brûler comme prévu, avant les pluies.

– C'est-à-dire… quand?

– D'ici trois jours, la lune sera pleine. Nous commencerons le brûlis au nord du village. Ensuite, nous ferons les champs au sud.

Ce qui nous laisse au moins cinq jours. Juste assez pour réussir! Je redouble d'ardeur à l'aiguille, en tournant le dos à l'affranchi de malheur que je préfère ignorer pour le moment.

Melkolf et moi nous hâtons sans répit trois jours durant, sans quasiment nous adresser la parole ni dormir. Le gréement du bateau est enfin prêt. Nous n'avons plus qu'à l'assembler. Je vois Melkolf aller se coucher, le pas lourd, le dos rond d'épuisement. Sa mine déconfite m'inspire presque de la pitié. Nos destins sont liés puisque nous voyagerons ensemble: aussi bien faire la paix tout de suite. Je murmure en norois en direction de son hamac:

– En peu de temps, nous avons abattu un travail énorme. Réjouis-toi, nous serons en Terre-Verte pour le solstice d'été! Demain, nous mettrons le bateau à l'eau.

Lui aussi étendu, Huemac se racle la gorge.

– Je ne sais ce que vous complotez, mais, demain, vous assisterez à la cérémonie du feu.

– Non! Impossible, nous gréerons le bateau, dis-je en me dressant dans mon filet.

Huemac, tel un félin qui attaque, bondit sur ses pieds. Son visage collé au mien, il feule :

– Vous viendrez avec nous. Le brûlis représente un grave danger. Il faut implorer la protection des dieux. Vous êtes ici pour ça, non? Le rituel sera bref. Avant que le soleil soit au zénith, vous pourrez continuer vos affaires.

Le ton est lourd de menaces. Je ne vais pas risquer qu'il m'envoie de nouveau chez les esprits. Tout juste capable de me contrôler, je sombre entre les mailles de corde.

– Si tu insistes…

Le capitaine retourne s'étendre avec une nonchalance feinte.

– Vos réparations avancent-elles comme vous le souhaitez?

Je voudrais l'envoyer paître mais, tout à coup, une solution surgit de ma frustration :

– Si nous coopérons à ta cérémonie, toi et tes hommes, vous pourriez ensuite nous donner un coup de main.

– Comment?

– En nous aidant à planter le mât, puis on essaierait la voile au large.

– Tu veux dire que nous pourrions naviguer dans la grande pirogue?

– Oui, bien sûr…

Ses yeux brillent.

– Alors, mes guerriers et moi pourrions prendre un jour de plus avant de remonter vers Tollan. Nous t'assisterons. Les dieux nous en seront reconnaissants.

Je jubile en pensant que nous voguerons avec sa troupe d'élite! Tant de bras musclés… Content qu'il nous offre ses services, je lui pardonne de nous imposer le rituel du feu. En haute mer, ce sera moi le chef. Si ce capitaine proteste, je le lance par-dessus bord! Ce soir-là, Huemac et les prêtres se préparent au brûlis par un jeûne et des prières. Melkolf se gave en vue des jours de privation.

Après une nuit fort courte, une femme fait circuler des gamelles d'une bouillie de maïs sucrée au miel. Sans bruit, familles et guerriers se rassemblent au bord du sentier. Soudain, dans la pénombre de l'aube, des hululements de conque déchirent le silence pour annoncer l'arrivée des prêtres, porteurs du feu sacré, suivis d'une foule de paysans venus en renfort. Les uns derrière les autres, nous avançons d'un bon pas dans la forêt.

Il fait jour lorsque la procession atteint un autel rudimentaire fait de branches entrelacées et décoré d'arches feuillues. On y dépose des idoles recouvertes de résine noire et des bols de nourriture. Tous les participants récitent des incantations. Ils font des sacrifices, se mutilent et placent les feuilles encroûtées de leur sang avec les autres offrandes. Des enfants accroupis aux quatre coins de l'autel coassent comme des grenouilles. On me demande d'intercéder auprès des puissances divines. Finalement, le grand prêtre allume le bûcher sous l'autel. D'autres propagent le feu aux monticules des alentours. Des flammes gourmandes s'élancent dans le ciel avec des crépitements joyeux; les dons se métamorphosent en fumée et montent vers les dieux. Une nuée épaisse et blanche se répand par vagues, comme la brume dans le fjord au début de l'hiver.

Armés de bâtons et de toiles, les gens se répartissent pour circonscrire l'incendie qui court avec force. Les sentiers dégagés par les guerriers me paraissent fort étroits pour contrer pareille furie, mais tous semblent confiants. Malgré les sourires des paysans, une crainte me parcourt. L'air devient vite irrespirable et la chaleur, intolérable. Dans un déluge de fumée envahissante, guerriers et paysans se démènent pour arrêter les flammes. Je crache de la cendre, l'inquiétude m'étreint. Dans cette grisaille étouffante, des gerbes d'étincelles jaillissent de l'autel et dessinent une silhouette incandescente. Des langues de feu dansent et forment des yeux, des mains et une bouche mobiles. De l'apparition surgit alors une voix grave :

– Prends garde, Ari. Ces Skraelings ne savent pas contrôler les éléments. Attention, mon fils…

L'avertissement de Mère se répercute jusqu'au fond de mes os. Je me sens envahi par une peur irréfrénable. À peine visible, Melkolf semble aussi au bord de la panique devant ce brasier. Huemac me fait un signe, la cérémonie est terminée pour nous. Libérés, Melkolf et moi fuyons et retournons rapidement vers notre bateau.

Debout dans la coque, je vois des dizaines de colonnes de fumée s'élever depuis les collines. Les paroles de Mère retentissent encore en moi et je me sens bien au bord de l'eau. Melkolf profite de l'absence des villageois pour s'emparer dans la plus proche des maisons d'un gros paquet de galettes séchées qu'il fait disparaître au fond du bateau. Je rafle plusieurs gourdes faites de courges évidées. Je les remplis d'eau et les bouche à la manière toltèque, d'un bout d'épi de maïs séché. Je les empile à la proue. Je range aussi mes précieux produits locaux sous des bancs. Dans le rose enfumé du soir, j'achève d'enverguer la voile.

— Demain, nous préparerons les cordages qui lieront la vergue au mât. Le grand départ approche…

Melkolf se masse une épaule.

— Je termine les rames. Elles vont être grosses et pesantes, mais on en aura six paires.

— Après-demain, les guerriers vont nous aider à descendre le bateau à l'eau et à fixer le mât. Ensuite, je hisserai la vergue…

Je me lève, la grande perche en équilibre entre les mains :

— Nous détacherons la voile…

Je secoue mon lourd fardeau à bout de bras.

— Le vent la déploiera… Et nous prendrons le large!

Ébloui, Melkolf admire la grande voilure qui s'étire au vent.

— Irlande de mon enfance, j'arrive! gueule-t-il vers l'horizon.

Je rugis de bonheur avec lui :

— Leif! J'ai des surprises pour toi!

La lourde voile bat de l'aile et me tire avec force. Je la sens m'entraîner vers mon but.

À nos cris de joie répondent en écho de faibles hurlements. Au bout du méandre, je distingue de vagues silhouettes qui déboulent vers le cours d'eau. Soudain, une multitude affolée envahit la plage. Étonné, je regarde les gens courir dans toutes les directions, les bras chargés de paquets et d'enfants qu'on entasse sur le sable. Je fourre la voile au fond de la coque, sous la vergue. Au milieu du brouhaha, un Huemac méconnaissable avec son visage noirci me hèle au passage :

– Le feu dévore tout ! Aidez-moi à sauver les vivres.

Je n'ai pas le temps de répondre qu'il repart organiser la débandade. Les prêtres de la procession, aussi ahuris que les autres, se ruent dans la confusion vers les canots. Incrédule, je monte vers le village. Le feu crépite de plus en plus fort. Au passage, de petits animaux couinent entre mes jambes. Au loin, je vois un immense mur de flammes s'avancer dans des craquements d'épouvante. Déjà, les premières huttes à l'orée du bois flambent.

Les guerriers jettent à la hâte des épis de maïs dans des sacs qui sont descendus vers la rive. J'en prends autant que je peux et je cours, chargé comme une bête. Melkolf fait de même. Une fois les poches balancées dans les pirogues, nous recommençons. La forêt se consume. L'incendie nous encercle : le sol est chaud et l'air rougeoie comme si un volcan venait d'exploser. Au troisième voyage, ma peau et mes cheveux commencent à griller. Incapable d'en supporter davantage, je déguerpis avec les derniers habitants.

Les officiers, les prêtres et les prêtresses sont déjà partis dans les plus grandes embarcations. Huemac veut m'emmener de l'autre côté du fleuve, mais il m'apparaît vain de fuir. Le feu ne peut brûler la plage et il n'y a pas suffisamment de canots pour tous. Tout à coup, les lamentations d'une femme assise dans une pirogue au milieu du courant transpercent la mêlée. Un peu plus loin, une petite tête noire dérive entre les flots, sans que personne lui porte secours. Aussitôt, je plonge, nage et rejoins l'enfant presque inerte sous l'écume. Je l'empoigne par les cheveux et le ramène au bord. Les derniers canots disparaissent au large, enrobés d'une fumée opaque. Le garçonnet vomit l'eau salée.

Des flammèches, des brindilles incandescentes me brûlent la gorge et les yeux. Je respire du feu. Je prends l'enfant à cheval sur ma hanche et entre dans l'eau. Le petit, à demi étouffé, s'agrippe à mon cou avec angoisse. Pour éviter la chaleur intense, j'avance entre les vagues en suivant la côte. Impossible de se diriger vers le sud, le fleuve nous bloque la route. Même dans l'onde, la fumée fait tousser, suffoquer, larmoyer. Impuissants, l'enfant et moi assistons au sinistre. J'ai l'impression qu'en haut le feu ravage les maisons autour de la place. J'ignore où se trouve Melkolf. Le ciel vire au noir profond. D'épuisement, je finis par regagner le sable humide où je m'endors, l'enfant dans les bras.

À l'aube, les vagues lèchent mes pieds et me délivrent des cauchemars atroces de la nuit. Je me réveille, un goût de charbon dans la bouche. L'horizon est obscurci de nuages noirs, les collines avoisinantes crépitent encore. Au milieu d'un brouillard gris à l'odeur âcre, je longe le littoral en direction du village pour juger de l'ampleur des dégâts, le garçon sur les talons. À la limite des arbres, j'aperçois une chose semblable à un squelette de baleine calciné. Hébété, je fais le tour de la carcasse fumante. Une vive sensation de désespoir m'écrase.

Il ne reste rien de mon indispensable bateau. Mes rêves s'effritent en lambeaux amers. Le retour sur la terre de mes ancêtres est désormais impensable. La tête du dragon gît en un petit tas insignifiant, sa fine crête de bronze gauchie par des tisons maintenant éteints. De la voile, il ne subsiste qu'un sale tas de fibres que j'envoie promener aux quatre vents d'un coup de pied rageur. Les membrures carbonisées se dressent encore, comme des doigts crispés vers le ciel. En jurant, je les frappe à coups de poing : elles s'effondrent sans résistance.

Renié par mes dieux, mon destin ruiné pour toujours, je m'écroule sur le sol et je reste là, prostré, enfoncé dans la grisaille cendreuse où je voudrais disparaître. Mère ne pourra s'enorgueillir de mes exploits et je resterai captif de cette terre skraeling. Sans rien d'autre à faire, sans dessein, je pleure, l'enfant muet à mes côtés.

Des cris annoncent le retour des pirogues. Melkolf apparaît, campé à la proue de l'une d'elles, pagayant tel un guerrier toltèque. Il débarque. Je tends le doigt vers les funestes vestiges. Il les contemple gravement, puis tombe à genoux et se signe, le visage en larmes. Les mains jointes sur la poitrine, il reste paralysé. Recueillement ou stupeur, je l'ignore.

Je lapide le ciel, espérant blesser Odin, me venger de Thor. Puis, je vise les derniers montants du bateau, ratant de peu la tête de Melkolf encore agenouillé. Je voudrais l'étriper.

– Ne prie pas ton dieu, femmelette ! Maudis-le, plutôt ! Qu'il se change en démon, ton Christ !

Dans un élan subit, il se jette sur moi et m'empoigne par les épaules.

— C'est vous autres, maudits Vikings, qui m'avez entraîné dans cet enfer !

Je veux lui flanquer mon poing dans l'estomac, mais il pare le coup et me balance par terre. Il rugit :

— Et c'est toi qui vas m'en sortir ! Jure-moi que tu vas reconstruire ce bateau, sinon je te tue !

Je lui assène un coup de genou en plein ventre qui le laisse sans voix. Je le fais basculer. Il m'entraîne. Nous roulons dans le sable. Au moment où je réussis à l'immobiliser, une épaisse lame de pierre s'abat entre nos deux têtes. Huemac, la main ferme sur son arme, nous regarde avec mépris.

— Assez, les coyotes enragés ! Nous avons autre chose à faire. Allons au village.

Le ton glacial tempère notre rage, tout autant que la lame enfoncée dans le sable. Nous obéissons et suivons le chef et ses hommes. En file silencieuse, nous allons d'abord inspecter nos huttes. Il ne reste rien et, dans les décombres, je ne retrouve qu'un bout de mes plaques à mesurer le temps. Ma mémoire de l'autre monde est détruite. Ma broche d'argent n'est qu'une goutte informe. Seule consolation, mon casque émerge de la cendre, sans avoir été trop déformé par les flammes. De l'écu, il ne reste que la rosace, noircie, tordue. La cotte et la cagoule de mailles ont été transformées en une masse de fer fumant. Curieusement, l'épée demeure introuvable.

Nous montons au village. Même les allées entre les maisons ont été effacées sous les cendres. Plusieurs vases en terre se sont cassés sous l'effet de la chaleur, les instruments de corne et de bois ne sont plus que poussière. De tous les outils, il ne reste que les pierres tranchantes, plusieurs ayant éclaté en morceaux épars. À peine audibles, des pleurs s'égrènent entre les traînées de fumée. Des gens reviennent des alentours avec les cadavres recroquevillés de ceux qui n'ont pu échapper à l'incendie.

Face à la désolation, Huemac prend la parole :

– Malgré nos précautions et nos offrandes, les dieux ont tout détruit. Contre qui lancent-ils leur courroux ? Un des nôtres… ou un des leurs ?

Il dirige vers moi des yeux accusateurs, puis il se tourne vers le groupe.

– Il faut partir. Quelques guerriers vont rester pour protéger les convois et l'entrée du fleuve. Ils vivront de la pêche et de ce que nous avons pu sauver. Tous les autres me suivent. Nous passerons par Mictlan pour prendre des provisions, puis nous continuerons vers Tollan. Que des messagers aillent annoncer notre arrivée.

Aller à Tollan ! Je ferai bien piètre figure auprès du souverain. Il croira que les dieux m'ont chassé et qu'ils ont tout brûlé pour que je ne retourne pas vers eux. Je soupire en norois :

– Je préfère mourir ici qu'entre les mains du roi.

Melkolf se fait pragmatique.

– Tu as dit toi-même que les Skraelings voulaient nous garder vivants. Sois raisonnable. En plus, tu as dit aimer la terre des Toltèques. Nous y sommes, alors faisons ce que dit cet homme.

– C'est le monde à l'envers ! Toi, le chrétien, tu veux suivre les païens ?

– Comme si j'avais le choix ! On reviendra sur la côte quand on pourra reprendre la mer. Promets-moi qu'on reconstruira le bateau…

Reconstruire le bateau ! Comme si j'étais maître charpentier. Mais devrai-je passer ma vie en compagnie de Skraelings? Quelle infortune! Qu'ai-je fait pour que les dieux de mon enfance me traitent de la sorte? Ma seule consolation est que Mère se soit inquiétée de mon sort. Elle m'a prévenu. J'ai encore une alliée, tout demeure possible. Je me tourne vers mon compagnon.

– Oui, je te le promets, j'essaierai. Mais je te préviens, ce sera long…

Anéanti, je dois admettre que Huemac et Melkolf ont raison: il faut me résoudre à quitter le littoral et à affronter le destin, quel qu'il soit. Aussi bien me faire à cette idée et apprendre à prier le soleil et le vent en nahuatl. Vaincus par un sort néfaste, nous retournons vers Mictlan avec les familles affamées. Une douloureuse retraite sous une pluie incessante qui tambourine sur les troncs calcinés et rend la marche laborieuse.

Les nobles de Mictlan nous accueillent généreusement. Je profite de ces journées pour renouer avec Xilonen qui m'aide à préparer mon entrevue avec le roi. Avec elle, je me sens suffisamment en confiance pour m'informer de détails en apparence évidents pour un Toltèque.

– Comment reconnaître Mixcoatl?

– C'est facile, le roi est toujours assis sur un trône, avec son sceptre de pouvoir et un panache des plus belles plumes que tu aies jamais vues. Tu ne pourras le confondre avec aucun autre.

Elle trouve les arguments et les mots justes pour le convaincre. Elle me fait répéter des phrases comme le maître de nahuatl. Elle m'apprend comment me comporter en présence du roi, à reculer sans me retourner.

Au troisième soir du séjour à Mictlan, le vieux prêtre Quauhtli paraît sans prévenir, toujours aussi sec, l'ossature recouverte d'une mince peau luisante. Il me salue avec emphase :

— Les dieux m'ont averti. Je suis descendu du mont Xicoco pour t'escorter jusqu'à Tollan. J'ai parlé de ton arrivée à Mixcoatl. Il nourrit de grandes ambitions pour toi, mais tu devras faire tes preuves.

À l'entendre parler, un doute m'effleure. Aurait-il pu commander la destruction du bateau pour m'empêcher de fuir ? Difficile de savoir : ses yeux sont insondables. Je tais mes doutes, il faut savoir espérer des jours favorables. Au moins, ma vie se joue toujours autour d'un monarque. Je m'incline avec respect.

— Je suis content de te revoir, vénérable magicien. J'espère ne pas décevoir Mixcoatl.

Le lendemain, Huemac annonce que l'expédition est prête. Juste avant de nous mettre en route, Xilonen m'adresse un petit salut. Elle reste donc à Mictlan. Je voudrais lui faire mes adieux, mais Huemac coupe court à toute effusion.

— En avant, le grand Mixcoatl nous attend ! Nous ne traverserons pas les lacs, la situation est trop incertaine. Nous prendrons le chemin du nord pour parvenir à Tollan sans problème.

Nous partons vers l'ouest, dans une impressionnante succession de litières princières, de guerriers en armure, d'esclaves surchargés. Sans effort apparent, les porteurs montent jusqu'à un col verdoyant. Sur les hauteurs, nous traversons une forêt superbe où je reconnais des pins et des chênes. L'odeur résineuse me rappelle le Vinland. Nous poursuivons notre route le long d'une pente d'abord douce, puis les esclaves peinent à gravir des passages escarpés. Dommage que ces gens n'aient pas de chevaux!

Nous continuons tant bien que mal. Il nous faut cinq longs jours pour franchir des enfilades de crêtes. Sur les hauteurs, les plantes sont gris-vert, munies d'épines drues et, au moindre effleurement, elles se fichent dans la peau; impossible de les enlever complètement. Au cours des haltes, Quauhtli parle des phases de Vénus: l'étoile du matin et celle de la nuit. Il fait aussi des remarques sur les autres astres et discourt sur leurs fonctions. J'essaie de mémoriser les dieux qui s'y rattachent, mais il y en a vraiment beaucoup.

Après une série de sommets, nous entreprenons la descente, toujours dos à la mer. À plusieurs reprises, le convoi est arrêté par des militaires agressifs qui bloquent la route. Chaque fois, Huemac doit parlementer pour obtenir le droit de passage. Sans trop comprendre les paroles échangées, j'ai l'impression qu'on pourrait nous attaquer à tout moment. D'ailleurs, les hommes qui nous encadrent sont armés et prêts à combattre. Malgré le danger, ou à cause de lui, nous nous déplaçons rapidement.

Nous avançons encore trois jours et traversons quelques hameaux. À mesure que nous approchons du but, les guetteurs armés se multiplient aux croisées des chemins. Le dixième soir de cette équipée, Tollan l'impériale se dessine en contrebas, immense empreinte claire, ceinte d'étendues verdoyantes et entourée de sommets austères. L'ampleur du site me laisse bouche bée. Sans l'avoir vu, je soupçonne que même le palais du roi de Norvège ferait piètre figure à côté de toutes ces constructions fabuleuses. Le vieux Quauhtli indique la ville et balaie la vallée d'un geste ample.

– Huracan, voici Tollan Xicocotitlan, le cœur de l'empire toltèque. Vois-tu ce mont qui ferme le côté nord ? C'est le Xicoco. Là où les dieux me révèlent leurs secrets.

Tollan Xicocotitlan… J'ignore s'il parle des deux rivières qui se joignent au fond ou de la plaine et de sa ville. Je n'essaie plus de comprendre tous ces mots qui tombent comme des roches dans l'eau croupissante de mon esprit fatigué. Lequel de ces monts est le Xicoco, dont il a prononcé le nom avec tant d'affection ? J'ai soif, j'ai faim, car, pressés par la marche rapide, nous avons peu mangé depuis des jours. Ces Skraelings sont d'une endurance surprenante. Sans mes armes et sans mes pierres, je me sens vulnérable. Et dire que nous serons bientôt devant les plus puissants personnages qui règnent sur ce vaste royaume ! J'espère que mes dieux ne m'oublient pas tout à fait et que leur force est équivalente à celle des dieux toltèques.

Huemac fait installer le dernier campement à mi-hauteur, entre la ville et le col, pour que nous nous reposions avant d'arriver. Je ne peux que louer sa sagesse. Je ferais de même si j'avais des esclaves à présenter. Terrifié par ce qui m'attend, j'ai peine à me souvenir des phrases répétées avec Xilonen. Assis près du feu avec Melkolf, j'essaie de nous préparer à la rencontre fatidique.

– Rappelle-toi bien que je suis le messager de Quetzalcoatl. Oublie jusqu'au nom d'Ari Eriksonn. Le capitaine Huemac m'appelle Huracan. Fais comme lui.

Une crampe me traverse l'estomac.

– Ah! Misère, que je me sens mal! Incapable de me faire valoir dans cette langue étrange. Le sens des mots et des idées m'échappe parfois. Et je devrai convaincre des savants qui peuvent prévoir le temps.

– Je ne t'ai jamais vu si nerveux. Douterais-tu de toi?

– Depuis que le bateau a brûlé, je n'ai confiance en rien…

– Eh bien! Voilà comment je me sens depuis que j'ai été arraché de mon île.

– Quauhtli affirme à tout le monde que je suis l'envoyé de Quetzalcoatl, peut-être ce dieu lui-même. Et je serai bientôt introduit auprès du roi qui le symbolise, sans vraiment connaître ce dieu. Trop d'inconnu, de mauvais sorts…

– Crois-moi, le pire arrive toujours. L'esclavage, ensuite la déportation vers des terres plus lointaines que les précédentes. Après la Terre-Verte, qui était alors pour moi la fin du monde, ç'a été le Markland, puis le Vinland et maintenant… Quoi! Cette terre ne porte même pas de nom! Mais je vais te dire encore une fois comment elle s'appelle: l'enfer!

Melkolf se signe à la dérobée, les yeux fermés. Tant qu'à retomber dans ces discussions interminables, autant dormir. Je m'enroule dans une couverture sur le sol. Des questions se bousculent dans ma tête, le sommeil ne peut m'apaiser. Xilonen a dit que Quetzalcoatl était autrefois le dieu de la végétation. Maintenant il semble régner sur la pluie et le vent, mais je n'en sais trop rien. Il y a tant de dieux… Sont-ils puissants seulement là où on les adore?

Incapable de dormir, je me relève et vais contempler l'immensité de Tollan, encore faiblement éclairée par un jour qui ne veut pas finir. Dans cette lumière si particulière des soirs d'été, je me rends compte que nous sommes en plein solstice. Plutôt que d'arriver au Markland comme je l'espérais, nous voici à Tollan.

C'est mon anniversaire ! Si je compte les hivers, incluant celui que je viens de passer en terre chaude, j'ai dix-neuf ans accomplis. Qu'il me paraît loin, mon premier jour d'homme libre ! Mère m'avait offert trois pierres de clairvoyance ; je les ai échangées inutilement. J'ai aussi perdu ma broche d'argent. Les quelques objets que je conservais sont disparus : mon couteau, mes plaques du temps, l'épave, les armes providentielles du bateau. Il ne me reste plus grand-chose de mon ancienne vie, sauf mon contact avec Mère et le souvenir d'un itinéraire plein d'obstacles pour retourner dans ma famille.

Dans le silence et la fraîcheur de la nuit, je me rappelle Brattahlid à cette époque de l'année, les longues promenades dans les pâturages en haut de la ferme. L'air embaumait la terre humide à peine dégelée. Je repense à mon père et à ses discours sur le rocher de la loi. Il haranguait le bon peuple avec tant de conviction que les colons ont toujours été persuadés qu'ils habitaient une terre vraiment verte ! L'important est de savoir convaincre. Comme lui, j'ai découvert une terre, il me reste à l'organiser pour en tirer profit. Je parlerai au roi comme Le Rouge du haut de son rocher. Jusqu'à maintenant, mon plan fonctionne : on m'attribue une part de divinité. Je dois être à la hauteur, car, si l'on sent en moi la moindre crainte, je meurs.

En grimpant sur le plus haut talus, je répète les phrases élaborées par Xilonen, au cas où on me laisserait m'exprimer. Au sommet de la butte, je m'agenouille sur l'herbe rugueuse. Prosterné, le front contre le sol, je parle à Thor et à Odin avec ferveur, les bras en croix. Soudain, des grelots de laiton tintent doucement contre mes doigts. Un frisson me parcourt. Je lève les yeux. Les grelots pendent à des cordons de chaussures en poils hérissés. Je les reconnais. Flottant contre un ciel noir constellé d'étoiles géantes, grave et silencieuse, Mère veille à mes côtés. Jamais elle ne m'est apparue aussi belle et impressionnante. Elle tient un bâton orné d'un bouton de cuivre et de pierres. À sa ceinture d'écorce pend la besace de cuir qui recèle ses charmes de sorcellerie. Ses mains sont gantées de chat blanc. Je perçois l'esprit divin qui émane de son souffle. Dans un geste lent, elle tend une peau de bouc au-dessus de mes épaules. Elle me transmet la force qui l'habite. Une nuée fortifiante m'enveloppe. J'inspire à fond cette chaleur divine.

Mère, que ta visite m'est douce! Grâce à l'énergie que tu me communiques, les rois les plus puissants ne sauraient m'effrayer. Je surmonterai les embûches et j'accomplirai le destin que tu as auguré pour moi. Demain, le roi de Tollan aura devant lui un homme nourri de la force des dieux.

CHAPITRE XII

Rencontres

À l'aube, alors que d'harmonieux chants d'oiseaux me parviennent à travers l'océan, on me broie les côtes. Le visage de Melkolf est penché au-dessus du mien.

– Ari, réveille-toi! Qu'est-ce que tu fais couché au sommet de cette butte? On te cherche partout au campement! Viens, il faut se préparer.

Je secoue l'herbe de mes cheveux, l'immensité de Tollan étalée à mes pieds dans l'air pur du matin. Une vague d'excitation me parcourt: voici la ville qu'il me faudra conquérir. Le roi se trouve dans l'un de ces palais. Je me sens d'attaque. J'emboîte le pas à mon compagnon qui descend vers les tentes.

Melkolf raccourcit ma barbe. Il a retrouvé sa taille d'esclave depuis que nous avons quitté Mictlan pour la mer, il y a environ une lune. Des serviteurs m'aident à revêtir un nouvel accoutrement: des sandales haut lacées, tout ouvragées, terminées par une frange, une jupe plus épaisse que l'ancienne, un large ceinturon qu'un serviteur me noue dans le dos et une longue cape blanche. Melkolf s'habille aussi de neuf. Ses cheveux sont sommairement attachés. On me coiffe. Nous ne recevons ni couvre-chef ni emblème pectoral.

Huemac paraît, vêtu de superbes parures et la tête couverte d'un ample casque rond, bordé de plumes sur le devant. Il arbore une cuirasse brodée de pierreries bleues et vertes qui dessinent une face aux yeux globuleux. Sa cape brille de profondes teintes violacées. Nerveux, il supervise les derniers préparatifs.

– Aujourd'hui, vous serez présentés aux autorités de Tollan. Huracan, tu auras le privilège de t'adresser au grand prêtre et roi suprême de Tollan, Mixcoatl, entouré des membres de son Conseil des Anciens. Tu pourras livrer le message divin. Ces hommes décideront de ton sort. L'oracle du mont Xicoco, Quauhtli, assistera à l'entretien.

J'acquiesce avec un calme feint. Au moins, j'aurai un allié dans l'assistance. Huemac tape des mains. Aussitôt un esclave accourt avec les deux objets rescapés de l'incendie : mon casque et la rosace de l'écu, fraîchement astiqués. À mon grand étonnement, le heaume a été décoré de plusieurs rangées de plumes rouges. Huemac l'inspecte, l'air satisfait.

– Nous apporterons ton casque de lumière pour prouver que les dieux t'envoient.

Mon assurance du matin fond devant l'imminence de la rencontre, j'ai les mains moites. Des guerriers empanachés se présentent, suivis de trois chaises à quatre porteurs. Celles que Huemac nous assigne comportent un dais et des rideaux écrus. Melkolf s'assoit dans l'une d'elles, les hommes ferment avec soin les pans de coton : impossible de voir alors qui se trouve à l'intérieur. Je m'installe à mon tour pour découvrir que le voile vaporeux permet de distinguer le paysage. Un esclave se charge du casque et de la rosace, maintenant enveloppés dans une toile à franges. Sans l'avoir vue, je jurerais que mon épée fait aussi partie du convoi. Huemac fait sonner une trompette.

– En avant! Le roi n'aime pas attendre.

Nous progressons d'abord le long de champs bien ordonnés où bourdonnent des nuées d'insectes. Puis, nous contournons de nombreuses palissades faites de hautes plantes bardées d'épines. Derrière se cachent des sentinelles, armées pour le combat, le visage peint comme des monstres. Elles se contentent de nous regarder passer sans tenter de nous arrêter. Nous cheminons à travers un réseau de rues délimitées par des parois surmontées d'une végétation exubérante. Les voies deviennent de plus en plus étroites et achalandées, l'air se charge de poussière et de bruit. Nous approchons du centre, où l'on circule au coude à coude dans toutes les directions. On se retourne discrètement sur notre passage, les gens n'osant fixer directement des invités royaux.

La ville est tellement étendue qu'il nous faut toute la matinée pour atteindre notre but. Au mitan du jour, nous débouchons sur une place considérable, bordée de larges terrasses et de nombreux édifices, décorés de murales aux figures grimaçantes, peintes surtout en rouge et en bleu. Sous le soleil éclatant, tout paraît neuf et brillant. Huemac disait vrai: Tollan surpasse Mictlan par son envergure et sa splendeur.

Huemac nous fait entrer dans la cour d'une riche résidence où sont réunis des chefs de l'armée; plusieurs le saluent avec respect. Nous pénétrons dans une pièce aux murs couverts de fresques. À plusieurs endroits figure un félin tacheté, toujours le même, accroupi avec un mor-

ceau de viande sanguinolente entre les dents. Des serviteurs apportent des bassins d'eau pour nous rafraîchir.
Huemac me demande de mettre le casque aux plumes
rouges. Melkolf m'aide, puis me dévisage, un peu ahuri.

— Le heaume te fait une curieuse de tête. Tu ressembles à un animal… Un coq, peut-être…

— Un serpent emplumé, oui. N'oublie pas ce que
Xilonen a dit : ne jamais regarder le roi dans les yeux. Ta
vie en dépend !

Les sourcils froncés en une barre épaisse, Melkolf
n'a pas le temps d'émettre son grognement habituel
qu'un vacarme de trompettes annonce notre sortie. Nous
allons à pied, car nous n'avons qu'une rue à traverser.
Casqué et entouré d'une escorte, je me sens de nouveau
soutenu par les dieux. Peu importe qu'ils se nomment
Thor ou Quetzalcoatl, je peux converser avec eux tous.
J'incarne le terrible dieu de la tempête, issu de Vénus.
Avec mon couvre-chef, je dépasse d'au moins trois pieds
les curieux qui me contemplent avec une réelle frayeur,
malgré la rangée de gardes qui nous sépare.

Nous gravissons une vingtaine de marches pour accéder à une terrasse de pierre au bout de laquelle se
dresse une pyramide massive, sans niches celle-là. De
nombreuses sentinelles surveillent les accès à la plateforme. Huemac palabre un moment, on fait venir un
autre groupe de guerriers pour nous encadrer. Les conques résonnent. Nous nous dirigeons vers un édifice
dont l'entrée est bordée de bannières qui claquent au
vent. Nous passons à l'ombre de toitures à frise. Subjugué, Melkolf traîne derrière.

Avant de franchir un nouveau seuil, Huemac nous
place à ses côtés, son esclave porteur derrière lui. On nous

fait signe d'avancer et nous pénétrons dans la plus grande des salles, illuminée par des feux nichés dans des foyers creusés dans le sol. L'air est chargé d'encens et de rumeurs. La magnificence de l'endroit m'éblouit et me terrorise tout à la fois. Des dizaines de nobles se tiennent sur le large degré de pierre qui longe les murs. Les flammes étirent jusqu'au plafond leurs ombres, qu'elles font ondoyer entre les monstres des murales, mi-hommes, mi-bêtes, griffes et crocs sortis. Au bout de la pièce, une vingtaine de dignitaires en habit d'apparat sont regroupés près du trône. Entre deux carrés lumineux siège le roi. Ce ne peut être que lui : immobile, impassible, le visage à peine humain, le nez déformé par un objet rond qui lui fait un masque d'outre-tombe. Il tient un sceptre emplumé et arbore un panache aussi haut qu'un homme debout. De lourds bijoux recouvrent sa poitrine, ses bras et ses chevilles. À son cou et à ses doigts luit du métal, semblable à de l'or. De sa ceinture pend une bande ouvragée qui lui descend entre les jambes. Ses yeux jettent un regard dur comme pierre.

J'essaie de ne pas me laisser impressionner. La vision de Mère auréolée de puissance dans le ciel me réconforte. Je respire lentement la force qu'elle m'a insufflée. Huemac avance seul entre les lits de braises et s'agenouille devant le souverain.

— Très noble Mixcoatl, serpent de nuages, grand prêtre et chef des braves Toltèques, moi, Huemac, capitaine de Mictlan et de Tecolutla, je te salue, ainsi que toute ta noble cour.

Son front touche le sol. Il relève la tête à demi.

— J'ose me présenter à toi parce que des faits extraordinaires justifient ma visite. Comme l'oracle Quauhtli te l'a décrit, le dernier ouragan a conduit des êtres exceptionnels parmi nous. Je les amène devant toi pour que tu puisses en juger.

Il s'incline de nouveau, le roi prend une longue inspiration et dit d'une voix rauque et pesante qui se répercute sur les murs :

– Bienvenue, capitaine Huemac. Nous avons entendu parler de ces étrangers, celui au visage de soleil et son contraire, mais nous ne connaissons rien de leurs intentions ni de leur origine. Raconte ce que tu sais.

Huemac se relève alors pour décrire notre arrivée sur le littoral. Cette fois, je comprends lorsqu'il évoque la force destructrice de la tempête et notre fabuleux bateau qui a été transporté par le dieu du vent jusqu'aux rives du fleuve Tecolutla. Il circule devant les nobles pour décrire avec des gestes éloquents l'emblème de Quetzalcoatl et expliquer avec emphase comment nous avons défendu le navire. Tous, y compris le roi, écoutent avec attention. Respectueusement silencieuse, l'assistance lui semble acquise. Au plus fort de sa harangue, Huemac appelle son esclave.

D'un geste brusque, il ouvre la toile que lui tend son serviteur et exhibe l'épée, qu'il gardait à mon insu comme je l'imaginais. J'aimerais en faire une démonstration moi-même, mais Huemac se garde bien de me la passer. Il doit craindre mes pouvoirs, surtout en présence de son souverain. Forcé d'être passif, j'assiste au récit. Le discours de Huemac s'exalte, ma lame virevolte, scintille comme une flamme. Il lance un ordre et des guerriers traînent un captif devant le trône. D'un bond, Huemac fonce et lui transperce le ventre en poussant un grand cri. Le prisonnier se tord de douleur. Aussitôt,

Huemac aboie un nouvel ordre, les gardiens reculent. L'épée décrit un cercle et s'abat sur le cou de l'homme en convulsions. La tête saute, le corps s'effondre, une gerbe de sang trace une ligne noire au milieu des braises qui crépitent. L'assistance est stupéfaite. L'habileté de Huemac m'étonne : il a dû s'exercer en cachette. Horrifié, Melkolf récite une oraison dans mon dos.

Le roi, fasciné, demande à voir l'arme de plus près. Huemac la lui remet. Le souverain la soupèse, son doigt glisse à plat le long du fil. Il fait tinter ses bagues contre le métal. Il essuie délicatement ses mains souillées sur son entrejambe brodé, puis il pointe l'épée devant lui.

— Voici la longue lame qui donne la mort.

Un murmure élogieux emplit la salle. Le chef des braves impose le silence, puis me regarde.

— L'ermite Quauhtli affirme que votre venue est un signe des dieux. Nous respectons sa parole. Le capitaine Huemac, qui agit en mon nom à Mictlan, vante vos mérites. Son père, ici présent, siège au Conseil des Anciens. Nous voulons apprendre de votre bouche quelle est votre mission.

Le moment est décisif et je suis prêt. Je m'approche, Melkolf à mes côtés. Nous nous courbons aux pieds du roi. Je répète révérencieusement les titres honorifiques énumérés par Huemac, puis j'enchaîne :

— Je viens du premier ciel, de l'autre bord de l'océan, là où les hommes apprennent à devenir des dieux. Quetzalcoatl apprécie ta sagesse. C'est pourquoi il m'envoie vers toi.

— Quetzalcoatl veut-il lutter contre nos ennemis ?

— Oui, il veut consolider ton pouvoir et favoriser Tollan.

– Qu'est-ce qui me prouve que tu ne viens pas œuvrer à ma destruction?

– Comment, seul avec mon serviteur, pourrais-je menacer ta formidable armée?

– Avec l'aide des dieux, tout est possible…

– Les dieux veulent un pouvoir fort pour assurer les cultes. Ils t'offrent cette arme, plus dure et plus tranchante que la pierre, en gage de leur estime.

– La lame est en effet redoutable. Mais il n'y en a qu'une. Saurais-tu en faire d'autres?

J'ai chaud. Jamais je ne pourrai fabriquer d'épées comme celle-là. Mais je ne peux dire non.

– Les dieux m'ont appris comment sortir cette matière de la terre. Je sais aussi compter le temps et prévoir l'avenir. Fais de moi ton allié et ta puissance grandira.

– Pourquoi les dieux ont-ils brûlé leur propre bateau?

Des gouttes perlent sur mon front. J'ai déjà utilisé tous mes arguments. Je lance n'importe quoi:

– Les dieux du vent, du tonnerre, de la pluie et du mouvement nous sont favorables.

Le roi insiste presque sèchement:

– Si Quetzalcoatl vous soutient, qui désire votre perte?

On manque d'air dans cette salle. Xilonen m'a pourtant dit que l'entretien serait bref. De plus, elle n'a évoqué aucun de leurs dieux maléfiques. Des filets de sueur coulent dans mon dos et vont se perdre entre mes fesses.

– Grand roi, les monstres du feu et des mers s'opposent à notre mission.

Les flammes pétillent doucement. Insondable, Mixcoatl réfléchit. Il finit par lever son sceptre.

– Je vais en délibérer avec mon Conseil.

Mon épée entre les mains, le souverain ordonne à ses guerriers de nous escorter à l'extérieur. Nous quittons la grande salle pour attendre le verdict sur la terrasse. Dehors, des serviteurs tendent un dais pâle au-dessus de nos têtes afin que le soleil ne nous incommode pas. Encore sous le choc, Melkolf se ferme sur lui-même. Un vent frais gonfle avec entrain la belle toile dont les pans ondulent langoureusement dans un ciel limpide qui me sourit. À nos pieds, la ville étale à perte de vue son réseau complexe de rues qui se déploie autour de la terrasse, tel un océan venant mourir au pied d'une falaise. Debout sous l'étoffe claire comme devant la voile d'un navire, je sens que je m'embarque dans une nouvelle aventure. Mais ce que j'ai à explorer, cette fois, c'est la plus vaste mer humaine jamais imaginée.

Un messager vient nous chercher. Je m'arrache à la contemplation de ce qui deviendra ma ville car, j'en ai la certitude maintenant, je n'ai rien à craindre : le roi est trop intéressé par l'épée et notre présence pour nous condamner à mort. Peut-être nous incorporera-t-il à sa garde personnelle ? Nous suivons le valet. L'œil doit s'ajuster à la pénombre après la clarté violente de l'extérieur. La fraîcheur du palais est bienvenue, car le heaume me cuisait le cerveau. Huemac, Melkolf et moi nous rendons aux pieds du souverain pour écouter sa décision. Il a l'épée sur les genoux.

– On m'assure que, depuis votre arrivée, vous n'avez usé d'aucun pouvoir maléfique. Aussi, mon Conseil et moi-même acceptons que vous séjourniez parmi nous. À la condition que les dieux se montrent favorables et que vous fassiez preuve d'une loyauté sans faille.

Il tend un moment son visage vers les braises, puis continue :

— On me dit que vous connaissez mal notre langue et nos façons de vivre. Le grand prêtre Ocelotl que voici vous initiera à la vie de Tollan. Lorsque vous serez prêts, vous intégrerez mon armée. Capitaine Huemac, tu répondras de leurs faits et gestes. Ils habiteront chez toi.

Huemac se penche.

— Chef des braves, c'est un honneur pour ma famille d'accueillir ces illustres voyageurs.

— Bien, mais sache qu'ils ne pourront quitter la ville sans mon consentement. Je te tiendrai responsable de tout ce qui se produira. Si l'un de vous a menti et que je découvre une supercherie, alors vous périrez tous les trois, de même que ceux qui se seront alliés à vous.

Je respire d'aise et le salue :

— Grand roi, les dieux approuvent ta décision. Ils déverseront leurs bienfaits sur toi.

Remerciant en pensée Xilonen pour son apprentissage, je me prosterne. Huemac suit le mouvement, Melkolf nous imite. Le roi Mixcoatl reste immobile, mais un sourire s'esquisse sur ses lèvres, alors que certains dignitaires nous regardent avec suspicion.

Huemac recule à petits pas, tirant Melkolf avec lui. Ce dernier n'a rien saisi de l'échange, mais il semble reconnaissant de pouvoir quitter cette pièce encore vivant. Nous nous retirons. D'autres causes attendent le souverain.

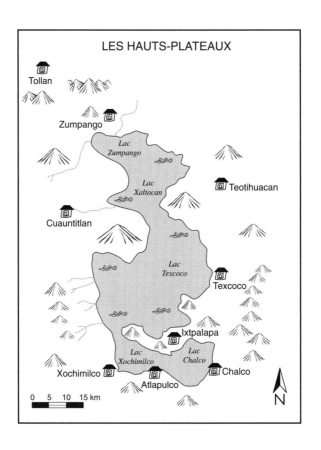

LES HAUTS-PLATEAUX

Tollan

Zumpango

Lac Zumpango

Lac Xaltocan

Teotihuacan

Cuauntitlan

Lac Texcoco

Texcoco

Ixtpalapa

Lac Xochimilco

Lac Chalco

Xochimilco

Atlapulco

Chalco

0 5 10 15 km

N

CHAPITRE XIII

Tollan

Une vie différente commence. Chez des gens, dans une maison et une ville dont je ne connais rien : un peu comme une deuxième naissance, mais, cette fois, avec un statut divin, malgré le naufrage et l'épave brûlée. Moi, un dieu ! À cause de ma haute taille, de ces cheveux et de cette barbe qui auréolent mon visage comme un soleil levant ; de mon exceptionnel bateau, poussé depuis l'est par le souffle rageur d'une tempête céleste ; à cause du métal, fer et bronze, inconnu ici. Peut-être aussi parce que je sais nager et plonger. Et qu'un homme-singe tout noir m'accompagne.

Mes habitudes d'Islandais tombent en lambeaux, comme mes vieux vêtements de laine devenus inutilisables. Je mue et me refais une autre peau, aux couleurs de Tollan et de Quetzalcoatl. Un peu à l'image des Rus, ces Nordiques qui se font mercenaires à Byzance et dont les scaldes vantaient les mérites. Je ne renie pas mes origines, je relègue seulement une partie de mon histoire au fond de ma mémoire, parce que, pour l'instant, il n'y a pas d'autre solution. Melkolf, lui, espère encore que nous

pourrons revenir en arrière. L'idée de vivre chez les Toltèques le décourage tout à fait, même si, dans la demeure de Huemac, on nous traite tels des princes.

Sa maison est constituée de plusieurs pièces qui
communiquent entre elles par des cours intérieures, à
ciel ouvert, comme à Mictlan. Une seule entrée donne
sur la rue, plaquée d'un muret en angle qui masque aux
passants ce qui se déroule à l'intérieur. Melkolf et moi
disposons chacun d'une pièce confortable qui ouvre sur
un jardin de plantes variées. La mère de Huemac, une
solide vieille, dirige la maisonnée avec l'aide des deux
jeunes épouses de celui-ci. Sous leurs ordres, des servantes besogneuses veillent à notre bien-être, car, bien sûr,
étant donné notre mission, nous sommes exemptés de
tout travail manuel.

Respectant la volonté du roi, le grand prêtre Ocelotl
nous invite chez lui. La première fois que nous y allons,
avant même que nous franchissions le seuil, Ocelotl
nous examine longuement, comme s'il était doué de seconde vue. Du fond de leurs orbites sombres, ses yeux
perçants semblent contempler la croisée de nos destins.
Avare de mots, il desserre à peine ses lèvres minces pour
nous adresser un bref mot de bienvenue. Sa demeure accueille des dizaines d'apprentis prêtres, comme si Mère
avait dirigé une école de devins dans sa maison.

Ocelotl nous initie aux croyances toltèques. Après
quelques jours à faire brûler de l'encens et à assister aux
rituels dans différents temples de la ville, j'évalue mieux
le privilège d'avoir été placé sous la tutelle d'un des personnages les plus puissants de Tollan. On tremble et on
courbe la tête devant lui. Ses mains, ses bras et son visage ravagés par les mutilations accompagnant ses sacri-

fices de même que sa mâchoire carrée indiquent une détermination inébranlable qui ne tolère aucune faiblesse. Par la force qui émane de son être, il semble éternel ; à la vigueur de ses muscles, je dirais qu'il a une trentaine d'années. Les cicatrices sur ses joues, son nez et ses oreilles prouvent son courage et garantissent son pouvoir auprès des gens qui l'entourent. On dit qu'Ocelotl rend fréquemment visite au souverain pour prévoir la volonté des dieux et participer aux délibérations du Conseil.

Ses nombreux assistants exécutent ses ordres avec zèle et célérité. Il dirige ses disciples d'une main de tortionnaire : la désobéissance est cruellement châtiée. Chaque jour, les privations s'ajoutent aux prières et aux mutilations. Les novices, au moins une centaine, vivent sous sa férule et déambulent couverts de sang séché.

Malgré ses multiples devoirs, Ocelotl me reçoit en tête-à-tête.

– Nos cultes reposent sur l'observation des astres et sur le calendrier. J'ai discuté avec l'oracle Quauhtli qui a étudié ta plaque du temps. Il dit que tu comptes les jours selon le cycle solaire. Nous utilisons le même, divisé en dix-huit mois, chacun protégé par un dieu particulier et d'une durée de vingt levers de soleil. Ce qui donne trois cent soixante journées, auxquelles on ajoute les cinq jours perdus qui ne sont gardés par aucun dieu. Nous avons aussi un autre calendrier qui compte treize lunaisons de vingt jours. Ces deux cycles des jours s'écoulent à l'intérieur d'un siècle de cinquante-deux ans.

Devant mon air perplexe, il me montre la roue dentelée qui illustre chaque calendrier. Chaque petite dent vaut une journée : la plus petite roue en comporte treize, la deuxième en compte vingt. Ocelotl superpose les deux roues qu'il fait tourner l'une dans l'autre. Chaque combinaison d'encoches et de dents indique une date précise. Il faut cinquante-deux ans pour que les deux disques reviennent à leur position de départ l'un par rapport à l'autre. Malgré sa patiente démonstration, je n'arrive pas à suivre. Je ne comprends ni ne vois l'utilité des périodes de cinquante-deux ans. Mais les explications se compliquent davantage. Le grand prêtre évoque des savants fameux qui vivaient au Peten, il y a très longtemps, et qui utilisaient un cycle long de quatre cents ans, soit vingt fois vingt ans. Avant que je puisse me situer à l'intérieur du cycle long, Ocelotl ferme les yeux. L'entretien est terminé. Je reste dans le vague.

Un autre jour, Ocelotl m'explique leurs codex, ces recueils du savoir dont l'origine semble remonter à une ville autrefois magnifique, Teotihuacan. De là proviennent les documents les plus anciens et les plus complexes, souvent décolorés, alors que ceux élaborés par les Toltèques me paraissent des copies de ces œuvres. Le mystère des dates demeure entier. Je n'arrive pas à savoir à l'intérieur de quel siècle se sont produits les événements décrits. Ocelotl les connaît de mémoire, moi, je m'y perds.

Puisqu'il ne parle pas nahuatl, Melkolf est exclu de ces enseignements et il ne s'en plaint pas. Il profite de son temps pour prier, c'est-à-dire ne rien faire. Le plus souvent, il sculpte de petites pièces de bois qu'il polit inlassablement. Peut-être parce qu'ils le considèrent comme mon contraire, les Toltèques tolèrent son apathie. Cependant, ennuyé à la longue de ne jamais rien saisir, Melkolf se résout à apprendre quelques mots. Il progresse à une lenteur exaspérante, balbutie comme un marmot, crache des sons ridicules. Je ris de ses bavures:

– Tu bêêêles bien quand mêêême…

À titre d'envoyés divins, Melkolf et moi participons
aux rituels qu'organise Ocelotl un peu partout. Il se rend
aux sources d'eau claire qui jaillissent au pied des montagnes à proximité. Il va aussi se recueillir dans les mines
d'obsidienne, dont certaines se trouvent parfois à des
journées de marche. Les sentiers qui conduisent à ces
lieux sacrés, à travers champs et forêts, sont utilisés par de
nombreux porteurs qui forment de longues files. Nous
suivons ces courants humains. En chemin, Huemac, qui
nous accompagne partout, décrit ce qui l'intéresse : les
systèmes d'approvisionnement en eau, les produits fournis par chaque village. Ainsi, nous apprenons que, sur
toutes les opérations d'extraction et de production, des
guerriers secondés par des scribes prélèvent la part du roi.

Peu à peu, je me familiarise avec le travail des capitaines et des prêtres, les cérémonies, leur fréquence, l'importance relative de chaque fête. Je commence une nouvelle plaque du temps en inscrivant les phases de la lune,
de Vénus et de Mars, que je connais bien, comme tous
les marins islandais. Je grave aussi les apparitions publiques d'Ocelotl. Souvent, astres et rituels coïncident. Le
grand prêtre connaît le ciel aussi bien que moi.

Tandis que l'éminent religieux nous éclaire de sa
foi, Huemac nous initie à la vie des guerriers, ce que
j'apprécie au plus haut point, car j'échappe ainsi par
moments à la discipline austère d'Ocelotl. Huemac m'intègre à son groupe de capitaines avec qui je pratique
des corps à corps, le maniement de l'épée à lames d'obsidienne, fort lourde, qui sert aussi bien à assommer
qu'à trancher. J'acquiers une certaine dextérité avec le
bouclier, la lance. Je m'entraîne avec un nouvel arc,

instrument qu'essaient mes compagnons. Je prends beaucoup de plaisir à ces exercices : ils amènent un peu d'action et, surtout, ils me donnent l'occasion de porter des armes. Melkolf, au contraire, préfère les rites du clergé ; il évite les guerriers et se consacre à la prière.

Mon compagnon et moi sommes continuellement occupés, tant par les instructions combinées d'Ocelotl et de Huemac que par l'apprentissage de la vie toltèque. La complexité et l'efficacité des négoces qui se trament à Tollan forcent mon admiration : tous les Toltèques agissent de la même manière, unis derrière leur roi, dans une même croyance. Et je participe de plus en plus à cette communauté.

Je m'applique à devenir Toltèque, cependant, la gaieté des Totonaques et de la prêtresse me manque, privation avivée par le contact journalier avec les belles épouses de Huemac. Les servantes de la maison se montrent compréhensives à mon égard, mais j'aimerais avoir des femmes plus vigoureuses que ces pauvresses, comme Xilonen, par exemple, à qui je pense souvent.

Un matin, Huemac se présente en retard aux exercices. Je l'apostrophe à la fin de la séance :

– Dis-moi, preux capitaine, serait-ce par hasard une femme qui t'aurait retardé ?

Huemac ajuste son ceinturon, un peu agacé : j'ai visé juste. Je continue :

– Comment fait-on pour avoir une femme ici ?

– Ça dépend. Les paysans choisissent parmi leurs voisines, avec le consentement du père...

— Il doit y avoir d'autres moyens !

Huemac me toise du coin de l'œil. Il s'amuse avec moi comme un chat avec une souris.

— Plus les nobles s'enrichissent, plus ils peuvent posséder d'épouses. Alors, quand on ne peut séduire, on achète…

— Combien vaut une esclave ?

— C'est en fonction de la beauté et de l'âge. J'imagine qu'on peut en dénicher une pour un sac de cacao.

— Ces grains qui servent aux échanges ?

— Oui. Tu te souviens du marchand qui en a ramené des dizaines à Tecolutla ?

— Il en avait beaucoup… Un seul de ces sacs pour une esclave ? Mais ce n'est rien !

— Tu te trompes. Le cacao a une grande valeur. Il vient de l'isthme aux Volcans, à plusieurs lunes de marche d'ici. Les femmes offertes au marché ne valent pas grand-chose, puisque les guerriers gardent les meilleures prisonnières pour eux-mêmes. C'est plus facile de prendre des femmes aux alentours que d'aller chercher du cacao là-bas. Tollan est entourée de villages rebelles. Les femmes, surtout les plus jolies, aiment qu'on les capture. Ça leur permet de quitter leur campagne pour mener une vie de princesse.

Ses commentaires me donnent des ailes. Avec une épée à double tranchant, je pourrais conquérir ce territoire et tous les Skraelings qu'il abrite. Pour le moment, vu l'absence de fer, aussi bien guerroyer à leur manière.

— Alors, je veux entrer dans l'armée de Mixcoatl, il est temps que je me batte !

— Heureux que tu sois prêt ! Ta présence donnera du courage à mes braves.

Quelques jours plus tard, Huemac reçoit l'ordre d'organiser une expédition punitive contre une bourgade qui exige un prix exorbitant pour expédier son coton à Tollan. Le visage durci, Huemac explique :

– Le coton est primordial pour nous. Seules les cuirasses tissées de cette fibre résistent aux lames d'obsidienne. Mixcoatl ne peut tolérer qu'une petite communauté en fasse monter exagérément la valeur. Il demande que Melkolf et toi participiez à l'expédition.

Je suis ravi. Melkolf, beaucoup moins. Il refuse de porter les armes et prétend devoir suivre Ocelotl. Il reste à Tollan, alors que, avec la troupe de Huemac, je marche toute une journée pour atteindre le village rebelle. Le long du chemin, les trompettes tonnent pour faire trembler l'ennemi. Arrivés sur les lieux, nous campons en face du village protégé par une palissade de cactus épineux. Au matin, les hommes de Huemac encerclent le mur, toujours au son des trompettes. Les assiégés répliquent par des lancers de javelots ; nous nous protégeons avec nos boucliers flexibles. Sur un signe de Huemac, les guerriers enfoncent la palissade à l'aide de troncs d'arbre et s'engagent dans des corps à corps sans merci. Lançant de grands cris, je saute dans la mêlée. J'ai à peine le temps de terrasser quelques combattants que les chefs sont faits prisonniers et que les villageois se rendent.

Huemac rassemble la maigre population qui doit aussitôt verser le tribut exigé. On paie en maïs, car il n'y a pas de coton. Fâché de ne pas trouver ce qu'il était venu chercher, Huemac emmène, en plus des chefs, des hommes et des femmes en esclavage. Le soir venu, on envoie des provisions et des cuisinières à notre campement. Nous revenons à Tollan le lendemain, à la tête d'une colonne chargée d'un trésor de guerre. Huemac paraît satisfait, surtout de ramener les meneurs de la rébellion. Ils sont importants à ses yeux, pas aux miens. Aucune des prisonnières ne présente pour moi le moindre charme : elles ont toutes le dos voûté, le visage ridé. Comme si ces paysans avaient caché les plus belles. Je me sens frustré. Et l'expédition punitive ne m'a guère impressionné non plus ; celles des Islandais étaient autrement plus efficaces.

Un deuxième hiver sans neige se passe à courir entre les rituels, les entraînements et quelques batailles. Il fait un peu plus froid qu'en été, la nuit surtout, mais le soleil brille toujours avec intensité dans l'air sec. Il n'a pas plu depuis des lunes, il ne reste que des épines aux plantes. Bientôt, les Toltèques célébreront les cinq journées perdues de l'année. À pareille date l'an dernier, je pleurais sur mon épave brûlée, sans me rendre compte que nous vivions ces jours maudits. Ocelotl se consacre à la préparation des cérémonies et les exercices militaires sont reportés. Melkolf et moi accueillons avec bonheur cette période sans travail. Seul Huemac s'en inquiète.

— À voir vos sourires, on croirait que nous allons à une fête ! Ce n'est pas le cas, il s'agit d'une malédiction ! Vous devriez trembler de peur.

— Je prie, philosophe Melkolf, les mains jointes.

Je réponds sur un ton semblable :

— Je fais confiance aux puissances divines.

– Mais ces jours sont sans dieux… Qui voulez-vous invoquer ? Le soleil pourrait rester prisonnier des ténèbres et ne jamais réapparaître pour entreprendre un cycle nouveau.

L'inquiétude de Huemac ne nous atteint pas. Pour la forme, Melkolf se signe. Insouciant, je hausse les épaules ; Huemac frémit alors d'une colère difficilement contenue :

– Qu'importe ce que vous en pensez, vous devrez assister aux cérémonies ! Mixcoatl veut éviter les sortilèges… Comme la forêt qui s'embrase, par hasard, pendant votre absence.

À cette allusion, je bondis.

– Quoi ! Penses-tu que nous avons provoqué l'incendie à Tecolutla ?

– Je ne le saurai jamais vraiment. Je vous ai laissés partir après que les prêtres eurent commencé le brûlis… Mais je ne répète jamais les mêmes erreurs.

– Je t'assure que nous n'y sommes pour rien. Ce sont les prêtres qui ont mis le feu, pas moi ! Pourquoi aurais-je fait flamber mon bateau ?

– Le sort s'est peut-être retourné contre celui qui l'a lancé… Le roi vient de vous convoquer aux rituels, il vous somme d'y assister !

L'injonction tombe comme un coup de massue. Elle confirme mon intuition : le roi dirige tout dans cette ville, jusqu'aux moindres détails de la vie quotidienne. Ainsi, nous sommes toujours des étrangers dont on redoute les pouvoirs, je l'ai oublié dans le tourbillon des découvertes. Je me fais rassurant :

– Si notre présence peut réconforter le souverain, nous resterons à ses côtés.

Huemac se détend. Je ne peux retenir une question :

— Dis-moi… C'est bien le roi qui a ordonné de nous tenir au secret à Mictlan ?

Huemac est déstabilisé à son tour.

— Mixcoatl contrôle son territoire… Lorsque l'ermite Quauhtli a annoncé l'arrivée des émissaires de Quetzalcoatl, le roi a exigé que vous soyez isolés. Les gens sont si crédules, surtout ces Totonaques. Ton visage de soleil aurait pu les impressionner et provoquer des désordres. J'avais pour mission de vous garder cachés jusqu'au verdict des prêtres. Notre roi prend ses précautions…

— Alors, dis-lui de ne pas s'inquiéter. Nous allons le suivre pas à pas durant ces cinq jours.

— Bien. Commençons par nous rendre au temple.

À l'occasion des cinq jours perdus, Tollan est en deuil et ses habitants revêtent des hardes tissées de henequen, une fibre rugueuse. Pas d'étendard ni de musique : il n'y a que les pleurs et les gémissements de ceux qui se mutilent. Les places de marché sont vides. La nuit venue, la ville sans feu sombre dans une obscurité menaçante. Seules les interminables litanies lancées par les prêtres du haut de la pyramide bercent la ronde des étoiles.

Avec un air sévère, Huemac évoque les sacrifices qui doivent avoir lieu à la fin de ces jours d'angoisse. Melkolf sourcille et j'acquiesce, sans demander de détails. Dans mon enfance, lorsque le chef du clan immolait un animal, toute la famille savourait la bête au cours d'un festin en l'honneur des dieux. Pour l'instant, jeûne oblige, nous n'avons droit qu'à de l'eau et à des galettes sèches. Les jours perdus s'égrènent avec une lenteur lancinante. Moi qui espérais m'amuser…

Nous arrivons enfin au dernier des cinq jours néfastes. Peu après le zénith, une musique lugubre traverse le ciel. Des processions de musiciens arpentent les rues, déversant les plaintes des conques, pendant que les tambours martèlent un rythme d'agonie. L'ambiance est tellement oppressante que j'en ai la gorge serrée. Melkolf grignote ses croûtes en maugréant. Huemac vient nous chercher, couvert d'une vieille poche effilochée, la chevelure imprégnée de cendres. Nous devons revêtir des loques semblables pour nous joindre au roi et à ses courtisans, tous méconnaissables, en haillons. Au son des complaintes, notre cortège déambule vers la grande pyramide. Parvenus au temple, en haut, Melkolf et moi attendons, entourés de prêtres couverts de plaies vives et de sang séché, qui psalmodient des cantiques au milieu des nuées de copal.

En bas, sur la place, un tumulte parcourt la mer de pénitents. Une triple file de guerriers se fraie un chemin à coups de canne et de sifflet. Des prêtres les suivent, tenant à l'horizontale de longues perches qui forment une barrière rectangulaire. Au centre de cet enclos mobile, cinq personnes avancent, le corps entièrement peint en jaune, couronnées d'extravagantes coiffures de papier. La multitude s'agite sur leur passage : on leur lance des fleurs, on leur adresse des suppliques. Le défilé finit par nous rejoindre au sommet de la pyramide. Je remarque alors la démarche hésitante de ceux en jaune et l'écume qui mouille leurs lèvres, leurs pupilles démesurément grandes, leur visage sans émotion. Le manque d'expression me frappe, j'ai souvent vu Mère dans cet état.

Juste avant d'entrer chez la personne qui avait requis ses services, Grimhildr avalait sa poudre à base d'herbes et de champignons. Mystérieuse, elle prenait les mains de son solliciteur pour lui demander d'une voix grave :

— Parle-moi du voyageur dont tu t'inquiètes. Je dois tout savoir pour le reconnaître.

À mesure que l'individu parlait, Mère se transformait. Ses yeux, de plus en plus grands, noircissaient, son visage se couvrait de sueur. Ses doigts tremblaient, les lèvres aussi, puis son corps était secoué de la tête aux pieds. Parfois, elle pleurait ou riait, elle criait, tapait des pieds, dansait et tournait sur elle-même, comme ivre. Elle marmonnait, se tordait les mains, avec cette écume blanche au bord des lèvres. J'ai toujours eu peur lorsque Mère, secouée de soubresauts, s'effondrait au milieu de râles effrayants. Son corps sombrait ensuite dans une profonde léthargie pour le reste de la journée, tandis que son esprit vagabondait. Je la protégeais avec dévouement. Il fallait éviter qu'elle revienne brusquement à elle, avant que son esprit n'ait réintégré son corps. Autrement, l'esprit se serait perdu à jamais. Aucun être vivant ne devait l'approcher. Elle se ranimait en geignant, épuisée. Puis, elle racontait ce qu'elle avait vu. Le plus souvent, cela correspondait à ce que la personne avait souhaité entendre.

Le visage hagard de Mère s'estompe ; le rythme démentiel des grands tambours me ramène aux corps ocrés. Le regard toujours absent, les cinq hommes en transe dansent mollement. Tout à coup, un dignitaire à la robe maculée de sang et coiffé d'une tête de fauve surgit du temple. Il tend les bras au ciel, le silence tombe aussitôt. Melkolf me plante un coude dans les côtes.

– Regarde, Ari… Sous la peau d'animal, c'est Ocelotl !

– Oui, le prêtre et la bête portent le même nom : ocelotl, un chat géant qui vit dans la forêt. On dit aussi un jaguar. C'est le symbole des capitaines royaux et des principaux religieux.

De jeunes prêtres empoignent par la chevelure les danseurs en jaune pour les forcer à s'agenouiller. Ocelotl prie d'une voix puissante. Puis, sur un de ses gestes, la musique reprend de plus belle. L'un des esclaves est relevé, sa coiffure de papier, lancée dans un brûleur profond empli de braises rougeoyantes. Avec rapidité, quatre officiants le couchent sur une pierre étroite et haute, chacun tirant un des membres vers le bas. Un cinquième immobilise la tête. Les tambours battent à tout rompre, les sifflets hurlent. D'un grand coup de couteau, Ocelotl fend la poitrine d'un sein à l'autre. Stupéfié, je ne peux détacher mon regard de la victime frémissante. Ocelotl plonge ses mains dans la plaie et arrache le cœur qui bat au même rythme que les grands tambours, tandis que les autres instruments crient à déchirer le ciel. Ocelotl élève le morceau sanguinolent à la vue de tous et le présente aux quatre coins du monde. L'organe lâche encore de faibles giclées de sang, de fines lignes rouges ruissellent vers les coudes du sacrificateur. Le cœur est placé dans un bol au-dessus du brûleur central. Les nobles autour de nous invoquent les dieux et la foule braille des incantations.

Melkolf et moi sommes pétrifiés d'horreur. Mes propres battements de cœur m'emplissent la tête. Je devine la suite avec terreur. On relève un deuxième prisonnier qui se déhanche sans conviction, la tête lourde. Melkolf grince :

— Pourquoi est-ce qu'il reste là à danser ! Il n'a pas peur de la mort ?

— Non, son esprit s'est perdu. Il ne ressent pas de crainte.

J'ignore si Melkolf saisit ou non ma remarque. La scène du sacrifice se répète, identique. Pendant que la poitrine du deuxième supplicié est ouverte, le cadavre du premier est roulé en bas des marches à coups de pied. Melkolf me tire le coude.

— Je ne vais pas assister à cinq meurtres. Partons d'ici !

J'acquiesce tout en le poussant discrètement vers le côté de la pyramide. Nous descendons quelques degrés. Au premier palier, soudain, Huemac apparaît, l'épée à la main. Il a une expression très dure, les yeux enflammés, les lèvres serrées. Ses compagnons nous entourent. Je crois que, si je résistais, Huemac me tuerait instantanément. Nous sommes coincés près des hommes qui ont intercepté le corps du premier sacrifié. Ils le dépècent, comme des bouchers découperaient des quartiers de viande. Les jambes et les bras sont placés ensemble, la tête, les pieds et les entrailles mis à part.

Piégés au centre de la sordide cérémonie, nous voyons les corps subir l'un après l'autre le même sort. Les membres s'accumulent sur le palier, le sang dégouline le long des escaliers. Chaque fois que le grand prêtre élève un cœur palpitant, la multitude en extase accueille le geste avec des exclamations, des prières. Les cœurs s'entassent au-dessus du brûleur, l'odeur des chairs grillées me répugne. Melkolf verdit, les yeux affolés. Haletant, il baisse la tête et pleure sur mon bras, au milieu de l'hystérie collective. Personne ne remarque son désarroi, sauf Huemac qui nous jette des regards courroucés.

Mixcoatl sort du temple, le visage et la robe en sang, les yeux aussi éteints que ceux des sacrifiés. Il danse avec fougue devant les cœurs suppliciés. Il retire la tige de bois qui lui traverse la langue et la jette au feu. Les prêtres y lancent des boules de paille ensanglantée et du copal. La musique monte en spirales démentes. En bas, on bouge et chante avec hystérie. Pris de convulsions, le roi roule par terre. Le soleil disparaît, baignant l'horizon de roses et de rouges violents qui inondent la pyramide.

Devant l'incompréhensible, je tente de garder ma contenance. Tellement de gens périssent à la guerre ou en mer, tant d'enfants sont exposés au froid ou emportés par la maladie. Le Rouge m'a déjà raconté qu'on avait sacrifié un esclave pour garantir le succès d'une expédition risquée. Les légendes rapportent qu'autrefois les ancêtres pendaient des condamnés aux grands arbres sacrés. Mais je n'ai jamais assisté à des tueries rituelles. La mort ne me terrifie pas, mais ce spectacle sinistre, ce goût pour le sang répandu, ces gens qui se réjouissent devant des cœurs palpitants, tout cela m'indigne. Je croyais pouvoir me mouler à la vie de Tollan, mais je n'avais encore rien vu.

À demi inconscient, Mixcoatl est entraîné vers le temple par les prêtres. Les musiciens se retirent. Dans un murmure apaisé, l'assistance se disperse à la lueur des torches. Notre tourment touche à sa fin. Huemac abaisse enfin son arme et nous salue presque cordialement :

– Tout s'est bien déroulé. Il est temps d'aller dormir maintenant. Demain, nous ferons un grand festin pour honorer le nouveau cycle du soleil.

Je ne réponds rien. J'ai envie de vomir. Melkolf fixe ses pieds. Huemac n'insiste pas et s'en va.

Libérés, nous descendons. Nos sandales glissent dans des flaques visqueuses, un vilain jus noir monte de mes semelles et se répand entre mes orteils. J'en frémis de dégoût. Je voudrais pouvoir laver à fond ce sang et ces cendres qui me collent à la peau. Balayer ces cauchemars pour me réveiller parmi ma famille à Brattahlid. Je jure à Thor d'obéir servilement à Mère jusqu'à la fin de mes jours s'il me ramène chez moi. Aveuglé par l'angoisse, Melkolf se laisse guider. Je l'encourage en norois :

– Nous ne pouvons rien contre ces Skraelings. Rappelle-toi comment nous avons survécu sur le bateau : tête haute, sans montrer de peur.

– Quels barbares, fous de sang ! Assassins ! Des emplumés qui vénèrent des serpents et qui arrachent des cœurs vivants ! Je n'en peux plus, sors-moi d'ici !

Il a crié si fort que les gens se retournent et, parmi eux, Huemac. Je prends mon compagnon par les épaules et l'entraîne ailleurs. Je lui parle doucement :

– Calme-toi. Moi aussi, je veux fuir, mais nous sommes en danger. Ils vont te sacrifier si tu déranges trop. Souviens-toi que nous avons besoin de ces brutes pour repartir. Je t'ai prévenu que ce serait long. Prends patience, un jour nous réussirons à lever l'ancre.

Je ne sais pas comment, mais j'arriverai à construire un bateau qui tiendra la haute mer. Je pourrais faire n'importe quoi pour que Melkolf croie en un retour possible. Je pense que je deviendrais fou si on le sacrifiait et que je me retrouvais seul ici. Saisis d'une insurmontable répugnance, nous nous enfermons dans nos pièces et refusons d'assister au festin du roi.

CHAPITRE XIV

La ruée vers le fer

Voilà plus d'un an et demi que nous vivons parmi les Skraelings et leurs manies sanguinaires me sont toujours aussi insupportables. Il me tarde de parler à des hommes d'honneur, de commercer et de guerroyer comme il se doit. J'ai impérativement besoin d'un bateau. Je n'en ai jamais charpenté, mais j'ai entendu parler toute ma vie de leur construction. Je suis habile, j'arriverai bien à façonner les différentes pièces. Ce n'est pas le bois qui manque ici. Le problème, c'est le fer, matière essentielle pour les rivets. Ç'aurait été de la folie que de partir sur un bateau aux bordages non rivetés. Les dieux m'ont empêché de commettre une bêtise. Maintenant que j'ai acquis une certaine liberté, je vais préparer sérieusement mon départ.

Il me faut du fer, cependant, je n'en ai repéré aucun dépôt dans cette contrée. Il y en a sûrement à proximité, il s'agit de chercher. À mesure que j'explique à Melkolf mon idée d'une nouvelle embarcation, il reprend vie.

– Je suis prêt à tout pour hisser la voile. Je vais t'aider à trouver du fer… mais je ne sais rien des roches. Tu peux les différencier, toi ?

– Oui, j'en connais plusieurs : la poussière noire qui donne le fer, les grains d'or, les pierres qui fournissent le cuivre, l'argent, l'étain. Je te montrerai. Nous découvrirons du fer des marais, creuserons des fours et fondrons du métal.

Melkolf me serre fermement dans ses bras.

– Ari, j'aime quand tu parles de travailler le fer ! Je vois déjà le bateau prêt à prendre la mer !

Avant de marteler le premier rivet, il y a plusieurs tâches à abattre. D'abord, obtenir de l'aide. Je lance donc un premier hameçon à Huemac.

– Les épées d'obsidienne sont solides, mais lourdes et difficiles à transporter. As-tu pensé aux avantages d'une lame coulée d'une seule pièce ?

– Celle que tu as amenée à Mixcoatl est vraiment extraordinaire. Quand je l'essayais, je me sentais porté par une puissance divine.

– Imagines-tu la force de tes combattants si chacun avait une arme comme celle-là ?

Huemac se frotte les mains.

– Ah ! Ce serait fabuleux ! Huracan, dès que je t'ai vu trancher une tête sur ta grande pirogue, j'ai su que les dieux t'envoyaient. J'ai dirigé mes guerriers contre toi, mais j'étais certain que tu vaincrais. Avec de telles lames, nous pourrions étendre la domination de Tollan d'un océan à l'autre !

Sa dernière remarque m'intrigue.

– De quel autre océan parles-tu ?

Sidéré par ma question, il hésite avant de répondre :

– Vraiment, ce n'est pas de Vénus que tu descends, mais de la Lune! Il y a la mer du Levant sur laquelle tu as navigué…

– Oui, ça, je sais… Et l'autre?

– La mer du Couchant, à l'ouest.

– À quelle distance se trouve-t-elle?

– Environ sept jours de marche d'ici.

Serions-nous sur une île gigantesque ou une presqu'île?

– Ces deux océans se rejoignent-ils quelque part pour n'en faire qu'un seul?

– Non, pas que je sache. Plus loin vers le sud, au lieu dit «Tehuantepec», la terre se rétrécit et seulement quatre jours de marche séparent les deux mers. Les marchands disent que, plus loin encore, dans l'isthme aux Volcans, on peut apercevoir les deux océans en même temps du haut d'une montagne, mais l'eau du Levant ne se mélange pas à celle du Couchant.

Ainsi, l'idée de feu le navigateur Tyrker de rejoindre l'Afrique par le sud du Vinland est encore valable. Cependant, si je reprends la mer, ce sera en direction opposée. Je veux revoir ma famille et mes compagnons, pas les califes! J'ai déjà payé assez chèrement pour les ambitions de cet écervelé.

Huemac s'impatiente:

– Si tu veux, un jour, je t'emmènerai voir cet autre océan. Mais tu parlais des lames, ça m'intéresse beaucoup plus. Dis-moi ce qu'il te faut.

– Beaucoup de choses! J'ignore où les dieux ont caché les veines de métal. Nous chercherons dans les montagnes, les marécages…

– Nous aurons besoin d'une autorisation du roi.

— Il faudra beaucoup plus qu'une permission : des esclaves, des outils, des provisions.

— Alors je demande une audience.

— Oui, j'ai une proposition à faire au souverain.

En attendant d'être reçu, j'essaie de percer le mystère des armes d'obsidienne, étonnamment solides malgré leurs attaches en corde ou en nerfs d'animaux. Une matière très dure soude ensemble lames de pierre et manche de bois. Cette espèce de colle pourrait me servir à calfeutrer la coque et à consolider les goujons de bois, si jamais le fer manquait pour les rivets. Je demande à mon inséparable capitaine de visiter un atelier de fabrication d'armes.

Flatté et mis en confiance par Huemac, l'artisan armurier accepte de révéler le secret de sa glu : une argile bleue mélangée à la racine broyée d'une plante qu'il nomme cacotl et à du sang de chauve-souris. En séchant, le mélange devient dur comme de la pierre. Je félicite l'homme :

— Cette colle est prodigieuse ! Peux-tu en faire de grandes quantités ?

L'artisan m'assure pouvoir en produire autant que nécessaire, puisque la matière première abonde. Il s'agit de demander à l'avance. Très bien. Reste à savoir si cette colle résiste à l'eau de mer.

Huemac et moi sommes invités au Conseil des Anciens. On nous y accueille avec déférence. Tandis que les sages discutent âprement des taxes à prélever sur le commerce de l'obsidienne, j'observe le roi. Les bagues qui brillent à ses doigts semblent être en or. Nulle part ailleurs, je n'ai vu de métal chez ces Skraelings. La discussion sur les taxes s'éternise. Finalement, Mixcoatl tranche le litige, puis demande à Huemac l'objet de sa visite. Celui-ci salue et répond:

— Chef des braves, l'émissaire Huracan dit qu'il peut faire des lames comme celle que les dieux t'ont envoyée. Pour cela, il faut explorer les veines de la terre et donc nous éloigner de Tollan un certain temps. Nous aurions aussi besoin de main-d'œuvre, de matériel…

— Le voyageur demande beaucoup. Qu'est-ce qui me prouve qu'il ne va pas nous lancer un maléfice pendant qu'il est au loin?

Je m'incline aux pieds du souverain.

— Grand Mixcoatl, jamais je n'userai de sortilège contre toi. Toutes les divinités te protègent. Ces superbes bagues te viennent des dieux, non?

Mixcoatl paraît s'amuser de mon propos. Il fait bouger ses mains.

— Aucun dieu… Des marchands me les ont offertes.

— D'où viennent-elles?

— De la Terre des émeraudes. Un endroit très éloigné. Voilà pourquoi nous avons si peu de ces pierres et de ce métal brillant, appelé «larme de soleil». Vois-tu, là, au centre de l'anneau? C'est une émeraude…

Comme je l'espérais, il me tend la parure. La pierre translucide, verte comme une forêt au printemps, scintille magnifiquement, plus belle que toutes celles de Grimhildr. Autour, le jonc est constitué d'or solide. Je la lui remets.

— Ton bijou est magnifique. Je n'ai vu personne ici avec une pareille merveille.

– Les larmes de soleil sont réservées aux rois. Mais une chose m'intrigue. Mes anneaux luisent et font le même bruit que la lame des dieux. D'après toi, laquelle des deux matières est la plus dure, celle de la bague ou celle de l'épée?

– La lame est la plus solide des deux.

– Prouve-le-moi.

Mixcoatl me lance un défi. Il me faut faire une action d'éclat.

– D'un seul coup, la lame peut détruire ton bijou. Et je le ferai réapparaître, en tous points semblable, quelques jours plus tard.

Mixcoatl se délecte de ma bravade.

– J'aime ton audace. J'ai ici deux anneaux couleur de soleil, sans pierre fine. Voyons ce que tu peux en faire.

Il me tend des joncs de fabrication grossière en fils d'or tressés. Je les fais sauter dans ma paume.

– J'ai besoin de la longue lame et d'une poutre.

Sur un signe de Mixcoatl, un serviteur m'apporte l'épée. Je m'en saisis. Les nobles, inquiets par l'ampleur du risque, me dévisagent, prêts à intervenir. Enfin, je peux sentir l'arme précieuse entre mes mains. Par pur plaisir, je la fais virevolter dans les airs. Un frisson secoue l'assistance, les dignitaires se pressent autour de leur monarque. L'espace d'un instant, je pense que, si je transperçais le roi, je pourrais régner sur ce royaume. Mais il me faudrait des alliés et je n'en ai aucun. Un domestique arrive à la course avec une planche épaisse. Je la fais poser entre deux bancs. J'y place les anneaux, l'un par-dessus l'autre, en plein centre. Je recule, prends une grande inspiration et m'élance, l'épée haut levée. En l'abattant, je pousse un grand cri d'abordage. La poutre se fend avec fracas. La lame a plié, je la redresse vivement du talon. Personne n'a remarqué mon geste, tous cherchent entre les débris de bois. Mixcoatl tend le cou comme les autres.

— Apportez-moi les anneaux, ou ce qu'il en reste.

Un serviteur retire les morceaux d'or d'entre les copeaux et va à genoux les présenter au roi. Loin de s'attrister, il paraît se distraire, un fragment écrasé entre les doigts.

— Tu as raison. La lame est la plus dure. Comment pourras-tu recoller ces miettes?

— Je connais la magie des métaux. Si tu acceptes, je peux en faire une seule bague, aussi large que celle à l'émeraude.

— Pourrais-tu la sertir d'une pierre?

— Celle que tu souhaites!

— Très bien, alors demain tu recevras des jades taillés. Huemac s'arrangera pour que vous ayez le nécessaire. J'attends le résultat, ensuite nous reparlerons des veines de la terre.

J'acquiesce et lui tends l'épée, à regret, le pommeau en avant.

L'idée de couler de l'or me ravit. Je dois réussir dès la première tentative, car je n'aurai pas de seconde chance. Huemac et Melkolf restent béats devant les brisures d'anneaux: ces deux-là n'ont jamais touché aux larmes de soleil. Je n'en ai jamais fondu non plus, mais je connais mon affaire.

— Huemac, j'aurai besoin de cire d'abeille, la plus pure, d'argile, au grain le plus fin, d'un bol en pierre qui résiste à la chaleur du feu. Il me faudra aussi un four, du charbon. Nous devrons travailler en dehors de la ville.

Mon capitaine s'incline, plein de respect comme au jour de notre rencontre. Nous allons nous installer aux abords de la rivière Texcalapan, au pied du mont Xicoco. Une dizaine d'esclaves montent le campement. Suivant mes instructions, ils creusent deux fours, le premier pour le charbon et l'autre pour le métal. On fabrique un bol en pierre selon mes directives. Melkolf dirige les équipes qui bûchent dans la forêt. Ensuite, il surveille la production de charbon. Un tailleur de pierre fine sculpte un jade minuscule qui s'ajuste à l'anneau que j'ai formé dans la cire. J'y applique des couches d'argile mêlée à de la cendre jusqu'à former un moule si parfait que je ne perdrai pas une poussière de l'or royal. Une fois le moule séché, je le chauffe pour liquéfier la cire. La dernière goutte évacuée, je bouche le trou avec soin.

Après des jours de travail intensif, l'or est fondu dans le bol de pierre et coulé dans le petit moule. Malgré notre impatience, il faut attendre qu'il refroidisse avant de l'ouvrir. Le lendemain, anxieux, je brise la gangue d'argile. Boueuse, la bague apparaît, un peu bosselée mais épaisse et bien ronde. Je la polis. J'insère le bourgeon de jade dans la petite gaine d'or sur le devant de l'anneau. Huemac, Melkolf et le tailleur s'extasient devant le chef-d'œuvre. Huemac me tape dans le dos avec enthousiasme.

– J'ai hâte de voir ce qu'en dira Mixcoatl!

Agenouillé devant le souverain, j'attends. Il examine la bague, sa bouche sévère s'égaie :

— Géant venu par la force de l'ouragan, ce joyau me plaît ! Personne ici ne travaille le métal de cette manière. J'accepte donc de te fournir tout ce dont tu auras besoin pour fouiller les veines de la terre. Comment puis-je récompenser ton labeur ?

Je ne sais que répondre. Je voudrais demander un bateau. Devant mon hésitation, Huemac s'avance et pose un genou au sol.

— Huracan aimerait avoir une femme à ses côtés.

— Est-ce bien ce que tu veux ?

Mieux vaut suivre la voie indiquée par Huemac.

— Oui.

Il lève un doigt, un noble se penche vers lui. Ils chuchotent. Le roi acquiesce :

— Une femme te sera présentée demain. Si elle te convient, garde-la.

J'ose lever les yeux vers le visage du roi. Il sourit. Je me risque et lui retourne son sourire. Un bruissement de scandale circule derrière le trône. Je m'incline, le cœur battant, fier de ma témérité. Avec ce bref échange, j'ai marqué un point.

De retour à la maison, Huemac se félicite de la tournure des événements. Il secoue sa longue cape avant de l'accrocher au mur et, le visage rieur, me lance :

— Dors bien cette nuit. Les femmes que Mixcoatl accorde en valent généralement la peine. Tu auras besoin de toutes tes forces demain…

Je m'abandonne au sommeil, heureux que Melkolf soit resté au campement sur la rive de la rivière Texcalapan. Je pourrai jouir de ma récompense sans subir ses sermons.

Dès le lever du soleil, je commence à me préparer, me lave à fond, me coiffe, puis participe aux cérémonies religieuses en rêvassant. Dans la maison, la journée semble vouée à la détente. Huemac et sa famille se prélassent à l'ombre dans le vaste jardin. Je les rejoins. Le chef raconte ses aventures et celles de ses compagnons d'armes. On nous sert du pulque, une boisson mousseuse, délectable, mais pas aussi enivrante que la bonne bière du Nord. Des plats circulent, garnis de galettes de maïs frites, tartinées d'une pâte de tomate pimentée à en cracher le feu par les naseaux. La matinée se passe à marier la fureur du piment avec l'amertume du pulque.

Un peu avant le zénith, quatre personnes sont introduites dans le jardin. Les conversations s'éteignent tandis qu'on examine les nouveaux venus. Huemac va à la rencontre des trois hommes qu'il me présente : ce sont des membres de son clan, tous des cousins. La quatrième personne, recouverte d'une longue cape, reste derrière. Huemac et ses parents l'attirent près de nous. Le plus âgé enlève d'un geste théâtral le vêtement qui la dissimule.

La femme qu'il découvre ainsi n'est ni repoussante ni courtaude. On a choisi la plus grande de celles que j'ai vues ici. Bien proportionnée, elle est jeune, d'un teint radieux. Les cheveux noirs nattés autour de la tête, elle porte un collier de coquillages blancs. Une mante, nouée à la naissance des seins, lui couvre la poitrine et les bras pour tomber en pointe sur une jupe brodée. Le regard, qu'elle tente de conserver neutre, brille d'excitation un court instant lorsque je m'approche ; elle se mord aussitôt les lèvres et baisse les yeux. Le cousin âgé se frotte les mains.

— Sa mère et moi nous portons garants d'elle : elle n'a jamais connu d'homme. Si tu veux, nous pouvons enlever la mante.

— Non, inutile, cette femme me plaît.

Conquis par la lueur furtive au coin des yeux de l'esclave, je tapote l'épaule du vieux cousin qui tient la cape. Content que le présent me convienne, il me touche le bras à son tour. Marché conclu… Cependant, la vieille mère de Huemac, le sourcil suspicieux, va se planter devant l'étrangère.

— Qui es-tu ?

— Malinalli.

La voix grave et douce qui émane de cette bouche charnue me fait tressaillir. J'observe la récompense du roi avec un intérêt renouvelé et je suis frappé par la grâce du cou qui tranche avec la robustesse du tronc. L'aïeule, qui estime sans doute la réponse un peu courte, fixe la jeune femme avec insistance. Celle-ci finit par ajouter :

— Je suis née près de Teotihuacan. Mon père était guerrier. Quand il a été tué au combat, ma famille est venue à Tollan. On m'a placée à l'atelier de céramique d'un parent. J'y ai peint jusqu'à aujourd'hui.

La vieille femme s'adoucit.

— Nous respectons les enfants des guerriers. Sois la bienvenue. Avec mes belles-filles, nous avons tout prévu pour ton arrivée. Suis-moi.

La matrone conduit la jeune fille à la cuisine où s'affairent les autres femmes. Les conversations reprennent et les jarres de pulque circulent de nouveau. À quelques reprises, la belle vient remplir mon gobelet. J'en profite pour la détailler; on devine à travers l'étoffe un ventre ferme, des cuisses solides, des fesses rondes et hautes, des seins lourds comme des fruits bien mûrs. Fort intimidée, elle évite mon regard et avale sa salive avec difficulté: sa vie d'adulte commence à peine. Je respire une grande bouffée de son parfum à la noix de coco et rêve d'une nuit à célébrer ses rondeurs.

Le soleil vire au rose: les convives se dispersent. Huemac est sur le point de se retirer, en compagnie de ses deux épouses. La vieille dame donne des ordres à ses serviteurs, puis entraîne Malinalli à sa suite. Cordial, Huemac m'invite d'un petit geste de la main à suivre les deux femmes. Heureux, je m'éclipse dans l'ombre du corridor, alléché par les effluves de coco qui flottent derrière la jeune femme que la matrone abreuve de conseils.

Je me retrouve enfin seul avec Malinalli que je veux prendre dans mes bras. Elle recule doucement, la tête baissée; je la cueille par la taille et me penche pour voir ses yeux. Ils ont perdu leur éclat. Elle tombe à genoux et cache son visage entre ses mains.

– J'ai honte devant toi, Seigneur! Pourquoi moi? Je ne suis qu'une fille ordinaire. Toi, tu es encore plus beau qu'on m'avait dit: un vrai fils du soleil. J'ai honte de me montrer devant toi.

Je m'assois à ses côtés et lui caresse les cheveux pour la réconforter. Sa candeur m'émeut. Son cou parfumé et doux, humide de larmes chaudes, me ravit. J'y enfouis le nez et je chavire avec délices…

Le matin vient trop tôt, qui m'arrache aux bras de ma compagne toute neuve. Le départ s'organise pour le campement de la rivière. Nous rentrons avec un riche convoi, Malinalli à la tête des esclaves qu'elle dirige avec sévérité du haut de son statut de principale courtisane. L'air embaume, loin de la ville bruyante aux odeurs nauséabondes. Nous marchons sur un sentier bordé de nopals et autres cactus, plantes toujours insolites, aux tiges bouffies, sans feuilles, rigides dans leur gaine épineuse. J'ai hâte que Melkolf connaisse notre bonne fortune, bien que je redoute un peu sa réaction face à Malinalli.

Parvenu à la rivière, je vois Melkolf qui guette notre arrivée. En guise de salut, il crie de loin :

– Alors, la bague lui a plu ?

Huemac acquiesce. Melkolf me rejoint en se hâtant. Je lui donne une grande tape dans le dos.

– Oui, il l'a aimée ! Regarde tous les esclaves et les outils qu'il nous a fournis. Sa satisfaction était si grande qu'il m'a fait un don. Melkolf, voici Malinalli.

Melkolf la dévisage d'un œil torve, prêt à la mordre.

– C'est pas un présent, c'est une femme…, bougonne-t-il en norois en crachant par terre. On est ici pour travailler… Et toi, tu penses à forniquer ! Quand c'est pas une prêtresse, c'est une esclave !

– Épargne-moi tes saintes colères ! Les femmes sont faites pour qu'on en jouisse. Seuls les gens de ton espèce les méprisent.

– Je ne vivrai pas avec elle sous mon toit.

– Il va pourtant falloir. Encore chanceux que je n'en ai ramené qu'une…

– Sans vergogne ! Je vais aller vivre chez Ocelotl !

— Excellente idée! Tu peux finir tes jours avec lui, si tu veux, fumier! Moi, j'aime les femmes et je compte bien en avoir autant que le grand Mixcoatl.

Melkolf blêmit.

— Quoi! Tu veux faire comme Mixcoatl? Tu vas rester ici? Tout ça à cause de femelles?

Il bondit sur moi et me secoue violemment.

— Crapule! Tu as promis… Promis, entends-tu? Tu trahis déjà ta parole!

Je le repousse, prêt à le frapper.

— Je ne trahis rien. Je veux retourner à Brattahlid, explorer et commercer. Pourquoi tant d'indignation à cause d'une servante? Je reviens avec des esclaves pour chercher du fer et tu me malmènes… Qu'est-ce qui te prend?

À mesure que j'argumente, la colère de Melkolf s'essouffle. Il mâchonne ses mots. J'essaie d'éteindre sa hargne définitivement.

— Nous finirons par le construire, ce bateau, mais je ne vais pas me passer de femmes tout ce temps pour te faire plaisir. Je ne t'empêche pas de t'empiffrer, alors, laisse-moi m'amuser.

Les lèvres boudeuses, sans un regard pour Malinalli, il retourne au four surveiller la production de charbon de bois. Je le sens bouillir de rage. Au moins, il va travailler. Je ne lui ai pas dit le fond de ma pensée. En fait, je pense vraiment devenir aussi puissant que Mixcoatl. Je viens d'avoir vingt ans: j'aurai le temps de tout faire, en commençant par maîtriser ce colérique jaloux.

Malgré le dédain dont Melkolf l'accable, Malinalli s'occupe de la maison, de nos repas et de mes nuits. Son zèle ne parvient pas à amadouer Melkolf qui tolère mal sa présence, surtout si elle ose donner son avis, ce qu'elle fait très rarement. Consciente de ce mépris, Malinalli ne parle qu'à moi et aux esclaves sous ses ordres, un arrangement qui convient à tous.

Melkolf et moi parcourons les alentours à la recherche de sources ou de marécages qui pourraient receler de la poussière de fer. Nous ratissons sans relâche la boue des marais et rapportons des poches de roches. Cependant, nos efforts n'aboutissent à aucune découverte significative. Le four à charbon fonctionne bien. Celui pour la fonderie aussi, creusé avec des trous pour les entrées d'air, mais, faute de minerai, il demeure inutilisé. Malgré l'absence de résultats, nous persistons. Les esclaves empilent le bois sec, érigent des abris de paille au-dessus des piles de charbon qui grossissent.

Après des semaines infructueuses et des dizaines de grands feux pour fondre ce que je crois être du minerai, je découvre de toutes petites noix de métal au fond du four. J'en ai la certitude, ces gouttes dures sont bien du métal, peut-être de l'argent. Par bonheur, le minerai provient d'une veine découverte à une journée et demie de marche du campement. Melkolf, qui connaît l'endroit, part en chercher.

Le sermonneur au loin, j'en profite pour montrer à Malinalli le marais au pied de la colline. Je sais, pour l'avoir parcouru à plusieurs reprises, qu'il ne contient pas de fer, mais j'ai envie de faire connaître à ma compagne ce site merveilleux, à la fois marécage et étang salant. La journée s'annonce aussi calme que l'eau qui miroite au soleil. Une main en visière, j'admire les lieux :

— C'est là, vers le sud, que poussent les roseaux si utiles qui font la réputation de Tollan. Presque tout est fabriqué à partir de ces différents types d'osier.

Comme je l'espérais, Malinalli tombe sous le charme.

– Que c'est beau! Quels parfums! Toutes ces nuances de vert et de jaune. C'est bien vrai que les dieux habitent cet endroit…

Je tire une pirogue que je gardais cachée entre les joncs.

– Je savais que ça te plairait. Embarque, nous allons faire un tour.

Épanouie, Malinalli se glisse au bout de l'embarcation. Tandis que nous filons sans bruit sur l'onde scintillante, elle laisse traîner ses doigts entre les nénuphars.

– Tous ces animaux! Tant de poissons, d'oiseaux! Oh! Regarde ces papillons d'un bleu lumineux. Quand leurs ailes se ferment, on ne les voit plus…

Je prête attention. En effet, leur vol se tisse en une suite d'apparitions et de disparitions silencieuses, au gré du vent ou de l'esprit qui les anime.

Nous accostons une rive verdoyante et profitons de la fraîcheur de l'endroit et de son herbe fine. Inspiré par l'énergie qui émane de tant de vie, j'honore ma compagne avec vigueur. Le ciel d'un bleu intense semble vibrer de joie au-dessus de nous. Radieuse, Malinalli va ensuite se baigner à l'étang, puis se couche à mes côtés et somnole, la tête au creux de mon épaule, son bras autour de ma taille. Je contemple les papillons, blancs, jaunes ou bleus, qui volettent par grappes légères et dérivent entre les massifs de fleurs sans s'inquiéter de notre présence. Une grande libellule vient même se poser sur la chevelure de l'endormie et lui fait un bijou aux ailes irisées. Surprise par la visite, Malinalli se garde bien de bouger et observe l'insecte du coin de l'œil, avec un sourire ravi.

La douceur du moment atténue le désespoir qui me gâtait l'existence depuis l'horreur des jours perdus. Sous un ciel aussi beau, baigné de parfums et de ramages, comblé par la douce tranquillité de ma compagne, je reprends goût à la vie. À sa mine sereine, je constate que la pulpeuse Malinalli s'habitue aussi à moi. Elle réussit à me faire oublier l'amertume des derniers mois et m'aide à supporter cette quête de métal, plus ardue que je ne l'imaginais. Elle calme mon impatience de retourner en Terre-Verte, même si je suis chez les Skraelings depuis presque deux ans.

Malgré les déceptions, l'existence devient supportable. Et, quand j'y repense sérieusement, peut-être même n'a-t-elle jamais été aussi agréable…

CHAPITRE XV

Teotihuacan

Melkolf rapporte quantité de roches, mais elles ne livrent pas le métal que nous comptions trouver. Il persiste à creuser et à transporter des pochetées de pierres. Après de nombreuses tentatives, nous parvenons à recueillir de petites masses noueuses qui ressemblent à de l'argent, métal inutile pour fabriquer des armes ou des rivets. Je les conserve quand même, elles pourront éventuellement servir. Nulle part, la moindre trace de fer des marais. Je désespère, Melkolf aussi. Avant de dormir, il prie son dieu, se flagelle et, au matin, reprend son labeur. À mesure que le temps passe, Huemac devient aussi de plus en plus irascible : le roi doit s'impatienter devant l'insignifiance des résultats. Une dernière fournée ne livre que des cendres. Découragé, je secoue la tête.

– Je ne sais plus où chercher.

Les mains noircies de charbon, Melkolf continue à fouiller les fragments de roches avec obstination.

– Il ne faut pas se laisser abattre. Le travail finit toujours par porter des fruits.

– Oui, mais c'est trop long. Si nous ne découvrons pas du fer bientôt, le problème ne sera pas de construire le bateau, mais d'échapper à la fureur du roi qui va nous faire tuer ! Il faut chercher ailleurs. Je vais faire le tour de ces fameux lacs qui occupent le fond de la vallée. J'y dénicherai peut-être des marécages pleins de fer.

J'en discute avec Huemac. Il se laisse convaincre et demande au roi de nous laisser partir en exploration. Mixcoatl accepte à la condition que nous accompagnions Ocelotl dans son pèlerinage à Teotihuacan. Je me réjouis de la patience du roi, cependant, l'idée d'assister à d'autres rituels me rebute. Je sonde Huemac au sujet du voyage :

– Pourquoi nous imposer Teotihuacan ? Je sais que les anciens codex proviennent de là... Mais pourquoi y aller ? Ce sont les rives des lacs qui m'intéressent.

Saisi, Huemac hésite d'abord. Puis, l'index sur les lèvres, il me darde un regard lourd de soupçons.

– Incompréhensible... Les dieux t'envoient... et tu ne sais rien de Mictlan, de Tollan, de l'océan infini à l'ouest. Ils ne t'auraient même pas informé d'un lieu de culte aussi important que Teotihuacan ! Là est érigé le plus ancien des temples de Quetzalcoatl.

– Ah ! Bien sûr, Teotihuacan... Maintenant, je me souviens. Est-ce loin ?

Perplexe, il hausse les épaules comme pour chasser un doute. Il indique vaguement l'est.

– Non, c'est justement de l'autre côté des lacs. Voilà pourquoi le roi veut que tu y ailles : tu exploreras en même temps. Les courriers s'y rendent en une journée, nous en mettrons deux.

– Ocelotl ne tarit pas d'éloges au sujet de cette ville.

– Oui, Teotihuacan était la plus vaste, la plus riche de toutes les villes. Elle a été saccagée, il y a environ deux cent cinquante cycles solaires. Mais les gens vont encore y porter des offrandes.

Je réfléchis. Si cette ville a été abandonnée il y a deux cent cinquante ans et qu'on s'y rend encore, c'est qu'en effet elle doit être extraordinaire. Je m'incline.

– Alors, j'irai moi aussi y prier mon dieu protecteur.

Melkolf, qui ne veut rien savoir d'autres temples, reste au campement pour travailler. Malinalli n'est pas autorisée à nous suivre et demeure aussi sur place. Elle pourra étudier l'art de mon compagnon, on pourrait dire son obsession : soir après soir, il polit sans fin de petits personnages sculptés dans le bois.

Notre cortège, constitué en grande partie des disciples d'Ocelotl, part à l'aurore. Nous nous dirigeons d'abord vers les lacs, couchés dans une vallée bordée de montagnes à l'horizon. Des villes, taches claires dans des écrins de verdure, sont parsemées autour des eaux scintillantes. À mon grand émerveillement, tout à coup, vers le sud, se découpe l'extraordinaire sommet conique d'un volcan couvert de neige étincelante.

– Quel pic majestueux !

Huemac fait un bref salut dans cette direction.

– C'est le Popocatepetl, à qui nous vouons un respect sans limites. Il sommeille, mais il peut se réveiller n'importe quand et tout dévaster autour de lui. Juste à côté, il y a une autre montagne.

– Les deux formes arrondies, un peu au nord ?

— Oui, celle-là n'est pas dangereuse. C'est l'Iztacci-huatl, « la femme endormie », la compagne du volcan que tout le monde nomme le Popo.

La beauté des sommets enneigés m'inonde de bonheur, je me retrouve soudain plongé dans un univers familier, entouré des glaces de mon enfance.

— Pourrait-on grimper jusqu'à la neige ?

Huemac secoue la tête.

— Pas aujourd'hui ! Une autre fois, tu pourrais accompagner les prêtres lorsqu'ils monteront jusqu'au cratère pour nourrir la montagne de sacrifices.

Il gâche tout avec ses saletés ! Je ne pensais pas à étriper, mais plutôt à jouer. Je m'imaginais dévalant ces merveilleuses pentes de glace dans une course endiablée avec mes frères.

Nous atteignons un village prospère au bord de l'eau. Les rives spongieuses d'argiles foncées augurent bien pour le fer. Huemac réserve les bateaux pour le lendemain. Il indique le sud.

— Nos pires ennemis vivent là-bas, au pied des volcans. De ce côté-ci des lacs jusqu'à Teotihuacan, la loi de Tollan est respectée. Tu pourras naviguer et explorer en paix.

— Après Teotihuacan, j'inspecterai les rives des lacs. Combien y a-t-il de villes ?

— Il y a cinq lacs et une multitude de villes et de villages.

Huemac se penche pour dessiner dans la vase.

— Tu vois, les lacs sont en réalité une seule étendue d'eau, aux contours sinueux. L'eau est parfois salée, saumâtre ou douce. Nous sommes ici au bord du lac Zumpango, et plus loin se trouvent les lacs Texcoco,

Xochimilco et Chalco. Les villes qui les bordent portent les mêmes noms.

– J'aime ton dessin. Il serait utile pour se guider.

– Au retour, je te ferai une vraie carte sur une toile de henequen. Tu pourras la conserver.

Nous nous installons dans une maison d'hôte pour y passer la nuit.

Par un beau matin ensoleillé, nous traversons le lac Zumpango à bord de confortables barques. Les passeurs nous emmènent à la vitesse du vent sur un lac qui fourmille d'activités. Des pirogues chargées de marchandises variées circulent en tous sens. Il y a aussi un important flux de pèlerins qui, comme nous, convergent vers Teotihuacan. Le soleil brille au zénith lorsque nous arrivons de l'autre côté. Dans la baie où nous accostons, toujours à la recherche de fer, je remarque une fine pellicule verte qui flotte sur les eaux. J'en prends un peu. Le goût de ces algues est semblable à celui de l'écume de fjord dont Mère se servait pour traiter ses malades. Je demande qu'on en recueille. Ocelotl se fait prier, mais il finit par accepter sans comprendre. Pendant que les autres se désaltèrent, j'aide ses assistants à prélever autant de matière verte que possible, à l'aide de toiles tirées sur l'eau peu profonde. Une fois la récolte achevée, la pâte gluante est étalée au soleil sur la berge, où elle séchera sous la garde d'un esclave. Nous le reprendrons au retour. Si je ne découvre pas de fer, j'aurai au moins trouvé une substance pour guérir différents maux. Ce sera ma consolation.

La journée tire à sa fin lorsque nous parvenons aux abords de la fameuse cité. Avant même que nous nous rendions à la résidence où nous devons séjourner, Ocelotl tient à ce que nous grimpions sur la pyramide de la lune. Pour l'occasion, il revêt sa peau de jaguar, le crâne de l'animal sur la tête. De là-haut, les ruines grandioses de Teotihuacan s'étalent à nos pieds. Solennel, Ocelotl indique la route large et rectiligne qui relie pyramides et palais.

— Sur cette voie paradaient les défilés les plus formidables. Maintenant, nous l'appelons l'allée des Morts…

Il désigne une immense pyramide sur notre gauche.

— Voici la montagne sacrée du soleil. Y ont officié les prêtres les plus puissants que cette terre ait jamais portés.

Sans le savoir, Ocelotl confirme mon intuition. Les pyramides constituent des montagnes consacrées aux dieux. L'idée me plaît, elle m'est familière. Par l'éclair, les dieux descendaient habiter les montagnes de mon enfance. Je me sens une certaine affinité avec ces gens, malgré l'horreur que j'éprouve devant leurs sacrifices humains. Ocelotl et moi croyons en des dieux semblables, nous nous adressons à eux un peu de la même manière, seuls les noms varient. Du haut de ces impressionnants vestiges, je prends une longue bouffée d'air sacré.

— Oui, cette ville devait être superbe, encore plus que Tollan !

Ocelotl réplique, avec un plissement amer des lèvres :

— Les grands prêtres qui régnèrent sur cette cité, il y a longtemps, abusèrent de leur pouvoir. Ils interdirent les jeux de balle rituels. Ils contrôlaient tout le commerce de l'obsidienne, jusqu'aux terres lointaines qui fournissent le jade et le cacao. Leurs taxes ruinaient les guildes d'artisans qui se rebellèrent. Les habitants des villes voisines participèrent à la révolte, car eux aussi souffraient de la domination. Nous, Toltèques, collaborâmes à la chute de Teotihuacan. Un aïeul de Mixcoatl guida nos troupes. Des milliers de guerriers venus de nombreuses cités alliées saccagèrent les temples, les idoles furent enterrées. On dit que cette avenue baigna dans le sang des nobles et des prêtres arrogants. Personne ne veut plus diriger Teotihuacan ni entretenir les palais et les temples. Des gens vivent encore aux alentours, mais la plupart ont préféré migrer à Tollan, car nous savons nous montrer conciliants.

Huemac acquiesce, je fais de même, dans une attitude empreinte de respect. En bas, des centaines de pèlerins déambulent au pied des temples décrépits, éclairés par des feux et des torches. Après avoir admiré le lever de lune sur cette ville consacrée, nous dormons dans la paix des dieux.

À l'aurore, fier d'étaler ses connaissances, Ocelotl m'entraîne avec quelques-uns de ses protégés à travers les ruines. Il m'abreuve d'explications comme si j'étais un attardé. Malgré mon déplaisir, je maintiens mon rôle d'envoyé divin. Imbu de sa mission, le grand prêtre discourt sur la dualité des dieux et des êtres qui les symbolisent : la grenouille ou le serpent, qui vivent dans l'eau ou sur terre, la chenille métamorphosée en papillon. Il martèle sa doctrine. J'écoute, aussi ennuyé que par les sermons de Melkolf.

Devant un édifice chargé de sculptures, il ouvre grand les bras.

– Voici le temple de Tlaloc et de Quetzalcoatl. Il illustre les origines de nos croyances. Tlaloc, dieu de la pluie, avec ses yeux de grenouille. Sa bouche mène à l'inframonde, le monde souterrain des esprits. Pour y avoir accès, il suffit de consommer le nénuphar qu'il tient dans sa gueule. Cette fleur ouvre l'esprit. Tlaloc était indissociable de Quetzalcoatl, dieu de la végétation. Quand l'eau vient à manquer, le serpent divin tournoie sur lui-même et devient le vent qui fait monter vers les cieux l'eau de la mer et de la terre afin qu'elle retombe en pluie. C'est du moins ce que les anciens croyaient…

Sur les quatre faces inclinées du temple, les têtes de pierre des deux divinités alternent. Elles surgissent des murs comme si ces animaux fabuleux étaient vivants et, malgré leurs couleurs délavées, elles créent un effet saisissant de vérité. Le museau du serpent à collier s'apparente à la figure de proue de mon knorr. La face de Tlaloc me rappelle les broderies de la cuirasse que portait Huemac.

Plus volubile que jamais, le grand prêtre poursuit son enseignement :

– Depuis la chute de Teotihuacan, nos prêtres pensent que les ancêtres avaient mal identifié Quetzalcoatl. De son ermitage, Quauhtli dirige le renouvellement du culte envers ce dieu. Ensemble, nous réfléchissons tous à cette question. Surtout que des messagers divins sont là pour confirmer ses dires…

Ocelotl se tait. Huemac me regarde intensément, comme si je devais faire une déclaration. L'idée de représenter un serpent qui sonde la terre en quête d'eau ne m'attire guère. J'ai besoin d'une inspiration. Je fixe longuement le reptile de pierre, mon esprit s'immisce dans sa tête, j'aspire les forces de l'inframonde depuis les entrailles de la pyramide. L'animal sacré parle lentement à travers moi :

– Quetzalcoatl, maître du tonnerre, du mouvement, de la pluie et du vent est un dieu à la fois féroce et généreux. Il contrôle les éléments et impose sa volonté aux autres dieux et aux hommes. Il sait se battre, remporter des victoires et transformer les matières de cette terre.

Frappé par mes révélations, Ocelotl lance du copal autour de moi en priant tout haut. Ses élèves entonnent des litanies. Ceux-là croient béatement en ma divinité. Je les laisse m'honorer.

J'observe les têtes de pierre sur les parois. Ainsi, dans les temps anciens, Quetzalcoatl apparaissait toujours flanqué de Tlaloc, cet être rébarbatif aux gros yeux. Si l'on me prend pour un envoyé de Quetzalcoatl, Melkolf serait mon Tlaloc personnel. En aucune circonstance, je ne le lui dirai. Il exploserait de colère !

Le retour se déroule agréablement. En nous attendant sur les berges du lac, l'esclave a séché et empaqueté la farine verte, comme je le lui avais demandé. Ocelotl est curieux, mais j'ignore ses questions, car je préfère garder quelques secrets. Nous partons, Huemac et moi, le long de la rive, tandis qu'Ocelotl et sa suite traversent le lac en direction de Tollan.

Le bord des eaux constitue un endroit merveilleux à cause de la douceur du climat, de la végétation luxuriante et de la vie prospère qu'on y mène. Mais pas l'ombre d'une poussière de fer.

Après la recherche infructueuse en bordure des lacs, la quête du métal reprend au camp de la rivière Texcalapan. Melkolf s'entête à fouiller aux environs de la pauvre veine d'argent mise à jour, tandis que je m'éloigne de plus en plus vers le nord. Les semaines passent et les fournées successives ne livrent rien. Je suis maintenant persuadé que la région est dénuée de ressources minérales, à part l'obsidienne. Découragés, Melkolf et moi rentrons à la maison, la mine basse. Malinalli frotte les derniers grains d'argent que nous avons extraits pour les faire briller.

— Quand j'étais enfant, mon père a rapporté une toute petite pierre, semblable à celles-ci. On pouvait l'aplatir, la polir. Le pépin était aussi doux, mais jaune plutôt que blanc.

Incrédule, je regarde Malinalli. Si ce récit s'avère exact, son père aurait trouvé de l'or natif.

— Où avait-il déniché une chose pareille ?

— Je ne sais pas trop. Lors d'une expédition vers le sud.

En parlant avec Huemac, ses officiers et des marchands, je vérifie l'exactitude de l'histoire de Malinalli. D'abord réticents, les commerçants confirment qu'ils obtiennent parfois de ces grains luisants dans les montagnes du sud. Un négociant qui en arrive consent à m'en montrer un. Je l'achète pour le quintuple de sa valeur, à la condition qu'il m'en révèle la provenance. Il finit par avouer qu'il l'a eu d'un paysan de Teloloapan. Aussitôt, je décide de m'y rendre : s'il y a de l'or, il y aura peut-être aussi du cuivre et du fer.

Cependant, déçu par nos insuccès, Huemac hésite à nous faciliter l'expédition.

— Là-bas, les populations sont parfois hostiles. Et le roi devra donner son autorisation, lui qui commence à perdre patience. D'ailleurs, j'oubliais, je dois vous transmettre son message : il vous convie à la cérémonie en l'honneur du dieu de la guerre, qui marque le neuvième mois de l'année.

Dégoûté à l'idée d'assister à un nouveau carnage, j'enchaîne toutes les excuses possibles pour décliner l'offre, tandis que Melkolf serre les poings. Huemac n'accepte aucun refus :

– Le roi tient à ce que vous soyez à ses côtés sur la pyramide. Profite de l'occasion et demande-lui une escorte légère pour explorer les versants intérieurs.

Impossible de nous défiler. À force de discuter, Huemac finit par consentir à ce que nous manquions les derniers rituels, ceux qui nous répugnent, si nous allons saluer le souverain en même temps que les autres. Nous devons nous plier à cette nouvelle obligation. J'enrage, la quête de métal sera encore retardée. Malinalli nous écoute, puis me supplie de l'amener à Tollan. Elle insiste :

– Seigneur, j'aime tellement cette fête ! On danse toute la nuit et on offre les premières fleurs de l'année. Je t'en prie, emmène-moi !

N'ayant aucune raison de refuser, j'accepte. Elle sautille de joie. Melkolf grimace.

Nous avançons parmi d'innombrables convois de visiteurs exubérants qui chantent et rient. À l'entrée de la ville, de longues bannières multicolores ondulent avec grâce au sommet de hauts mâts. À l'intérieur, la cité frémit d'une effervescence contagieuse : des fanions, des étendards aux couleurs de différentes communautés égaient les rues et les places. Les devantures des commerces et des maisons croulent presque sous des masses de fleurs odorantes et, devant chaque palais, brûle une orgie d'encens. Des bandes de musiciens déambulent ou se campent au milieu des places, leurs trilles aigus virevoltent dans le bleu du ciel. Des files de jeunes, masqués et déguisés, s'égosillent et, main dans la main, serpentent à travers la foule.

À l'école d'Ocelotl, les futurs prêtres, saisis d'une sainte hystérie, montent d'incroyables pièces pour le défilé. Ils courent entre les temples et l'école, tandis qu'Ocelotl demeure invisible. Partout on s'agite, on cuisine, on prépare ses plus beaux atours. Le soir, des couturières viennent ajuster nos somptueux habits, raidis par les broderies et les pierreries. Après les essayages, nous allons dormir, car il n'y a pas de repas ce soir-là ; tous jeûnent avant la grande cérémonie qui commencera au cours de la nuit pour se terminer demain au coucher du soleil.

Des airs frénétiques troublent mon sommeil. À l'aurore, de jeunes prêtres nerveux, presque des enfants, viennent nous aider à revêtir nos costumes, aussi lourds que des armures. Mon visage disparaît sous le casque de bronze envahi de plumes. Tel un noble, Melkolf porte une cuirasse brodée et une longue cape ; il fait une triste moue. Paré d'une coiffe impressionnante, Huemac nous entraîne vers nos chaises à porteurs. Nous entrons dans le cortège des nobles. À coups de sifflet et de canne d'osier, les guerriers se fraient un passage à travers la multitude. Étant donné l'affluence et l'exiguïté des lieux, il faut de longs efforts pour parvenir en haut de la pyramide, où trône le souverain. Tous les trois, dans un même élan, nous nous agenouillons et portons nos doigts à nos lèvres, puis en touchons le sol en signe de respect et de soumission devant Mixcoatl. En dépit de toutes les règles, je relève aussitôt le torse pour prendre la parole :

– Chef des braves, en ton honneur, les dieux m'ont révélé où ils ont caché le métal. Je te demande une escorte pour aller là-bas.

Le roi me jette un regard froid. Il ne semble guère apprécier mon écart de conduite, mais il incline imperceptiblement la tête. Je comprends qu'il accepte, je baise de nouveau le sol et nous nous retirons pour laisser la place à d'autres.

Brusquement, une musique retentit de partout. Des centaines de danseurs envahissent la grande place. En chantant et en sautant, ils avancent par grappes serrées, chacune parée de teintes particulières. L'effet de ces groupes qui s'entremêlent est saisissant : un torrent de couleurs, plein de remous et de bruits. Puis d'autres formations, dont les danseurs arborent des costumes d'animaux, psalmodient des odes dans des langues qui me sont inconnues. Huemac commente :

– Les villes sujettes de Tollan envoient leurs meilleurs guerriers et danseurs pour les représenter. Chaque clan affiche les symboles de son lieu d'origine.

Les chorales et les troupes se succèdent jusqu'à ce que le soleil atteigne son zénith. Après un délire de cris de joie, les figurants sont appelés au calme par les prêtres qui entonnent aussitôt des hymnes annonçant une période de repos.

Melkolf profite de la pause pour goûter aux plats offerts dans les multiples étals des pèlerins débrouillards qui paient leur voyage en vendant des spécialités de leur région. En sueur sous mon lourd costume, je vais me rafraîchir dans le palais adjacent à la terrasse. On y sert des jus de fruits, plusieurs variétés de bouchées sucrées ou salées. Autour, sous des auvents, des hamacs sont accrochés pour le confort des dignitaires. Melkolf me rejoint et nous nous éclipsons, notre obligation ayant été dûment respectée.

Lorsque des sifflets stridents marquent la reprise de la cérémonie, nous sommes déjà dans la maison désertée de Huemac. La musique des tambours et des conques nous poursuit jusqu'à travers les cloisons, avec son rythme de cœurs à l'agonie. Parfois, une clameur monte à mes oreilles et j'imagine les sacrifiés sanguinolents. À la fin de la journée, le tapage s'atténue ; je soupire de soulagement, Melkolf desserre les dents.

On nous invite au palais de Mixcoatl pour terminer la journée. J'accepte, flatté d'être convié au plus prestigieux palais de Tollan, et Melkolf ne peut résister à l'attrait d'un festin royal. Nous nous mêlons aux nobles qui nous accueillent avec respect. Épuisé par sa prestation de l'après-midi, le roi reste allongé sur une plateforme garnie de coussins. Le repas comprend une série de plats parfumés, relevés de sauces plus épicées les unes que les autres. Il se déroule dans la gaieté, abondamment arrosé de pulque. Chaque convive a quatre gobelets de cette boisson mousseuse, disposés en croix devant lui : un pour chaque direction du ciel. Les coupes ont la forme de cônes réunis par leur pointe et contiennent suffisamment d'élixir pour faire tourner la tête. Je me laisse aller, tout au plaisir d'être accepté au sein de la noblesse.

Aux musiciens qui occupent l'espace central se joignent des acrobates qui font pirouetter d'énormes troncs d'arbres avec leurs pieds, au son de la musique. Puis, de jeunes femmes fleuries de bijoux chatoyants exécutent une danse rituelle fort suggestive. Le trémoussement de tant de ventres et de seins tendres, de fesses fermes et de cuisses sveltes, le cliquetis des perles de nacre contre les épidermes de miel me rendent fou ; j'éprouve un désir intolérable pour ces femmes drapées d'une insolente sensualité et d'une inaccessible beauté.

Il me tarde d'étreindre ma solide courtisane qui m'attend chez Huemac. Dans le brouhaha, quelque peu ivre, je quitte la fête, appuyé sur un Melkolf presque aussi chancelant que moi. La fraîcheur de la nuit me fait du bien. Nous contournons le palais d'un pas incertain ; dans une venelle, à l'arrière, un monceau d'ossements huileux obstrue le passage. Il faut l'enjamber. Intrigué par la taille de ces os, j'en saisis un paquet.

— Qu'ils sont gros ! Je n'ai jamais vu un animal aussi grand par ici…

Je les tourne en face de Melkolf, qui tente de garder son équilibre. Il les soulève à la hauteur de ma poitrine. Attachés ensemble comme les doigts de la main, ils correspondent à mes côtes, mais en plus petit. Un esclave arrive, muni d'un lourd panier qu'il décharge d'un coup de genou sur l'amoncellement, puis s'en va, en sueur, sans nous prêter attention. Des morceaux de carcasses graisseuses dégringolent en bas de la pile. Un crâne roule au milieu de la rue étroite… Un crâne humain… Qui sort des cuisines royales…

Pétrifié de dégoût, Melkolf comprend en même temps que moi. Je m'agrippe à son bras, j'ai peine à articuler :

— Le festin… La chair des sacrifiés !

Je jette les ossements comme s'ils étaient en feu. Des crampes violentes me broient les entrailles, une vague de nausée me submerge. Melkolf s'écroule à côté de l'amas infâme. À quatre pattes, il pleure devant le crâne aux orbites vides :

— Pardonne-moi ! Je ne voulais pas. Pires que des Vikings… Ces démons me font damner !

Il dégueule, plié en deux. Horrifié, je le tire par la cape.

— Relève-toi, il n'y a rien à faire ici. Quittons cette ville maudite !

Melkolf avance comme s'il avait perdu l'esprit. Il ne proteste pas quand je propose d'aller chercher Malinalli, mais, lorsque nous atteignons la maison de Huemac, il grogne :

— Je n'entre pas dans cette maison de mangeurs d'hommes. Va chercher nos sacs et fuyons !

Melkolf qui me donne un ordre ! Je n'ai pas la force de répliquer. J'entre et réveille Malinalli.

— Nous partons. Les fleurs, c'est fini.

Bien qu'à moitié endormie, elle finit par être prête en peu de temps, sans poser une seule question. Si je le lui demandais, je crois qu'elle me suivrait au bout du monde avec sérénité. Nous sortons sans réveiller personne, comme des voleurs. J'ouvre la marche, les deux autres me suivent en file le long du sentier qui conduit hors de la ville. L'aube pâlit l'horizon, tandis qu'à l'ouest la lune jette ses dernières lueurs. Malinalli maintient le rythme malgré qu'elle porte l'énorme sac de provisions. Elle est forte : elle aurait pu faire un guerrier, comme ces femmes du Nord qui mènent des vies d'hommes libres.

En route, Melkolf lui relate l'abominable repas dans son nahuatl approximatif. Haletante, Malinalli lui répond d'une voix saccadée :

— Les sacrifiés ont été consacrés aux dieux. En manger est un privilège, leur chair donne sagesse et puissance. Nous ne sommes pas des cannibales !

Derrière moi, Melkolf s'arrête brusquement.

— Mais vous mangez des humains ! Dieu l'interdit. Un homme n'est pas un animal ! Il y a une différence entre les deux, quand même !

Je lui touche l'épaule pour le calmer. Il se retourne, enragé, prêt à me mordre et rugit en norois :

— Toi, ne me touche pas, tu es aussi pourri qu'elle ! C'est pour ça qu'on est encore ici ! Si tu l'avais vraiment voulu, on serait repartis.

— Tu délires ! Nous sommes prisonniers ! Penses-tu qu'on n'a qu'à ouvrir une porte pour s'en aller ?

— Non, mais pas nécessaire non plus de parader avec ces assassins sur leurs pyramides, comme tu le fais !

— Justement ! Il faut le faire ! Sinon…

— Ah, tais-toi ! Je ne veux plus rien entendre… à part Dieu.

Impressionnée par la véhémence des paroles qu'elle ne peut comprendre, Malinalli fixe le sol, le cou tendu vers l'avant, les bras accrochés à sa courroie frontale. Stoïque, elle attend la fin de la tempête. Le voyage se continue dans un silence lourd, chacun perdu dans ses pensées. La douce Brattahlid me paraît bien lointaine, et notre grand départ tout autant. Quelles atrocités nous attendent encore ?

Une fois au campement, Malinalli fait un feu. Dans la quiétude de la hutte, Melkolf tourne en rond, écumant de rage. Il sermonne la jeune femme en nahuatl. Sans répliquer, celle-ci sort chercher du bois. Quand elle revient, Melkolf reprend avec obstination :

— Les humains sont supérieurs aux animaux puisqu'ils connaissent Dieu et l'honorent. Ils ne peuvent s'entre-dévorer comme des bêtes…

Malinalli le laisse pérorer. Elle suspend un lourd récipient plein de grains au-dessus du feu. Puis, elle entreprend de moudre le maïs préparé avant le départ. Agenouillée, dans un joli mouvement de va-et-vient du torse, elle écrase les grains sur son plateau de pierre. De temps en temps, elle nourrit le feu en silence pour faire bouillir le maïs du lendemain. Melkolf discourt sans arrêt. J'étouffe dans cette cuisine enfumée et, comme je n'ai pas l'intention de supporter une séance de conversion à la chrétienté, je sors prendre l'air.

J'entends taper en cadence dans la pâte molle. L'odeur de maïs grillé annonce que le repas est prêt. J'entre et trouve une pile de galettes bien chaudes, enveloppées à mon intention dans une toile brodée. Malinalli me sert un bouillon de fèves brûlant. Je l'avale à l'aide d'un coin de crêpe repliée. Face au feu de cuisine, Melkolf fait une promesse solennelle :

— Je jure de ne plus jamais mettre les pieds chez ces mangeurs de chair humaine. Je vais rester ici à chercher du fer, jusqu'à la fin de mes jours s'il le faut.

Touchée par la ferveur de Melkolf qui a la délicate attention de s'exprimer en nahuatl, Malinalli sourit et, les yeux chastement baissés, lui pousse un paquet de galettes fumantes sous le nez.

Au matin, un détachement d'élite, dirigé par des subalternes de Huemac, arrive avec précipitation au campement. Ils dépêchent un esclave vers Tollan pour confirmer notre présence à leur chef, puis les guerriers s'installent dans leurs abris sans nous inquiéter. Ces Toltèques devraient cesser de nous surveiller constamment. Comment pourrions-nous leur échapper? La nuit dernière, j'ai décidé de partir sans attendre leur permission. Et je suis là où ils pensaient me trouver. Pourquoi cette méfiance continuelle?

Melkolf intensifie sa quête de minerai, son humeur ayant sombré dans de nouveaux abîmes. Il harcèle les esclaves qui transportent et concassent des pierres à longueur de journée comme des damnés. L'ancien ermite trie les cendres au fond du four en priant, sans trouver le fer qui lui permettrait d'échapper au diable. Il n'obtient que de l'argent, et en quantités infimes.

Pour fuir cette ambiance, et en attendant que Mixcoatl nous envoie l'escorte promise, je pars seul avec Malinalli vers le mont Xicoco. J'aimerais revoir le prêtre Quauhtli, il pourrait m'aider. Je sais qu'il vit dans une grotte qui permet d'accéder à l'inframonde. La dernière fois qu'il en est sorti, c'était pour m'accompagner à Tollan; il était si fier que ses prophéties se réalisent.

Nous parcourons la montagne sans y trouver trace de l'ermite. Nous passons quand même la nuit au sommet, à contempler la pleine lune et Tollan qui se déploie en bas, tel un écheveau géant de laine pâle au fond de la sombre vallée. Dans la fraîcheur de la nuit, ma compagne se blottit contre moi. Sa chevelure embaume l'huile de coco qu'elle utilise pour se coiffer; sa peau sent le maïs et l'argile, comme si elle était faite de ces matières. J'aime cette femme, sa simplicité, sa force. Je m'assoupis avec cette belle, aussi calme et ronde que l'Iztaccihuatl. À l'aube, elle me réveille :

– Seigneur ! Une longue file de porteurs se dirige vers le campement…

Elle dit vrai ! Je me lève d'un bond.

– Vite, descendons les accueillir.

Nous partons dans une course folle. Nous arrivons juste à temps, nos sandales et nos vêtements déchirés, les membres écorchés par les épines des cactus monstrueux qui peuplent la colline.

Melkolf et moi allons au-devant de Huemac, qui nous salue à peine. Je m'incline pompeusement.

– Quel plaisir de te revoir, capitaine Huemac !

– Heureusement que le roi n'a rien su de votre départ précipité…, siffle-t-il entre ses dents.

– C'est mieux pour tout le monde, n'est-ce pas ? Maintenant que tu es enfin arrivé avec des guerriers et des vivres, l'expédition peut partir. La moitié des hommes viendront avec nous, les autres resteront ici. Malinalli, tu nous accompagnes, nous aurons besoin d'une cuisinière.

Elle sourit, Melkolf se gratte le menton, dubitatif.

– Eh bien, moi, je vais rester ici, j'ai l'impression d'avoir découvert quelque chose. Je vous attendrai en faisant préparer du charbon.

Je ne soulève aucune objection.

CHAPITRE XVI

L'or du roi

Nous nous dirigeons d'abord vers Xochicalco, en territoire ami. De là, nous progressons vers Teloloapan où je compte établir notre campement. Il nous faut une semaine pour y parvenir. Contrairement à ce qu'on m'a laissé entendre, la population se montre plutôt hospitalière. Le chef du village, avec qui je discute fort tard dans la nuit, finit par accepter mes deux grands sacs de cacao. En échange, il s'engage à nous guider vers une de ces rivières qui fournissent parfois des larmes de soleil.

À l'aube, sans avertir personne, et surtout pas Huemac et ses hommes, je pars avec le chef, Malinalli et deux esclaves. Je ne vais quand même pas découvrir du métal avec dix témoins qui répandraient la nouvelle! Avant le zénith, nous atteignons une petite rivière qui coule entre des berges pâles, certainement sans fer. Notre guide se promène dans l'eau à mi-jambe, les yeux sur le fond. Malinalli remonte le courant pour chercher de l'argile à poterie, je la suis de loin, en scrutant le sable. La journée s'écoule lentement sous un fort soleil.

Les bras ballants, le chef s'excuse de ne rien trouver. Malinalli réapparaît et me tend ses mains pleines de boue.

— Regarde comme ça brille ! Si j'en mêlais à de l'argile, penses-tu que mes poteries brilleraient autant ?

Les doigts sales qu'elle fait danser sous mes yeux sont couverts d'une poussière dorée. Je saisis ses poignets pour mieux voir.

— Où as-tu trouvé ça ?

— Un peu plus haut. Il faut gravir cette petite falaise.

Je l'embrasse avec fougue, puis je fais signe à notre guide, immobile à l'ombre.

— Permettez que je m'occupe un peu de cette mignonne. Nous reviendrons bientôt.

L'autre hoche la tête, un sourire complice aux lèvres. Je remonte le courant avec Malinalli. Au détour d'un méandre, un banc de sable porte la marque de ses griffes. J'en prends une poignée à mon tour : des paillettes scintillent dans ma paume. L'excitation me gagne. Je prends tout de même le temps d'honorer ma compagne sur les galets chauds de la rive, entre les herbages, puis je vais réveiller le cacique qui dort paisiblement :

— Chef respecté de Teloloapan, maintenant que nous avons trouvé la rivière, allez donc au village rassurer le capitaine Huemac. Ce serait plus prudent… Mais ne lui dites pas où nous sommes. Nous serons de retour avant l'obscurité.

Trop heureux d'échapper à cette quête infructueuse sous un soleil brûlant, il part aussitôt. J'ordonne aux esclaves qui attendent :

— Laissez vos paquets ici. Ne prenez que les calebasses. Nous grimpons sur cette paroi.

J'entreprends de laver le sable et, dès la première tentative, de minuscules grains blonds se rassemblent au centre du large récipient. Malinalli et les deux esclaves sont mis à contribution. Avant que la noirceur tombe, à quatre, nous avons ramassé suffisamment de pépites pour me couvrir l'ongle du pouce. Il faut rentrer au plus vite, avant que Huemac vienne nous cueillir, tels de vulgaires brigands.

En route, je réfléchis à ma découverte. Pour l'instant, à part les deux esclaves et Malinalli dont je n'ai rien à craindre, moi seul connais la méthode pour extraire l'or du sable. Je suis aussi le seul à savoir le travailler. Si je manœuvre bien, des richesses immenses m'attendent. J'ai hâte de chauffer la poussière dorée pour savoir si j'ai bien deviné la nature de ce que les dieux ont mis sur mon passage.

Il fait noir lorsque nous réintégrons Teloloapan. Assis parmi ses hommes, Huemac fulmine, la voix traînante. Le chef du village me fait un geste d'impuissance. Huemac, qui semble avoir ingurgité beaucoup de pulque, se dirige vers moi et me vise d'un index imprécis.

– Huracan, je devrais t'emprisonner pour être parti sans mon autorisation.

– Tu aurais raison de sévir, mais…

– Surtout que ce n'est pas la première fois. Le roi t'a dit de rester sous ma surveillance.

– Mais je ne voulais pas te réveiller si tôt, après les fatigues du voyage. Et puis, le chef de Teloloapan m'accompagnait. Avoir su que tu t'inquiéterais autant…

Je l'entraîne un peu à l'écart pour lui chuchoter :

– J'ai trouvé du métal! Mais tes guerriers ne doivent pas savoir.

Un peu chancelant, Huemac finit par sourire. Il lance à ses hommes :

– L'expédition continuera demain. Allons dormir.

Aussi ivres que leur capitaine, les guerriers s'évaporent rapidement dans la nuit. Je remercie à nouveau le chef du village de son aimable collaboration. Je lui donne ma longue cape brodée, il m'offre son hospitalité. Nous dormons dans sa confortable demeure.

Abîmé par les excès de la veille, Huemac ne proteste pas quand je lui propose de surveiller le village avec ses hommes, tandis que j'irai extraire des grains dorés avec mes trois aides. L'arrangement convient à tous. Le périple s'annonce aussi profitable qu'agréable. Pendant cinq jours, nous écumerons la rivière en amont du village.

À mon retour, Melkolf cache mal sa déconvenue lorsque je lui montre le petit sac de pépites dorées :

– Le fer est noir, non ? Pourquoi avoir rapporté du sable pâle ?

– Parce qu'il pourrait être encore plus utile que le fer…

– Et qu'est-ce qui pourrait être plus important que le fer, seigneur Eriksonn ?

– Attends. Je vais d'abord le fondre, ensuite je te répondrai.

Le feu de forge est beaucoup trop gros pour couler une quantité aussi infime de poussière de métal. Je prends plutôt un brûleur d'encens que j'emplis de charbon incandescent. J'installe au-dessus l'épais bol de pierre dans lequel je verse les précieux grains. J'active les flammes en soufflant dans l'orifice du bas avec une canne d'osier encore vert. Peu à peu, les grains se dilatent, se liquéfient, puis s'agglutinent en une masse instable. J'arrête tout, en proie à une vive agitation : pour fondre aussi vite, il ne peut s'agir que d'or. Il ne faudrait pas le brûler. Melkolf et moi soulevons le bol à l'aide de branches robustes et le déposons au sol pour qu'il refroidisse. Nous verrons le résultat demain.

À l'aurore, les exclamations de Malinalli me tirent du sommeil. Je la vois s'amener, brandissant une plaquette difforme avec des cris de joie. Enchantée, elle la frotte contre sa jupe pour en augmenter l'éclat.

— Huracan, le roi adore les bijoux faits de cette matière si rare. Notre terre n'en a jamais produit.

Je fais miroiter le métal dans la lumière du soleil levant. Une vague de contentement me parcourt devant la merveilleuse brillance : c'est de l'or, et d'une bonne qualité. Les paroles de Malinalli finissent par m'atteindre au-delà de ma fascination : « Le roi adore les bijoux », a-t-elle dit. Pourquoi ne pas lui en faire un ? Il faudrait extraire plus d'or, sans divulguer la découverte. Je devrais aussi en accumuler une certaine quantité pour moi-même. Un élan d'affection me pousse vers Malinalli, je l'embrasse.

— C'est vrai que le roi aime les larmes de soleil. Qu'est-ce qui pourrait le surprendre ?

Elle me montre le collier qu'elle porte, décoré en son centre d'une petite effigie.

— Quelque chose comme ceci lui plairait.

Elle se lance dans une longue explication à propos de leurs déités. Pendant qu'elle parle, je pense à un petit moule, plat et rond comme une des roues de leur calendrier, avec un symbole au milieu.

— Quelle idole pourrions-nous mettre?

— Le serpent de nuages, symbole de Mixcoatl, répond-elle comme s'il s'agissait d'une évidence.

Avec Malinalli et les deux mêmes esclaves, je vais à plusieurs reprises à Teloloapan. Malgré la fatigue, nous nous hâtons pendant que le roi soutient encore l'aventure. Nous voyageons avec une petite escorte, déguisés en marchands pour ne pas attirer l'attention. Là-bas, nous n'avons rien à craindre : le cacique de Teloloapan, rétribué généreusement, nous accueille toujours en bienfaiteurs. Sa maison devient notre deuxième demeure. D'une visite à l'autre, nous montons un peu plus haut vers la source de la rivière. Pendant que nous récoltons les grains d'or, Melkolf se bat contre la veine d'une colline voisine du mont Xicoco pour lui faire cracher son argent, à défaut de fer.

Après de nombreux périples et des mois de dur labeur, j'ai plusieurs bourses pleines de grains d'or. J'en enterre quelques-unes dans la maison, au pied du mur. De son côté, Melkolf a recueilli une poignée de nœuds d'argent : plus que suffisant pour une première pièce, car je compte mélanger les deux métaux, l'or pur étant trop fragile. Je sculpte dans la cire un serpent de nuages lové dans une roue du calendrier solaire, puis je le recouvre de plusieurs couches d'argile mêlée de cendres. Le moule solidifié, je le fais chauffer. La cire fond, laissant une cavité : tout est enfin prêt. D'abord, un peu d'argent est fondu, puis j'ajoute toute une bourse d'or, je ne veux pas risquer de perdre la belle couleur.

Lorsque la mixture est bien homogène, je la verse dans le moule. Reste à attendre qu'il refroidisse.

Au cours de la nuit, je rêve de ruisseaux, de cascades d'or pur : je nage dans la dorure. Dès le lever, je frappe avec précaution sur l'argile, qui se désagrège peu à peu. Le cercle et son effigie apparaissent. Je finis par extirper l'œuvre de sa gaine terreuse. Après l'avoir astiquée un peu, je l'exhibe au soleil. Comme je l'espérais, le symbole de Mixcoatl ressort clairement au milieu de la roue dentelée. Au bord de l'extase, Malinalli murmure :

— C'est fabuleux ! Façonner du sable comme si c'était de l'argile. Vraiment, les dieux t'accompagnent !

Elle s'incline pour témoigner son respect et se relève avec un sourire de gamine.

— Moi aussi, j'ai quelque chose à offrir. Pas aussi extraordinaire, mais…

Elle m'ouvre une petite boîte sous le nez. Au fond, des perles de céramique luisent comme du métal dépoli, chacune marquée d'un insigne en relief. Elle les fait rouler d'un doigt.

— J'ai pris l'argile au bord de la rivière.

— Qu'as-tu fait pour lui donner ces reflets de glace ?

— Je l'ai fait cuire dans votre four, plus chaud que tous les autres.

— Remarquable. Comment as-tu sculpté des figures si fines ?

— Avec de la patience…

— C'est superbe, n'est-ce pas Melkolf ? On dirait des billes de plomb.

Toujours méfiant envers les cannibales et leurs amis, Melkolf les examine une à une.

– C'est quoi, toutes ces grimaces? Encore des démons mangeurs de chair humaine?

– Chaque perle représente un dieu des mois solaires, dit-elle avec une douceur têtue.

Vaguement irrité, Melkolf finit par reconnaître que c'est du beau travail. Malinalli esquisse un sourire triomphant.

– On pourrait les monter avec la roue d'or. Le serpent de nuages serait accompagné des dieux solaires.

Sans attendre, Malinalli enfile sur des lacets tressés aussi fins que des cheveux ses perles, entre lesquelles elle intercale de petits morceaux de jade et de nacre. Elle les attache à la figure d'or qui irradie une force divine. Décidément, cette femme est une alliée précieuse.

Frappé par la beauté du bijou, Huemac envoie aussitôt un serviteur à la cour, pour solliciter une audience auprès de Mixcoatl. On lui répond que le roi nous attend le lendemain, avant le zénith.

Élégants comme des princes, Huemac et moi arrivons à la grande terrasse au centre de la ville, comme il est prévu. Signe favorable, le souverain, accompagné de quelques fidèles, nous reçoit dans l'intimité du jardin attenant à la pyramide. Du bout des doigts, nous touchons nos lèvres, puis le sol. Je prends la parole en premier:

– Chef des braves, nous avons fouillé les veines de la terre. Les montagnes nous ont enfin cédé quelques-uns de leurs trésors.

Je sors l'écrin d'écorce de mon sac et l'ouvre.

– Veux-tu considérer ce que les dieux t'envoient?

L'or brille au soleil et contraste avec le fond noir de l'étui. Curieux, le roi me fait signe d'avancer. Je me lève avec lenteur, savourant son impatience et l'agacement des notables. Avec des gestes mesurés, je soulève le collier que je balance devant Mixcoatl. Il le scrute attentivement.

– Une roue solaire en larmes de soleil! Un serpent de nuages… escorté des dieux de l'année!

Son émerveillement m'emplit de satisfaction.

– Ce n'est qu'un début. Les terres de l'empire recèlent d'autres métaux, de différentes couleurs. Je les mettrai au service de ta puissance, grand Mixcoatl.

Un rai de lumière balaie son visage. Ébloui un instant, le roi plisse les yeux avant de s'emparer du bijou. Il promène la tache lumineuse sur les courtisans qui se pressent autour de lui pour voir l'objet fascinant. Mixcoatl le passe à son cou. Le collier brille sur sa poitrine. Solennel, le roi se dresse.

– Étranger descendu de Vénus, tu es bien l'envoyé des dieux, puisque tu sais extraire les larmes de soleil de la terre. Je t'intègre à mon Conseil. Sois le bienvenu parmi les sages. Une maison sera aménagée pour toi au centre de la ville. En attendant, je vous invite tous les deux à séjourner dans mon palais.

Devant tant de générosité, Huemac et moi nous inclinons. Nous passons cette première nuit de consécration au palais de Mixcoatl, divertis par les comédiens et les musiciens de la troupe royale et servis par de douces esclaves.

Cette année, le solstice d'hiver est célébré dans mon nouveau domaine. Deux ans et demi après le naufrage, je me sens soulagé : les dieux font preuve de clémence à mon endroit. Je me demande si Mère peut suivre ma progression. Se rend-elle compte que ses augures se réalisent ? J'espère encore pouvoir lui faire honneur un jour. Mes pouvoirs grandissants au sein de la société toltèque me permettront de poursuivre mes recherches de fer et d'atteindre mon but, Brattahlid, les bras chargés de trésors. Pour réussir, je dois persévérer et m'adapter à un monde très différent, encore mystérieux, où je peux difficilement exercer mes talents de devin. Mais j'observe beaucoup et je commence à y voir clair. Assez pour m'imposer.

L'habitation qu'on me cède est semblable à celles que j'ai occupées précédemment : une série de pièces autour de jardins intérieurs. Plusieurs de celles-ci demeurent vacantes, car je n'ai pas de famille à y installer, à part Malinalli. Ocelotl envoie ses assistants afin qu'ils organisent les cultes divins. À leur arrivée, ils baisent le sol des doigts, se comportant avec moi de la même façon qu'avec les nobles les plus en vue de Tollan. J'insiste pour qu'ils installent surtout des symboles de Quetzalcoatl. Obéissants, les apprentis prêtres aménagent des autels et des idoles dans les jardins, des brûleurs d'encens et des statues porte-étendards aux entrées principales. Par curiosité, j'expérimente l'ampleur de mon autorité :

– Je veux que la prêtresse Xilonen, qui habite Mictlan, vienne s'occuper elle-même des rites dans ma demeure.

On approuve sans protester, comme s'il s'agissait d'une demande habituelle. Ainsi, je peux moi-même exiger des services sans passer par Huemac. Gonflé de contentement, j'imagine des danseuses honorant le dieu-serpent.

Je m'accoutume sans difficulté aux honneurs réservés aux membres du Conseil, aux nombreuses esclaves avenantes, aux vastes pièces fleuries à profusion. Je ne rends plus visite à Ocelotl pour recevoir ses enseignements : il vient me voir maintenant, non plus pour m'instruire, mais pour discuter. Je prends goût à ce pouvoir que je souhaitais détenir grâce à un riche commerçant islandais, mais que j'ai plutôt obtenu auprès d'un puissant monarque toltèque.

Ocelotl et Huemac me guident dans le labyrinthe complexe du monde des courtisans. Ils me font connaître le Conseil des Anciens, formé de nobles expérimentés et fortunés qui défendent leurs intérêts auprès du roi tout en l'avisant. S'y côtoient les représentants des ligues de guerriers, sectes de prêtres, confréries de commerçants et guildes d'artisans. De plus, les différentes tribus de Tollan y siègent, dont les Chichimèques, ces rebelles venus du nord, qui parlent nahuatl ou otomi. Il y a aussi des gens de Teotihuacan, de langue nahuatl, popoloca, mixtec ou mazatec. Tous les représentants doivent parler nahuatl. Ils s'inclinent en signe d'obéissance lorsque Mixcoatl impose un jugement. Souvent, ses décisions représentent un compromis entre les ambitions qui s'affrontent. J'admire son habileté : il entretient des liens étroits avec de nombreux groupes, dont les plus puissants, ceux des prêtres et des guerriers. Il saisit les aspirations des membres qui siègent au Conseil et de ceux qui veulent y accéder, contrôle les manigances pour expulser les indésirables. Ces réunions et discussions m'absorbent complètement.

Tout le travail des mines revient désormais à Melkolf, à qui je réserve toujours une partie de la maison, puisqu'il vient de temps en temps à Tollan pour livrer sa production.

Un soir où je rentre fort tard, j'entends des voix à la cuisine. J'y découvre Melkolf et Malinalli qui s'entretiennent de procédés de fonte des métaux et de cuisson d'argile. Je m'assois avec eux pour connaître les dernières nouvelles des mines. Melkolf ouvre son sac.

— Voici une plaquette d'argent, peut-être une des dernières, la veine est épuisée. Et les rivières de Teloloapan ont été vidées de leur or. Il ne reste rien. Le métal est vraiment rare par ici.

— Attendons après la saison des pluies. Le cacique dit que les rivières en crue laissent des grains le long des berges. Mais es-tu venu jusqu'à Tollan seulement pour cette galette?

— Non, j'ai autre chose à te montrer. Des gens de Teloloapan m'ont offert ceci.

Il sort quatre pièces épaisses d'un métal rougeâtre. Il m'en tend une.

— C'est une hachette. Est-ce qu'on pourrait s'en servir pour mouler des rivets?

Je l'égratigne avec un silex et reconnais aussitôt la couleur:

— C'est du cuivre. Presque aussi mou que l'or. Inutilisable pour des rivets. Mais nous pourrions en faire autre chose…

Morose, Melkolf range ses affaires avec un long soupir. Son air d'animal battu m'irrite.

— Je sais que, sans fer, le bateau n'avance pas. Admets tout de même que la vie a ses bons côtés. Tu peux pêcher tranquille.

– Oui, je broie de la pierre, je fais du charbon. Toujours avec des esclaves. Je n'aime pas cette vie.

– Veux-tu des servantes? Je peux t'en envoyer.

– Non! Je pensais plutôt... euh... comme Malinalli aimerait faire de la poterie... Eh bien, j'ai pensé... qu'elle pourrait s'installer au campement pour travailler à son aise.

Surpris par la proposition, je regarde Malinalli. Gênée, elle fixe ses mains. Je lui relève le menton.

– Veux-tu aller au campement?

– Oui, j'aimerais bien rester quelque temps au bord de la rivière, avoue-t-elle à voix basse. Ici, je n'ai rien à faire, je suis toujours seule.

Je dois reconnaître que je ne lui ai pas parlé depuis des jours. Il y a tant de belles femmes à Tollan, plus raffinées et plus riches qu'elle. Et puis, le Conseil, les exercices et les expéditions me retiennent souvent. Cependant, une telle demande m'étonne, m'agace même. Melkolf qui demande une compagne. La mienne. Je fouille dans mon norois rouillé et cloue mes yeux dans ceux de Melkolf:

– Je croyais que tu détestais les femmes... Pourquoi celle-là?

– Parce que... je la connais...

Il regarde par terre et s'essuie le nez du revers de la main.

– Elle me rappelle quelqu'un. C'est tout.

Je comprends à son air buté que je n'en saurai pas plus. J'ai amplement d'esclaves, je peux me passer de Malinalli. Si elle peut rendre Melkolf de meilleure humeur... elle vaudrait son pesant d'or! Je n'ai rien à perdre, aussi je me tourne vers elle.

— Malinalli, tu peux demeurer au campement avec Melkolf et revenir quand bon te semblera. Ma porte te sera toujours ouverte.

Malinalli bat des cils, Melkolf tape des mains.

— Tu me fais plaisir! Je vais me sentir mieux… avec quelqu'un pour m'aider. Je la ramènerai bientôt.

À le voir aussi rayonnant, je devine que je viens de trouver la solution pour ne plus l'entendre parler d'un improbable retour dans son Irlande natale. Malinalli… Dire qu'on me l'a offerte à moi. Un regret m'effleure.

— Si tu pars demain, ma belle, passons cette dernière nuit ensemble.

Les deux complices quittent Tollan au matin. J'insiste pour qu'une servante les accompagne, ce que Malinalli accepte sans problème. Melkolf ne fait plus la moindre remarque sur l'impureté des femmes. Il a vraiment besoin de compagnie! Je tolère de perdre Malinalli, pourvu que Melkolf soit heureux et… redevable. Avec lui aux mines, je peux consacrer mon attention aux réunions du Conseil.

En accord avec Mixcoatl, il a été décidé que tout l'or lui reviendrait. C'est son royaume, après tout. En échange, il m'accorde le monopole de la production et de la fabrication des pièces de métal. Je deviendrai ainsi immensément riche. Assez, luxe suprême, pour faire planter des arbres de cacao dans mes jardins. Je n'aurai jamais besoin des bourses d'or enfouies au campement.

Connaissant mieux la langue, les ordres religieux et guerriers, bien accepté au sein du Conseil royal, je peux dorénavant questionner mes relations au sujet des sacrifices humains. Ocelotl m'apprend que, de préférence, ce sont de nobles prisonniers qui sont immolés. Le sang versé fortifie le soleil qui doit traverser les mondes de la noirceur. Après le sacrifice et l'offrande par le feu, les cœurs des suppliciés reviennent aux prêtres. Une part est prélevée pour le roi. Les jambes et les bras sont offerts aux guerriers qui ont participé aux combats, alors que les pieds et les mains, des délices, sont accordés aux plus méritants. Les entrailles sont lancées aux bêtes sauvages, gardées dans la maison des animaux. Les explications d'Ocelotl paraissent si logiques : rien ne se perd...

Huemac corrobore tout :

– Les guerriers ne sont souvent que des paysans ignorants. Leurs chefs constituent le meilleur butin. Ils connaissent l'art de la guerre, le message des étoiles et des codex, ils peuvent organiser le travail des esclaves. Sans eux, la populace perd ses guides et se plie à l'autorité des vainqueurs. Et les dieux se repaissent des nobles victimes. Remarque que ce sont presque toujours des étrangers qui sont offerts, sinon des enfants dont les mères ne veulent pas.

J'arrive à admettre, du moins en partie, ce qu'il me raconte. Comme ces mères qui se débarrassent des enfants de trop. On ne peut les exposer au froid, comme on le fait à Brattahlid, aussi bien les sacrifier. L'élimination des chefs s'explique aussi par les impératifs militaires. Ocelotl et le roi s'imposent ainsi par la terreur. Cependant, j'ai du mal à supporter cette obsession pour les viscères et le sang répandus. Melkolf n'est heureusement pas là pour entendre tout cela ; ses colères subites pourraient le conduire sur la pierre du sacrifice. Comment faire comprendre aux Toltèques que les prisonniers constituent une richesse à mettre au travail et non pas de la viande à dévorer ?

Tandis que j'écoute le roi discuter avec les sages du royaume, une idée germe dans mon esprit. Pour faire cesser les massacres, il n'y a qu'un moyen : devenir le souverain de ces gens si crédules. J'arriverai à les ensorceler avec l'or et les métaux, mais Ocelotl et les prêtres seront plus réticents au changement que tous les autres. Il faudrait introduire un culte nouveau, si captivant qu'ils en oublieraient leurs carnages. L'ermite Quauhtli pourrait m'aider, mais il demeure introuvable. Si je suis condamné à vivre sur cette terre, j'y régnerai, et les Toltèques devront changer leurs habitudes et leurs rites.

Je demeure plusieurs lunes sans nouvelles de Melkolf, puis, un matin, il revient du campement avec deux belles plaquettes d'or, chacune grande comme la main. À présent, il maîtrise parfaitement les procédés que je lui ai enseignés. Plutôt que de se pavaner, il paraît nerveux. Content de le revoir, je m'inquiète de sa pâleur.

— Pourquoi cette tête d'enterrement ? Malinalli n'est pas avec toi ?

— Oui… elle a insisté pour venir ici. Elle est dans la pièce d'entrée.

— Pourquoi ne vient-elle pas me saluer ? Je ne vais pas la manger !

— Elle peut à peine marcher, aussi grosse qu'une gourde pleine d'eau !

Résigné, il mime une panse énorme, le dos cambré vers l'arrière. Je suis abasourdi.

– Quoi! Est-ce que je te comprends bien?

Il fait oui de la tête, ses doigts tapotant sa large ceinture. Je colle mon visage au sien.

– Et c'est maintenant que tu en parles!

– Tu es si occupé… Et moi aussi…

Je sors en vitesse pour chercher Malinalli. Je la trouve à demi étendue sur une chaise à porteurs. Malgré son ventre prêt à éclater, elle me fait un sourire. Des traînées de sueur lui roulent sous le menton. J'écarte les cheveux collés à son visage.

– Quelle bonne surprise! Pourquoi n'en as-tu jamais soufflé un mot?

– C'est une affaire de femmes…

Une esclave lui fait boire de l'eau. Je réfléchis un peu. Elle est au campement depuis cinq ou six lunes, tout au plus. L'enfant était déjà implanté dans sa matrice quand elle est partie! Je pouffe de rire.

– C'est pour ça que tu es allée te cacher au loin! Je pensais que tu n'aurais jamais d'enfants…

– Pourquoi?

– Nous avons été ensemble longtemps et tu n'en as pas eu…

– La mère de Huemac m'a toujours fourni des herbes. Mais, quand nous partions pour Teloloapan, j'en manquais souvent…

Ses traits se crispent, comme si le travail avait commencé. Je prends à deux mains sa magnifique rondeur.

– Tu as gardé le secret jusqu'au bout et le bébé a failli naître au bord de la rivière! Là où le sable est si doux, tu te souviens ? J'ai justement une grande maison, que je voulais remplir. Qu'on aille chercher une sage-femme !

L'enfant vient au monde la nuit même, en plein solstice d'été. Avec l'accord de Malinalli, Melkolf baptise la fillette au matin. Curieux, je l'observe avec son eau de source et ses signes de croix devant la nouvelle mère, lasse mais radieuse, son oisillon dans les bras. Je remarque qu'elle porte à son cou une petite croix de bois joliment ouvragée. Melkolf aurait-il réussi à christianiser cette servante ? Tant mieux si ces deux-là s'entendent, j'aurai la paix dans ma maison. Melkolf récite des prières. J'enchaîne, comme mon père le faisait pour ses protégés, et prononce la formule traditionnelle des Islandais, mais en nahuatl :

— Fillette, je te nomme Xicoco, en souvenir de la colline où ta mère et moi sommes allés honorer les dieux. Je promets de veiller sur toi jusqu'à ce que tu sois en âge de te marier.

Débordante de reconnaissance, Malinalli me couve d'un regard humide. Melkolf grommelle et me tourne le dos. Peut-être que le nom païen lui déplaît ou qu'il n'aime pas que je m'immisce dans sa cérémonie. Peu importe, j'ai rempli mon devoir : en la nommant, je reconnais l'enfant et j'en deviens le protecteur.

Je grave l'événement sur ma plaque du temps. Nous sommes en terre toltèque depuis presque trois ans. J'accomplis ma vingt et unième année en me faisant le gardien d'une enfant, née comme moi au solstice d'été. Le destin fait bien les choses. À la cour de Mixcoatl, on s'extasie de la robustesse du poupon et de sa peau si claire. On crie au prodige devant la couleur de ses doux cheveux où chatoient, ô magie des dieux, des reflets de métal cuivré.

Comble de bonheur pour moi, Xilonen arrive un bon jour, rayonnante, à la tête d'un petit groupe de prêtresses. Toujours aussi vive et énergique, la jeune femme prend possession de ses appartements. Convaincu qu'elle viendrait, j'ai fait aménager un jardin à son intention. Le plus joli, avec un bassin ombragé d'arbres en fleurs et un autel décoré par les prêtres d'un solide phallus en bois à tête de serpent dressée vers le ciel. Cet espace sacré est réservé à mon usage personnel. La belle prêtresse et ses suivantes prennent l'habitude d'y adorer Quetzalcoatl tôt le matin. Pendant leur danse frénétique, j'honore Xilonen de mes attentions, alors que les autres chantent et accompagnent nos ébats de trilles syncopés. Ensorceleuses, ces nymphes me sourient, sachant fort bien qu'un jour ou l'autre je les posséderai toutes. Avec le temps, je diversifie mes dévotions matinales. À tour de rôle, un peu au hasard, je choisis l'une d'elles, par-derrière, lorsqu'elles s'agitent à genoux devant l'idole; je deviens alors le maître qui entraîne la troupe dans un mouvement accéléré, rythmé de gémissements langoureux auxquels les clochettes font écho.

Après quelques mois, Malinalli me demande de s'installer à nouveau au campement des mines avec sa fille. J'accepte. Je sais que Xilonen lui fait la vie dure. Là-bas, elle pourra s'occuper de son enfant et de Melkolf en toute quiétude; mon compère a besoin d'encouragements pour continuer à produire de l'or, de l'argent et du cuivre, de loin le plus abondant des trois métaux.

Pendant que Melkolf se démène avec le minerai et les fours, ma position s'améliore au sein du Conseil, à mesure que je comprends mieux les astuces de la vie courtisane. Cependant, si j'y occupe une place de plus en plus importante, le Conseil vit des moments pénibles. L'inquiétude grandit parmi les nobles et les prêtres qui ne parviennent pas à contrer la méchanceté des dieux: une sécheresse persistante menace de provoquer une famine. L'eau des barrages ne suffit plus à irriguer les terres; les champs se dessèchent pour une deuxième année consécutive et les réserves du roi sont presque épuisées. La rareté du maïs en fait grimper la valeur, de telle sorte qu'il devient difficile pour les familles de citadins de se nourrir. La révolte gronde autour du centre cérémoniel. Chaque jour, des artisans se regroupent sur les places pour clamer leur souffrance. Repoussés sans ménagement par les guerriers, ils réapparaissent pourtant à la moindre occasion.

Pour calmer la grogne populaire, Mixcoatl guerroie contre les tribus insoumises afin d'obtenir des prisonniers et de s'emparer de leur maïs, tandis qu'Ocelotl multiplie les cérémonies sacrificielles. Toutefois, leur zèle ne parvient pas à redresser la situation. Tourmenté par ses échecs, craignant une répétition de la grande rébellion de Teotihuacan, Mixcoatl convoque une assemblée, restreinte à quelques nobles dont Huemac et moi faisons partie. D'après Huemac, le roi espère que mes relations divines l'aideront à rétablir la paix.

Je sens le moment propice pour faire jouer le sort en ma faveur. Décidé à donner un grand coup et à profiter de mon statut, je m'avance devant le roi.

— Il faut envoyer l'armée sur les rives des lacs, là où l'irrigation est encore possible. Allons saisir le maïs. Finis les temps de notre protection gratuite, que ces paysans paient leur part. S'ils refusent, nous attaquons. Plusieurs petites troupes frapperont à différents endroits en même temps.

À mesure que j'élabore mon plan, le visage de Mixcoatl s'illumine. Il commence à saisir l'esprit de guerre viking. Dès le lendemain, le roi parle devant le Conseil élargi :

– Tollan doit réagir à la crise. Trop de guerriers surveillent le transport de l'obsidienne. Dorénavant, plusieurs seront affectés à percevoir une taxe sur le maïs et sur l'eau d'irrigation. Chaque famille paysanne de la région devra fournir deux sacs de maïs et un de fèves. Je dirigerai l'armée, nous partirons dans deux jours.

Les membres du Conseil se prosternent dans un murmure approbateur.

Huemac s'engage activement dans l'organisation de la campagne. Il agit en tant que capitaine royal, sans en avoir le titre. Chacun de ses assistants reçoit l'ordre d'aller taxer une communauté précise. Je demande qu'on me fournisse quelques bons combattants pour imposer les commerçants qui tenteraient de fuir par les lacs. Huemac apprécie mon geste :

– Je suis ravi de t'avoir de nouveau à mes côtés dans la bataille ! Je te nomme chef de mes vingt meilleurs hommes, réputés pour leur vaillance. Que les dieux t'accompagnent.

Deux jours plus tard, l'armée occupe toutes les places de la ville. Personne ne manifeste. Contrairement à la coutume, le départ se fait sans trompettes. Les troupes se dispersent vers le sud. Avec Mixcoatl, Huemac et moi fonçons vers la rive la plus proche. En route, nous traversons différents villages qui prétendent résister.

Mixcoatl s'avère sans pitié : il assomme, éborgne ou dé-capite quiconque ne lui obéit pas immédiatement.

Sitôt le littoral atteint, j'embarque avec mes hommes, enchanté de retrouver mes éléments : l'eau et le bateau. Pendant des jours, nous ramons comme des forcenés à la poursuite des marchands qui tentent de nous éviter. Aus-sitôt les pirogues arraisonnées, je réquisitionne la moitié des cargaisons. Ceux qui osent lever leurs armes finissent au fond du lac, entièrement délestés de leur chargement. Mes rameurs sont toujours les plus rapides, car j'ajoute ma farine d'algues vertes à leurs maigres rations afin de leur donner de la vigueur. Mieux nourris, confiants dans leur chef, mes guerriers réussissent au-delà de toute attente.

Nous connaissons un tel succès que Mixcoatl nous envoie à l'ouest agrandir son aire d'influence. Avec ses capitaines, je prévois accroître le nombre des bourgades soumises, surtout près des rivières porteuses d'or. Nous menons de nouvelles attaques pour surprendre des villa-ges mal défendus.

Au bout d'une longue lune, victorieux, nous con-duisons des files de vaincus vers Tollan. De peur que la multitude des porteurs ne fomente des troubles dans la ville, Mixcoatl fait décharger le maïs à l'extérieur, sur une grande place en bordure de la rivière. Tous les guer-riers sont de service, soit à surveiller les routes, soit à em-pêcher les vols. Les vivres sont répartis entre les familles d'artisans. Huemac fait livrer d'abondantes provisions à notre campement des mines, le reste est entreposé sous bonne garde. Mixcoatl est prévoyant : il déteste que les artisans manifestent leur mécontentement et préfère taxer durement les paysans des alentours, qui peuvent difficilement venir protester. En cas de famine, ceux-ci peuvent toujours se rabattre sur les plantes sylvestres ou les animaux sauvages.

Nos opérations militaires ont provoqué beaucoup d'agitation dans la région, mais après cette période sanglante tout rentre dans l'ordre. Les familles toltèques possèdent au moins l'essentiel pour survivre jusqu'aux prochaines récoltes et peuvent se concentrer sur les activités qui fondent la richesse de la ville : la taille de l'obsidienne, la poterie, la vannerie et le tissage.

Mixcoatl et Ocelotl officient au cours d'un rituel grandiose où j'apparais sur la grande pyramide, avec les nobles les plus réputés. La population exulte de reconnaissance envers son souverain. Huemac et moi sommes promus capitaines du roi ; Ocelotl remet à chacun de nous un petit sceptre surmonté d'une tête de jaguar, insigne de nos fonctions. Les nobles capturés dans les villages rebelles sont offerts pour rendre grâce. Stoïque, j'assiste au carnage, non sans me jurer encore une fois d'y mettre fin un jour.

Après la cérémonie, Ocelotl demande à me parler seul à seul.

— Mixcoatl n'aime pas que des hommes de ta qualité vivent sans épouse. Il en résulte des désordres. Il t'offre de marier l'une de ses filles, la plus jeune de sa deuxième femme.

D'abord sous le choc, j'hésite un peu :

— Quel âge a-t-elle ?

— Quatorze ans. Elle est en âge de porter des enfants.

— N'est-elle pas déjà promise ?

— Mixcoatl a tous les pouvoirs. Il peut défaire toutes les promesses, surtout en ce qui a trait à ses enfants. Personne ne s'opposera à sa volonté.

La proposition me flatte autant qu'elle m'inquiète, mais je ne peux quand même pas refuser la fille du roi sous prétexte que je ne l'ai pas encore vue! Je fais confiance à Mixcoatl. De toute façon, si la femme qu'on m'assigne est affectée d'une quelconque tare, je pourrai toujours remédier à cet inconvénient. Les nobles ont tous plusieurs épouses. Les avantages dépassant de loin les risques, je me soumets à la volonté royale.

– Puisque Mixcoatl recommande cette union, je suis très honoré d'accepter son offre.

CHAPITRE XVII

Ascension

Une lune après m'avoir élevé au rang de capitaine royal, Mixcoatl me sacre prince, sous le nom de Ce-Acatl Topiltzin en l'honneur du premier jour de ce mois du Roseau, et célèbre mon union avec sa fille, au cours d'une cérémonie fastueuse.

À mon grand soulagement, la princesse Chantico, nom qui évoque une déesse du foyer, présente un visage agréable. Pour juger du reste, il me faudra attendre : la mariée est cachée dans un long costume entièrement brodé, qui raidit sa démarche. Les nobles nous couvrent de cadeaux : tissus superbes, meubles en bois et en osier incrustés de nacre et de pierres précieuses, brûleurs d'encens, vases et assiettes de toutes dimensions aux motifs géométriques ou animaliers. Les courtisans se réjouissent du mariage, sauf un petit groupe de jeunes guerriers qui me fixent avec animosité. Leur meneur darde sur moi des regards en coups de lance. Sans rien offrir, lui et sa suite quittent la salle au milieu des célébrations. Mixcoatl en est contrarié.

Imperturbable, mon épouse supporte l'interminable rituel avec calme. Une fois les nobles partis, je peux enfin m'en approcher et l'examiner. Délicate, les membres fins, le cou altier et la tête haute, elle se déplace sur la pointe des pieds, avec un joli déhanchement et de charmants mouvements des mains. Des fossettes donnent un air moqueur à son sourire, ses yeux luisent d'une malice à peine contenue : un gai visage d'enfant dans un corps de femme.

Son arrivée dans ma demeure, réaménagée en fonction de mon union princière, marque le début d'une ère nouvelle. Les façades et les jardins sont remodelés, les maisons attenantes, incorporées à la mienne qui est en voie de devenir un luxueux palais. Le nombre de domestiques triple. Je me sens accepté parmi le groupe le plus puissant de Tollan, bien qu'Ocelotl me répète ses mises en garde contre certains membres du clan, dérangés par mon entrée fracassante au sein de la famille royale.

Avec détermination, Chantico tient son rôle d'épouse et son rang de princesse ; elle impose sa loi au palais. Cependant, pudique, elle refuse de participer aux rites des prêtresses et vit dans ses appartements en compagnie de ses suivantes. J'apprécie sa discrétion, je pourrai ainsi agir à ma guise. Je respecte ses exigences et j'attends d'être seul avec elle pour la caresser et me gaver de sa bienveillance. J'aime quand elle m'accueille chez elle en me prenant les mains avec empressement ; lorsqu'elle me parle, avec ses doigts qui volettent comme les papillons de l'étang. Elle me traite en seigneur, avec une gentillesse qui me bouleverse. Elle joue délicieusement de la flûte, souvent elle me berce de suaves mélodies. J'en oublie les batailles et les complots perfides du Conseil, j'ai l'impression de changer jusqu'au timbre de ma voix pour lui adresser la parole.

Chantico se passionne pour l'artisanat. Elle visite souvent peintres, tisserands, sculpteurs ou potiers. Parfois, je pars à l'aventure avec elle et nous parcourons les marchés des villes et villages, où elle déniche des jeunes au talent exceptionnel qu'elle attire dans les ateliers royaux. Chantico est infatigable dans sa quête de beauté. Sa connaissance des matériaux et des œuvres est telle que ses goûts dictent ceux d'une bonne part de l'élite ; on se fie à son jugement pour l'habillement, l'aménagement des résidences, des temples et des édifices publics.

J'apprécie le flair de Mixcoatl qui m'a uni à une femme aussi déterminée et qui me convient parfaitement. Chantico s'occupe d'elle-même et ne s'attend pas à ce que je lui dise quoi faire de sa vie. Malgré sa taille menue, elle domine la plupart des Toltèques par son éducation, sa position sociale. Même devant son maître et seigneur, elle conserve son aplomb ; c'est moi, simple protégé, qui suis intimidé par son allure princière, ce que je dissimule bien.

À la demande insistante de Chantico, nous allons un jour au campement des mines. Fier de son organisation, Melkolf lui montre ses fours, exhibe les grandes calebasses qui permettent de trier les grains d'or. Quant à Malinalli, elle lui présente ses fours à poterie, ses moules et ses dernières créations, des gobelets aux reflets métalliques, dont Chantico remarque la perfection. Mon épouse s'intéresse spécialement à la petite Xicoco, biquette dégourdie d'environ deux ans qui gambade en balançant ses tresses brunes striées de roux. Pressée de questions par Chantico, Malinalli raconte les détails de son accouchement, un peu comme un homme évoque ses exploits à la guerre. Je m'éclipse, peu intéressé par ces histoires.

Entre les batailles, les sessions du Conseil, les cérémonies, les entretiens avec Mixcoatl et les escapades
avec Chantico, les lunes prennent le large à la vitesse de
l'éclair. Ma plaque du temps indique que nos épou-
sailles datent d'une année. J'ai vingt-deux ans et, tous
les signes le clament, mon épouse qui en a quinze donnera bientôt naissance à mon premier héritier. Enfin !

Lassé par une interminable discussion au Conseil,
je vais me reposer chez Chantico qui, arrondie par la
grossesse, irradie de contentement, choyée par le destin.
Je me détends dans ses bras, la tête entre ses seins devenus
moelleux. Ses doigts douillets caressent mon cou et glissent sur ma poitrine, son arôme de fleur et la chaleur
sensuelle de sa peau m'excitent. Son ventre rond émerge comme un soleil levant d'entre les pans de sa jupe :
elle est aussi belle qu'une déesse de la fertilité. Je m'immisce entre ses chairs roses avec un plaisir infini. Appli-
quée, Chantico se balance sur moi, les yeux entrouverts,
le visage coloré d'extase. Une fois assouvie, calmée, elle
se blottit dans mes bras et s'endort avec une expression
de ravissement. Paisible comme elle, je somnole, heureux moi aussi.

Je constate que la Terre-Verte de mon enfance occupe de moins en moins de place dans mes souvenirs et
que ma jeunesse à Brattahlid se transforme peu à peu en
légende. Capitaine promu prince, avec une épouse des
plus nobles, un héritier en route, des prêtresses à volonté,
des alliés inconditionnels, dont le roi, et une résidence
confortable, je me sens parfaitement intégré dans Tollan.
Comme si j'y étais né. Seuls mes contacts irréguliers

avec Mère me rattachent au monde de mes ancêtres. Melkolf aussi me rappelle les contrées nordiques, mais il ne me parle plus du passé. Pour conserver mon lien avec Mère, je me fais tailler trois jades d'un vert pur. Les pierres sont consacrées par les prêtresses vouées à la lune, leur pouvoir de clairvoyance est assuré. Je les presse entre mes doigts et m'entraîne à nouveau à lire le destin.

À la suite de nombreux triomphes épiques, je deviens le principal conseiller de Mixcoatl, avec qui je discute longuement, presque en tête-à-tête, afin de préparer les attaques en fonction du terrain et des forces en présence. J'admire ses tactiques, il valorise mon audace. Nous étudions les rapports des espions, dont j'ai fait augmenter le nombre. Pour compenser l'absence de chevaux, les guerriers subissent un entraînement intensif qui les oblige à courir pendant une demi-journée avec de lourds sacs sur le dos. Les plus résistants font partie de mes troupes d'élite. Finis les lents cortèges de guerriers en habit d'apparat qui s'annoncent à grand renfort de trompettes : dans la grisaille de l'aube, je fonce avec mes hommes pour surprendre les villes endormies.

La montée de la puissance toltèque est toutefois menacée par la ville rivale de Chololan. Cette cité, établie près du Popocatepetl, entend enrôler toutes les populations autour des lacs contre Tollan. Les jaloux de Chololan prétendent que nous, Toltèques, modifions le culte de Quetzalcoatl et le calendrier à notre profit. Ayant été avertis que les chefs ennemis prévoyaient se réunir sur le littoral avant de se diriger contre Tollan, nous attaquons au lever du jour et écrasons leurs détachements les uns après les autres avant qu'ils ne fassent leur jonction. Privés du soutien de ces troupes, les nobles de Chololan se montrent maintenant beaucoup plus conciliants. Ils acceptent le partage des routes entre le bassin central et la mer : pour Tollan, les routes du nord, pour Chololan, celles du sud. Voilà ce qui nous permet de contrôler la région des lacs jusqu'à la mer du Levant. Inutile de s'entre-tuer, mieux vaut créer des alliances.

Pour consolider la paix, Mixcoatl arrange une rencontre entre les principaux prêtres des deux villes afin qu'ils s'accordent au sujet de Quetzalcoatl. Quauhtli sort de son ermitage pour l'occasion et convainc tous les nobles que le dieu aux plumes de quetzal s'est incarné à Tollan sous la forme d'un homme exceptionnel, placé sous la juridiction de Mixcoatl. Tête haute, j'approuve. Cette victoire me rapproche davantage du roi, qui ne prend plus de décision sans me consulter.

La naissance de mon premier héritier, Mimix, consolide la famille royale autour de moi. Son arrivée donne lieu à de nombreuses cérémonies où le sang coule en l'honneur de la déesse de la fertilité.

Une fois l'entourage bien endoctriné, je m'intéresse à nouveau à la production de métal afin de favoriser la domination de Tollan. Sur une place adjacente à la maison, je fais construire une forge où j'initie des apprentis. J'y fais fondre les plaquettes d'or et d'argent que Melkolf me fournit. Je façonne des bijoux compliqués ; j'ai aussi commencé à transformer le cuivre en petits grelots que les danseuses portent aux chevilles, aux poignets et aux hanches. Leur sonorité percutante rappelle le bruit du serpent à sonnette et capte l'attention des foules. Le fer demeure introuvable, je ne moule aucun rivet et encore moins d'épées. Le rêve d'un bateau qui puisse tenir la haute mer s'estompe derrière une brume de plus en plus épaisse. Tout le métal que nous produisons est destiné aux parures, articles essentiels aux nobles qui tiennent à étaler leur richesse. Fasciné par les possibilités du métal, le roi dépêche des chercheurs de minerai dans tout le territoire, mais surtout vers le sud-ouest qui semble le plus prometteur.

Je passe régulièrement au campement où Melkolf tente de fondre quantité de poussières ou de fragments de roche. Il réussit à produire une ou deux plaquettes par semaine, surtout de cuivre, parfois d'or ou d'argent. Pour faire face à la demande, il dirige une armée d'esclaves capturés aux marges du royaume. Tandis que je discute de la qualité du minerai avec mon compagnon, Malinalli paraît, un nouvel enfant dans les bras : un garçon costaud d'à peine quelques mois, sa petite tête auréolée d'un duvet noir frisé. Je félicite Melkolf qui rayonne d'orgueil et couve Malinalli d'un œil tendre.

Résigné ou peut-être satisfait de son sort, mon chef de forge, plutôt que de rêver à son île natale comme à un paradis perdu, essaie de christianiser le voisinage. De façon assez surprenante, il y parvient un peu. Il a sculpté des personnages de la Bible et ses effigies remplacent celles des Toltèques. Le campement des mines est devenu un village d'artisans du métal, une secte entièrement dévouée à Melkolf. Il vit ainsi parmi de fervents admirateurs qui travaillent pour lui avec zèle, situation comparable à celle d'un grand prêtre entouré de ses disciples. Cependant, alors qu'Ocelotl s'impose par la sévérité, Melkolf obtient l'adhésion de tous par la foi et la compassion. Une ambiance unique règne dans sa communauté, une espèce de paix unit les gens. J'admire la constance de Melkolf: jamais je n'aurais cette patience.

Grâce à notre labeur, le roi arbore depuis peu des disques d'oreilles et des bagues d'or qui accroissent encore plus son prestige. Il rétribue généreusement nos succès, car, fort rare avant nous, le métal provenait d'un Sud inaccessible et mystérieux. Inutile de demander aux Toltèques si les peuplades de cette terre lointaine sont africaines, personne ne comprendrait. Il n'y a que Tyrker le navigateur qui aurait pu accorder de l'importance à cette question, mais il est mort depuis longtemps.

À dix-sept ans, deux années après avoir eu Mimix, Chantico donne naissance à un autre beau garçon: Ye-Olin, né le Troisième Jour du mois Olin, celui dédié au mouvement. Mixcoatl se réjouit de sa descendance; il adore ses petits-enfants issus de Vénus, étoile annonciatrice du soleil. La présence de l'homme-ouragan à ses côtés confirme la nature divine de sa lignée. Et le soutien du roi garantit mes privilèges. Ainsi, les forces de l'un confortent celles de l'autre. Une grande complicité m'unit à Mixcoatl: j'apprends de lui autant qu'il apprend de moi. Il traite mes fils avec beaucoup d'affection et commence déjà à inculquer à Mimix le sens des responsabilités royales. Par mon fils interposé, je sens que c'est à moi qu'il s'adresse. Le garçon sur mes genoux, j'écoute ses paroles avec attention, sentant que ses messages simples mais sages trouvent leur chemin dans le cœur de l'enfant et dans le mien.

Les prêtresses perpétuent leurs rituels sous la férule de Xilonen, toujours aussi énergique et animale. À la troupe initiale s'ajoutent continuellement de nouvelles recrues. Plusieurs anciennes danseuses ont eu des enfants, certains presque aussi roux que moi. Elles vivent ensemble dans un temple à quelques rues de ma résidence : les plus vieilles s'occupent des enfants, jardinent et cuisinent, tandis que les jeunes dansent et prient. Chaque matin, à mon grand bonheur, elles arrivent chez moi en procession avec leur volée de garçonnets et de fillettes, dont plusieurs ont le teint pâle. Leur beauté et celle des enfants, leurs costumes chatoyants sont autant de curiosités qui attirent les gens. On s'attroupe pour les regarder défiler. Pendant que des servantes tentent de discipliner la marmaille excitée, les prêtresses de Quetzalcoatl s'exécutent devant l'autel sacré, toujours avec la même fougue. Inspiré par cette nombreuse postérité et la ferveur des jeunes femmes, je les honore avec autant d'ardeur que j'en mets aux exercices militaires.

L'entraînement des troupes d'élite se poursuit. Je participe souvent aux expéditions pour me mesurer aux champions et les stimuler : l'enrichissement de Tollan dépend du métal, mais aussi de ses guerriers. Si la course à pied pallie le manque de chevaux, la bonne lame de fer, elle, demeure irremplaçable : le poids et la taille de l'épée d'obsidienne ralentissent les coureurs. Je cherche une idée pour augmenter l'efficacité de nos troupes.

Au cours d'une excursion de chasse, je remarque certains frondeurs qui lancent de petits traits et tuent ainsi des oiseaux en plein vol. J'en discute avec Huemac qui décide d'expérimenter différentes armes simples utilisées par ces chasseurs. À l'aide d'un lacet de cuir, il fixe à sa main une tige de bois qui allonge la portée du bras et permet de projeter un dard beaucoup plus loin. Grâce à la puissance accrue que leur confère cet instrument qu'on appelle «atlatl», les pointes acérées peuvent transpercer des cuirasses épaisses ou se planter dans un œil ou une oreille. Les guerriers s'exercent ainsi au tir, même au pas de course. Après quelques lunes d'essais, le propulseur s'avère redoutable dans les mains des plus habiles, surtout depuis qu'on enduit les pointes d'un poison violent. Arcs et flèches sont aussi distribués à tous les guerriers qui réussissent les épreuves de course. Avec une armée aussi bien équipée et entraînée, les villes récalcitrantes seront décimées comme par la foudre divine.

Nos marchands, dûment secondés par les guerriers, contrôlent une part croissante du commerce de l'obsidienne, tel que l'avait organisé l'élite de Teotihuacan quelque deux cent cinquante ans plus tôt. La ville voisine, Xochicalco, finit par prêter allégeance, ce qui nous permet d'accéder à sa principale richesse, les champs de coton. Il fait trop froid à Tollan pour cultiver cette plante indispensable à la confection des cuirasses. Grâce au coton et à l'obsidienne, Tollan devient un centre encore plus puissant que Chololan et pourrait bientôt surpasser les splendeurs mythiques de Teotihuacan.

Comblé par ces victoires, le roi me traite comme un fils et même son fils préféré, tandis qu'il néglige les siens. Mixcoatl et moi, surnommé l'homme-ouragan, réunis au sommet de la puissante Tollan. Mes privilèges attisent la jalousie et me valent l'inimitié d'une partie du Conseil, surtout des trois fils aînés du souverain et d'un oncle à qui Chantico avait été promise dès son jeune âge. Cependant, ces incapables savent qu'ils me doivent en partie leur fortune. De plus, ils n'osent pas défier ouvertement un être qui jouit de pouvoirs divins et d'une grande renommée auprès des foules et du monarque. Dès que j'apparais sur la pyramide aux côtés de Mixcoatl, les gens entrent dans un délire indescriptible. Les gardiens peinent à contenir les exaltés qui tentent de gravir les escaliers sacrés pour venir à ma rencontre. Au point que Mixcoatl se demande si c'est lui ou moi qu'on acclame. Loin de l'inquiéter, la vénération dont nous sommes l'objet lui paraît un signe favorable : les dieux font de son règne une période de prospérité inégalée depuis la fondation de Tollan. Et j'incarne la chance de Mixcoatl.

Un matin, une nouvelle affolante circule en ville : au terme d'une incursion militaire particulièrement rude dans le nord, Mixcoatl reviendrait sur une civière, l'abdomen profondément déchiré. On raconte que son grand courage, devenu témérité, l'aurait fait se précipiter dans un cruel guet-apens. L'épée envoyée par les dieux lui aura donné une confiance démesurée. Ébranlé, je lui rends visite. Le blessé repose dans une pièce sombre où des nuages d'encens camouflent les relents de pourriture. Dans un jardin attenant, des musiciens se relaient pour jouer des mélodies apaisantes. Plusieurs prêtres, devins et parents veillent à son chevet ; les prières sont récitées avec une résignation certaine. Les meilleurs guérisseurs s'agitent pour faire baisser sa fièvre. Pâle, le roi gît inconscient, en proie à des tremblements. La plaie suppure. Je ne connais ici aucun moyen pour le soulager.

Malgré les soins, l'état de Mixcoatl se détériore. Aucun espoir en vue, il ne survivra pas une autre journée. À le voir dépérir, je me rends compte qu'avec le temps ce roi est devenu plus qu'un allié. En bon père, il m'a initié à ma nouvelle existence toltèque. Pendant toutes ces années à ses côtés, j'ai appris les exigences d'une vie de souverain. Je vais perdre mon guide. Atterré, j'erre dans le palais silencieux.

Au milieu de la nuit, Ocelotl me fait demander. Je me fraie un chemin parmi la foule compacte qui entoure sa chambre. Ocelotl m'attire vers le monarque qui repose, les yeux clos. Je m'agenouille et pose une main sur sa poitrine : sous mes doigts, son cœur palpite comme celui d'un oiseau. Sa peau brûle à travers l'étoffe, je le sais condamné. Avant que je retire ma main, Mixcoatl la saisit. Je me penche vers lui, son haleine fétide m'enrobe. Il murmure, d'une voix étranglée :

– Je te lègue Tollan. Ocelotl a ainsi interprété la volonté des dieux. Tu hérites d'une ville puissante, veille à son bien-être et à celui de ma famille.

Les frémissements de sa main me disent que son esprit s'apprête à s'envoler. Je voudrais lui clamer mon admiration. Je le rassure :

– Tollan est puissante parce que tu l'as faite ainsi. Je poursuivrai ton œuvre, je protégerai ta descendance. Ta volonté sera exaucée, tu peux rejoindre les dieux avec fierté.

Livide, Mixcoatl respire à peine. On le redresse sur sa couche, le bourdonnement des psaumes s'atténue, toute l'assistance fixe intensément le souverain. Les yeux exorbités par l'effort, il souffle :

– Je quitte cette vie…

D'un doigt, il me désigne et déclare d'une voix faible mais décidée :

— L'Homme-dieu me succédera à la tête de Tollan.

Sa voix s'éteint dans un soupir brûlant. Ocelotl étend aussitôt ses bras au-dessus de ma tête et récite d'un ton autoritaire :

— Le prince envoyé le jour du Premier Roseau, l'homme-ouragan, sera consacré Quetzalcoatl, roi de Tollan, pour notre plus grand bien à tous.

Mixcoatl conclut dans un râle, sa main reposant sur mon épaule :

— Honorez-le comme mon fils issu des dieux.

Son regard se porte sur ses enfants qui cachent mal leur rage. Les trois prétendants sont révoltés, mais ils n'osent affronter leur père sur son lit de mort. De ses yeux sévères, Mixcoatl insiste en silence. Au bout d'un moment, les princes finissent par s'agenouiller de mauvaise grâce, la main droite sur l'épaule gauche, la tête basse, tels des guerriers face à leur chef. Devant la gravité de la situation, d'un mouvement unanime, toute l'assemblée tombe à genoux. Le bras royal s'affaisse sur le mien, Mixcoatl expire.

Un gouffre se creuse en moi. Une main déjà froide me relie au souvenir de Mixcoatl vivant. Sous le choc, une affreuse douleur m'écrase, mon esprit envahi par une pensée que je refuse : Mixcoatl n'est plus. Perdue à jamais, cette figure dominante. Disparu, ce roi devenu mon compagnon d'armes, le grand-père de mes fils. J'ai peine à respirer tant la tristesse m'accable. Ocelotl me sort de ma stupeur pour me signifier qu'il est temps de me relever et de prier.

L'esprit de Mixcoatl plane au-dessus de nous. Je l'accompagne dans son ascension, guidé par le copal et les hymnes à sa gloire. J'avertis les dieux qu'un guerrier exceptionnel part à leur rencontre.

Sans perdre un moment, Ocelotl enclenche les rites funéraires et décrète un temps de prière jusqu'au prochain lever du soleil. Pendant que le corps du défunt est préparé, le grand prêtre fait mander tous les membres du Conseil et les épouses du roi, qui se rassemblent dans la principale cour du palais. Parmi les épouses, il en choisit trois, peut-être les plus âgées, dont la mère de Chantico, que l'on revêt de longues capes rouges. On apprête des mixtures au-dessus de la flamme, puis les liquides fumants sont transvidés dans des gobelets. Ocelotl les tend avec solennité aux trois femmes. Stoïques, elles en boivent le contenu d'un coup. Des prêtresses entonnent un hymne lancinant. Les élues se tiennent dans les bras l'une de l'autre, une oraison coule doucement de leurs lèvres bleuies. Elles titubent, la tête lourde, les yeux hagards, puis, prises de convulsions, sans émettre une seule plainte, elles s'effondrent en une masse compacte. On les étend sur des litières, enroulées dans leurs capes, devenues linceuls écarlates.

Des prêtres distribuent à tous une petite boule pâteuse. Comme les autres, je la glisse entre mes lèvres. L'onguent épais se dissout, libérant un goût amer qui gèle l'intérieur de la bouche. Dans un murmure de litanies, le visage dur, Ocelotl s'arrête devant chaque noble dont il transperce la langue d'un geste brusque, à l'aide d'une longue aiguille attachée à une cordelette épineuse. La langue sortie, douloureuse, je voudrais couper ce cordon qui en pend. Mais je fais comme Chantico et les nombreux fils, filles et épouses du roi décédé : tous nous tirons la corde à travers le muscle de la langue. Au milieu des soupirs, visages et vêtements se maculent de sang frais. Les cordelettes empourprées sont ensuite jetées dans des brûleurs disposés autour de la dépouille. Au cours de la nuit, tous les nobles honorent le roi par un don de sang.

Huemac déploie ses hommes un peu partout dans la ville. Une troupe de ses meilleurs guerriers m'entoure continuellement.

Au matin, toute la population de Tollan est prête pour l'ultime cérémonie en l'honneur de Mixcoatl qui sera conduit dans sa dernière demeure terrestre. Ocelotl pose la coiffe royale sur le trône qu'on promènera, tel un emblème, hors du palais, puis il ordonne aux porteurs de sortir la civière du mort, drapé dans son plus beau manteau. Le cortège se forme au son des tambours : en tête, le trône surmonté de la coiffe, puis le corps du roi et ceux de ses épouses ; derrière suivent les dignitaires. Les longues plumes vertes du panache royal ondulent au vent, sur un fond de ciel qui déploie ses nuées rose et ocre. La musique des conques, des flûtes et des trompettes retentit, plaintes déchirantes auxquelles répondent les pleurs de la foule massée le long du parcours. Je marche, absorbé par mon dialogue intérieur avec Mixcoatl. Je lui rappelle ses exploits, entre autres, notre ascension du Popocatepetl jusqu'au cratère. Il m'écoute avec un regard bienveillant.

Le convoi funèbre s'immobilise devant la grande pyramide. On installe le trône, occupé par le panache, sur la première plateforme. Les civières des femmes en rouge sont dressées au pied du grand escalier. Porté par les clameurs des oraisons qui se succèdent comme les vagues de la mer, le roi est hissé sur la montagne sacrée que représente la pyramide. Parvenus au sommet, Ocelotl et ses assistants se retirent dans le temple pendant que les nobles s'entassent sur les plus hautes plateformes.

Un petit bûcher est dressé sur la pyramide. Ocelotl y jette couteaux, idoles et bols sacrés dont Mixcoatl s'est servi au cours de sa vie ; ces objets doivent être détruits devant le roi afin que le pouvoir dont ils sont investis l'accompagne. Après quelques incantations, le grand prêtre plonge sa torche allumée entre les fagots ; le feu éclabousse le temple de lueurs vives, animant les idoles qui s'y trouvent. En bas, sur la place, les flots humains entonnent un chant rauque qui s'élève avec les fumées du bûcher.

Lorsque les grands tambours et les conques rythment la descente de la civière royale, le bûcher n'est plus que braises rougeoyantes. Au bas de la pyramide, prêtres et nobles s'agglutinent autour du trône. Ocelotl désigne six personnes, dont je fais partie. On nous recouvre les épaules de capes courtes, faites de minuscules plumes rubis, puis le grand prêtre nous fait signe de le suivre. Il s'engouffre dans une porte basse, dissimulée sur le côté de l'escalier principal, au niveau du sol. Éclairés par des torches, les assistants du grand prêtre, chargés de la civière et de paquets somptueux, lui emboîtent le pas. Lentement, nous descendons en silence vers la grotte originelle où habitent les dieux de l'inframonde.

Après un escalier étroit et très incliné, un corridor sinueux et presque interminable, nous débouchons dans une salle taillée dans le rocher. Les parois luisent d'humidité et j'entends de l'eau gargouiller quelque part. Dans la lueur vacillante, je distingue six tertres de pierres, alignés les uns à côté des autres. À ma grande surprise, j'aperçois l'ermite Quauhtli, en plein recueillement, derrière le sixième tumulus, creusé en son centre d'une longue cavité. Ocelotl salue l'oracle :

– La volonté des dieux a été respectée.

Quauhtli accueille la nouvelle avec une légère flexion du tronc, puis il indique aux porteurs de placer le défunt au fond du trou. Ocelotl récite une dernière prière :

– Mixcoatl, pour ta rencontre avec les dieux, apporte ton grand couteau sacrificiel, détenteur d'un pouvoir immense, conféré par les principaux sacrifices effectués durant ton règne. Il prouvera à tes hôtes que tu les as nourris dignement. Et redonne aux dieux ce qu'ils t'ont envoyé. Ainsi, ils te reconnaîtront.

Il place la lame dans la main de Mixcoatl. Pétrifié, impuissant à réagir, je vois le grand prêtre déposer mon épée de l'autre côté du corps. Les fils du roi enlèvent les ornements pectoraux de leur père, qu'ils gardent jalousement ; Quauhtli les regarde d'un œil mauvais. La dépouille est recouverte de dalles, scellées par du stuc. De retour à l'air libre, nous nous retrouvons devant une foule calme qui psalmodie sa tristesse devant le trône décoré des plumes royales.

Les prêtresses et les autres femmes reviennent du cimetière des épouses, situé près d'une source, symbole de fertilité, où ont été enterrées celles qui escortent Mixcoatl dans l'univers des dieux. Tout le monde s'immobilise devant la pyramide.

Ocelotl m'indique le trône d'un geste solennel. Il soulève l'imposante coiffe. À ce geste, les tambours vibrent et submergent la dernière ode au défunt roi. Je m'assois sur le trône, Ocelotl descend sur mon front la sublime parure, aux pennes encore plus longues que moi, les plus belles qui soient. Avec l'assentiment de l'ensemble des prêtres et des capitaines qui nous encerclent, Ocelotl place entre mes mains le sceptre, insigne du pouvoir suprême, puis il me proclame roi, Ce-Acatl Topiltzin Quetzalcoatl, le serpent ailé, désigné par le serpent de nuages, Mixcoatl. Toute l'assistance embrasse le sol. Les trompettes et la foule clament leur allégresse, les peintres royaux se hâtent d'immortaliser la scène. Pendant qu'ils s'exécutent, des centaines de prêtresses dansent et chantent sur une musique aux accents victorieux. Puis, des guerriers soulèvent la litière et m'emportent, les nobles à ma suite en signe de fidélité. Le peuple se prosterne avec respect sur mon passage. La journée s'achève dans les vermillons du couchant.

Ocelotl propose que je passe ma première nuit en tant que roi entre les murs de son école, officiellement pour prier, mais, en réalité, pour ma propre sécurité. Lui et Huemac craignent une trahison des trois princes et de l'oncle évincé. À la lueur des torches, sur le parvis de l'école, le grand prêtre s'adresse aux dignitaires :

– Demain, au zénith, le nouveau chef des braves fera connaître ses décisions ici même. Que tous soient présents.

Sans autre commentaire, il tourne le dos à l'assemblée, convaincu qu'on lui obéira.

Huemac place des gardes à toutes les entrées. Dans la quiétude du lieu, Ocelotl me prend à part :

– Seigneur Ce-Acatl, il faut assurer ton pouvoir sans laisser le temps à tes ennemis de comploter. Il faut confirmer ton ascendant sur l'armée et les prêtres. Tu obtiendras sans peine le soutien de ces deux groupes : les capitaines royaux apprécient tes qualités de guerrier et les prêtres vouent un respect immense à Quetzalcoatl. Nomme maintenant tes conseillers qui seront présentés au peuple demain. Il te faut un grand prêtre, un chef des armées, un assesseur du commerce, un autre pour la ville, de même qu'un architecte et un guérisseur en chef.

Ocelotl respire lentement, la tête rejetée en arrière, et poursuit :

– Pour marquer la continuité entre le règne de Mixcoatl et le tien, je te propose de remplir la fonction de grand prêtre. Mais je respecterai tes choix et j'enverrai chercher ceux que tu anobliras.

Je ferme les yeux. Je cherche inspiration auprès de mes modèles : mon père qui régnait sur la Terre-Verte et, surtout, le vénéré Mixcoatl qui dirigeait le Conseil des Anciens. Je serre mes pierres dans ma main un court moment ; elles me donnent confiance, je me sens prêt à assumer la relève :

– Grand prêtre, j'accepte ta suggestion. Ta sagesse est reconnue de tous, reste à ton poste. Je nomme Huemac à la tête de l'armée. Pour les autres charges, il faut considérer les fils de Mixcoatl, qui pourraient devenir dangereux s'ils sont tous évincés.

– Ce sont des dégénérés qui ne pensent qu'à s'amuser.

— Alors, je désigne le plus niais des trois à la gestion de la ville. Et que le Conseil choisisse les responsables à l'architecture, au commerce et à la guérison en fonction des mérites de chacun. Je veux des personnes obéissantes mais efficaces. Tu mèneras les délibérations afin d'éviter toute affectation indésirable.

— Merci de ta confiance, seigneur Ce-Acatl. Sache que j'ai envoyé des messagers à tous les chefs alliés. Ils viendront te prêter serment au cours de la cérémonie d'allégeance qui aura lieu dans sept nuits à Teotihuacan.

— Pourquoi là-bas ?

— Parce que tous les rois commencent leur règne sur la pyramide du soleil.

— Très bien. Je vois que tu n'as rien négligé. Maintenant, allons dormir, la journée a été éprouvante.

Je m'étends et pense à toutes les aventures vécues avec Mixcoatl. Trop de scènes se bousculent dans ma tête, je ne peux dormir. Melkolf ne sait probablement pas encore que mon père d'adoption est mort. Je songe aussi à Mère et à la justesse de ses augures. Elle m'a bien vu en compagnie de rois, parmi les plus grands. Elle était ambitieuse, il ne lui suffisait pas d'accompagner le chef de la colonie, elle le dominait par sa sorcellerie et voulait que son fils devienne puissant. J'ai réussi au-delà de tout ce qu'elle avait prévu. Je deviendrai le souverain d'une cité mille fois plus riche et redoutable que la Terre-Verte. Mes origines divines expliqueraient ce parcours extraordinaire. Les dieux protègent leur fils, où qu'il soit.

Le jeûne et les prières marquent les sept jours de deuil qui précèdent le rituel d'appartenance. À mesure que la nouvelle de la mort de Mixcoatl se propage, la grande place est envahie de gens de toutes conditions qui font pénitence. Mes décisions sont favorablement accueillies et le Conseil attribue les principales fonctions à des hommes qui font l'unanimité. La paix semble assurée et, si mon accession au trône fait des mécontents, aucun ne se manifeste. Huemac suggère d'éliminer certains sujets dont la loyauté peut être mise en doute, mais ces mesures de prudence m'apparaissent superflues, puisque l'armée est à ma solde.

Des troupes de guerriers et de prêtres, des chargements de costumes et de victuailles partent quotidiennement vers Teotihuacan en vue des préparatifs. Des essaims de messagers s'affolent entre les deux villes. Le matin du cinquième jour, notre cortège prend la route. Il nous faudra deux journées pour atteindre la pyramide du soleil. J'aurai mis vingt-six ans avant de réaliser le rêve de Mère. Dommage qu'elle ne soit pas là pour assister aux splendeurs de ma consécration.

Sept nuits après la mort de Mixcoatl, au lever du soleil, nous pénétrons dans Teotihuacan par la prestigieuse avenue débordante d'une foule en délire. Je porte mon casque de bronze sous les plumes royales et mon collier solaire, une version en or du premier pendentif que Malinalli avait monté pour le monarque. Des joueurs de tambour, de tambourin et de flûte ouvrent la procession. Paré d'or, de bronze et de plumes chatoyantes, aussi lumineux que le soleil à son zénith, porté au-dessus des têtes par une troupe de guerriers en armures complètes, je parcours la grande allée, bordée de part et d'autre d'une double haie des meilleurs guerriers. La multitude salue bruyamment mon passage. Autour de moi, les prêtresses agitent leurs grelots de cuivre. Chantico, Ye-Olin dans ses bras et Mimix à ses côtés, me suit sur une autre litière. Des sentinelles surveillent les plateformes supérieures des pyramides et des palais afin que personne n'y monte. Par prudence, mais aussi parce que les simples mortels ne peuvent dominer physiquement leur souverain.

Nous parvenons enfin au pied de la monumentale pyramide, parée de banderoles multicolores et des blasons emplumés de tous les ordres guerriers. Au sommet, les porteurs tournent ma litière et celle de Chantico face à la foule, au comble de l'émoi. Les personnages les plus éminents de la région nous entourent. Sans le voir, je sais que Melkolf se trouve parmi eux, quelque part au fond, lui qui a refusé d'occuper le devant de la scène. Je le comprends et j'apprécie sa discrétion : mieux vaut mettre en valeur les principaux Toltèques. S'ils se sont d'abord montrés suspicieux envers ma personne, ils me respectent maintenant que je fais fondre des métaux et remporter des batailles. Seuls les fils de Mixcoatl, cet oncle ténébreux et leurs alliés me considèrent plus que jamais comme un imposteur : je les ferai épier jour et nuit.

Les nobles des villes tributaires qui viennent promettre obéissance forment un cortège impressionnant qui s'échelonne tout le long de la grande avenue jusqu'en haut de la montagne sacrée. Chacun apporte, monté sur une hampe, un blason aux couleurs de sa ville. Tous offrent des cadeaux somptueux : des pierres précieuses, quantité de cacao, de résine noire et de miel, des lingots d'or et des hachettes de cuivre, des piles du meilleur papier, des plumes, de nombreux esclaves et des armes de toutes sortes. Ocelotl laisse croire que Quetzalcoatl veut établir un empire digne de son rang, rumeur qui crée un vent de panique : partout, on craint mes pouvoirs divins et les nobles des environs préfèrent payer un tribut plutôt que de voir leur ville en ruine. Certains arrivent avec des guerriers qu'ils cèdent à mon armée. Le défilé des vassaux dure jusqu'au soir.

Ocelotl préside aux sacrifices. Aucune des victimes ne manifeste de terreur : passifs, l'esprit égaré, ces hommes et ces femmes venus d'ailleurs acceptent leur sort avec une espèce d'indifférence. Bientôt, je mettrai fin à ces pratiques sanglantes.

À la tombée du jour, tous les dignitaires attendus se sont déjà agenouillés devant moi. J'ai hâte d'enlever la lourde coiffe qui m'écrase la tête, mais voilà que le nouveau chef de l'armée, Huemac, fait signe à un groupe en bas de la pyramide de monter me rejoindre. Une musique annonce avec véhémence une arrivée princière. J'en ai la nausée.

Soudain apparaissent dans mon champ de vision deux yeux protubérants, puis aussitôt, c'est la tête d'un dragon qui surgit en haut des marches. La figure de proue du knorr ! Plus grande encore que le modèle original, couverte d'or, ce qui lui donne un aspect surnaturel. Posée sur une litière luxueuse et enrobée de nuées de copal, l'effigie se balance au rythme des porteurs dont la cadence est dictée par les trompettes. La tête du dragon ! Je la croyais détruite à tout jamais. Ébahi, je cherche Melkolf des yeux ; je le repère derrière les nobles, agenouillé, qui se signe devant cette apparition venue d'un autre monde. Tout comme moi, il est assailli par un passé qu'il croyait révolu. Il tremble d'émotion. J'imagine sa terreur devant la figure viking, alors que j'y vois la confirmation de ma supériorité.

Des femmes lancent des pétales parfumés à la ronde. À mes côtés, Huemac m'observe, débordant de satisfaction. À le voir, je devine que je lui dois cette surprise finale. Tranquille, le chef de l'armée savoure son succès, sachant qu'il a visé en plein cœur.

Au-dessus de ma tête, un grand rapace couleur crème, aux ailes cerclées de noir et à la queue rose pâle, plane avec majesté dans le ciel violacé et me fixe de son œil vif. J'entends Mère rire à gorge déployée :

– Ha, ha! Je t'avais bien dit que tu serais couronné roi… Ha, ha, ha!

CHAPITRE XVIII

L'Homme-dieu

La figure de proue dorée, gueule béante, est en tête du cortège qui nous ramène à Tollan. Les habitants de la ville, les Toltèques, nous accueillent avec enthousiasme ; ceux qui n'ont pu se rendre à Teotihuacan se bousculent pour m'apercevoir. Les rues frémissent de joie, car, depuis mon arrivée en ces terres, le peuple a toujours cru en ma divinité, et ma consécration exauce ses vœux.

Je prends possession du palais royal. À l'entrée, je fais installer la tête du dragon sur un socle, pour que tous sachent qu'en ce lieu vit le serpent emplumé, venu de l'étoile du matin par la force céleste du vent. Au palais, Huemac veille à la sécurité et Chantico s'occupe de la vie domestique.

Les danses rituelles en l'honneur de Quetzalcoatl reprennent. J'y assiste, heureux de goûter le nouveau jardin. Xilonen, devenue première prêtresse, se fait plus sensuelle que jamais. Cependant, avant que je puisse honorer son talent, Chantico me fait demander impérativement. Je me précipite à ses appartements. Je la découvre en sanglots.

– J'ai honte de ma faiblesse, gémit-elle. Mais je suis si triste. Et épuisée. Mon père est mort au combat et ma mère l'a suivi chez les dieux. J'ai dû gérer les rites funéraires et le couronnement, en même temps qu'arranger le palais. Il y a tellement de décisions à prendre.

La pâleur de ma jeune épouse m'inquiète, je la prends dans mes bras et caresse ses cheveux défaits.

– Tu travailles trop. Tu allaites, ce gros garçon te vole tes forces. Il te faut du repos. D'abord, nous allons manger. Ensuite, nous parlerons de ce qui te tracasse.

Je la garde contre moi jusqu'à ce que ses larmes se tarissent et que des soupirs remplacent les sanglots. Délicatement, je glisse ma main sous sa tunique garnie de nacre rosé et je fais passionnément l'amour avec ma déesse aux yeux bouffis. Après nos ébats, elle somnole contre ma poitrine. Je contemple ses paupières lisses en pensant que cette petite rusée a réussi à me faire sortir de mon jardin sacré par la seule force de ses larmes.

Mon aimable reine chantonne en replaçant mes cheveux. Elle excelle dans l'art délicat des coiffures royales, personne mieux qu'elle n'arrive à les dresser aussi haut, à leur donner tant de prestance et d'élégance. Ses suivantes apportent le repas. Chantico babille joyeusement. Nous discutons de l'aménagement du palais, des travaux à effectuer, des gens à recevoir. Elle connaît tous les nobles, ceux d'ici ou des villes lointaines, et les ramifications de leurs familles dans tout le territoire ; elle sait qui remercier, qui appâter par des présents ou mater par les armes. J'aime écouter la voix douce comme murmure de ruisseau de cette souveraine si jeune, pourtant aussi déterminée qu'un chef et capable de diriger des centaines d'esclaves avec fermeté. Chantico a le don de me fasciner, elle est la plus suave merveille que le destin m'ait accordée.

Lorsque je suis sur le point de partir, elle me retient par les mains et plante ses yeux dans les miens, en apparence insouciante, mais les joues empourprées.

– Huracan, tu es un guerrier magnifique. Malinalli répète que tu es beau comme le soleil. Ton arrivée reste entourée de mystère. J'ignore d'où tu viens, mais je ne commettrai pas l'erreur de te confondre avec le dieu Quetzalcoatl. Je sais tout des rois et des prêtres, de leur force et de leur faiblesse, de la manière dont on en fait des dieux. Peut-être que Quetzalcoatl t'a envoyé ici, mais, même doué de pouvoirs divins, plus fort et plus pâle que nous tous, avec des rayons de soleil autour du visage, tu restes un homme. Tu agis et tu penses exactement comme les hommes de ta condition. Et là, je suis certaine de ne pas me tromper. Mais je t'honorerai comme l'exigent nos traditions parce que j'aime ma famille, ma ville et ses peuples. Je veux que mes fils perpétuent la lignée des rois de Tollan, comme mon père et ses pères avant lui, depuis six générations. Je t'aiderai pour que nous connaissions une destinée grandiose. Tu peux compter sur moi, jamais je ne te trahirai.

J'étreins contre mon cœur cette femme plus perspicace ou plus franche que les autres. Elle perçoit mes limites et accepte d'allier son destin au mien pour la grandeur de Tollan. Ému, je baise ses doigts de pétale avant de la quitter.

L'ambition sereine de Chantico me stimule. Vouloir conserver la ville telle que laissée par Mixcoatl serait la vouer à sa perte. Pour assurer la stabilité, il faut subjuguer les tribus voisines avant qu'elles ne s'unissent contre nous. Afin de me rallier tout le monde, je convoque les principaux capitaines, prêtres, commerçants et architectes. Ces gens formeront le sommet de la pyramide impériale, ma puissance garantira leur richesse.

Je rencontre d'abord les militaires de haut rang.

– Braves guerriers, voyez cette centaine de blasons autour du trône. Chacun représente un allié. Sous peu, nous devrons en compter deux cents. Que notre territoire s'étende à l'ensemble du monde connu : de l'océan du Levant à celui du Couchant, du désert du nord aux forêts impénétrables du sud. Nous défendrons nos marchands et imposerons la loi de Tollan là où poussent le cacao et le coton, où se cachent l'obsidienne, le jade, la turquoise et l'or. Si les populations locales refusent de s'unir, nous procéderons de la même façon que lors de la dernière sécheresse. Souvenez-vous des attaques rapides, suivies de replis tout aussi prompts, pour emporter autant de biens et de prisonniers que possible.

Je marque une brève pause pour promener mon regard sur l'assistance qui approuve par des hochements de tête et des sourires. Satisfait, je poursuis :

– Autrefois, l'armée était composée de paysans, mais ceux-ci ne pouvaient guerroyer qu'après les récoltes. On procède encore de cette façon aux alentours. Voilà pourquoi nous allons former une armée permanente. Les meilleurs guerriers ne cultiveront plus, des captifs s'occuperont du travail agricole. Nous pourrons ainsi attaquer en tout temps, même pendant les semailles, lorsque l'ennemi est sans défense. Vos hommes seront bien traités. Vous aurez droit au quart de toutes les prises en récompense de vos efforts. Préparez vos troupes. Intensifiez l'entraînement. Je bataillerai à vos côtés.

Les officiers saluent d'un geste unanime mes propositions, sauf l'oncle hargneux qui ose se lever pour en évoquer les risques. Je l'envoie avec les deux aînés de Mixcoatl faire campagne avec de mauvaises troupes, en plein désert, très loin au nord, chez nos ennemis les plus belliqueux qui contrôlent les mines de turquoise.

Le lendemain, je réunis les prêtres. Une affaire délicate, car je dois leur faire admettre deux réalités désagréables : d'abord la préséance des guerriers sur leur redoutable confrérie et ensuite la réduction des sacrifices humains. Je commence par confirmer Ocelotl dans ses fonctions. Je consacre le culte de Quetzalcoatl développé durant le règne de Mixcoatl et je termine par le plus difficile :

— La puissance de Tollan repose sur son armée, la meilleure de toutes. Et sur l'aide que nous accordent les dieux. Ainsi, grâce à cette conjonction favorable, l'empire s'étendra. Vous pourrez continuer à nourrir les idoles de sang frais lors des principales cérémonies, mais la majorité des prisonniers travailleront aux constructions, aux mines et aux champs. Nous aurons besoin de nombreux esclaves pour ériger des temples dignes des dieux. Votre rôle à vous, astrologues, oracles et sacrificateurs, sera d'assurer comme vous l'avez toujours si bien fait les cultes du soleil, du vent et des autres déités. Soyez fidèles à Quetzalcoatl et vous bénéficierez des richesses que nos guerriers iront conquérir en son nom.

Respectueux, en apparence satisfaits de ces paroles, les prêtres semblent accepter la supériorité accordée à l'armée. Un murmure d'inquiétude plane cependant sur l'assemblée, mais rien n'est exprimé ouvertement.

Les confréries de marchands qui fréquentent les longues routes du commerce viennent m'honorer à leur tour. Les regardant entrer, je me souviens de la détermination des commerçants islandais, ces guerriers qui rapportaient d'incroyables trésors de leurs équipées. Les richesses s'accumulent grâce au transport de biens précieux, venant de régions éloignées. Mes compatriotes vendaient des esclaves, des peaux ou de l'ivoire dans le sud, alors qu'ici ce sont les pierres fines, les plumes et le cacao qu'on déplace sur de grandes distances. Je m'adresse à eux comme à de vieux complices :

– Mes amis, je vous conjure d'établir des comptoirs aux endroits stratégiques. Je sais, vous cachez jalousement vos itinéraires, aussi, je n'exige pas que vous révéliez les détails de vos négoces. Mais sachez que, si vous répandez le culte de Quetzalcoatl, les tribus éloignées voudront acquérir les produits de Tollan. Vous pourrez conclure des alliances avec les habitants qui profiteront des échanges. Là où on refusera de marchander, imposez-vous par la force. Mes officiers soutiendront votre expansion, je vous fournirai autant de combattants que vous le jugerez utile.

Un commerçant alourdi d'énormes colliers se dresse.

– Seigneur, merci de te préoccuper de la santé de nos affaires. Ton offre démontre ta bonne volonté. Cependant, nous devrons nourrir ces guerriers, ce qui augmentera nos coûts.

— Mes chefs veilleront à l'entretien de leurs troupes. Ils seront dédommagés à même le butin.

Les marchands reçoivent la nouvelle avec un respect mêlé de satisfaction. Ils se sont souvent plaints à Mixcoatl des attaques subies au cours de leurs périples. Ils s'entraînent au combat, mais ils ne sont pas en mesure d'affronter de véritables armées. Dorénavant, ils voyageront en sécurité.

Il me reste les architectes à rencontrer. Je veux leur soumettre les idées dont Mixcoatl et moi avons déjà discuté. Je leur accorde audience le jour suivant.

— Le centre de Tollan sera reconstruit afin de démontrer le pouvoir de Quetzalcoatl. Je veux une cité encore plus splendide que Teotihuacan à son apogée. Nous allons dessiner un nouveau plan de la ville, axé sur les quatre directions du ciel. Il faut d'abord ériger une immense plateforme qui servira de base aux nombreux monuments. Elle devra contenir jusqu'à vingt mille personnes en même temps. Elle sera entourée d'édifices majestueux. Une pyramide, dédiée à Quetzalcoatl, sera érigée par-dessus l'ancienne. Bien entendu, l'entrée qui mène à la grotte originelle sera préservée. Il y aura aussi un temple pour les guerriers et un palais destiné aux trois principales confréries: guerriers, prêtres et marchands. Chacune aura sa propre salle. Ces bâtiments seront reliés par un vestibule à colonnades pour protéger les processions de la pluie et du soleil. Il y aura aussi un terrain de balle cérémoniel, orienté est-ouest selon la trajectoire du soleil, et un autre, directement sur la place, pour les joutes. Commencez par faire une maquette d'argile, en incluant la zone qui s'étend jusqu'à la rivière.

Devant un projet aussi grandiose, l'architecte en chef cligne des yeux, trahissant une certaine nervosité.

– Seigneur Huracan, je suis honoré de pouvoir contribuer à la gloire de Tollan. Je peux aménager une place gigantesque, mais… qu'est-ce que ce vestibule à colonnades ? Nous ne savons pas ériger de telles choses. Même dans les plus beaux palais de Teotihuacan, il n'y en avait pas.

J'imagine les monastères d'Irlande, tels que les décrivait Le Rouge, hauts à s'en tordre le cou.

– Des blocs de pierre taillée seront empilés pour former les colonnes qui seront sculptées à l'image des guerriers. Il vous revient de les faire. Je ne vais pas vous expliquer votre métier.

– Non, bien sûr. Nous verrons pour les colonnes. Un autre détail me tracasse. Si nous construisons des salles immenses, les toits pourraient s'effondrer.

– Pourtant, il faut que des centaines de personnes puissent se réunir en même temps.

– En général, les rassemblements aussi imposants ont lieu à l'air libre.

– À l'air libre ? Mais oui, quelle bonne idée ! Pourquoi attendre que les plafonds s'écroulent ? Donc, pour les trois grandes salles des confréries, c'est simple, percez les toits ! Ainsi, le centre des pièces sera à ciel ouvert. Débrouillez-vous avec les détails. Je veux une maquette dans les plus brefs délais.

L'architecte s'incline au point de se plier en deux.

– Oui, seigneur Huracan. Dès demain, nous commencerons à mesurer le terrain.

– Parfait. Et démolissez les maisons qui gênent.

L'architecte hoche la tête, de plus en plus nerveux.

– Seigneur, devrons-nous détruire le palais de Mixcoatl?

– Mixcoatl est parti au paradis des braves. Ce palais
est maintenant le mien. Il ne sera pas rasé mais amplifié. Et prévoyez de spacieux jardins pour mes cacaoyers.
Mon palais sera à mi-chemin entre les deux pyramides.
Vous pouvez vous retirer.

Parmi tous ces projets, la guerre et le commerce ont
priorité: avant de construire, il faut conquérir de nouveaux marchés. Pour stimuler la ferveur des guerriers, je
multiplie les grades, symbolisés par des animaux: serpents, jaguars, aigles, coyotes. Je dépêche mes troupes aux
limites du territoire, je les accompagne dans les offensives
les plus risquées. En plus de combattre, il faut développer
le culte de Quetzalcoatl et préparer l'aménagement de la
grande place, ce qui requiert quantité de bras et suppose
de nombreuses bouches à nourrir. Les prisonniers les plus
solides sont employés à la construction, les autres aux
champs. Entraînée par l'Homme-dieu, la population de
Tollan redouble d'ardeur. Seuls les sacrificateurs manquent d'ouvrage; je m'en réjouis, eux, beaucoup moins.

La susceptibilité des prêtres et la rancœur des frères
évincés m'inquiètent, car Huemac et moi sommes souvent occupés au loin. La cité est alors administrée par
Ocelotl et Chantico. Lui s'occupe des temples et des prêtres, alors qu'elle gère le palais et les domestiques. Ces
deux-là sont au courant de tout ce qui se trame en ville,
cependant, ils ne sauraient faire face à une rébellion. Les
astres n'augurent aucune catastrophe, mais je me méfie.

J'ai un besoin impératif de personnes de confiance au palais. J'aimerais que Melkolf vienne me seconder, mais il n'apprécie pas la vie de Tollan : trop de gens, de bruit, de puanteur à son goût. Je dois lui envoyer deux messagers avant qu'il accepte de venir chez moi. Il finit par arriver au bout de quelques semaines. Je tente alors de le convaincre :

– Mon ami, je dois m'entourer d'hommes fidèles, surtout que je m'absente souvent. Je voudrais que tu agisses en tant que chef du palais. Je me préoccupe au sujet de Chantico et des enfants. Sais-tu que notre petit troisième arrivera dans quelques mois ? Demande-moi ce que tu désires, je te l'accorderai. Tu peux même devenir seigneur au Conseil, si tu veux !

Melkolf grince des dents.

– Ari, je comprends tes craintes. J'ai aussi les miennes. Mais j'ai horreur de voir le sang couler. Je ne veux pas savoir quelles prêtresses tu séduis le matin ni quels nobles tu convies à tes festins ! Et je ne veux pas croiser cette intrigante de Xilonen ! Chantico ne court aucun danger au palais, on lui voue un immense respect.

Il est bien renseigné pour quelqu'un qui vit hors de l'enceinte. Je dois cependant me résigner, jamais il ne supportera les coutumes locales. Je devrai me fier aux hommes de Huemac. Je ne peux que maintenir Melkolf aux mines, ce à quoi il consent avec joie. Il dirige la plus importante forge de la région et s'occupe du modelage du métal, tâche que j'ai délaissée depuis mon accession au trône. Grâce à lui et aux artisans sous ses ordres, la quantité de métal en circulation, principalement le cuivre, augmente peu à peu. Le commerce est prospère, je lui en suis reconnaissant.

Mal à l'aise, Melkolf se racle la gorge.

– Avant de partir, euh… Malinalli est avec moi. Elle tient à t'offrir quelque chose.

Il s'écarte et j'aperçois sa compagne, debout dans l'ombre de l'entrée. Elle s'avance, son ventre presque aussi proéminent que celui de Chantico. Intimidée, elle me tend un paquet.

– Seigneur Huracan, je n'étais qu'une pauvre servante et tu as fait de moi une riche artisane. J'ai des enfants si forts que les dieux semblent s'être incarnés à travers moi. Toute ma famille profite de ta réputation. De partout, on vient s'installer à Tollan parce qu'ici vit l'Homme-dieu. Même devant Melkolf, des inconnus se prosternent, car on le considère comme ton double. Je suis venue te prouver ma gratitude.

Elle tombe à genoux. Je voudrais l'embrasser tant elle vibre de sincérité, mais l'expression agacée de Melkolf me retient. Avec un coup d'œil complice, je soulève son fardeau.

– Toi aussi, tu as été généreuse envers moi. Merci de ta bonté.

J'ouvre et découvre une superbe cuirasse pectorale, rigide et robuste, épaisse de deux doigts et demi, découpée en forme d'ailes de papillon et finement brodée de minuscules perles d'un bleu lustré. Je suis ébloui. Malinalli a su imiter la brillance magique des créatures de l'étang. Elle murmure à mes pieds :

– L'oracle Quauhtli m'a dit que les papillons symbolisent la métamorphose. Comme celle de Vénus, étoile qui brille le matin, puis le soir, ou celle d'un guerrier qui cache un dieu…

– Ton œuvre est digne des plus grands rois !

Ne pouvant me retenir, je l'étreins pour la remercier. Elle rougit de gêne et de plaisir.

Bien que je leur propose de rester au palais, mes amis repartent le jour même. J'ai l'impression que je ne les reverrai pas de sitôt. Melkolf ne tolère pas les sacrifices humains; il semble détester tout autant que je m'approche de Malinalli. J'imagine qu'il enverra des messagers porter le métal sous prétexte qu'il a trop de travail pour revenir. Il semble aimer sa vie au bord de la rivière. Va-t-il pêcher chaque matin?

Chantico accouche pour la troisième fois. Malgré la fatigue, elle resplendit de joie : elle a une fille. Les oracles insistent pour la nommer Ciukoatl, serpent femelle. Bon, puisqu'il le faut, mais pour moi elle sera ma petite Kiou. Je remarque que deux années séparent chaque naissance. Comme si, chaque fois que mon épouse sevrait un petit, un autre s'annonçait. Peu après, j'apprends que Malinalli a aussi eu son enfant, un deuxième garçon à la peau claire et aux cheveux noirs aussi hirsutes que ceux de son premier.

Les conquêtes requièrent l'essentiel de mon attention, toutefois je parviens à diriger l'aménagement de la place centrale. Je tiens à conserver le style de Teotihuacan pour démontrer mes liens avec les dieux ancestraux, tout en privilégiant le culte de Quetzalcoatl. Après de nombreuses tentatives, l'architecte réussit enfin sa maquette en argile. Tout y est représenté en miniature, depuis les dalles jusqu'aux édifices, avec les escaliers, les colonnades sculptées, les plaques décorées d'animaux, les terrains de balle. L'effet d'ensemble est si impressionnant que je fais exposer son œuvre. L'aperçu des splendeurs à venir calmera les protestations des gens délogés pour faire place au nouveau centre.

La construction n'avance pas aussi vite que je le souhaite, mais j'ignore tout des procédés et les architectes échafaudent toutes sortes d'excuses pour justifier leurs retards. Excédé par cette lenteur, j'insiste auprès du chef de chantier pour qu'il m'initie à son travail, ce qu'il fait avec réticence. Il n'a jamais construit de colonnes, la nouveauté le rebute, il ne veut que répéter ce que ses maîtres lui ont enseigné. Si je me fiais à ce vieux bouc, aucune innovation ne verrait le jour. Aussi je le laisse s'occuper des terrasses et des pyramides, tandis qu'avec les plus jeunes je tente d'ériger des colonnes solides, ce qui exige patience et courage devant les échecs répétés.

Au fil des lunes, la grande place est progressivement dégagée, les gravats des maisons détruites servant de remplissage pour l'érection des principales plateformes. L'architecte dirige d'interminables files de porteurs, chargés de pierres, de gravats, de cailloux, d'argile et de sable, qui convergent vers le centre du site. Les matériaux sont répartis uniformément, puis compactés à l'aide de pièces de bois. Ensuite, des tailleurs façonnent les pierres qui recouvrent les talus extérieurs.

Jaloux de la magnificence qui prend forme, les plus riches Toltèques accaparent les meilleures places entre le futur centre et la rivière. Leurs palais et jardins s'étaleront sur la pente qui mène au cours d'eau. Tant de gens piochent, martèlent et s'agitent qu'un nuage de poussière stagne constamment au-dessus des chantiers et de la ville durant les deux années de travail qu'il faut pour niveler la place, dont la portion nord-est déjà dallée.

Ainsi que je le supposais, après avoir sevré la petite Kiou qui a deux ans, Chantico porte un autre enfant. Sa quatrième grossesse est la plus pénible de toutes ; pourtant, mon épouse n'a que vingt-deux ans. C'est peut-être la fatigue qui l'aigrit, ou mes absences fréquentes : j'ai si peu de temps à lui consacrer entre les guerres, les chantiers et les réceptions d'émissaires. L'accouchement est interminable. Des cris d'agonie traversent le palais, les sages-femmes s'énervent. Grâce à un miracle des dieux, l'enfant finit par naître vivant, même s'il paraît aussi affaibli que la mère.

Le bébé livide à ses côtés, Chantico lutte contre une forte fièvre. Les médecins s'inquiètent, ils prescrivent toutes sortes de cures et la baignent dans de fraîches eaux parfumées. Longtemps elle demeure suspendue entre la vie et la mort. Mes pierres me disent d'être très vigilant. J'insiste pour qu'on la gave de potions à base d'algues vertes et, très lentement, elle reprend des forces, l'enfant aussi. Je remercie les dieux de leur clémence et j'insiste auprès des oracles pour que l'enfant se nomme Eztli, « sang », en souvenir des conditions difficiles de son arrivée parmi nous. Après quelques jours à veiller sur la mère et ses enfants, je me dévoue à nouveau à mes grands projets.

À mesure que les travaux de construction avancent, je tente d'espacer les sacrifices humains, mais progressivement, pour ne pas heurter les prêtres. La majorité des prisonniers est enrôlée dans les équipes des architectes, malgré les protestations des immolateurs. Ceux-ci doivent procéder à leurs multiples cérémonies sans les habituels bains de sang. Pour compenser ce manque, je prône l'automutilation. L'idée est acceptée, mais insatisfaisante. Personne ici ne conçoit l'existence sans sacrifices. Huemac, Chantico et Ocelotl ne peuvent m'aider. Au fond d'eux-mêmes, ils redoutent les cataclysmes que les dieux affamés pourraient déclencher contre la ville. L'oracle Quauhtli ne daigne plus apparaître depuis longtemps. Seul Melkolf pourrait m'être d'un quelconque secours dans les circonstances.

Après un nouveau carnage sur la place en construction, je fais mander mon compagnon. Il est peut-être entêté et colérique, mais il est loyal. Il finit par venir à Tollan. Je le retrouve avec émotion, car je ne l'ai pas vu depuis au moins trois ans. Il a peu changé, sauf pour quelques cheveux gris qui argentent sa crinière. L'importance de sa fonction lui confère une belle prestance. Je chasse les courtisans, puisqu'il déteste les réunions publiques.

— Melkolf, quel plaisir de te revoir! Pardonne-moi si je cause en nahuatl, mais je me sens plus à l'aise dans cette langue.

— Moi aussi. J'oublie même le parler de mes ancêtres irlandais.

— Peux-tu croire que nous sommes en pays toltèque depuis environ treize ans?

— Je ne compte pas les années, mais j'ai l'impression d'être devenu toltèque moi-même. Je me suis accoutumé à leurs façons de faire. À part certaines horreurs que je refuserai toute ma vie.

— Justement. Voilà pourquoi je t'ai demandé. Je veux remplacer les sacrifices humains. Imaginer des cérémonies impressionnantes qui occuperaient les sacrificateurs. Dans quelque temps, nous inaugurerons la grande place et les temples. Si nous pouvions avoir déjà introduit quelque chose…

Melkolf réfléchit un moment.

– As-tu pensé au Christ en croix ? Ce martyre pourrait les impressionner.

– Comment veux-tu qu'ils croient en cette histoire d'un dieu qui meurt comme une victime ! C'est le monde à l'envers ! Les dieux sont des vainqueurs, pas des vaincus ! À moins que tu veuilles te faire toi-même crucifier sur la colline Coyahualco, juste à l'ouest de la ville. En un rien de temps, tu y serais avec ta croix. Les foules adoreraient. Le problème est qu'il faudrait recommencer souvent, les dieux sont aussi voraces que les prêtres… Tu risques de t'épuiser à ce jeu-là.

Melkolf se gratte la tête, perplexe.

– Hum… Oublie la crucifixion. Faudrait quelque chose de plus près d'eux, je ne sais pas…

Il a beau tirailler sa moustache, froncer les sourcils, aucune idée ne lui vient. Je me sens aussi peu inventif que lui. Nous sommes là, tous les deux, à réfléchir en silence, lorsque j'aperçois Xilonen au fond de la cour. Elle tempête contre l'indiscipline des jeunes danseuses, sa canne d'osier fouette l'air furieusement. La prêtresse en chef, dont les attraits s'alourdissent avec le temps, remarque que je les observe. Elle s'enrage plus encore, car je n'ai pas assisté à leurs prestations depuis des jours. En voilà une qui fréquente assidûment les dieux. Et en qui je peux avoir confiance. Je lui fais un signe de la main. Aussitôt, elle délaisse sa troupe et fonce vers moi.

Comme par enchantement, elle retrouve son allure féline, son regard s'allume, ses hanches ondulent. Derrière moi, Melkolf jure : il l'a toujours détestée. Elle avance à petits pas vifs. Avec un sourire de miel, elle papillonne des cils.

– Qu'attends-tu de moi, Seigneur découvert sur les bords du Tecolutla ?

Elle ne manque jamais une occasion de faire allusion à notre premier contact, ce qui m'importune. Je regrette de l'avoir appelée. Je lui lance :

– Je veux des idées pour le temple. As-tu des suggestions ?

Le sourire s'efface, elle espérait autre chose. Elle se ressaisit, serre les lèvres et ferme les yeux pour les rouvrir aussitôt et déclarer d'un air inspiré :

– Je rêve d'un édifice très vaste. Autour, un banc de pierre qui court le long des murs afin que tous puissent être vus et voir ce qui se passe. Des fresques ornent les parois, comme celles du temple que tu as fait détruire pour agrandir la place. Au sol, d'immenses feux les éclairent.

– Rien d'original dans tout cela ! Tu décris la salle d'audience.

– Attends, Seigneur. La nouveauté serait l'autel. Plutôt que l'habituelle pierre du sacrifice, je pense à un autel de forme humaine. Un homme de pierre sur lequel je pourrais danser.

Derrière elle, Melkolf grogne :

– Il s'agit de prier, pas de danser !

– Danser est une façon de prier…, riposte-t-elle.

Je lève la main pour les faire taire avant que la discussion ne s'envenime.

– Xilonen, je ne comprends pas ce que tu veux dire.

Elle sourit, contente d'avoir capté mon attention, et se laisse couler sur les genoux. Elle s'incline vers l'arrière jusqu'à ce que sa nuque prenne appui sur le bord du trône. Jambes et pieds écartés, elle remonte le bassin vers le haut : cuisses et tronc se nivellent. Elle ressemble ainsi à une table ornée d'une tête. Elle tape sur son ventre.

– Voici l'autel. Là où je pourrais solliciter la fertilité de Quetzalcoatl. Ainsi, tous sauraient que mes entrailles sont visitées par les dieux.

Indigné, Melkolf lève le pied pour la jeter à terre. Je m'interpose juste à temps :

– Non ! Attends, Melkolf ! L'idée est intéressante : l'autel, un humain de pierre. Plus besoin de tuer ! Nous aurions un symbole de sacrifice tout le temps devant le temple. Un peu comme ta croix rappelle le martyre du Christ.

Melkolf reste coi, nullement convaincu. Je le repousse et enfourche cette femme-autel.

– Est-ce qu'il ne manquerait pas un détail viril à ton autel ?

Je palpe son sexe humide à travers l'étoffe, à la recherche de quelque chose. Elle éclate de rire, je glisse entre ses genoux et l'embroche. Elle m'agrippe et m'entraîne dans un galop voluptueux. Rageur, Melkolf sort en nous maudissant tous les deux. Tant pis ! Xilonen a peut-être vu juste. Son idée mérite bien quelques attentions…

CHAPITRE XIX

L'empire

Au terme de dix années de travail acharné, grande place, pyramides et temples, palais, colonnades et terrains de balle sont enfin achevés. Les expéditions armées se sont avérées si fructueuses qu'en plus du centre j'ai fait remodeler les principaux quartiers de Tollan. Aujourd'hui, nous inaugurons la nouvelle cité. Les façades fraîchement décorées resplendissent de couleurs, des bannières neuves flottent devant toutes les portes ; tant d'opulence renforce la foi du peuple en l'Homme-dieu.

Dans la lumière jaune du levant, j'admire mes créations, pendant que la foule massée à l'extérieur attend d'entrer sur la place pour la cérémonie. Une clameur d'impatience parvient jusqu'à moi, cependant, les célébrations ne commenceront pas immédiatement. Huemac m'a demandé un peu de temps pour préparer les guerriers. J'en profite pour faire admirer à Melkolf l'ensemble, lui qui n'a rien vu puisqu'il n'a pas mis les pieds à Tollan depuis des cycles. Peut-être cinq années. Il lui a fallu tout ce temps pour me pardonner notre dernière rencontre, alors que j'avais donné raison à Xilonen.

Fasciné par l'immensité colorée, mon compagnon se laisse entraîner vers le petit monument érigé au cœur de la place en l'honneur de mon père adoptif, Mixcoatl. Pour que la sagesse du défunt roi irradie sur toute la ville, j'y ai fait enfouir son crâne et son premier collier solaire, seuls vestiges retrouvés dans sa sépulture ouverte lors des rénovations. On ne sait quand sa tombe a été pillée, les bijoux et les armes, subtilisés. Le nouveau tumulus, haut de quatre pieds, remplace celui de la grotte originelle. Un escalier s'adosse à chacune de ses quatre faces. Nous montons. Une fois au sommet, Melkolf lance, l'air abasourdi :

– Ari, c'est incroyable! Cette petite pyramide… quand on est dessus, on voit que les escaliers forment une croix. C'est voulu?

– Je l'ai dessinée en pensant à toi.

Melkolf pivote sur lui-même, bouche et yeux arrondis d'éblouissement. Sa réaction augure celle des Toltèques. Content, je me laisse moi-même aller à l'émerveillement.

Autour de nous, la place déploie ses larges dalles polies jusqu'au pied des édifices tout neufs qui s'élèvent en une formidable enceinte. Un impressionnant vestibule soutenu par des centaines de colonnes décorées, comme il n'en existe nulle part ailleurs, relie les palais aux pyramides. À toutes les entrées, des jaguars ou des guerriers de pierre montent la garde, tenant un mât d'où se balancent les enseignes des différentes confréries. J'arrache Melkolf à sa contemplation.

– Ce tombeau, c'est pour la vue d'ensemble. Viens voir mon palais, tu ne le reconnaîtras pas.

L'extérieur est entièrement recouvert de nacarat, couleur du soleil levant. Ouvert en direction des plaines irriguées du nord qui s'étalent jusqu'au mont Xicoco, il est entouré de superbes jardins égayés d'étangs pleins de poissons, de plantes et d'oiseaux aquatiques. Le toit ajouré de la pièce centrale laisse affluer la lumière dans les pièces disposées autour. Nous passons rapidement, d'abord dans celle tournée vers l'est, qui arbore des murs de nacre rouge, puis dans l'autre, aux parois irisées de plumes de quetzal qui donne sur l'ouest. La pièce du sud brille de plumages jaunes, alors que celle qui fait face au nord est entièrement tapissée de duvet blanc, ce qui m'émerveille.

— Rends-toi compte, Melkolf, le blanc symbolise le Nord !

— C'est fou, personne ne connaît l'hiver ici !

— Le blanc serait associé aux pluies qui viennent du nord, selon ce que j'ai appris. Je n'ai pas plus de détails.

Melkolf hausse les épaules. Nous retraversons les jardins. Mon compagnon s'attarde au bord d'un étang, je m'impatiente.

— Allons, viens ! Oui, je sais, c'est plein de poissons !

— Mais j'en reconnais plusieurs… Est-ce que je pourrais pêcher ?

— Oui, mais pas ce matin ! Dépêchons-nous avant que la foule arrive.

Nous nous dirigeons vers la droite, où s'élève le temple monumental de Quetzalcoatl, la plus magnifique de toutes les constructions. Il nous faut gravir une pyramide à quatre plateformes, recouvertes de tablettes de pierre sculptées de figures animales sur fond carminé. De chaque côté de l'entrée, deux énormes serpents de pierre, tête en bas comme s'ils descendaient du ciel, supportent de leur queue repliée un linteau ouvragé. Entre les deux têtes aux crocs menaçants, Melkolf se signe en faisant la moue.

— Ton admiration pour les serpents ne se dément pas.

— Et ton dédain pour ces bêtes non plus.

Amusés, nous pénétrons dans le temple. Au fond, éclairées par une multitude de torches, huit gigantesques colonnes soutiennent le toit orné de serpents emplumés. Quatre d'entre elles personnifient de formidables guerriers, marqués de l'étoile du matin, armés et casqués, avec leurs cuirasses en forme de papillon. Nous en faisons le tour. Dans leur dos, au centre de l'écu qui protège les reins, se trouve le visage d'un joueur de tlachtli, comme si les guerriers avaient des yeux partout. Les quatre autres piliers présentent des symboles de guerre, des motifs de serpents et de végétaux. L'ampleur de l'œuvre, fruit d'un labeur héroïque, m'emplit d'une fierté indicible. Les bras ballants, Melkolf en oublie de se signer.

— Ari, tu t'es surpassé! Jamais je n'ai vu quelque chose d'aussi… heu… énorme!

— Je voulais honorer les guerriers de manière particulière. Ces statues glorifient leur courage, leur force.

— Comment as-tu pu réussir tout ça?

— Ah! Il a d'abord fallu trouver la manière de les construire, puis transporter les blocs de basalte par radeaux sur la rivière Texcalapan.

— Par quel prodige les avez-vous montés jusqu'ici?

— Nous avons installé une rampe. Pendant que les esclaves tiraient à l'aide de cordes, on enduisait la pente de sève d'aloès pour la rendre glissante. Il y a eu des accidents. Un bloc a dévalé, écrasant des gens. Quand tout le basalte a été hissé au sommet, nous avons empilé

les pièces grâce à des tréteaux, des mâts, des cordages…
et beaucoup d'efforts !

– Ça en valait la peine…

– Oui, ainsi érigés à l'intérieur du temple, ces guerriers assurent la suprématie de Quetzalcoatl. J'espère qu'ils inciteront les vrais guerriers à en faire autant.

– Ces géants vont peut-être stimuler tes combattants, mais, moi, j'ai l'impression d'être écrasé par ces monstres.

– C'est bien ce que je veux ! Que mes hommes soient exaltés, mais que les prétentieux des alentours soient terrifiés. Allons dehors, j'ai autre chose à te montrer.

– Qu'est-ce que tu as encore imaginé ?

Nous avançons au soleil vers la bordure de la plate-forme supérieure et nous nous dirigeons à l'arrière du temple. Je pointe le doigt vers une structure au pied de la pyramide.

– Vois-tu en bas ces corps couverts d'écailles ? C'est la muraille à l'effigie du serpent ailé. Remarque les queues dressées qui servent de créneaux.

– Ingénieux. Ton mur sépare l'espace sacré des quartiers de la ville.

– Exactement ! Là se trouve l'entrée réservée aux guerriers de passage. Quand ces barbares franchiront la porte, ils sentiront clairement qu'un être tout-puissant les accueille.

– C'est réussi…

– Ce n'est pas tout. Je veux que tu voies le palais des confréries. Traversons de l'autre côté.

Avant de descendre, nous passons devant un homme de pierre, sur le dos, genoux et tête relevés. Melkolf lui tapote le casque.

– Tu l'as finalement construit, l'autel de la danseuse.

– Avoue que c'était une bonne idée.

– Mais il n'est pas tout à fait comme l'avait suggéré Xilonen. Il lui manque un détail.

– Ah, le détail mâle... tu t'en souviens! Tu as la mémoire longue. J'ai modifié un peu l'idée de base. Je n'aime pas exhiber les prêtresses, elles suscitent trop de convoitise. Elles gagnent à demeurer cachées, au service des dieux.

– Je comprends. La sculpture est nettement mieux comme ça.

– C'est le meilleur tailleur de la région qui a proposé des modifications, dont cette coiffe des joueurs de balle, perforée pour recevoir des plumes. Il a tourné la tête de l'idole vers la foule et lui a donné une posture de joueur de tlachtli. Quand j'ai vu l'esquisse de son homme-autel, j'ai tout de suite aimé.

– Toi, aimer un guerrier de pierre! Je savais que tu convoitais tout ce qui bouge... Mais, manques-tu d'esclaves à ce point-là?

Les épaules de mon compagnon tressaillent, les lèvres serrées, il essaie de contenir son rire. Je lui donne une bourrade.

– Melkolf! Comment oses-tu dire cela à ton souverain? Impie! Cet autel personnifie le drame originel de la Création, la lutte du soleil contre la noirceur. Le joueur recrée la course de l'astre avec sa balle.

– Oui, oui...

– Mais ici, le joueur devient le porteur des offrandes... Logique, non? Mes hommes-autels seront consacrés aujourd'hui.

— Si ça peut nous épargner des sacrifices… Mais je n'en vois qu'un. Il y en a plusieurs ?

— Oui, un deuxième trône sur la grande pyramide. Les autres sont dans les salles. Suis-moi, il nous reste un peu de temps.

De l'autre côté du temple, nous nous arrêtons devant un édifice splendide. J'en suis assez fier.

— Le palais est divisé en trois parties. Chacune correspond à une confrérie. La première façade est recouverte de feuilles dorées orientées de façon à étinceler au soleil levant.

Melkolf émet un long soupir de contentement.

— Je les reconnais, ces feuilles de métal, je les ai fait polir une par une. L'effet est saisissant !

J'admire l'ensemble, sans pouvoir décider laquelle des trois devantures est la plus belle. La suivante, avec ses plaques argentées qui miroitent comme les eaux, rappelle la rivière ; son intérieur est couvert de nacre blanche. La troisième, à l'ouest, a sa porte ouverte en direction du cours d'eau : destinée aux marchands, elle est embellie de turquoises. Ces salles comportent des bancs de pierre, des murales, des cavités dans le sol pour les feux. Melkolf s'étire le cou.

— Et ce grand trou carré, devant la porte du milieu, c'est quoi ?

— C'est le bain pour les joueurs de tlachtli. Ils pourront se purifier avant les joutes. Nous mettrons des pierres chaudes dans l'eau.

— Ils sont bien traités, ces hommes.

— Oui. Ils le méritent bien. Il a fallu penser à tout et pas seulement aux joueurs. Remarque les cours intérieures inondées de lumière. Grâce aux toits ajourés, l'encens peut monter directement vers les dieux.

– Qu'est-ce que tu fais quand il pleut?

– Des bassins sont creusés dans le sol, juste sous les ouvertures. Ils captent l'eau qui est ensuite évacuée vers la rivière.

– Très habile!

– Trop aimable. Au fond, j'ai fait aménager de petites pièces pour célébrer les offices sacrés. La foule ne sera pas admise.

– Qui va y assister, alors?

– Uniquement les personnes de rang supérieur, qui seront aussi les seules à pouvoir m'approcher. Je vais ainsi réduire le cercle des initiés. Je ne paraîtrai que lors des rassemblements les plus importants. Moins on m'apercevra, plus on croira en ma divinité.

– C'est dans ces lieux clos qu'auront lieu les sacrifices d'animaux dont tu m'as parlé?

– Oui. Le peuple ne verra que les boîtes contenant les offrandes. Elles seront déposées bien à la vue sur les hommes-autels. Le sang animal remplacera celui des humains.

– C'est ce qui m'a décidé à revenir en ville. Je n'arrive pas à croire qu'on va enfin se débarrasser de ces horribles tueries.

– Peut-être pas complètement au début, mais avec le temps, oui.

– Ari, on te fait signe là-bas.

– Tout semble prêt. Allons rejoindre Chantico et Malinalli qui s'installent sous le dais.

Nous nous hâtons vers le temple de Quetzalcoatl. Je sens la place entière vibrer d'une harmonie guerrière, d'un esprit de conquête. Tant de merveilles m'enchantent. Devant les sombres serpents, les jaguars aux crocs sortis et les sentinelles de pierre, nos ennemis imploreront clémence. Les visiteurs sauront que Quetzalcoatl réserve ses faveurs aux habitants de Tollan.

Entourés des meilleurs officiers de l'empire, Chantico et nos quatre enfants, parés de bijoux et de plumes, se tiennent en avant, sous l'abri royal. Mimix, qui a quatorze ans et l'ambition d'un chef, dépasse déjà Chantico d'une tête ; Ye-Olin, qui en a douze, devrait en faire autant bientôt. La petite Kiou ressemble à sa mère, avec les mêmes mouvements gracieux des mains et son sourire à fossettes. Eztli, le cadet, vient d'avoir huit ans, je ne sais pas à qui il ressemblera. Après lui, Chantico n'en a pas eu d'autres. Ma famille attend le début de la cérémonie en compagnie de Malinalli et de ses nombreux rejetons. Avec les années, cette femme a gagné la confiance de Chantico et est devenue sa principale confidente, ce qui est loin de me déplaire, car j'ai une confiance absolue en elle.

Avant de monter au temple, je revêts la cuirasse d'apparat confectionnée spécialement pour l'occasion : toute en petits carrés de nacre rouge, avec une frange de coquillages blancs. Suivi de Melkolf, je m'abrite sous le dais. Mon rêve d'une ville grandiose s'étale à mes pieds ; me voilà donc, à trente-six ans, prêt à imposer ma volonté sur le monde connu et même au-delà. Les peintres immortalisent la grande place où trône l'Homme-dieu dans toute sa gloire. La foule s'impatiente, les musiciens guettent mon signal. Je lève mon épée d'obsidienne. Que la fête commence !

Là-haut, sur la colline, les trompettes et les grands tambours résonnent pour annoncer à toutes les villes autour des lacs que Quetzalcoatl consacre sa cité, la plus riche de toutes. La multitude envahit la place comme l'eau se répand à la rupture d'une digue.

Grâce aux cérémonies d'inauguration, le rôle prédominant de Tollan est assuré dans toute la région. Les représentants des communautés, qui ont assisté aux célébrations, répandent partout la nouvelle de la magnificence inégalable de Tollan. Tel que je l'avais prédit, on s'arrache nos produits, valorisés plus que tous les autres. Mixcoatl ne reconnaîtrait pas sa ville, nantie comme jamais, débordante d'activité.

Pour le plus grand bien de Tollan, j'épouse la ravissante fille du roi de Chololan. Je jette aussi mon dévolu sur une femme à la beauté émouvante, celle-là issue d'une riche famille de planteurs de Xochicalco. Chantico approuve ces alliances qui consolident notre position. Elle sait pertinemment qu'en tant que première conjointe elle a préséance sur les autres qui lui doivent obéissance. Les maisons des épousées reçoivent des cortèges de nobles qui, chargés de présents, occupent les routes pendant des jours et marquent l'imagination populaire à jamais. Je reçois même une épouse itza envoyée depuis les Basses-Terres, sises à quelques lunes de marche vers l'est. Étrangement, cette dame, par ailleurs délicieuse, a les yeux qui louchent, à ce qu'on me dit un signe de beauté suprême chez les Itzas. Je remercie les émissaires de cette terre lointaine, sans toutefois partager leurs goûts. Par ces unions, je consolide mes droits sur les comptoirs, ainsi que sur les routes du sud et du nord.

Les liens officiels avec les villes de Mictlan, Cholo-lan et Xochicalco nous facilitent le commerce d'un bout à l'autre du bassin central. Notre influence progresse aussi le long du littoral, vers le levant, étant donné nos liens avec les Itzas des Basses-Terres. Les régions soumises payent un tribut en tissus de coton et d'agave, en poteries, plumes, pierreries, minéraux et sel. Les pièces de coton, réservées à l'élite, incluent des cuirasses, des capes pour les hommes, des jupes et des mantes pour les femmes. De plus, les paysans de toutes ces contrées fournissent du maïs, des fèves, des graines d'amarante, des herbes médicinales et des épices. Tollan vit dans une extraordinaire abondance.

La ferveur envers Quetzalcoatl s'intensifie : on confond le dieu avec son prêtre, Ce-Acatl Topiltzin. Les symboles de l'étoile du matin, ou carrément mon effigie emplumée, ornent les boucliers, les coiffures, les colliers. Déité à la fois maléfique et généreuse, je suis craint et admiré. Les élites de Tollan se divisent entre jaloux et adorateurs. Chez les nobles qui me vénèrent, le port d'une petite barbe devient un signe distinctif. Plusieurs s'affublent de postiches collés ou attachés au menton, teints en roux le plus souvent, quand les poils ne sont pas directement incrustés sous la peau. Personne ne tente d'imiter la toison noire et abondante de Melkolf.

Depuis que j'ai été consacré Homme-dieu, à la mort de Mixcoatl, rien n'entrave ma puissance. Quelques offrandes de prisonniers maintiennent les tribus insoumises dans la terreur et satisfont les sacrificateurs. Nos alliés viennent séjourner à Tollan pour connaître nos façons de vivre, réputées pour leur raffinement. Des rencontres officielles entre les représentants de plusieurs peuples ont lieu presque chaque jour dans le palais des confréries. Les visites des différents groupes coïncident avec les fêtes de leurs dieux protecteurs. Les cérémonies, célébrées dans le plus grand faste, épatent tous ces nobles provinciaux qui repartent de la ville avec des récits de grandeur. Ma renommée tient en respect les princes envieux.

Je me fais ériger des résidences, dont une dans les bois, pour goûter un peu de fraîcheur lorsque la chaleur devient accablante. Plantée dans un endroit enchanteur, face à la rivière large et limpide, la demeure, habillée de turquoises, disparaît parmi les arbustes et les fleurs. Sur la terrasse, des fêtes somptueuses sont organisées pour les invités de marque. Le pulque coule à volonté et des musiciens jouent sans relâche. Souvent, le jour surprend les convives encore occupés à danser et à chanter.

Dans une petite baie en contrebas, j'ai fait aménager une plateforme au-dessus de l'eau. Le soleil transperce le feuillage et éclabousse la crique de lumière verte. De grands papillons bleus, dont les chenilles sont importées de Mictlan, animent les rives. J'entraîne les plus jolies filles du royaume dans cette retraite exquise où les bains deviennent des exercices quotidiens. Aucune de ces belles ne sait nager; facile de les épater avec quelques mouvements de poisson. Je plonge nu au cœur du courant, puis émerge pour les observer se dénuder et m'attendre, timides, les pieds dans l'eau. Excité, je bondis sur l'élue du moment et l'étends sur la mousse. Si la nymphe manifeste la moindre réticence, je la pousse dans le courant. Lorsqu'elle panique, je la ramène au bord. Pleine de gratitude, elle s'offre alors sans résistance, toujours dans l'eau, les fesses calées dans la boue tiède.

Les plus voluptueuses sont consacrées prêtresses sous les ordres de Xilonen et réservées aux dieux; elles vivent ensuite dans les appartements attenants aux temples qu'elles entretiennent, sans contact avec l'extérieur. Une légion de prêtresses, vouées à mon culte et à mon bien-être! En souvenir de Mère, je vais parfois les soirs de pleine lune communier avec les dieux, et quelques-unes de mes favorites, sur la colline sacrée, le Coyahualco. Je prie la lune de m'accorder sa clairvoyance. Après les offrandes du sang, je goûte aux plaisirs de copulations divines.

Un jour où je reviens d'une séance particulièrement agréable au bain, quelque peu ivre et remorqué par deux beautés à la peau encore humide, je vois Melkolf qui nous toise du haut de l'escalier. Il n'attend même pas que nous parvenions à sa hauteur pour gueuler en norois:

— Ivrogne! Écumeur de pulque!

— Est-ce que je t'ai fait demander?

Par défi, je serre les deux jeunes femmes contre moi, alors qu'elles voudraient fuir l'orage. Je m'appuie sur elles pour monter dignement. Melkolf croise les bras, je perçois autour de sa tête un halo de rage.

— Tu ne tiens même pas debout! Un roi dans cet état. Et avec ces femmes…, grogne-t-il en nahuatl.

— Tu pourrais en avoir autant, si tu n'avais pas aussi peur de ton dieu!

— Laisse Dieu tranquille, Ari! Tu ne respectes donc rien?

— Oh! oui! voilà ce que je respecte: le sexe, dis-je en enfouissant ma main entre les cuisses d'une des suivantes.

Devant mon geste provocateur, Melkolf crache par terre.

— Tu me dégoûtes!

Il me tourne le dos. Je réconforte mes deux beautés:

— Ne craignez rien, je vous défendrai contre le gros monstre.

Piqué au vif, Melkolf revient sur ses pas.

— Le prétendu Homme-dieu s'imagine au-dessus de tous. Tu te vautres avec des femelles, au vu et au su de tous. Pire, tes capitaines t'imitent... Ils ne partent plus en expédition parce qu'ils réservent leurs matins à prier avec toi dans ton jardin consacré au cul!

— Tu en sais des choses! Mais tu ne comprends rien. Les dignitaires m'envoient leurs filles pour qu'elles engendrent des hommes grands comme moi, qui seront ainsi plus aptes à défendre les leurs. Voilà pourquoi les ventres les plus dignes de cette ville m'approchent et gardent jalousement le fruit que je leur ai donné. Personne ne s'en plaint, sauf toi!

— Les échos de tes frasques circulent partout. Les servantes colportent le détail de tes beuveries, tes dons de femmes aux seigneurs de passage, les naissances de tes nombreux enfants.

— Et les tiens? Si je ne me trompe, Malinalli en a plusieurs! Je ne sais plus combien de filles et deux garçons solides... Comme toi! Pourtant, je ne l'ai pas honorée depuis des lunes. Elle est à moi, je peux la reprendre n'importe quand!

Melkolf blêmit et lève les bras, paumes en l'air.

— Non, Ari, c'est impossible, Dieu a béni notre union...

— Sans ma permission! Vas-tu me dédommager? Quel scandale! Toi, uni à une païenne...

— Malinalli est devenue chrétienne. Elle croit en Dieu, soupire-t-il avec ferveur.

Quel naïf! Je revois Leif faire ses offrandes à Thor avec des signes de croix. On peut oublier la langue de ses ancêtres, mais pas ses dieux. Malinalli chrétienne?

— Trahirait-elle Quetzalcoatl?

Melkolf recule.

— Non! Personne ne trahit qui que ce soit. Ari, tu rends tout si difficile... Je suis venu ici pour te recommander de ne plus t'enivrer en public. Tu connais les lois...

— C'est moi qui les fais, les lois.

— Pas toutes. À Tollan, ceux qui boivent trop sont battus à mort, quand ils ne sont pas étranglés sur la place publique. Jusqu'à maintenant, on ne t'a pas imposé ces lois, mais tu n'es pas invincible...

Soupçonnant soudain l'importance de ses propos, je relâche les deux biches qui déguerpissent. Je fais tourner mes pierres divinatoires. Je flaire une menace. Je regarde Melkolf droit dans les yeux.

— Qui t'envoie me parler ainsi?

— Euh... Ari, il faut que tu saches. Huemac, Ocelotl et moi pensons que tu cours de graves dangers si tu continues ainsi.

— Ah, le complot s'évente! Huemac et Ocelotl... Ils ont peur de le porter eux-mêmes, leur message?

— Ils disent que tu n'écoutes pas. Tu festoies sans arrêt.

— Pourtant, Huemac ne se gêne pas avec les prêtresses...

— Peut-être, mais il ne s'enivre jamais en public. Et il n'y a pas que lui qui se fait du souci. Chantico et Malinalli aussi s'inquiètent.

— C'est une conspiration! On veut me détrôner?

— Au contraire, tu sais que nous te sommes fidèles. Mais il faut que tu sois vigilant, ton style de vie, tes richesses font des envieux. N'oublie pas cet oncle à qui Chantico était promise. Il te déteste à mort et est plus jeune que toi, il fomente sans cesse des troubles.

Pauvre Melkolf, il paraît vraiment préoccupé. À le voir aussi soucieux, ma colère s'évanouit dans l'air calme du soir.

— Cet orgueilleux? Il est sous haute surveillance. Ne t'inquiète pas, je tiens solidement l'empire entre mes mains. Et à l'avenir, si ça peut te rassurer, je ferai attention avec le pulque.

Soulagé par le changement de ton, Melkolf s'essuie le front.

— Oui, mieux vaut être prudent. Et puis... j'ai autre chose à te demander, dit-il après une longue expiration. J'aimerais baptiser les enfants qui ont du sang chrétien dans les veines.

— À part toi, je ne connais aucun autre chrétien ici!

— Souviens-toi que Leif t'a baptisé. Des esclaves m'ont raconté la cérémonie quand le Chanceux est revenu de Norvège. Je sais que tu étais là. Donc, tu as été baptisé et je me sentirais soulagé si je pouvais consacrer les âmes de tes enfants à Dieu.

La modestie de sa dernière requête m'amuse.

— Tu aurais dû le dire plus tôt, au lieu de chicaner pour rien. Veux-tu bénir tous mes enfants ou seulement ceux de mes épouses légitimes?

— Non, tous tes descendants. On pourrait faire des baptêmes collectifs.

Tout à coup, j'imagine les nobles familles défiler avec leurs petits devant la foule béate qui ne demande qu'à être émerveillée. Moi qui cherchais à introduire de nouveaux rituels. Voilà une fameuse idée! Ainsi, les dignitaires touchés par la grâce divine seraient mis en valeur. Et la plèbe se réjouirait. Je passe mon bras autour des épaules de Melkolf.

— Mon bon ami, nous organiserons ces baptêmes dans les plus brefs délais. Tu m'aideras.

Il indique la rivière avec une grimace de bonheur.

— On pourrait les faire au bord de l'eau, sur la plateforme. Il serait facile de baigner les enfants.

L'idée que mon repaire serve aux baptêmes m'horripile.

— Non, l'endroit est difficilement accessible. Il faut une célébration imposante devant la multitude. Nous baptiserons en pleine place centrale, sur le monument en croix. J'y ferai installer une cuvette. Tu béniras l'eau, je plongerai chaque enfant avant de l'élever vers le ciel pendant que tu prieras. Il faut un rituel joyeux, les prêtresses danseront avec leurs grelots.

Melkolf plisse le nez. Il finit par accepter, à condition qu'il puisse consacrer les âmes, puis partir avant la musique et les danses.

Melkolf baptise d'abord ma progéniture, ainsi que mon premier petit-fils, un gaillard qui n'apprécie pas l'eau fraîche. Toute la foule l'entend brailler! L'an dernier,

Chantico a organisé le mariage de Mimix lorsqu'il a eu quinze ans. Elle a négocié pour le retirer de l'école tenue par les prêtres. Elle a choisi l'épouse parmi l'élite toltèque et fixé les conditions de l'alliance. Moins d'un an après, voilà que j'ai un petit-fils !

Les célébrations de Melkolf obtiennent un succès immédiat. Il parade vêtu d'une longue cape blanche à capuchon, tel un moine. Les femmes de la noblesse se battent pour faire reconnaître le sang divin de leurs enfants : tellement que Melkolf doit refuser, du moins temporairement, de nombreux cas suspects. Les prêtres qui l'assistent reçoivent des présents somptueux en échange du droit au baptême. Pour garder un certain contrôle, Melkolf insiste pour que je reconnaisse chaque mère. Quelle corvée…

Les baptêmes offrent l'avantage de forcer Melkolf à revenir souvent à Tollan. J'aurais dû y penser plus tôt. Discrètement, sans évoquer la discussion de la terrasse, je tiens compte de son avertissement. Je sais que Huemac voudrait que je participe plus souvent aux attaques et qu'Ocelotl, vieillissant, rêve de m'exhiber tous les jours sur la grande place. À regret, je délaisse les fêtes et me consacre aux cérémonies, aux entraînements et au combat. Devant l'ardeur renouvelée de l'armée quand je suis à sa tête, d'autres villes se soumettent. Les migrants, déplacés à la suite des guerres, affluent par vagues vers Tollan, attirés par les richesses qui y circulent.

Son roi parti guerroyer, Chantico préfère quitter le palais de nacre, envahi par les émissaires et mes nombreuses épouses. Elle a fait rénover une ancienne résidence royale située sur une petite colline, près du temple rond dédié au dieu du vent, Ecehatl. J'admire son astuce. Depuis mon arrivée dans la tourmente, Quetzal-coatl est associé à ce dieu. Qu'elle aille vivre dans le recueillement près du temple d'Ecehatl paraît normal. Lorsque je séjourne à Tollan, je la rejoins la nuit venue. J'apprécie la vie tranquille de sa vaste demeure. Tout ce qui s'y passe demeure secret.

Entre les expéditions guerrières, je jouis de moments privilégiés dans mes palais, soit de la rivière, soit de la place centrale, ou de la colline du vent, parmi épouses, courtisanes et prêtresses. Même averti par les augures de Mère, jamais je n'aurais espéré une telle existence, un tel luxe.

Chapitre XX

Par ravins et par cimes

Malgré ma puissance et la terreur qu'inspire Quetzal-coatl, l'armée ne parvient pas à dominer tout le territoire d'un océan à l'autre. Nous contrôlons des comptoirs éloignés, mais pas les terres qui les séparent de Tollan. La résistance des peuples de l'ouest m'agace : il faut sans cesse renégocier avec eux au sujet de l'or et du cuivre, mais ces ententes se défont sans raison apparente. Avec Huemac et mes meilleurs capitaines, je projette d'écraser cette insurrection qui couve. Chololan, qui a tout à gagner de l'affaiblissement de ses voisins, se joint à nos forces. Nous fonçons en masse vers le sud-ouest.

Le lendemain du départ, des torrents s'abattent sur les montagnes. Avec des messagers à pied comme seul moyen de communication, coordination et ravitaillement sont difficiles. L'armée tarde à franchir certains cols et l'ennemi réussit à diviser nos forces. Après cinq jours très durs, l'expédition vire au cauchemar. Je me retrouve bloqué avec ma compagnie d'élite au creux d'une vallée fermée, encerclé par des troupes mieux armées que nous. Les flèches s'abattent en pluie dense. Des nuées de guerriers fondent sur nous dans une clameur assourdissante. Nous ripostons avec vaillance, mais nous sommes en nombre inférieur et notre situation paraît désespérée. Je reçois plusieurs coups vicieux : par le sang qui coule, je crois avoir le crâne fendu et ne peux me tenir que sur une jambe, ayant une profonde entaille à la cuisse gauche. À la tombée du jour, blessé, les pieds enfoncés dans une terre gluante de sang, je sens la mort s'approcher. Les walkyries m'appellent, je suis prêt à m'envoler vers elles.

Tout à coup, les couleurs de Tollan se dressent en bordure des collines, derrière l'ennemi. Huemac arrive à la rescousse avec un solide détachement, trop content de réduire à néant un ennemi épuisé par une journée de combats. Il triomphe facilement, mais je ne peux l'accueillir en héros, car j'ai peine à tenir debout et on doit me soutenir pour regagner le camp.

L'affrontement se termine sans gloire. Les peuples de l'ouest conservent leurs villages et les mines. Quant à nous, nous retournons à Tollan avec une armée décimée, au milieu de la consternation générale. On cache ma civière pour regagner le palais afin que la population en sache le moins possible sur l'ampleur de notre déroute.

Physiquement et moralement amoindri par cette cruelle défaite, je me retire chez Chantico afin de me faire soigner loin des regards indiscrets. Terrassé par la fièvre, je revis sans cesse la bataille. Je prends conscience que, comme Mixcoatl jadis, je me suis cru invincible, j'avais oublié que les dieux se montrent parfois ingrats. Cependant, au contraire de Mixcoatl, je guérirai de mes blessures, même si je dois passer des semaines de souffrance à espérer que les plaies se cicatrisent.

Alité, la main accrochée à mes pierres de clairvoyance, je ne peux qu'observer Chantico qui régit son palais et les miens, les domestiques, les provisions de toutes sortes. Elle s'occupe aussi des écoles réservées aux enfants des nobles, éduqués par les meilleurs prêtres et scribes du royaume afin qu'ils puissent remplacer leurs aînés le moment venu. Erik le Rouge faisait de même pour ses enfants légitimes. Immobilisé, conscient par moments, je n'en admire que plus les talents et la détermination de ma première épouse. Pendant toutes ces années où j'entretenais les visiteurs de haut parage et que je guerroyais contre les barbares, elle gérait Tollan et sa région grâce à un réseau tissé serré d'agents et de scribes qui lui sont tous vaguement apparentés. Je souris en pensant à mon exceptionnel destin : non seulement les dieux m'ont fait un des leurs en cette terre d'abondance, mais ils m'ont donné en plus une femme capable d'administrer un empire. Et de houspiller les médecins pour les forcer à me guérir au plus vite.

À mesure que j'émerge du délire de la fièvre, je prends contact avec la dure réalité. La torpeur est chassée par une inquiétude sourde qui m'envahit tout aussi sûrement. Depuis des jours, de nombreux nobles viennent s'entretenir avec Chantico. À leur allure, je devine qu'ils apportent de mauvaises nouvelles. Des bribes de conversations m'effleurent, il y est question de pluies insuffisantes, de récoltes sur le point de brûler sur pied, de mécontentement général. Ainsi, le déluge qui a ruiné notre campagne militaire aurait été la seule pluie de la saison.

Il faudrait que j'aille fouetter les esclaves et haranguer les artisans, mais je peux à peine bouger. Ces lâches profitent de mon incapacité pour exiger des sacrifices humains sur la place centrale. J'enrage! Comment ose-t-on me défier? Bien sûr, la sérénité de la ville dépend beaucoup du niveau de l'eau dans les barrages de la rivière; s'il baisse trop, impossible d'irriguer. Les récoltes peuvent alors se perdre en quelques jours. De plus, je sais qu'à cause des guerres nos réserves de grains sont au plus bas. La situation est réellement préoccupante.

Un jour, Ocelotl vient me voir. Il avance avec peine, le dos raide, appuyé sur un bâton. Je remarque pour la première fois à quel point il paraît vieux. Lors de notre première rencontre, il semblait éternel comme les dieux. J'avais peut-être vingt ans, j'en ai maintenant presque le double, et lui, il paraît sur le point de se volatiliser. Il discute d'abord à voix basse avec Chantico, puis, complices semble-t-il, ils s'approchent doucement de moi. Mon épouse m'adresse un pâle sourire, tandis que le grand prêtre prend la parole:

— Seigneur Huracan, malgré ton mal, il faut que tu nous écoutes. Un grand malheur se prépare. Les récoltes se perdent, on nous accuse de négliger les dieux. Les prêtres doivent nourrir les idoles au plus vite, sinon nous sommes condamnés à la sécheresse.

Chantico me caresse le front, puis la main pour m'encourager.

— Tu sais, dit-elle, pendant que Melkolf baptise les enfants d'origine divine, on offre en secret des cœurs humains sur les autres pyramides de la ville. Mais pas en ton nom…

— Qui désobéit à mes ordres?

— Le frère de mon père.

— Ah! L'oncle maudit à qui tu as échappé… Encore cette sangsue! Il était pourtant loin au nord. Est-il déjà de retour?

— Oui, depuis une lune. Dans ton état, tu n'as pas vu les nuits passer. Ton absence lui a permis de se tailler une place dans la ville. Il est orgueilleux et rusé. Il se fait maintenant appeler Tezcotlipoca, Prince des Ténèbres, par opposition à ta filiation au soleil.

— Il s'est approprié le nom d'un dieu! Quel insolent! Il n'a même pas de lien avec les dieux. Pour moi, il n'est que Tezco!

Ocelotl et Chantico se regardent, puis me lancent le même regard sévère. Ocelotl se racle la gorge.

— Peut-être, mais, avec son charisme, il convainc les mécontents qui se joignent à lui. Il affirme partout que Tollan vit une crise parce que les dieux sont affamés. Et comme c'est toi qui as interdit de nourrir les idoles de sang frais…

Il faut reconnaître que nous vivons une période difficile. Ma divinité doit pâtir de notre échec contre les tribus de l'ouest et de ma longue convalescence: on ne croit plus en mon invincibilité. Je n'ai vraiment pas le choix, il me faut tolérer les anciennes pratiques. Dans un soupir, j'acquiesce à leur demande avant même qu'ils la formulent:

— Alors, faites pour le mieux. Essayez de contrecarrer les influences néfastes.

Chantico me tapote la main de contentement. Depuis longtemps, elle, Huemac et Ocelotl veulent que les sacrifices reprennent. Incapable de s'incliner, Ocelotl baisse les paupières avec une expression de soulagement.

– Au nom des sacrificateurs, je te remercie. Il devenait difficile de contenir leur colère, car ils ne reçoivent rien depuis qu'ils ne pratiquent plus. Tu as pris la bonne décision, je la communique immédiatement aux prêtres.

Il se retire avec une lente dignité. Ébranlé, je me sens plus vulnérable que jamais.

Il faut que je me rétablisse pour affirmer mon autorité. À force de soins, d'innombrables potions, de philtres et de compresses, mes forces reviennent peu à peu. Il me faut trois lunes pour marcher à nouveau, la jambe raide. Chantico et Ocelotl me font parader à travers les rues dans une chaise à porteurs, afin de rassurer la population : le chef des braves veille sur les destinées de Tollan. J'assiste aux sacrifices sur les différentes pyramides et le peuple recommence à m'acclamer, mais sans l'exaltation d'autrefois.

Si ma santé s'améliore, celle d'Ocelotl décline rapidement. Le grand prêtre éprouve des difficultés croissantes à s'adresser à la foule. Sa voix n'est plus qu'un mince filet chevrotant, il respire avec d'affreux râlements qu'aucun médicament n'arrive à soulager. Sa fragilité m'inquiète. Je sonde Huemac à son sujet :

– La maladie d'Ocelotl représente un signe de faiblesse pour l'empire, surtout avec moi blessé. Quel âge a-t-il ?

– J'imagine qu'il a près de cinquante ans.

– Même si je l'apprécie au plus haut point… ne vaudrait-il pas mieux le remplacer?

Encore affublé de sa cuirasse, Huemac paraît soucieux.

– Je ne sais pas. Je crains qu'en l'absence d'Ocelotl ton règne ne soit ouvertement contesté.

– Si un de ses assistants était à la hauteur… Mais ce sont tous des timorés. J'ai pourtant besoin d'un allié sûr à ce poste. Il faut dénicher un prêtre autoritaire, capable de faire respecter ma loi.

– L'affaire est risquée. Subroger Ocelotl serait dangereux, car la plupart des prêtres le respectent encore, même s'il ne réussit plus à discipliner les Chichimèques du nord qui vénèrent ton ennemi Tezcotlipoca.

– N'y a-t-il pas moyen de neutraliser ce Tezco?

– Souviens-toi, j'ai voulu l'éliminer quand tu es monté sur le trône. Il est trop tard maintenant, il ne part plus en expédition. Il vit entouré de sa garde personnelle, des Chichimèques exaltés que je ne parviens pas à corrompre. Tant de bruits circulent. On rapporte plusieurs actes de sorcellerie, entre autres, des pluies de pierres. On dit aussi que ceux qui travaillent dans tes champs sont frappés de mort subite.

– Ce ne sont que des histoires.

– Oui, mais les gens y prêtent foi…

Pour contrer le mauvais sort, j'engage des magiciens qui font apparaître des sacs de maïs et de fèves un peu partout dans la région. Huemac s'arrange pour que les fidèles de Tezcotlipoca disparaissent par dizaines. J'implore Mère, Thor et tous les dieux toltèques pour qu'ils envoient des nuages bénéfiques. Je passe mes journées à rencontrer les notables afin de raviver leur foi. Finalement, des rumeurs favorables à Quetzalcoatl commencent à se propager parmi les gens. À force de travail, nous finissons par obtenir des récoltes suffisantes, bien que médiocres. Par précaution, je fais distribuer ce qui reste de maïs pour assurer la tranquillité. Le désastre de la dernière guerre s'estompe peu à peu des mémoires. Les officiers et les troupes font respecter le nom de Tollan sur tout le territoire conquis. Les tribus de l'ouest, elles aussi amoindries par les combats, agissent avec une certaine docilité. Les foules se repaissent des quelques sacrifices humains pratiqués seulement au cours des principales fêtes. Tezco s'est retiré dans son temple, son influence réduite à quelques quartiers. Ainsi, je conserve l'empire, regagne l'adoration des foules, le respect de l'armée et l'obéissance des prêtres. Le pire est évité: on me vénère de nouveau.

La situation rétablie, nous célébrons dans la sobriété le mariage de Ye-Olin, qui a quinze ans à son tour. Il épouse une noble de Xochimilco, dont la famille exploite de riches terres en bordure des lacs. Chantico est satisfaite de l'arrangement.

Il aura fallu presque un an pour que je marche à peu près normalement. Mais, incapable de retrouver ma souplesse, je renonce aux entraînements et aux expéditions. Je tolère mal que les jeunes guerriers soient aussi rapides que moi. Autant me retirer avant qu'ils me surpassent. Les capitaines partent en campagne sans moi. Je compense mes absences au combat par des contacts accrus avec les prêtres et les chefs d'armée. Je dois aussi séduire les rois et les nobles des alentours, surtout ceux établis autour des lacs jusqu'à Chololan.

Je renoue avec les assemblées de dignitaires qui se tiennent dans le palais des confréries, fais préparer des fêtes et des jeux, accroître la production de pulque. Je préside les réunions et parle d'abondance à tous ceux qui se prennent pour me voir. J'en profite pour exhiber ma panoplie de bijoux d'or : des bagues serties de pierres brillantes, une couronne et des disques d'oreilles garnis de franges qui s'entrechoquent. Étant donné que moi seul suis autorisé à porter de l'or, les riches se contentent d'admirer et de se rabattre sur des imitations en cuivre.

Comme auparavant, je les reçois avec faste et les entretiens avec une générosité sans borne, afin de m'assurer leur fidélité et de conserver ma divine réputation. La terrasse, au palais de la rivière, accueille de nouveau ses lots de dignitaires, aveuglés par l'honneur d'être reçus chez l'Homme-dieu. Les festins se succèdent jour après jour, selon les dieux à l'honneur et les visiteurs de passage. J'atteins mon but : les nobles étrangers nous couvrent de présents en échange de diverses faveurs.

Au lendemain d'une fête mémorable en l'honneur des marchands au long cours qui rapportent d'excellentes nouvelles des comptoirs itzas dans les Basses-Terres, Huemac rentre de campagne. Il insiste pour me voir immédiatement et, malgré ma lassitude, je le reçois. Bien que nous soyons seuls, Huemac s'approche pour me chuchoter à l'oreille :

– Le climat se dégrade, la pression monte du côté de Tezcotlipoca. Mes espions prétendent qu'il prépare ses propres troupes. Il aurait promis de nourrir davantage les idoles, comme auparavant. Et ce n'est pas tout. Mes capitaines râlent contre les guerres actuelles, sans envergure, qui ne fournissent que de maigres butins, tandis que les rebelles des alentours, maintenant aussi bien armés que nous, multiplient leurs incursions et attaquent nos convois.

J'ai la tête trop engluée par la fête de la veille pour mesurer la part de crainte réelle dans ses paroles.

– Si les officiers en veulent plus, qu'ils redoublent de zèle! Capturez plus d'esclaves! Je ne crache pas l'or et l'argent! Envoie chercher Melkolf au campement des mines, il faut que je lui parle. Il doit augmenter la production de métal. En attendant, fais-toi respecter de tes hommes!

Les lèvres serrées, Huemac salue et me quitte sans autre commentaire.

Deux jours plus tard, Melkolf me rejoint au milieu d'un banquet où le pulque coule à flots pour éblouir les plus puissants capitaines de Chololan. Mon chef de forge paraît d'humeur massacrante. Pour éviter le scandale, je l'attire à l'extérieur. Avant que je puisse placer un mot, il grogne:

– Fais attention, Ari. Ton goût immodéré pour les orgies va te perdre. Ce n'est pas la première fois que je t'avertis. Huemac, Ocelotl et moi ne pouvons couvrir toutes tes beuveries. Pourquoi m'as-tu fait venir ici?

– J'ai besoin de métal. Vois-tu ces chefs qui risquent leur vie chaque jour? Maintenant, ils ne veulent plus qu'être payés en hachettes.

– Tu le sais toi-même, le métal est vraiment rare. Il faut brûler une montagne pour obtenir un peu de cuivre. Sans parler des souterrains qui s'effondrent en écrasant les mineurs. Ari, sais-tu combien d'esclaves il faut pour produire une seule plaquette d'or?

– Oui, je sais qu'il te faut presque une année de travail pour un seul bijou. Je ne te demande pas de faire pleuvoir de l'or. Je veux du cuivre, qui est plus facile à produire. Il en manque cruellement.

Du fond du corridor jaillissent des rires et des trilles de flûte. La musique se rapproche. Une légion de danseuses vêtues de quelques plumes colorées nous dépasse pour entrer dans la grande salle nacarat en sautillant. Un vacarme assourdissant accueille la troupe. Melkolf lève les yeux au ciel et soupire d'impatience. Le visage crispé, il s'incline en murmurant un vague : « Je vais voir ce que je peux faire. » Il s'en va sans rien ajouter, tournant le dos à la bacchanale.

Me laisserais-je contaminer par sa mauvaise humeur ? À l'intérieur, les femmes irrésistibles s'agitent, poursuivies par les convives excités qui tentent d'arracher leurs plumes. L'ambiance joyeuse me réchauffe l'esprit, alors que la lourde silhouette de Melkolf s'estompe entre les colonnades. Une de ces baladines vient enrouler sa jambe autour de la mienne. Son souffle haletant, sa peau luisante et la musique réussissent à disperser les nuages noirs apportés par le chef de forge : je cède aux invites de la femme qui m'entraîne au cœur de la fête.

Au matin, un peu engourdi, la tête douloureuse, je me fais conduire aux appartements de Chantico que je n'ai pas vue depuis des jours. Elle m'accueille avec un air courroucé :

– Que fais-tu ici ? N'as-tu pas un autre festin en vue ?

— Je venais te saluer. Admirer le rose de tes joues, ma douce.

Chantico reste froide et lointaine, la bouche tordue de dépit. Il est vrai que, depuis ma guérison, nos rencontres, fort brèves, ont souvent donné lieu à des litanies de doléances. Ses yeux noirs lancent des éclairs.

— Pourquoi t'inquiètes-tu tout à coup de mon sort ? Qu'est-ce que tu veux de moi ?

— Pourquoi tant d'amertume ?

— As-tu oublié que tu avais une fille en âge de se marier ? Tu repousses la meilleure des alliances sans même en discuter…

— Mais ma petite Kiou n'a que quatorze ans !

— C'est pourtant l'âge que j'avais à notre mariage, et je ne t'ai pas entendu protester alors ! Tu ne veux quand même pas la garder pour toi ?

— Bon, du calme. Puisque tu y tiens tant, j'accepte l'alliance que tu recommandes. Et que Kiou parte vivre avec ce prince à Chololan. Es-tu contente ?

— Enfin !… Mais je me demande comment nous allons la marier. Les réserves sont à sec. À toi seul, tu dilapides plus de la moitié des revenus que nous versent les deux cents tributaires de l'empire. Et tu fêtes, encore et toujours plus ! Avec n'importe quelle suivante, jusque dans mes appartements. Bientôt, on te priera comme le dieu de l'ivresse…

— Mais je n'éblouirais personne si j'étais raisonnable. Il me faut tout faire ici : trouver des métaux, étendre le commerce, assouvir les obsédés de pouvoir, épater les notables, tenir tout le monde tranquille. Et je réussis. Ne vois-tu pas toutes nos richesses ? De quoi te plains-tu ?

– J'entends les commerçants jurer contre les impôts trop élevés.

– Impossible de les réduire, sinon comment maintenir l'armée ? Le problème est que le commerce ne croît pas assez vite. C'est la faute de Melkolf, il retarde les livraisons de métal. Malgré tout, les guerriers m'obéissent et les nobles m'honorent.

– Oui, sauf qu'ils honorent aussi Tezcotlipoca qui accomplit des sacrifices, ce dont tout le monde se réjouit d'ailleurs.

– Je le sais, ma belle, mais ce Tezco n'a pas l'appui des guerriers. Il a la faveur de quelques sacrificateurs, c'est tout.

Je la caresse pour l'amadouer. Sa peau de fleur, même un peu fanée, m'excite encore.

– Chantico, on ne peut rien contre moi, je suis beaucoup trop puissant. Les foules m'adulent.

Je lui pétris la taille, les hanches et lui mordille un lobe d'oreille pour susurrer :

– Pourquoi ne m'adorerais-tu pas, toi aussi ? Comme autrefois…

Elle me repousse brutalement.

– Parce que tu empestes le pulque et la concupiscence ! Tu te penses fort, mais le noyau de tes ennemis grandit chaque jour. Devant le respect que l'on te voue encore, personne n'ose t'attaquer directement. Mais méfie-toi, chef des braves, ton orgueil te rend aveugle aux dangers qui te menacent.

Elle me tourne le dos et sort, rageuse. Je suis pris de colère à mon tour. Comment ose-t-elle s'adresser ainsi à moi, son époux, son roi ? Je ne peux supporter une telle insolence : j'appelle les agents du palais et leur ordonne de l'enfermer chez elle. J'éviterai désormais ses appartements.

Cette querelle domestique me laisse un goût amer. Trop de problèmes m'assaillent : la vieillesse d'Ocelotl, la rancœur de ma reine, les sermons de Melkolf, les silences de Huemac, les rumeurs de maléfices. J'ai besoin d'air, n'ayant pas quitté la ville depuis le début de ma convalescence. Je rêve d'une course à cheval sur les sommets enneigés ou d'un combat contre la mer déchaînée. Peu importe ma jambe raide ! Échapper à Tollan et à ses intrigues me soulagerait.

Je fais préparer une excursion de chasse sur les versants du Popocatepetl en compagnie de jeunes capitaines. Je pars l'esprit tranquille. Huemac dirigera l'empire et Ocelotl s'occupe finalement de sa succession. J'espère que Chantico moisira dans le remords derrière ses portes closes.

Notre groupe atteint les pâturages drus qui encerclent le cratère. Mes soucis s'évaporent dans l'air frais des hauteurs. La montée des pentes abruptes, la pureté des glaciers, la poursuite des animaux sauvages satisfont mon besoin d'aventure et d'action. Du col qui unit le Popo à l'autre volcan, l'Iztaccihuatl, nous avons une vue magnifique de la vallée. Je contemple mon empire. Là, au fond, dorment des villages prospères autour des lacs d'argent. Mes pierres me rassurent : rien n'entravera ma puissance. Après quelques jours à chasser en altitude, les capitaines et moi revenons chargés de gibier, juste à temps pour la grande fête de Tlaloc, dieu de la pluie, du tonnerre et des éclairs.

Les représentants de plusieurs villes arrivent pour cette cérémonie qui annonce la fin de la saison sèche. À la suite des audiences et des sacrifices, les dignitaires sont reçus dans le palais du soleil levant où un festin à base de viande sauvage leur est servi. Après s'être délectés, les seigneurs applaudissent l'apparition des danseuses. Ils connaissent de réputation ces fêtes où abondent les jeunes femmes et les boissons qui font tourner la tête. Pour accroître le plaisir, les invités se font injecter un mélange de vin et de poudre hallucinogène directement dans les intestins au moyen d'une longue canule. Avec la musique endiablée, les danses deviennent de plus en plus provocantes, les convives de plus en plus excités.

Ce soir-là, une frénésie extraordinaire me saisit: les dieux me portent. Je danse sans faillir avec les plus aguichantes, femelles en rut qui me rendent fou. Je les honore avec une vigueur toute divine, comme dans le jardin sacré. Je vole entre les déesses. Sitôt terminé avec l'une, j'avale quelques coupes de vin et reviens à la charge avec une autre. Des invités m'imitent et copulent sans retenue. J'atteins une exaltation jamais éprouvée auparavant. Quel paroxysme, encore et encore plus! Le palais résonne de nos cris de jouissance, poussés à l'unisson.

Je bois et jouis tant et tant que je ne me souviens ni comment, ni où, ni quand se termine la fête.

CHAPITRE XXI

Le gouffre

Au réveil, le lendemain de la fête, mon crâne résonne tel un tambour frappé par un sourd. Je me sens aussi mal qu'après un voyage astral, les yeux douloureux, les dents serrées. Tremblant, la bouche pâteuse, je gis au soleil dans le jardin sacré. Quand je me hisse sur un banc et m'adosse à une colonne, mes os gémissent. J'ai l'impression de cracher le sang par les oreilles, tant mon cœur élance. Les prêtresses arrivent pour leur prestation matinale. Repu jusqu'au dégoût de danses et de sexe, je leur interdis d'entrer. Pompeux, des guérisseurs s'amènent avec une infusion qu'ils prétendent apaisante. Le jus tiédasse empeste tellement que j'en vomis. Courroucé, je lance le contenu du gobelet au visage d'un de ces endormeurs.

– Gardez pour vous cette pisse fermentée! Allez-vous-en.

Ma voix résonne étrangement, comme lointaine. Prudents, les prêtres déguerpissent, bousculés par Melkolf qui entre en même temps. Bleu de colère, il pointe un doigt accusateur vers moi.

— Je viens en ville avec ma fille Xicoco pour livrer cinquante hachettes de cuivre et qu'est-ce que j'apprends? Comme dans les pires orgies vikings, tu t'accouplais avec des prêtresses aussi saoules que toi! On dit que les danseuses se vautraient par terre, nues, en appelant les hommes...

Ses mots s'écrasent tels des coups de pierre contre mes tempes. Les yeux en feu, j'arrive à articuler:

— Toi, le chrétien, tu es scandalisé. Mais pas les nobles, ils sont habitués.

— Tes amis, peut-être, mais pas tous les nobles. Le Prince de la Nuit a profité de ton ivrognerie pour faire pénétrer le plus de monde possible dans ton palais: guerriers, sacrificateurs, astronomes, devins, scribes, commerçants et architectes ont traversé la salle du festin. On raconte que tu titubais, délirais et leur servais à boire en leur offrant tes propres prêtresses et toutes les danseuses qui te tombaient sous la main. Maintenant, tous les Toltèques savent que leur dieu est un dégénéré.

Je respire mal. Des images surgissent et se bousculent dans ma tête. Des rires, des cascades de visages, de seins et de fesses agités de saccades sans fin. Et le vin qui coule, coule comme eau de source. Je vacille et m'appuie contre une colonne pour ne pas tomber.

— Ma tête va éclater!

Que s'est-il passé? D'où venait cette frénésie qui m'habitait? Jamais je ne m'étais senti ainsi. Et maintenant, pourquoi cette agonie qui me transperce les os? Tout à coup, la lumière jaillit:

— On m'a empoisonné... Le vin! Il contenait un poison. Si Tezco a mobilisé tant de gens, c'est qu'il savait. C'est lui l'empoisonneur! Il m'a drogué. Et ceux qui ne voulaient pas de vin… eux aussi savaient!

Melkolf oscille entre la stupéfaction et l'incrédulité. Je réussis à me lever.

– Pendant qu'on me trahissait, que faisais-tu? Pourquoi ne les as-tu pas arrêtés?

– Je n'étais même pas à Tollan. Ça fait longtemps que j'ai renoncé à cette vie de perdition. Comment est-ce que j'aurais pu empêcher Tezco de dévoiler tes orgies? Tu festoies tous les jours depuis des années! Tes fêtes croissent en démesure, tellement qu'Ocelotl manque de dieux pour les justifier toutes. Tu promets de ne plus t'enivrer, mais à la première occasion tu retombes dans le vin… et les femmes. Je ne peux rien contre toute cette débauche. Si le Prince de la Nuit peut te retenir…

– Ta foi t'aveugle! Ma perte signifie aussi la tienne: nous serons les premiers sacrifiés. À moins que tu collabores déjà avec cet intrigant…

Les sourcils de Melkolf s'unissent en une barre rageuse.

– Moi, comploter avec ce païen assassin? Avec des sacrificateurs? Ari! Jamais, je ne ferais une telle bassesse!

La colère et le sentiment d'un danger imminent chassent la torpeur induite en moi par le poison.

– Tant mieux si tu es de mon côté, j'ai besoin d'aide. Nous n'avons pas de temps à perdre. Il faut dénoncer cette infamie. Va vite chercher les coupes du festin, il devrait y rester des traces du venin.

Presque convaincu de la félonie, Melkolf sort en vitesse. Il me faut réunir le Conseil et au plus vite confondre Tezco devant les nobles. C'est lui qu'on étendra sur l'autel, et ce, dès aujourd'hui. J'ai déjà trop attendu pour l'envoyer dans l'au-delà. Ce sera moi, ce soir, qui tiendrai bien solidement le couteau pour l'enfoncer au plus profond de ses entrailles. Tâche que j'aurais d'ailleurs dû accomplir le jour de mon mariage. Je donne des ordres pour que chaque membre du Conseil reçoive une convocation dans les plus brefs délais. La situation est trop grave, je fais appeler Huemac. En l'attendant, je tourne en rond et me retrouve devant le miroir de pyrite. Ma face est si hideuse que j'en ai peur : des yeux creux, vitreux, la bouche et le nez déformés, violacés, des joues et des oreilles lacérées. Je tourne le dos à cette vision maléfique. Huemac paraît au seuil du jardin, livide. Lui aussi sait déjà. Je vais vers lui.

– Tezco m'a trahi, il faut le prendre de vitesse et l'accuser devant le Conseil, tout de suite. Mais, on ne sait jamais… Par précaution, il faut dissimuler tout ce que l'on peut. Emporte les bijoux, le métal, les pierres précieuses hors du palais, immédiatement. Dans le plus grand secret, bien sûr !

– Je vais demander l'aide d'assistants. Ils cacheront le trésor dans des maisons amies.

– Xilonen pourrait aussi nous rendre service. Elle sort à l'instant, fais-la rappeler. Elle n'éveillera pas les soupçons, on a l'habitude de ses allées et venues.

Huemac acquiesce et me quitte avec précipitation. L'angoisse m'étreint. Que faire de plus ? Peu après, Melkolf revient les mains vides, la mine déconfite.

– La salle du festin est vide, il n'y a plus rien ni personne. Ari, il n'y a plus de sentinelles dans le palais, sauf devant ta porte…

Brusquement, dans un fracas mêlé de jurons et de cris, la porte du jardin vole en éclats et Tezco fait irruption sans demander d'autorisation. Ses hommes envahissent mon espace sacré, fracassent les statues, piétinent les fleurs. Entouré de sous-chefs et de modestes dignitaires, le prétendu Prince de la Nuit, l'insigne de Mixcoatl gravé sur sa cuirasse, s'arrête devant moi, hautain. Melkolf se plante à mes côtés, prêt à me défendre de ses gros poings. Le lâche recule entre ses hommes, j'aimerais lui arracher la tête à cet instant précis. Je rugis :

— Depuis quand les subalternes entrent-ils devant leur roi sans autorisation ?

— Huracan a retrouvé son esprit ? répond-il avec arrogance.

— Avec quoi m'as-tu empoisonné, hypocrite ? Du champignon ? Du peyotl ? Les deux ensemble ou quelque chose de pire ? Tu espérais ma mort… C'est raté ! Le déshonneur plane sur toi, tu m'as trahi…

— Le dépravé n'a pas à porter d'accusation ! Le Conseil a jugé ta conduite inacceptable et t'a destitué.

— Impossible. Le Conseil n'a pu se réunir ce matin ! Qui l'aurait convoqué ?

La bouche de Tezco se plie en une vilaine contorsion.

— Moi. Devant la gravité de la situation, le Conseil a siégé avant le lever du soleil.

J'ai peine à saisir l'ampleur du désastre, face à ces méprisables vautours. J'aurais dû savoir qu'il n'y a pas de limites à la vilenie des hommes.

— Comment pouvez-vous me juger, minables ? Vous qui mangez de la chair de nouveau-nés !

— Tais-toi ! L'heure n'est pas aux discussions religieuses. Ton temps est révolu. Tollan revient à la famille royale.

– Je suis la famille royale! Vous ne pouvez chasser l'Homme-dieu.

Tezco s'approche, le doigt pointé vers moi.

– Usurpateur! Tu n'as rien d'un dieu! Tu as ensorcelé mon frère, Mixcoatl, pour prendre le pouvoir. Maintenant que tu es démasqué, ton règne est fini. J'ai le soutien de l'armée et des prêtres.

– Tu mens, sale rat! Tu regretteras ton insolence!

Je hurle de toute la force de mes poumons pour qu'on m'entende par-delà le Popocatepetl. Je me rue sur le premier homme et lui arrache son arme avant que quiconque ait le temps de réagir. Melkolf bondit en même temps et s'empare d'une hache. Malgré mon haro, personne ne se porte à ma défense. Je me précipite pour fracasser le visage du maudit empoisonneur, mais des gardes s'interposent. Je lance le bâton à lames qui frôle le crâne de Tezco et frappe un garde à la base du cou. Il s'effondre. Les guerriers se jettent sur moi, on me retient par les bras et la gorge. Melkolf fait virevolter la hache pour tenir en respect une partie des rebelles.

Tezco relève sa cape. Avec un air de triomphe, il brandit ma longue épée de fer. En un éclair, j'ai la confirmation de mes pires craintes: c'est bien le traître qui avait dérobé l'arme des dieux. Avant que je puisse me dégager, le félon s'élance. Voyant le danger, Melkolf pivote en un éclair pour bloquer l'assaut avec sa hache; le fer dévie sur le manche et lui transperce les joues de part en part. Sous le choc, déséquilibré, Melkolf vacille. Un flot rouge et d'affreux sons surgissent de sa bouche distendue. Les insoumis sautent sur lui, son arme tombe à terre, Tezco lui plante l'épée entre les côtes. Les os qui se rompent et le sang qui se répand enhardissent Tezco qui sourit comme le jaguar des fresques. Bâillonné et retenu par des bras robustes, je vois mon sauveur ensanglanté tressaillir sous les coups. Sa masse inerte disparaît derrière la meute, je ne l'entends plus. Ils l'ont tué.

– Puisque toi tu es encore vivant, dit Tezco, tu auras l'honneur de rassasier les dieux ce soir.

Devant ses acolytes, il décrète mon arrestation et celle de tous mes alliés, de même que l'internement de mes femmes et de mes enfants. On m'attache les mains dans le dos et on me couvre la tête d'une toile. Des guerriers m'entraînent. On me force à me plier pour franchir une embrasure étroite. Une brute s'esclaffe, un solide coup me fêle le crâne, je m'écroule dans le noir.

Une douleur aiguë me tire du néant. J'émerge du cauchemar, un goût de sang dans la bouche, une odeur terreuse plein le nez, enfermé dans une obscurité oppressante. Je grelotte et j'étouffe avec cette poche sur la tête. Soudain, des bruits confus de bataille proviennent de la pièce voisine. Tout aussi rapidement, un silence lugubre s'impose. Je respire difficilement. Je rêve ? J'entends de faibles gémissements : quelqu'un est enfermé à côté. Sûrement un ami. Je dois lui porter secours. Je tire sur mes liens, je les frotte sur le sol rocailleux. À force de m'écorcher la peau, je réussis à effilocher les cordes. Enfin, j'ai les mains libres. J'enlève l'affreux sac de sur ma tête, arrache le bâillon. En tâtonnant comme un aveugle, j'explore le lieu : quelques sacs de grains, une pièce exiguë, sans autre ouverture que l'entrée, où se tiennent sûrement des sentinelles. Vite, il faut éventrer le mur mitoyen. À l'aide d'une roche pointue trouvée sur le sol, je creuse sans bruit, la mort sur les talons. Par chance, la cloison est en briques de terre crue plutôt qu'en pierres recouvertes de stuc. Des morceaux se détachent, une brèche se crée. Par le trou, je perçois le sifflement d'une respiration ardue. Poussé par un besoin fou de savoir, je murmure :

– Qui est là ?

Aucune réponse, à part les râles. Mes mains tirent, mes pieds poussent. Doucement, un fragment se détache, puis un autre. J'élargis suffisamment l'ouverture pour m'y faufiler. Là, dans le noir, un corps tiède gît dans une flaque poisseuse. Le cœur bat faiblement. Je palpe le blessé. Mes doigts glissent dans une légère entaille à la tête, puis j'en repère une autre, profonde, qui descend de l'épaule jusqu'au coude et dénude l'os. J'enlève ma ceinture et l'enroule autour du bras tailladé pour arrêter la saignée. L'homme geint :

– Qui me soigne ?

Au son de cette voix, mon cœur bondit de joie.

– Huemac !

– Mon roi…, grogne-t-il d'une voix brisée par la douleur.

– Oui, c'est moi, mais je ne suis plus roi de rien. Sais-tu où nous sommes ?

– Dans les dépôts de grains derrière les cuisines.

– Il faut tenter l'impossible et fuir.

J'attaque un autre mur. Tout près, des rebelles passent en courant, on crie des ordres. Ce tapage masque le bruit de la terre qui chute dans le jardin. Le mur cède, dehors il fait nuit. Cela signifie que Tezco aura manqué de temps pour me sacrifier. Je soutiens Huemac qui marche avec difficulté. Nous traversons le jardin, pénétrons dans les cuisines. Deux vieilles, qui égrènent du maïs, assises près du feu, se figent de surprise en nous apercevant, puis se prosternent, immobiles, le front touchant le sol. J'enlève vite mes bijoux les plus bruyants, trop voyants et soulage aussi Huemac de ses ornements. Une autre servante arrive et sursaute à notre vue ; elle esquisse un bref salut en témoignage de fidélité. À son air, je comprends que cette jeune femme saisit la gravité de la situation. Avec vivacité, elle soulève le couvercle d'une grande jarre ; j'y fourre nos objets précieux qu'elle recouvre aussitôt de grains. Les deux vieilles, prostrées, ne voient ni n'entendent rien. À l'aide d'un morceau de bois brûlé, je noircis mes mains et mon visage. Comme des gardes rôdent à proximité, la suivante nous pousse dans un coin obscur et nous fait signe d'attendre. Elle sort et revient peu après avec deux vilaines capes brunes. Nous nous en couvrons et la suivons à travers un dédale de pièces sombres, silencieuses. Au calme relatif de l'endroit, j'en déduis qu'on n'a pas encore découvert notre fuite. Sur le seuil d'une dernière porte, la servante indique des fagots empilés contre le mur extérieur et chuchote :

– Courbez bien le dos, vous passerez inaperçus.

Elle s'éclipse vers les cuisines. Huemac se penche, je dépose la plus légère des charges sur son dos et j'en prends une autre. Nous sortons dans une ruelle jonchée de déchets puants. Affaibli, Huemac avance péniblement, son faix retenu par son seul bras valide. Nous débouchons dans une première rue où patrouillent des guerriers armés. Nous nous hâtons en direction opposée sans provoquer la moindre réaction chez eux. Nous croisons ensuite plusieurs autres détachements qui ne nous prêtent aucune attention. Peut-être pense-t-on que nous sommes des voleurs de bois royal, ce qui n'est pas pour déplaire à cette racaille. Beaucoup d'autres personnes circulent sans bruit en pleine noirceur et leur présence nous aide à passer inaperçus. Mais que font-ils dehors avant l'aube? Pour moi, ça sent la rébellion organisée de longue date.

La pénombre commence à se dissiper. À proximité de la maison de Huemac, une troupe importante monte la garde. Prudent, mon ami oblique vers la droite où une porte donne sur les pièces des domestiques. Nous entrons. Toute sa famille est debout, à commenter les derniers événements. Nos fagots roulent par terre. La première épouse de Huemac nous reconnaît aussitôt et nous embrasse avec émotion. Tandis que les jeunes épouses se répandent en larmes, la solide matrone conserve son sang-froid.

— Quel bonheur de vous revoir tous les deux, mais il faut quitter la ville. Si c'est encore possible…

Sa remarque me fouette.

— Je n'abandonnerai pas Tollan sans lutter!

La matrone lave le sang séché du visage de Huemac. Elle commande des boissons au chocolat pour nous donner des forces. Huemac se laisse dorloter, les yeux fermés. Il demande à sa première épouse :

— Qu'as-tu appris?

— Le bruit court que Quetzalcoatl a perdu l'esprit, puni par les dieux. On dit qu'il ne paraîtra plus en public. Les Chichimèques se rassemblent aujourd'hui pour exiger la reprise des rituels. Il semble que l'armée appuie Tezcotlipoca contre Quetzalcoatl.

J'enrage.

— Personne ne soutient ma cause?

Huemac répond gravement:

— Dès que je t'ai quitté hier, j'ai averti autant de fidèles que j'ai pu. J'ai fait cacher ici quelques sacs du trésor. Xilonen et ses prêtresses en ont emporté plusieurs autres. J'ai prévenu mes frères et mes oncles du complot, mais on m'a arrêté avant que je réunisse suffisamment de monde. Si tous mes capitaines sont aux arrêts, qui pourra maîtriser la rébellion?

— Impossible qu'ils soient tous emprisonnés, Tezco n'en a eu ni le temps ni la possibilité, il n'y a pas assez de cachots au palais. Il lance des rumeurs pour créer la panique. Tous ne peuvent m'avoir trahi. Pourrais-tu réunir les fidèles de Quetzalcoatl?

Après une longue gorgée de chocolat, Huemac reste sans voix, les yeux dans le vague, dépassé par un tel défi.

— Tu as bien un cri ou une enseigne de ralliement pour tes braves? dis-je en insistant.

— Dans les affrontements, je fais sonner trois coups de trompette pour avertir les guerriers de se regrouper.

— Alors, fais-la tonner maintenant!

— Mais Tezco saura où nous sommes, il nous encerclera!

— Il faut faire confiance aux dieux. Nos alliés se réuniront et les encercleront à leur tour. Nous vaincrons. Ou nous mourrons.

Les épouses sanglotent de plus belle, Huemac réfléchit. Il se redresse lentement, blanc comme un spectre.

— J'ai toujours cru en Quetzalcoatl. Et en ta divinité. Je t'obéirai jusqu'à la fin. Qu'on aille trompeter sur le toit. Aux hommes qui répondront à l'appel, j'expliquerai la trahison. Puis, nous combattrons.

Sa première épouse intervient :

— Il y a une autre solution. C'est jour de marché, les servantes pourraient faire le tour des maisons amies. La nouvelle de la résistance se répandrait vite. Quand tous seront avertis, tu pourrais les appeler !

À ces mots, Huemac semble reprendre vie. Il lui presse les mains avec affection.

— Bien pensé. Fais dire à chacun d'emporter ses armes. Qu'ils soient prêts à se battre.

Épouses et servantes disparaissent, absorbées par leur mission. Malgré la tension, ou peut-être à cause d'elle, Huemac sombre dans un sommeil agité.

Quand on nous réveille, le soleil brille avec ardeur. Une femme nous sert une bouillie de maïs et d'autres chocolats mousseux, bien froids, si nourrissants. La matrone me tend une cuirasse.

— Elle t'est réservée. Ton épouse ne pourra te l'attacher, alors, si tu permets, je la remplacerai.

Au comble de l'excitation, elle m'aide à l'ajuster.

— Des centaines de fidèles surgiront bientôt.

Elle éclate d'un petit rire nerveux.

— On dit que Tezco vous a cherchés partout !

Je lèche la mousse de chocolat, un parfum de vanille plein la moustache.

— Il nous cherche ? Eh bien ! Il va nous trouver. Encore un peu de patience…

Huemac fait brûler de l'encens, je prie Quetzalcoatl et Thor pour qu'ils vengent l'injustice. Le destin est sur le point de basculer en ma faveur, les dieux se montreront favorables, j'en ai la conviction. Je peux encore vaincre : l'impie ne triomphera pas. Le souffleur grimpe sur le toit. Ses trois appels retentissent dans la chaleur de l'après-midi. Aussitôt, une clameur monte des quartiers avoisinants et nos fidèles se ruent vers la maison comme une marée montante. Huemac jubile en observant la rue :

— Tezco n'a rien deviné de notre ruse. Ses sentinelles vont se faire démembrer !

Des hurlements nous parviennent, alors que la multitude en colère impose sa justice. Bientôt, des têtes dansent au bout de piques. Un frisson de jouissance me parcourt : enfin, je vais me débarrasser de cet intrigant, détesté depuis toujours.

— Il est temps de dénoncer le tyran.

Huemac approuve. Malgré son bras blessé, il semble avoir retrouvé toute sa force et sa détermination. Entouré de gardes et d'un mur de boucliers, il sort sur la terrasse et harangue la foule :

— Tezcotlipoca a trahi son roi. Il a empoisonné l'Homme-dieu pour usurper le trône. Défendons Quetzalcoatl ! Le trône pour Quetzalcoatl, l'Homme-dieu !

Des centaines de bâtons, avec ou sans lames, s'agitent au-dessus des têtes. La foule martèle mon nom. J'apparais à mon tour, l'épée d'obsidienne levée vers le soleil, provoquant les acclamations. Je hurle par-dessus le vacarme, le bras tendu vers la place centrale :

— Allons déloger le traître !

À la tête d'une foule qui grandit sans cesse, Huemac et moi fonçons vers le palais rouge, portés par la soif de vengeance. Les gardes à la muraille assommés, nous nous engouffrons dans la grande place, vite couverte par la vague déferlante des Toltèques loyaux. Le palais est à portée de main.

Tout à coup, des centaines d'archers se dressent autour, sur tous les degrés des pyramides et des temples, prêts à tuer. Seuls mes gardes portent les boucliers qui résistent aux flèches. Dans l'énervement, nous n'avons rien vu du piège qui se refermait sur nous! Je contemple mes fidèles, munis de simples bâtons ou de couteaux: bien que cinq fois moins nombreux que nous, les transfuges risquent de massacrer tout ce que je compte de partisans dans cette ville. Un instant d'horreur plane sur le centre cérémoniel. L'énormité du risque me force à improviser sur-le-champ.

Je ne tremblerai pas devant ces barbares. Je vais leur montrer comment un Islandais défie la mort. Bien à la vue, les armes baissées, face à des centaines d'hommes qui espèrent décocher le tir vainqueur, je clame:

— Que le chef de la rébellion s'avance! Moi, Quetzalcoatl, désigné roi par Mixcoatl, je l'attends!

Après une longue hésitation, Tezco finit par se montrer sur la terrasse en haut du palais. Il descend derrière une rangée d'archers et de boucliers pour s'arrêter sur les marches du bas. Il semble craindre encore mes pouvoirs. Je toise le traître et lance:

— Si tes hommes ne tirent pas, les miens n'attaqueront pas. Approche.

— Non! rétorque-t-il. C'est moi qui donne les ordres maintenant. Toi, viens.

— Me convies-tu au palais de Quetzalcoatl?

Tezco ne répond pas. Il est trop loin pour que je puisse lire sur son visage mais, par son silence, il refuse la joute verbale. Il sait qu'il la perdrait. Il n'est pas question que je lui obéisse. Je propose :

– Allons au tombeau de Mixcoatl. Que tes hommes se concentrent sur les deux pyramides et le palais. Les miens occuperont l'autre côté de la place.

Le mécréant remue les bras pour signifier à ses guerriers de se regrouper. Mes gens reculent vers le terrain de balle. Au moins, ils sont à l'abri. Seul, je me dirige vers la dernière sépulture de Mixcoatl. Tezco avance lentement, à mesure que ses hommes forment une haie pour le protéger. Son extrême prudence prouve qu'il doute de maîtriser la situation. Il grimpe finalement à ma hauteur sur le monticule, la lame de fer à la main. Je l'écrase du regard, car son panache de plumes compense à peine sa taille trapue. Les yeux haineux, il siffle comme un serpent :

– Dommage que l'épée ne t'ait pas transpercé, nous aurions gagné du temps.

– Tu l'as volée au roi. Tu périras par cette lame.

– Non, elle est à moi maintenant, elle m'obéit.

– Tu as l'épée, mais pas la femme. Chantico a eu un époux digne d'elle.

– Parlant de femelles... Les tiennes sont en mon pouvoir. Dis à tes imbéciles de s'en aller... Sinon, tu recevras la peau de tes épouses dans un écrin !

Pourquoi ne pas étrangler là, tout de suite, cet avorton qui joue au roi ? Envahi de pensées assassines, je perçois à travers le panache honni un mouvement dans les marches de la grande pyramide. Une file d'enfants grimpe en plein soleil. Tezco suit mon regard. Il grimace perfidement.

– Il y en a beaucoup, non ?

Les petits gravissent l'escalier avec courage. Mon cœur gémit. À la vue de ces agneaux qui se rendent au sacrifice, mes partisans huent le chef des conjurés. Il faut éviter un massacre. Je lève les bras pour contenir l'explosion de haine.

— Attendez! Nous entretuer ne profitera qu'aux ennemis de Tollan.

Puis je me tourne vers Tezco.

— Libère mes femmes et mes enfants.

— Non! Tous restent en mon pouvoir jusqu'à ce que toi et tes partisans ayez quitté la ville.

Entourés d'immolateurs, les enfants sont agenouillés près de l'autel. Il y en a déjà un de couché sur la pierre, écartelé, la poitrine offerte au couteau. Horrifié, plein de rage, je m'avoue vaincu.

— Nous quitterons Tollan... si tu promets devant tous que tu ne sacrifieras aucun des prisonniers.

— Quoi encore? Ce n'est plus toi qui diriges ici...

— Promets de ne pas les offrir aux dieux, et nous partirons sans combattre.

— Tu exiges beaucoup trop. Nous avons les armes, les guerriers.

— Nous sommes bien plus nombreux que vous. Et j'ai le soutien du peuple.

— Vous risquez tous de périr, criblés de flèches...

— Tu ne pourras jamais régner si je reste ici. Ce sera la guerre jusqu'à l'extermination totale. Je veux mes femmes, mes enfants, les bijoux, le métal. Et huit cents sacs de maïs et autant de fèves à la sortie de la ville.

Le traître, stupéfait par la demande, évalue la foule en colère d'un coup d'œil. Ses traits se crispent un bref instant. Je viens de marquer un point. Le mécréant finit par céder :

– D'accord pour le cuivre. Les provisions seront empilées devant la grande porte, avant la fin du jour. Mais les femmes restent en otages. Évacuez Tollan maintenant !

Je marchande encore un peu et finis par obtenir que Chantico, ses enfants et petits-enfants me suivent. Les autres resteront. Tezco promet solennellement qu'aucun de mes proches ne servira d'aliment aux dieux. J'ordonne le repli d'une voix forte mais posée, afin d'inciter au calme :

– Compagnons, pour éviter de nous tuer entre familles, nous devons partir. Nous refusons d'obéir au faux Tezcotlipoca. Emportez autant de biens que vous le pourrez. Que vos femmes et vos enfants vous accompagnent. Nous prendrons la porte de l'est.

Le traître envoie quérir ma première épouse et ses enfants, alors que ses archers restent campés autour du palais et des pyramides. Huemac part s'occuper de sa famille. Chantico et sa suite sont transportées à l'extérieur des murs. Passant à mes côtés, elle garde le regard fixé sur l'infini.

Les rebelles ne peuvent contrôler l'ensemble de la population et un vaste mouvement de migration s'amorce dans la plus grande confusion. On hésite entre accepter le règne de Tezcotlipoca et suivre Quetzalcoatl. Dans les deux cas, c'est l'inconnu. Ceux du nord restent en grand nombre, de même que les prêtres. L'élite des guerriers persiste dans sa fidélité à ma cause, de même que des guérisseurs, des scribes et des artisans. Ils refusent la domination des Chichimèques.

Mes partisans commencent à sortir de Tollan. À l'extérieur des murailles, les sacs de grains s'amoncellent. La foule s'agglutine et s'étend, comme si la ville se vidait de son sang. Le soleil se couche. La déchirure de la communauté toltèque se poursuit à la lueur des torches.

Chantico, rigide dans son rôle de reine déchue, n'écoute aucune de mes paroles de consolation. Je laisse Kiou et Mimix prendre soin d'elle et vais encourager ceux qui s'apprêtent à quitter la ville. Les hommes emportent autant d'armes qu'il est possible d'en camoufler sur eux. La nuit déjà avancée, les nombreuses litières des familles de Huemac et de Chantico prennent la route éclairée par un fin croissant de lune. Huemac et moi avons conclu qu'il valait mieux contourner les lacs par l'est plutôt que de les traverser avant de se diriger vers Teotihuacan.

J'envoie des émissaires prévenir le roi de Chololan de notre arrivée. Je reste aux portes de Tollan pour veiller au départ. Certains groupes s'en vont à la suite du premier convoi, d'autres prennent le risque de dormir sur place et de ne partir que le lendemain.

Du centre cérémoniel retentissent des coups de tambours et des chants d'offrande : on festoie.

Je me revois promettant à Mixcoatl moribond de protéger sa ville et sa descendance. La colère, le désespoir et la honte me rongent. Je pars, mais je reviendrai et précipiterai dans l'inframonde les traîtres qui nous forcent à l'exil.

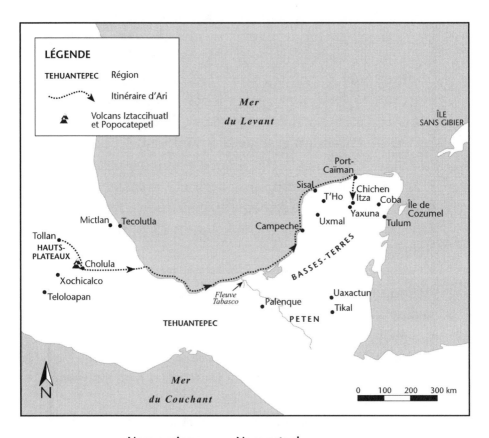

Nom ancien	Nom actuel
Fleuve Tabasco	Fleuve Grijalva
Mictlan	El Tajín
Port-Caïman	Île au nom fictif (près de Río Lagartos)
T'Ho	Mérida

Chapitre XXII

La longue marche

De colline en colline, le convoi s'étire à perte de vue devant et derrière moi, qui chemine à peu près au centre. J'imagine qu'en début de cortège Huemac et Chantico ont déjà dépassé Teotihuacan. Une multitude d'hommes, de femmes et d'enfants les suivent ; ils transportent l'essentiel de leurs biens, le plus souvent sur leur dos, une sangle au front. Entre eux, escortés de guerriers, circulent des essaims d'esclaves portant les sacs de grains. Le fait que des milliers de gens croient toujours en moi malgré la perfidie de Tezco me maintient en vie. Ils sont tout ce qui me reste au milieu de cette débâcle.

Le souvenir de Melkolf me hante. Son visage torturé se dessine dans les nuages, sur les troncs d'arbres, à travers les ramages ; il frémit à la surface des ruisseaux, le vent imite sa voix. Tout me ramène à lui : un sac tombe et je le vois s'agenouiller, des branches craquent et j'entends son fouet, un oiseau passe et l'épée lui transperce les joues. Il m'observe de ses yeux tristes, ce compagnon qui m'a sauvé la vie. Son corps lacéré a été abandonné, sans soin, quelque part. Son esprit s'est évadé. Peut-être me talonnera-t-il jusqu'à la fin de mes jours.

J'ai été berné comme un enfant. Les dieux ne m'ont pas protégé et Mère ne m'a pas averti. Ce sont Melkolf et Chantico qui m'ont prévenu, mais je n'ai pas écouté ces simples mortels. J'étais si puissant, un dieu, que pouvais-je craindre? Foules et seigneurs m'adoraient, la chance et l'audace me guidaient. Mais j'ai perdu ma clairvoyance, je l'ai noyée dans le pulque et les fêtes.

Au loin se dressent les deux volcans enneigés, le vaillant Popo et sa compagne endormie. Je les contemple avec amertume. Il y a cinq jours à peine, j'étais là-haut, roi, à jouir du grand air et de la vue grandiose. Depuis, j'ai chuté brutalement dans la boue.

Les porteurs peinent sous une pluie froide qui ralentit notre marche. Laissant Teotihuacan derrière, nous abordons les collines pour contourner les sommets. Je fonce à travers la forêt de pins et de chênes pour rattraper la tête du cortège: je tiens à arriver parmi les premiers à Chololan. Je rejoins Chantico qui persiste dans son silence réprobateur sans me prêter attention. Quant à Huemac, attaché à son fauteuil, son état se détériore rapidement. Mes plus proches compagnons devront-ils tous périr?

Après la huitième nuit, nous apercevons la pyramide de Chololan, la plus haute jamais construite. Une délégation se présente pour nous escorter à travers cette cité qui regorge de chefs-d'œuvre: monuments et jardins, temples aussi nombreux que les jours de l'année. Cette ville, où je suis venu jadis en conquérant prendre une épouse, la plus convoitée de toutes, j'y reviens

presque en mendiant, après avoir abandonné à mon ennemi la fille de ce monarque qui nous accorde asile.
Quelle ignominie! J'envoie cent sacs de grains à ses
dépôts.

On nous introduit auprès du roi. En d'autres circonstances, j'aurais retrouvé cet homme affable avec
plaisir, mais je suis honteux. D'ailleurs, il nous reçoit
avec une certaine froideur, teintée d'inquiétude.

— Je suis heureux que vous soyez tous là! Les nouvelles les plus folles circulent. Que se passe-t-il exactement?

Je prends une longue respiration, mortifié par le
déshonneur.

— Grand roi Chalchiu, j'ai été trahi. Le prétendu
Tezcotlipoca a comploté avec les Chichimèques pour
détruire ma réputation. Cet enfiellé aspirait au pouvoir
suprême.

— Ce n'est pas nouveau! Il conspire depuis la mort
de Mixcoatl et peut-être même avant! Et tu as toujours
su le garder à distance.

— Pas cette fois. Il a réussi à me déjouer.

— Hier, un de ses émissaires est venu nous offrir de
faire alliance avec lui. Je l'ai fait emprisonner. Mais comment toute la ville peut-elle être sous ses ordres?

Pâle, les traits tirés, Huemac soulève une main im-
puissante. Il parle d'une voix éteinte:

— Une nuit, alors que nous étions sans défense,
Tezco a fait enfermer mes meilleurs hommes. Ils servent
sans doute de nourriture aux dieux…

Sa voix se brise. Le visage du roi Chalchiu vire au
gris, sa réserve évolue vers l'angoisse:

— Qu'est-il advenu de ma princesse? De ses enfants?

J'ai peine à articuler:

— Ils sont retenus par le félon. J'ai accepté de quitter Tollan à condition qu'ils aient la vie sauve. Tezco a promis devant témoins de ne pas les offrir en sacrifice.

— Une promesse de traître ne vaut rien! C'est Quetzalcoatl notre allié et c'est toi qui reprendras le trône. Je vais soulever des armées, nous délogerons l'imposteur! Que des messagers partent immédiatement avertir toutes les cités qui honorent Quetzalcoatl.

Des serviteurs s'agitent autour du roi pour faire respecter ses ordres. Le fantôme de Melkolf promène son air navré derrière les capitaines royaux. La perspective de détruire Tollan me désespère, mais pas celle d'écorcher Tezco. Je m'incline.

— Grand Chalchiu, ta fidélité me réconforte. Ta soif de justice aussi. Autant que toi, j'aimerais anéantir cet être ignoble, cependant, si nous lui déclarons la guerre, les nôtres périront tous.

— C'est un risque à prendre. Je voudrais épargner ma descendance, mais je dois penser à Chololan. Le traître a sûrement envoyé des offres d'alliance ailleurs.

— Quand j'ai quitté la ville, j'ai accaparé toutes les provisions. Tezco ne dispose d'aucune réserve alimentaire.

— Penses-tu que nous pourrions l'expulser sans guerroyer?

— En le surprenant de nuit, peut-être, mais, en cas de siège, il donnerait mes fils en pâture à la populace… Tezco serait bien capable de se pavaner avec la peau de ta fille sur le dos ou de faire arracher les ongles de tes petits-fils avant de les offrir à Tlaloc.

— Quelle abomination! Les dieux nous imposent une alternative cruelle. Avant de prendre une décision, attendons le retour des messagers. Maintenant, allez vous reposer et vous rafraîchir, vous êtes tous épuisés.

Nous nous retirons dans la demeure préparée à notre intention. Chantico affirme se sentir malade et s'enferme dans ses appartements avec enfants et domestiques, hébétés de fatigue. Huemac, tremblant de fièvre, est soigné par les médecins du roi. Seuls mes deux garçons se comportent en hommes et demeurent à mes côtés, à ma grande satisfaction. Mimix, qui a dix-huit ans, et Ye-Olin, qui en a seize, réagissent tels de véritables chefs. Ils m'aident à préparer les camps qui accueilleront mes fidèles.

Des jours durant, des flots de migrants se déversent autour des remparts. Alors que je fais installer des abris, on me prévient que Huemac veut me voir. Inquiet, j'accours à ses côtés pour y trouver un vieux capitaine, tout juste échappé des geôles de Tezco. D'une maigreur inquiétante, l'homme raconte les derniers événements survenus à Tollan :

— La nuit de votre départ, le traître a réuni tous les nobles dans le palais encerclé de guerriers. Il a clamé que Quetzalcoatl avait fui dans l'indignité, pour ne plus jamais revenir. Un Conseil réduit l'a nommé roi et prêtre suprême. Tous ceux qui étaient là l'ont honoré. Dehors, les Chichimèques avaient envahi la place centrale : ils savaient ce qui se préparait. L'hypocrite est sorti au-devant d'eux, paré de la coiffure et du sceptre royaux. Il est monté au temple sur la grande pyramide. Avec des prêtres nouvellement désignés, il a sacrifié de sa main une vingtaine de prisonniers, la plupart des chefs qui te sont loyaux. Il y avait aussi des enfants. La foule criait et dansait. En m'enfuyant, j'ai vu dans tes jardins que tous les cacaoyers avaient été coupés : un fidèle t'a vengé. On m'a capturé ce soir-là et emprisonné. Chaque matin, des captifs étaient choisis pour les sacrifices. C'est alors que de nombreuses épouses aidées de parents ont fomenté une rébellion. Grâce au désordre, plusieurs d'entre nous ont pu s'évader.

– Sais-tu ce qu'il est advenu de la famille de Melkolf, des frères de Huemac ?

– Aucune nouvelle d'eux, d'Ocelotl non plus. Tous volatilisés, probablement massacrés. Il faut punir cette trahison ! Tu peux compter sur moi, je suis prêt.

À l'image de ce capitaine, les exilés crient vengeance. Le roi, mon beau-père, me presse aussi de déclarer la guerre. Le bruit de ma présence à Chololan se répand dans toute la région. Nous recevons des renforts d'aussi loin que Tecolutla. Des combattants de plus en plus nombreux se mêlent à mes fidèles, les campements s'étendent à perte de vue aux portes de la ville. Nourrir tous ces gens tient du prodige. La clameur de guerre s'amplifie, des troupes s'entraînent, les armuriers travaillent jour et nuit. Le chef de Chololan espère que je les guiderai contre Tollan. Il savoure sa nouvelle puissance :

– Avec une telle armée, personne ne pourra résister. Le Prince de la Nuit regrettera d'être né ! J'aimerais le voir quand ses espions lui décrivent l'ampleur de nos forces !

La réaction de Tezco ne tarde pas. Dix jours après notre arrivée, un important détachement arborant son enseigne attend à peu de distance de Chololan. Un félon toltèque demande audience au roi et lui propose une rencontre avec l'émissaire de Tezco. Chalchiu accepte et part. Je monte les observer du haut de la fabuleuse pyramide. Les deux hommes, chacun à la tête d'un groupe imposant, marchent l'un vers l'autre, se font face un instant, puis disparaissent sous un large dais. Des bannières flottent au vent des deux côtés. Le Popo crache d'impressionnantes gerbes de fumée grisâtre : les dieux de la montagne grondent contre l'infamie ! Finalement, le dais est enroulé et les deux troupes se séparent. Je brûle de connaître le résultat de l'entretien.

Chalchiu, encore raide dans sa cuirasse, vient me rejoindre. Presque souriant, il pose sa main sur mon épaule pendant que nous entrons.

— Peut-être éviterons-nous la guerre. L'émissaire prétend que Tezcotlipoca veut la paix. Il ne désire pas ta mort, il offre de relâcher tes hommes.

— Ceux qu'il n'a pas eu le temps de sacrifier...

Le roi me jette un regard agacé et reprend sur un ton ferme :

— Il offre de libérer tes guerriers ainsi que tous les tiens et de te rendre une partie des richesses. Pour prouver sa bonne foi, il t'envoie ceci. On prétend que tu y tiens beaucoup.

Un esclave me tend trois planches gravées d'encoches. Elles me paraissent dérisoires.

— Mes plaques du temps ! Comme si elles valaient mon trône, mes palais.

De dépit, je les lance entre les arbustes. La colère m'emporte :

— Bien sûr que Tezco ne veut pas ma mort ! Qui voudrait me tuer et provoquer le courroux des dieux ? Ce fumier tente de sauver sa vie.

Chalchiu secoue la tête d'un air las.

– En échange du trésor et de la promesse de libérer les otages, il exige la dissolution de notre armée et ton départ de la région. Il propose que tu ailles t'établir au comptoir de Chichen.

– Ah! Chez les Itzas! Là où j'aurais dû l'envoyer lui-même pour qu'il y trépasse. Et tu voudrais que j'accepte?… Pourtant, hier, tu étais prêt à partir en guerre! Je ne comprends pas. Qu'est-ce qui t'a fait changer d'idée?

Le roi hésite, ferme les yeux un court instant. Il étire un soupir :

– Ma fille était là, sous le dais, le grand prêtre Ocelotl aussi.

– Les mécréants se préparent à les sacrifier!

– Non. Tous deux sont bien traités. Ils m'ont exposé les circonstances des derniers jours.

– Ils ont sûrement plaidé en ma faveur!

Chalchiu cille avec une légère moue.

– Ma fille veut revenir à Chololan avec ses enfants. Et Ocelotl prétend que… le Prince de la Nuit s'acquitte de sa tâche avec dignité.

– Ils ont parlé sous la menace!

– Je ne crois pas. Ocelotl affirme que les maléfices ont cessé depuis ton départ et que…

Le souverain continue sans que j'écoute. La tête me tourne. Ai-je bien entendu : «Le Prince de la Nuit s'acquitte de sa tâche avec dignité»?… L'angoisse m'assaille. Tous me trahissent : Ocelotl est trop vieux et malade pour juger de la situation ; l'épouse originaire de Chololan est prête à tout pour sauver sa peau et celle de ses petits. Je me sens abandonné, comme lors du naufrage ou lorsque le bateau a brûlé. Sans famille, sans appui. Le spectre de Melkolf me jette un regard de reproche : mes beuveries ont mis mon entourage en péril. Je voulais festoyer à la manière des plus grands seigneurs islandais, voir les nobles se pâmer d'admiration. J'ai réussi, mais je me suis tant enivré que j'ai tout perdu. Qu'adviendra-t-il du dieu, du roi que j'étais ?

Dans mon trouble, j'ai raté une partie du récit. J'en capte la fin :

— La délégation toltèque viendra demain écouter notre réponse. Nous avons la nuit pour y penser. Il faut tenir compte de l'équilibre des forces et du sort des familles prisonnières.

La vengeance et le trône m'échappent. Même Ocelotl me trahit. J'avale péniblement.

— Renoncerons-nous à la guerre ?

— Je vais y réfléchir. As-tu remarqué que le Popo crache des nuages noirs depuis ton arrivée ? Les dieux parlent, il faut écouter. Permets que je me retire pour consulter mes sages.

Je me retrouve seul, sans personne pour me conseiller. Alité, Huemac lutte contre une fièvre tenace. Chantico garde sa porte fermée. Le fantôme de Melkolf ne m'est d'aucun réconfort. La nuit tombe. L'affreux Prince des Ténèbres revient me tourmenter. Il ricane, assis sur mon trône, l'or sur la tête, mon sceptre entre ses griffes perverses. Il sourit : des viscères frémissent entre ses crocs. Incapable de dormir, torturé par l'anxiété, je sors prendre l'air.

Le jardin baigne dans la lueur blanchâtre d'un coin de lune. Un jeune prêtre s'est assoupi dans l'herbe. Sur l'autel, du copal finit de brûler et disperse son arôme de sève mielleuse. Des fils de fumée bleue s'entrelacent dans leur ascension vers les étoiles. Au loin, le Popo gronde, sa lumière de feu irradie le ciel. Je m'agenouille dans la clarté bienfaisante, la face contre le sol, écrasé de remords. Melkolf n'est plus, mes palais appartiennent à d'autres, mes femmes aussi. Par ma faute, leur sang risque de couler comme ruisseaux au dégel du printemps. J'interroge les astres, j'espère un signe des dieux : personne ne répond. Mes sanglots abreuvent la terre. Je voudrais qu'elle m'absorbe pour y disparaître à jamais.

Melkolf passe son bras autour de mes épaules pour me ramener en Terre-Verte. J'observe une famille réunie autour du feu, les visages lumineux, mais méconnaissables. Avec tristesse, je comprends que le temps a érodé leurs traits. Je me suis trop éloigné d'eux.

Les prières du jeune prêtre me tirent de ma somnolence. Encore engourdi par cette mauvaise nuit, je remarque mes plaques du temps entre les fleurs. En parfait état. Depuis mon intronisation, un scribe était chargé de cocher les nuits. J'additionne les années, je recompte, les planches sont formelles : mon règne sur Tollan a duré quinze ans. J'en ai quarante, la durée de deux cycles courts dans le calendrier des prêtres. Le premier s'est passé avec les Islandais, le deuxième chez les Toltèques. Il est peut-être temps d'inaugurer une nouvelle ère. Le volcan cracherait-il un mur entre moi et Tollan ? Je pense à tous ces beaux enfants au teint cuivré. Je dois choisir : leur vie ou ma vengeance.

L'idée d'un long exode m'oppresse. J'ignore tout de l'itinéraire et des Itzas, à part leur goût pour les yeux qui louchent. Je ne sais rien non plus de l'épouse qu'ils m'ont envoyée depuis les Basses-Terres ; je ne parlais pas sa langue et elle ne connaissait pas la mienne. Trop tard aujourd'hui pour la questionner. Après des ablutions rapides, saisi d'inquiétude, je me précipite chez Chalchiu.

— Si je dois aller chez les Itzas, comment serai-je reçu ?

Notre hôte s'attendait sans doute à cette question. Il répond avec calme :

— Je connais peu de chose à leur sujet. On me dit que ce sont de bons commerçants.

Il se tourne vers son serviteur.

— Va chercher la personne dont je t'ai parlé.

Le souverain nous fait servir à boire et à manger. Le repas s'achève lorsqu'un homme nous est présenté. Courtaud et replet, un visage de pleine lune, il porte un insigne inconnu. Il sursaute à ma vue et baise le sol. Son visage m'est vaguement familier. Un scribe le nomme : Hun-Pik-Tok, marchand de cacao et de jade. Le roi lui souhaite la bienvenue, puis s'informe :

— Es-tu allé dernièrement en pays itza ?

Le petit homme s'incline exagérément. Ses longs colliers tintent contre les dalles.

— Oui, Grand Seigneur, j'arrive du pays de l'écriture. Je suis né à Chichen, mais j'ai pris épouses ici. Ainsi, je te suis doublement redevable : je te dois ma prospérité et ma postérité ! Je ferai tout pour t'être agréable, surtout que je connais la réputation du roi qui te tient compagnie.

Chalchiu sourit.

— Ton éloquence m'étonne. Tu parles bien notre langue pour un Itza. Raconte-nous ce que tu sais des Basses-Terres.

Ainsi flatté et encouragé par le souverain, le bonhomme, qui dit converser dans les deux langues avec la même facilité, se lance dans une longue narration. Ses bajoues tremblotent tandis qu'un torrent de paroles jaillit de ses lèvres fines. Ses doigts garnis d'argent et de pierreries dessinent un fleuve démesuré aux nombreux affluents, des forêts touffues qui descendent vers des plaines sans fin, de plus en plus arides à proximité de l'océan. Le roi s'impatiente.

— La ville de Chichen n'a-t-elle pas d'ennemis?

— Oui, Coba et Uxmal nous font une dure lutte.

— Pourquoi Chichen ne fait-elle pas alliance avec ces deux-là?

— Parce qu'elles refusent! Leurs élites sont issues des cités autrefois majestueuses de Tikal et d'Uaxactun au Peten. Elles entretiennent leurs traditions et leurs idées de grandeur. Elles ne veulent pas que nous, gens de la côte, nous nous établissions à mi-chemin entre elles, mais, grâce à l'aide des Toltèques, Chichen résiste avec succès. Bien sûr, aucune de ces villes n'égale la splendeur de Chololan.

Par le salut démesuré qu'il fait, cette fois, je le reconnais. C'est le commerçant que Huemac attendait à Tecolutla. Il y a plus de vingt ans de cela. Cette histoire paraît si ancienne. Le marchand avait été retardé par l'ouragan. Après toutes ces années, le voilà à nouveau devant moi. Cet homme a le don de surgir dans les moments graves. Est-ce le présage d'un autre mauvais voyage, comme celui qu'on m'avait obligé à faire pour aller à Mictlan lors de notre première rencontre ? J'en ai assez des politesses, je vais au plus pressant :

— Combien de temps faut-il pour se rendre à Chichen ?

— Ça dépend. Dans de bonnes conditions, un convoi met environ cinquante jours par mer et par terre, toujours vers l'est. L'aller-retour nécessite un peu plus de trois lunaisons.

Cinquante jours vers l'est ! La tempête nous avait donc emportés si loin ! Pas étonnant qu'aucun Islandais n'ait pu nous repérer depuis tout ce temps. Donc, si je vais vers l'est, je me rapprocherais de la terre de mes ancêtres. À cette idée, une pointe d'excitation me gagne.

— Chichen est-elle loin de la côte ?

— À deux ou trois jours, selon la direction. On peut rejoindre l'océan par le nord ou par l'est.

Avec un peu de chance, je pourrais construire un bateau. Il y a sûrement des gens qui connaissent la mer et les îles dans ces parages. Une autre question me brûle les lèvres :

— Les Itzas vénèrent-ils Quetzalcoatl ?

Le commerçant replonge cérémonieusement vers le sol.

— Les croyances des Basses-Terres sont quelque peu différentes de celles des Hauts-Plateaux. Mais, depuis que les Toltèques se sont installés à Chichen, la population a accepté Quetzalcoatl.

Il se lance dans une description animée des croyances locales. Le marchand m'est sympathique, rien en lui ne laisse deviner un oiseau de mauvais augure. Raconté par le volubile Hun-Pik-Tok, le pays des Itzas m'attire. Chalchiu l'interrompt :

— Si l'Homme-dieu se rendait lui-même à Chichen, comment serait-il reçu ?

Le commerçant reste d'abord bouche bée, puis sa face ronde s'éclaire.

— Un être de son importance serait accueilli avec tous les honneurs dus à son rang. Je t'assure que sa venue serait une consécration pour les Itzas. Pardonne ma curiosité, mon roi, mais j'aimerais savoir si le capitaine Huemac accompagne encore l'Homme-dieu ?

Étonné, le souverain se tourne vers moi. En un instant, je revois les années passées avec Huemac. Je souris à Chalchiu, de même qu'au dénommé Hun-Pik-Tok.

— Oui, il est toujours à mes côtés. Il ne m'a pas quitté depuis le jour où nous t'avons croisé à Tecolutla. Tu pourras le revoir bientôt. Pour l'instant, il se repose.

Le roi remercie un Hun-Pik-Tok ravi qui se retire dans un cliquetis d'ornements brillants.

L'idée de rallier le bord de mer me stimule. Chalchiu se réjouit de mon intérêt pour les Itzas et vante leurs mérites. L'époque du règne sur Tollan serait peut-être révolue. Cependant, j'hésite à concéder au traître un triomphe aussi facile : l'oncle maudit devra payer très cher mon départ.

Décidés à tirer le meilleur parti de la situation, le roi et moi partons affronter les émissaires toltèques. À mon tour, je prends la parole sous le dais :

— Dites à votre chef que je renoncerai à la guerre à la condition que tous mes fidèles puissent me rejoindre. J'exige que tous ceux qui croient en Quetzalcoatl soient bien traités. Dans cinq jours, qu'on me remette dix grands colliers d'or et d'argent, vingt sacs de pierres précieuses, jades, turquoises et émeraudes, autant en poussière d'or, et le triple en grains de cacao. Je veux cent blocs d'obsidienne, autant d'esclaves et les cinquante dernières hachettes que Melkolf a fondues. Lors de notre départ, je devais recevoir ces pièces, je les attends toujours. Si Tezco se conforme à mes revendications, je partirai sans combattre.

Puisque Huemac a eu le temps de disperser une partie du trésor, je ne vois pas comment Tezco pourrait amasser une telle fortune en si peu de temps. Je rêve de le voir à genoux implorant ma clémence, sans que nous ayons à détruire Tollan. Glacial, l'envoyé toltèque promet de transmettre mes demandes à son chef.

Au bout des cinq jours, un émissaire se présente. Il fait empiler à mes pieds la compensation réclamée. Je n'en crois pas mes yeux, tout y est ! Les sacs d'or aussi. Il ne manque que les hachettes. Comment l'usurpateur a-t-il eu accès à tout cela ? Il n'y a qu'une réponse : Xilonen, ses prêtresses et les chefs, tous m'ont trahi. Chacun a sauvé sa vie et acheté la liberté avec des lambeaux du trésor. Même malgré cela, Tezco n'a pu réunir seul tant de richesses, les nobles ont dû puiser dans leurs fortunes personnelles. Ainsi, les élites de Tollan se liguent pour expulser le dieu étranger. Une sensation d'amère déception me traverse. Je pensais les connaître et maîtriser la situation, mais je n'étais qu'une effigie d'osier entre leurs mains.

Hautain, l'émissaire coupe court à ma réflexion :

– Tes femmes sont libres de circuler à l'intérieur de la ville. Elles seront autorisées à partir lorsque vous aurez atteint le pays des Itzas. Ne t'inquiète pas, les meilleurs maîtres veillent sur leurs enfants.

– Quelle garantie ai-je que vous ne les tuerez pas ?

– Depuis ton départ, nous aurions pu les massacrer tous. Pourtant, aucun n'a été offert. Pour te prouver sa bonne volonté, le seigneur Tezcotlipoca t'envoie son fils aîné en gage. Tu le libéreras quand les tiens seront à Chichen.

Il s'écarte pour me laisser voir l'otage qui attend derrière avec une expression dure, le même air hypocrite que son père. Le Toltèque poursuit :

– De plus, cent hommes qui croient en toi sont déjà en route avec leur famille pour Chololan. Ils apportent les pièces de cuivre qui manquent. Vous pourrez ainsi tous partir pour les Basses-Terres.

Les biens entassés ne représentent qu'une fraction de mes richesses. J'aurais dû demander beaucoup plus et exiger mon casque et mon épée. Acculé à la capitulation, je lance un jet de venin aux émissaires toltèques :

– Je pars, mais je reviendrai un jour. Et vous devrez tous subir les conséquences de cette trahison. Pas vous ni vos enfants, mais les enfants de vos petits-enfants. Mes guerriers surgiront de l'est pour asservir cette ville impie et toute sa descendance. Il n'y aura pas de trésor assez grand pour racheter votre faute.

Un jour, j'en ai la certitude, les Islandais débarqueront ici. J'ignore quand, mais mes frères, leurs enfants ou leurs descendants finiront par arriver, même si la distance à parcourir est immense. Je leur fais confiance, ils remonteront le courant d'eau chaude. Lorsqu'une véritable expédition mettra pied en ce pays de Skraelings méprisants, leur orgueil sera pulvérisé par les haches et les épées du Nord.

Chalchiu approuve la compensation et promet de veiller au respect de l'entente. Mon départ présente pour lui plusieurs avantages : l'abandon d'une guerre ruineuse et, en même temps, le déclin assuré de Tollan, amoindrie par les migrations massives. Le roi a aussi hâte que mes fidèles prennent le large, car ils encombrent la ville au point de la paralyser. De plus, il voit sûrement d'un bon œil que je m'installe chez les Itzas, ces redoutables commerçants qui contrôlent la circulation du sel, des plumes, du jade et du cacao. Afin d'accélérer le mouvement, il envoie des délégués à Chichen pour annoncer notre arrivée.

Après toutes ces humiliations, on m'assène un autre coup dur. Chalchiu s'isole avec moi. Il me parle doucement :

— Tu sais sûrement que Chantico est éplorée à l'idée de quitter sa ville natale et sa famille. Elle m'a demandé de s'établir à Chololan. Cependant, j'ai dû refuser, même si une alliance est prévue entre votre fille Ciukoatl et un de nos nobles. Je ne veux pas provoquer Tezcotlipoca en gardant son ancienne promise. Chantico a donc dû choisir entre Tollan et Chichen. Elle s'est résolue à entreprendre le long périple chez les Itzas. Ta fille aurait pu malgré cela marier son prince, mais elle y a renoncé pour rester avec sa mère. Ainsi, toute ta famille ira à Chichen.

Je lui sais gré de son aide, mais je me sens terriblement offusqué, blessé, que Chantico ait voulu demeurer à Chololan plutôt que de partager mon destin. En représailles, je l'ignorerai avec froideur, comme elle-même agit à mon égard. Alors que mon épouse est forcée à l'exil, plusieurs de mes partisans choisissent de rester sur place. Il est pratiquement impossible pour eux d'envisager un pèlerinage aussi long. Chalchiu accueille avec bonheur ces artisans et guerriers émérites.

Nos défenseurs repartent sans avoir combattu, satisfaits d'avoir vu l'Homme-dieu en personne, même déchu. Les Toltèques qui ont opté pour Chololan s'intègrent peu à peu à leur ville d'adoption. Tel que l'a promis l'émissaire, des fidèles de Quetzalcoatl arrivent, mais seulement avec dix des cinquante hachettes promises. Un sac de jades et d'or remplace les pièces manquantes.

– Nous n'allons pas déclarer la guerre pour quarante morceaux de cuivre, remarque le roi. Vous avez les provisions nécessaires et des pirogues vous attendent déjà au bord de la mer.

Son indulgence envers Tezco m'ulcère. Cependant, nous n'avons aucun motif de nous éterniser. Huemac, dont les plaies se cicatrisent enfin, est en état de se déplacer. Nous partons, généreusement équipés par Chololan et ses alliés qui se désolent, mais pas trop, de nous voir quitter la région. Flairant une bonne affaire, le marchand Hun-Pik-Tok se joint à nous. Le convoi compte environ quatre cents personnes, escortées d'autant de guerriers et d'esclaves.

Huemac et ses épouses, le marchand, Chantico, les enfants et moi sommes transportés dans des fauteuils à porteurs. L'otage, pieds nus, les bras liés à la taille, marche attaché derrière Huemac. Hun-Pik-Tok papote sans relâche et chaque méandre du chemin nous vaut une anecdote. Plus il pérore et plus je m'enfonce dans un silence peuplé de démons. On m'expulse de Tollan comme on a banni mon père d'Islande. On me trahit pour mieux s'approprier mes œuvres. Que Tollan se noie dans son sang! Je fonderai une nouvelle colonie de la même façon qu'Erik le Rouge l'a fait en Terre-Verte.

Après dix jours de marche vers l'est, nous atteignons le littoral au matin. La vue de la mer qui étale ses bruissements d'écume me ramène à mon enfance. Avec béatitude, j'emplis mes poumons d'odeurs d'algue et de sel. Pour nous débarrasser de la poussière de la route, nous nous baignons dans les vagues indolentes. Je flotte nu dans le ventre fécond de l'océan, ce qui atténue mes souffrances. Nous embarquons dans de grandes pirogues. Comme il n'y en a pas suffisamment pour nous emmener tous, une partie des gens poursuivent le trajet à pied. Ils se rendront jusqu'à l'estuaire du fleuve Tabasco, où ils trouveront des embarcations pour continuer.

Sous le soleil brûlant, le voyage se transforme en une excursion monotone le long de la côte. Le souvenir des glaciers de la Terre-Verte a la saveur d'un véritable paradis. Le soir, nous accostons dans des villages du littoral. Prévenus de notre passage par d'invisibles messagers, des groupes silencieux guettent notre arrivée à chaque halte. Ma réputation d'Homme-dieu me précède, car il est rare que des rois, bannis ou pas, traversent ces contrées isolées. Les gens m'observent à la dérobée, de peur de croiser le regard de l'étranger qui peut jeter un mauvais sort. Par crainte ou admiration, on me réserve les meilleures habitations. À l'occasion, des parents m'amènent leur fille pour que j'en jouisse ; je ne prends que les moins laides.

Après treize jours de navigation côtière, nous atteignons l'embouchure du large fleuve Tabasco, où les Itzas vivent associés aux Toltèques. Content de retrouver sa terre, Hun-Pik-Tok devient intarissable :

– Ce grand cours d'eau marque le début de notre florissant territoire. À partir d'ici, les gens parlent une langue différente. Bien sûr, la plupart peuvent converser en nahuatl.

Il pointe un doigt vers le sud, en amont, et ajoute :

– Là sont plantées les cités jadis extraordinaires du Peten : Palenque, Uaxactun, Tikal. Aussi splendides que Teotihuacan au sommet de sa gloire. Les seigneurs les plus puissants y ont vécu. Ils savaient lire, écrire, prédire le temps, lever et conduire des armées, ériger des monuments. Mais leur cupidité et leur envie sans bornes les ont détruits. Les villes sont mortes au bout de leur sang. Maintenant, les pyramides gisent ensevelies sous la végétation. Plus personne ne sait déchiffrer les messages des stèles. On n'a rien construit depuis au moins cent cycles solaires, car les survivants ont fui vers les Basses-Terres.

J'ai entendu parler de ces cités. Quelle déception d'apprendre qu'elles sont aussi ruinées que Teotihuacan ! Au moins, je n'ai pas imité ces souverains bouffis d'orgueil et j'ai évité la destruction ultime. Melkolf aurait été fier de moi : des milliers de victimes épargnées. Je contemple la forêt, si dense qu'on peut à peine voir le ciel. L'air ne circule même pas. Quelle moiteur ! La terre des Itzas ressemble à un vaste marécage, gorgé de moisissure et de moustiques. Dans un tel endroit, des forêts peuvent bien avaler des empires.

Pirogues et rameurs de Chololan s'en retournent chez eux, leur mission accomplie, alors que les gardes nous accompagneront comme prévu jusqu'à Chichen. Nous prenons les embarcations des Itzas. Eux ne souffrent pas de la chaleur, au contraire de nous tous qui sommes amaigris, la peau couverte de morsures d'insectes, cuite par le soleil et le sel. La fraîcheur des Hauts-Plateaux nous manque. Le premier petit-fils que les dieux m'ont donné grelotte, accroché à sa mère, souffrant d'insolation. L'otage suit en silence. Huemac veille à ce qu'il ne périsse pas.

Nous longeons une immense lagune que Hun-Pik-Tok nomme la mer des Moustiques. Il explique que personne ne s'y arrête longtemps, car une fièvre mortelle frappe les imprudents qui s'y établissent. Nous accostons sans entrer dans la baie. Les hommes capturent quantité de lièvres, puis nous suivons la côte vers le nord. Nous naviguons sous des vents contraires et un soleil féroce avant d'atteindre le village de Sisal. Dans ces parages où il pleut rarement, le henequen abonde. Cette plante aux longues feuilles bleutées, dressées vers le ciel telles des lances, fournit des fils rugueux, imputrescibles, qu'aucun insecte n'attaque. Voilà pourquoi les archives royales sont conservées sur des toiles de henequen. Les paysans qui travaillent cette fibre ont les mains dures comme la carapace des tortues. Là, dans ce plat décor de roches et d'épines, Hun-Pik-Tok annonce avec emphase que l'expédition s'achève. Chantico ne réagit pas à cette nouvelle ; son petit-fils semble moribond et son plus jeune, Eztli, tremble de fièvre, sans que personne puisse les soulager. Si Mère pouvait me venir en aide. Mais elle aussi serait perdue dans ce monde insolite.

À croire que le malheur s'acharne sur moi et sur ma descendance.

Sept jours après notre halte à Sisal, nous accostons enfin à Port-Caïman, une île ceinturée de quais où règne une effervescence digne d'un rucher par beau temps. Des centaines de sacs de sel sont entassés dans des embarcations. Le lendemain, Hun-Pik-Tok insiste pour que nous visitions une lagune en face de l'île. Sur des eaux si salées qu'elles en sont troubles, des milliers de grands oiseaux rose vif, grimpés sur des pattes hautes comme des échasses, caquettent le long de berges ourlées de sel blanc éblouissant comme neige. Notre incursion en fait lever des nuages qui tournoient au-dessus de nos têtes. Le ciel se raye de pointes roses et noires qui se meuvent jusqu'à l'horizon dans un tumulte rauque. C'est la plus grandiose cérémonie de bienvenue à laquelle j'ai assisté! Ébloui, j'ai tout à coup le sentiment d'avoir pris la bonne décision. Le Popocatepetl rageur a signifié mon départ des Hauts-Plateaux, alors que l'envolée de ces créatures célestes marque le début d'une nouvelle vie. Les dieux suivent encore mon parcours.

Tôt, nous quittons le domaine des hérons roses. Le petit Eztli, trop malade, ne peut marcher. On le couche dans un hamac accroché à une branche que portent deux esclaves. Nous avançons sur un chemin surélevé fait de cailloux et d'argile blanche compactée. Cette route, que les Itzas nomment «sacbé», traverse des marécages bordés d'arbres fruitiers. Plus loin, nous progressons sur un sentier de terre battue. Nous croisons de petits groupes de voyageurs, tous lourdement chargés. Certains quittent le chemin principal pour s'enfoncer dans la forêt, d'autres émergent de cet océan d'émeraude pour emprunter la même piste que nous, dans une direction ou dans l'autre. Tous me lancent des coups d'œil furtifs.

Le bruit des insectes est aussi insupportable que la chaleur. Las, nous faisons halte dans une trouée en bordure du chemin. Des toits de palmes fournissent un peu d'ombre et permettent de tendre des hamacs. Des voyageurs s'y reposent déjà. Nous sommes assoiffés. Des esclaves charrient des urnes d'une eau surgie de nulle part. Nous n'avons pourtant traversé aucune rivière. Hun-Pik-Tok, trop content d'étaler son savoir, m'entraîne au centre de la clairière.

– Ici, les rivières coulent sous terre. Il faut puiser. Le fleuve Tabasco constitue la seule route vers l'intérieur. Viens voir.

Deux perches fourchues, plantées dans le sol, en soutiennent une troisième à l'horizontale, juste au-dessus d'une petite ouverture dans le sol. Une esclave passe un contenant étroit mais profond par-dessus la barre à la hauteur des yeux. Attaché à une longue corde, le vase tombe dans le trou. La corde glisse entre ses mains et sur la branche, puis se raidit. La femme donne quelques coups et tire ensuite vers l'arrière avec de grands mouvements. Le câble s'enroule à ses pieds en un serpent docile. Le seau finit par apparaître, plein d'une eau claire qui est transvidée dans une jarre. L'esclave relance le contenant au creux de la terre. En sueur, elle le remonte ainsi une dizaine de fois, jusqu'à ce que tous aient bu à satiété. Cette façon de faire me confond.

À quatre pattes au-dessus du puits, j'essaie d'en évaluer la profondeur, mais l'obscurité m'en empêche. Guerriers et marchands rient à la dérobée de me voir le nez dans la poussière. Je leur jette un regard noir qui les calme instantanément, puis je fais signe à un esclave de tenir l'extrémité de la corde qui a servi à sortir l'eau. Je prends l'autre bout et m'éloigne dans le sentier jusqu'à ce qu'elle soit tendue ; ensuite, je reviens à grandes enjambées en comptant. La corde mesure vingt pas : l'eau circule donc à cette profondeur ! Quelle curieuse contrée !

Une paysanne offre des galettes de maïs aux voyageurs. Ceux qui en achètent paient avec des grains de cacao. Ils profitent de la halte pour commercer et échanger leurs produits, surtout des pièces de poterie ou d'osier, des outils, des idoles de bois et d'argile, certaines recouvertes de résine noire. Nous nous installons dans cette clairière pour passer la nuit, éclairés par quelques petits feux.

Le matin, nous reprenons la piste par une chaleur torride qui ne relâche jamais son emprise. Le soleil avance dans le ciel avec une lenteur exaspérante. Alors que le jour resplendit encore, une pluie d'une force incroyable s'abat brusquement sur nous. Nous continuons, complètement trempés, glissant dans la piste boueuse jusqu'à ce que nous atteignions une autre trouée où s'élèvent quelques toits de chaume sous lesquels nous nous abritons. Finalement, le temps se calme. Soulagé que l'ondée ne dure pas davantage, je surveille la préparation du campement pour la nuit. J'essaie de trouver le sommeil malgré des nuées d'insectes qui me dévorent, lorsque soudain jaillit un cri déchirant. Avec étonnement, j'aperçois l'épouse de Mimix, agenouillée dans la lueur du feu, qui serre son petit sur sa poitrine. Ma femme veut lui enlever. La jeune femme le laisse finalement échapper et s'écroule en pleurs sur le sol. Chantico, l'enfant emmailloté dans les bras, va aussitôt se planter devant mon aîné.

— Je suis désolée, lui dit-elle, mais il faut que tu saches : le petit est mort depuis au moins une journée.

Mon prince baisse la tête, comme s'il avait déjà deviné. Le voyage aura donc été fatal pour son enfant ; la traîtrise de Tezco l'a tué aussi sûrement qu'un coup de couteau. Je fais dresser un bûcher. Par une telle chaleur, il faut brûler le corps au plus vite. Tandis que la mère étouffe ses sanglots, un guérisseur itza récite des incantations et fait des offrandes. Sans plus de cérémonie, nous allumons le feu qui réduit vite en cendres ce petit garçon qui aurait pu un jour devenir le chef des braves de Tollan. Au bord du brasier, les jambes couvertes de boue et le visage en sueur, Chantico balance du copal sur les précieux ossements. Elle me toise méchamment.

— J'ai obéi à mon père et je t'ai épousé pour perpétuer la lignée royale. Et maintenant, j'incinère mon premier petit-fils, loin des miens, loin de tout. Que faisons-nous dans cet endroit minable ? Nous périrons tous de misère. Les enfants tremblent, vomissent, leurs intestins explosent. J'avais pourtant un splendide palais ! On m'a dit qu'il avait été saccagé, puis emmuré. Personne n'a le droit de s'en approcher, même pour y jeter des ordures.

Et sans parler de nos richesses pillées. Mes suivantes devenues femmes du roi portent mes bijoux et se divertissent dans les plus beaux marchés. J'aurais préféré mourir sous la lame de Tezcotlipoca plutôt que d'errer dans la honte en ces lieux maudits. J'envie Xilonen qui a eu l'audace de rester à Tollan!

En disant ces derniers mots, Chantico me lance des morceaux d'encens en plein visage. Je veux la frapper, mais Mimix et Ye-Olin me retiennent, tandis que Kiou tente de calmer sa mère, sans succès. La bonhomie de Hun-Pik-Tok n'arrive pas non plus à tranquilliser Chantico qui gémit de tristesse et de rage. Couvert de prurit, Eztli ajoute ses plaintes aux siennes, jusqu'à ce que les cendres commencent à refroidir. Dans la lumière grise d'une nuit qui se meurt, des singes crient autour de nous comme des génies malfaisants.

L'angoisse m'étouffe à la pensée du lendemain. Le mauvais sort va-t-il encore nous frapper? N'ai-je pas suffisamment payé pour mon insouciance? Depuis que nous avons quitté Port-Caïman, nous avons cheminé dans un tunnel de végétation, ne croisant que quelques misérables huttes. Rien ne laisse présager la proximité d'une ville importante et pourtant, demain, nous devrions atteindre Chichen.

CHAPITRE XXIII

Le verdict de Chac

À l'aurore, bien qu'épuisée, et malgré le désespoir qui la pousse à rebrousser chemin, Chantico se résigne à nous suivre à Chichen. À mesure que nous avançons, dans la chaleur déjà écrasante du matin, une poussière terreuse colle à la peau, s'incruste dans les vêtements. Le sentier s'élargit et l'affluence augmente. Des tambours roulent au loin. Nous dépassons des cabanes au toit de chaume. D'abord isolées, elles deviennent de plus en plus rapprochées. Toutes sont miteuses, certaines à demi détruites, quelques-unes protégées par des enceintes de pieux ou de roches qui se perdent entre les arbres. Nous traversons des quartiers délabrés. Rien pour éblouir Chantico.

Au détour, notre piste aboutit à une large voie rectiligne, surélevée et bordée d'argile blanche. Au point de jonction, une poignée de dignitaires attendent avec une escorte disparate. De petits hommes qui n'ont qu'un linge sur les hanches et une lance à la main se tiennent de chaque côté de la piste. Sur la route, des guerriers grands et solides semblent sortir tout droit de Tollan avec leur cuirasse en forme de papillon, leur coiffe rigide et leur lance-dards. Hun-Pik-Tok m'a parlé avec irritation de l'arrogance des Toltèques qui gèrent Chichen sans égard pour les nobles Itzas. Au-dessus de leurs têtes pendouillent de triste façon des bannières d'un rouge délavé qui annoncent un accueil pitoyable. J'avais espéré plus de faste! Moi, un émissaire divin, reçu par une pauvre troupe, armée de surcroît, au mépris des traditions d'hospitalité. Les promesses de Hun-Pik-Tok ne seraient-elles que du vent?

Nous approchons des nobles. Curieusement, leurs regards se chargent de mépris. J'y perçois même une impatience sadique, comme une envie de sang qui flotte dans l'air immobile. J'ai le sentiment de tomber bêtement dans un piège. Mais impossible de reculer. Hun-Pik-Tok se répand en courbettes devant les Toltèques.

— Seigneurs, les émissaires de Chololan vous ont-ils prévenus de notre arrivée?

Le chef toltèque ne daigne pas saluer.

— Jamais vu d'envoyés ici, dit-il, tendant un doigt accusateur vers moi. Mais je sais que cet homme est un imposteur! Les prêtres l'ont chassé de Tollan parce qu'il attire les maléfices. Complice du soleil, il empêche les pluies de tomber. Emprisonnez-le!

À ses cris, d'humbles guerriers itzas surgissent de partout le long du sentier. Devant cette déclaration de guerre, Chantico et les enfants se pressent dans mon dos. Huemac saisit notre otage à la gorge. Les capitaines se regroupent en position de défense autour de nous et du trésor. Les guerriers de Chichen obéissent sans doute à Tezco qui les aura embobelinés par je ne sais quelle manigance. Ils injurient copieusement nos gardes qui ne répondent pas.

Le vieux Hun-Pik-Tok grimpe avec l'agilité d'un lézard sur la route blanche et discute avec les prêtres itzas dans leur langue. Je n'y comprends rien, mais le ton est à l'orage. Le marchand s'insurge et s'agite avec une vigueur insoupçonnée, ses bijoux sonnaillent contre sa poitrine au rythme de ses vociférations. Il se démène si bien que les guerriers cessent leurs insultes. Il proclame avec force, en mélangeant l'itza et le nahuatl :

— L'Homme-dieu arrive en paix. J'ai donné ma parole au roi de Chololan qu'il serait bien traité ici. Nous, Itzas, avons besoin de chefs tels que lui pour lutter contre Coba et Uxmal. C'est aux Itzas, et non aux Toltèques, de décider du sort de Quetzalcoatl.

L'appel à la fierté itza ébranle la détermination des combattants locaux, en nombre supérieur, qui baissent les armes. En rappelant aux Toltèques que les Itzas ont préséance à Chichen, Hun-Pik-Tok rétablit un calme précaire ; puis il disparaît derrière le mur de bannières rougeâtres.

L'arrogance des dignitaires à l'allure toltèque me donne la certitude qu'on veut me tuer. Reste à savoir comment. Par bravade, je toise leur chef, qui me dévisage avec une face de coyote alléché par le sang. J'aimerais que mon regard lui calcine la cervelle. Ma rage contre l'usurpateur, qui s'est émoussée au cours du voyage, ressurgit avec force : je suis prêt à bondir sur cet émule de Tezco pour me venger. Mais cela signifierait une mort certaine pour mes compagnons. Et Tezco aurait finalement triomphé de moi et récupéré le trésor. Il me faut rester calme et stoïque, mais prêt à tout.

Hun-Pik-Tok ne réapparaît pas. Un rituel semble se dérouler par-delà les étendards. Un animal glapit, de l'encens monte dans l'air surchauffé, un tambourin frémit en sourdine, une mélopée s'élève. Chantico et les enfants, agrippés les uns aux autres, contemplent le vol des vautours au-dessus de nos têtes. J'aimerais bien savoir qui, dans cet endroit morbide, prend les décisions. Les Itzas, plus nombreux, ou les Toltèques, mieux armés ? Finalement, les bavardages de Hun-Pik-Tok m'auront assez peu renseigné.

Enfin, un prêtre imposant s'avance vers nous, une expression hostile figée sur le visage. Hun-Pik-Tok le précède, si nerveux que des filets de sueur mouillent ses tempes et irriguent les plis de son cou. Le marchand s'adresse à moi, non sans avoir effleuré la terre du bout des doigts, comme pour s'excuser à l'avance :

– Précieux envoyé de Vénus, les prêtres ont consulté les dieux et les écritures. Les Itzas savent que le soleil et le vent te sont favorables. Ils ont entendu parler de ce que tu as accompli à Tollan.

– Abrège…

– Les Toltèques prétendent que tu es une puissance néfaste et que, là où tu passes, les champs s'assèchent, les hommes sont transformés en pierres…

– Mensonges !

– Oui… mais Chichen connaît déjà un grave problème de sécheresse. Chac, dieu de la pluie, nous prive de ses bienfaits depuis des cycles. Les Itzas ne peuvent pas offenser Chac et les Toltèques du même coup ! Sans leur soutien, Coba et Uxmal nous réduiraient en cendres.

– Alors…, dis-je en grondant, que veulent tes prêtres ?

Pathétique, Hun-Pik-Tok se jette carrément à mes genoux.

– Que tu ailles chercher les oracles dans la demeure de Chac !

– Qu'est-ce que tu veux dire ?

– Les volontés des dieux sont cachées… dans le puits sacré. Tu devras plonger…

Apeurée par cette épreuve, Chantico pousse un cri aigu. Pour sa part, Huemac rugit de colère :

– Trahison !

Il se rue sur le prêtre itza, la lance au poing. À son autre bras est attaché l'otage. La corde au cou, celui-ci est entraîné par l'élan de mon fidèle capitaine. Je me jette sur Huemac et arrête sa pointe qui allait transpercer l'Itza. D'un seul mouvement d'ensemble, tous les hommes, de Chichen, de Tollan et de Chololan, brandissent leurs armes. J'ai provoqué la déchéance des miens, il m'appartient de sauver leurs vies. J'abaisse l'arme de Huemac.

– Attends ! lui dis-je. Les dieux de l'onde me sont bénéfiques, je les connais. Je prouverai mon origine divine.

Sceptique, Huemac recule un peu. Privé d'air, le fils de Tezco couine par terre. Je me tourne vers Hun-Pik-Tok.

– Si je reviens du puits, les Itzas me reconnaîtront-ils comme un messager des dieux ?

– Oui, seigneur Quetzalcoatl !

Plein d'espoir, il incite les guerriers au calme en abaissant les paumes vers eux à plusieurs reprises. Je le regarde dans les yeux.

– Les Toltèques me respecteront-ils autant ?

– Ils ont promis de t'honorer à la manière des Itzas.

– Bien… Je veux l'entendre de leurs bouches.

Le négociant vacille sur ses jambes fatiguées. Il discute avec le prêtre qui acquiesce. Je desserre la corde de l'otage à demi étouffé. Le capitaine aux dents de coyote écoute, lui qui comprend les deux langues. Ils salivent à l'idée de repêcher mon cadavre dans le puits. Par dérision, il fléchit le buste, mais maintient la tête droite et l'air défiant.

– Bien sûr, Huracan, tous les Toltèques glorifieront ton nom. Quand tu reviendras…

Le grand prêtre itza s'avance au-devant du groupe, avec une expression déterminée, semblable à celle d'Ocelotl quand il était jeune. Il élève son sceptre décoré de plumes et de coquillages avant d'en frapper le sol. Le bâton orné cliquette par-dessus le grésillement des grillons. Le vénérable lance un long : « Chaaac. » Il répète ses appels, entrecoupés de cliquetis de bâton, au moins sept fois. Je commence à m'impatienter. Il récite une prière que Hun-Pik-Tok traduit :

– Ô dieu Chac, demain, à l'aube, Ce-Acatl Topiltzin Quetzalcoatl ira te visiter. Si tu l'en juges digne, instruis-le de tes volontés et nous le consacrerons devin. Aide-nous, nous qui souffrons du dessèchement.

– Mais il a plu hier, dis-je par pure provocation.

Hun-Pik-Tok ignore ma remarque. Je montre mes sandales pleines de boue au grand prêtre, qui me jette un regard méprisant. Il se tourne vers les Toltèques à qui il ordonne de m'emmener.

Aussitôt, des conques hululent. Des murs de la ville, des tambours répondent par une faible rumeur, qui s'amplifie à mesure qu'une procession s'approche. Des flûtes, d'autres sons mélodieux et des chants s'ajoutent. Un défilé nous rejoint. D'abord des musiciens, suivis de dizaines de femmes vêtues de rouge, munies d'encensoirs allumés et de brassées de fleurs. Elles avancent délicatement, en ondulant telles des vagues ; leur murmure est celui du vent dans les branches. En d'autres circonstances, j'aurais pu être charmé. Des enfants ferment le cortège en sautant et criant pour imiter des grenouilles. Les plus petits, incapables de se maîtriser, oublient leur rôle et m'observent de leurs grands yeux noirs. Aucun regard d'adulte n'a croisé le mien.

Le convoi passé, notre groupe est entraîné vers l'enceinte de la ville. Une fois à l'intérieur, je remarque que la population itza compte beaucoup de gens de très petite taille, bien proportionnés, mais pas plus hauts que des enfants islandais, avec des visages vieillis et des mains ridées. Les plus peureux courent se cacher dès qu'ils nous aperçoivent, les autres se prosternent ou baissent la tête. On me regarde de biais, on chuchote en jaugeant le danger : les Itzas semblent vouloir tout à la fois m'adorer et me lapider.

Chantico, les enfants, l'otage et le trésor, tous sous la protection de mes capitaines, sont conduits à travers un marché vers une destination inconnue. On me pousse en direction opposée.

Malgré l'accueil et la menace du puits, je me sens le cœur léger, heureux de ma décision. J'ai évité un autre massacre. Sans moi, les miens auront une chance de survie, car, pour l'instant, ils subissent la hargne qu'on me voue. Si je meurs, ils auront peut-être la vie sauve. Et, si je réussis l'épreuve, ils vivront en sécurité. Je n'ai pas peur de l'eau, je gagnais tous les concours de traversée du fjord à la nage. Un puits ne m'effraye pas, ce sont plutôt les Toltèques qui m'inquiètent :

bloqués dans un comptoir perdu, ces idiots sont prêts à n'importe quelle prouesse pour se faire remarquer de leur traître roi.

On me conduit vers une vaste maison entourée de sentinelles. Sur une base de pierre s'élèvent des murs de bois ouvragé percés de nombreux losanges symétriques. Deux prêtres itzas m'amènent à l'intérieur où ils m'indiquent une natte épaisse. Je m'y repose et goûte à la fraîcheur du sol pendant que les religieux allument des brûleurs d'encens qu'ils disposent autour de la pièce. Les fumées odorantes jouent dans les traits de lumière qui filtrent par les ouvertures des murs en lacis. Le prêtre au crâne allongé frappe dans ses mains, quatre jeunes femmes entrent avec des jarres rondes sur la tête, des piles de toile bien pliée dans les bras. Elles déposent vases et effets et sortent sans bruit. L'autre prêtre, aux mains épaisses, ferme la lourde porte. Le premier m'explique dans un nahuatl rocailleux :

– Plonger dans les eaux sacrées est un honneur. Il faut te purifier avant de mettre le vêtement cérémoniel. Nous avons préparé le bain de vapeur. Après tu pourras manger.

Mes hôtes se déshabillent en même temps que moi, puis nous passons dans une petite pièce surchauffée par des braises enfouies dans la terre et recouvertes de larges pierres sur lesquelles on verse de l'eau. L'air s'emplit de vapeur bienfaisante, je m'assois sur un petit banc. En modulant des psaumes, les deux prêtres me frottent le corps à l'aide de fibres rugueuses ; mains et pieds sont lavés avec minutie. Après une bonne suée, nous revenons dans la première pièce. Les deux zélateurs me versent des récipients d'eau fraîche sur la tête; bouche ouverte, j'en bois de grandes lampées. Je n'ai pas été aussi propre depuis longtemps.

– Vous me traitez comme une jeune femme qui va se marier.

Les deux hommes sourient et continuent leur labeur en silence. Ils me sèchent avec énergie et m'appliquent des baumes parfumés sur la peau et dans les cheveux. Pendant que je m'abandonne avec délices à leurs soins attentifs, je revois la rivière de Tollan où je nageais entre les poissons, les papillons et les rires des princesses. La serviette sur mon visage chasse le doux rêve. Le religieux qui parle nahuatl m'attache une sorte de jupe rouge qui comporte deux pans, devant et derrière, garnis de franges et de grelots. Puis, il appelle les servantes. L'autre me fait signe de retourner sur la natte. Les femmes disposent devant moi des plats colorés. Avec appétit, j'engouffre les galettes à la crème de noix, les petits épis de maïs, la viande et son bouillon, les fruits macérés dans le miel. Quel festin! La cuisine itza m'apparaît encore plus succulente que celle des Hauts-Plateaux! J'avale un bon gobelet d'hydromel parfumé aux fleurs sylvestres et j'en redemande aussitôt. La fille au pichet lance un regard interrogateur aux prêtres qui lui répondent en même temps par un large sourire niais. Elle me verse à nouveau de la boisson, mais, flairant une menace, je n'en bois plus. On rapporte les plats vides.

Les religieux ajoutent de l'encens. Une musique enjôleuse s'élève, accentuée par le gazouillis de centaines d'oiseaux. L'hydromel produit un effet surprenant et une ivresse troublante m'envahit. Je m'allonge. Sans que j'aie envie de protester, on m'arrime au sol, les bras en croix.

D'abord lentement, puis de plus en plus vite, je chute dans un long gouffre noir. Je tombe comme le seau dans un puits, mais sans corde pour me retenir. Un halo clair au-dessus de ma tête rétrécit jusqu'à disparaître, j'essaie de m'accrocher. Je ne happe que le vide. Le tonnerre des tambours se rapproche. Au fond du gouffre, le Prince de la Nuit brandit sa lance pour m'empaler. Il rit. Je me tords, j'évite la pointe. J'essaie de l'assommer, je n'atteins que son reflet hideux lancé par le miroir de pyrite.

Une main me broie l'épaule. Je sursaute, trempé de sueur, les poignets meurtris, l'esprit qui divague. Les mêmes tambours que dans mon cauchemar roulent devant la porte. Tezco m'a de nouveau fait empoisonner! Sinon, ce sont les Itzas. Ils m'envoient dans le monde des esprits avant le plongeon.

On me détache et me force à me lever. Quatre robustes guerriers couverts de plumes rutilantes m'encerclent et lient une longue corde à chacun de mes membres. Ils me poussent ensuite à l'extérieur où il fait encore nuit. La ville se découpe en silhouettes noires sur un horizon à peine violacé et moucheté de quelques étoiles. Des torches éclairent des gens aux visages inquiétants, peints d'écarlate, qui se bousculent pour me toucher avec des airs de béatitude. Tous agitent de courts bâtons terminés par une boule sonnante.

Un prêtre empanaché entonne un hymne en faisant tinter son bâton contre le sol. Les faces vermeilles autour de nous psalmodient de lancinants «Chaaac, Chaaac». Le défilé s'ébranle, au milieu des chants d'une foule en pourpre. Pris entre mes quatre geôliers massifs, je vais, chancelant, en proie à de fortes hallucinations dans cette mer de coiffures hautaines et de bannières arrogantes.

La procession emprunte la même route blanche par laquelle nous sommes arrivés hier. Brusquement, nous nous arrêtons. Une tête ornée d'un panache apparaît au-dessus de la foule ; le religieux étend les bras pour diriger les gens de chaque côté de lui. J'invoque les dieux de mon enfance ; ceux de Tollan ne me sont plus d'aucun secours. Si je les priais, ils pourraient provoquer ma perte. Thor et Odin, eux, ne m'ont jamais trahi, même s'ils ont parfois perdu ma trace. Je répète un refrain cher à Le Rouge : «Thor, dieu des cieux, à la victoire tu me convies...»

Le grand prêtre jappe un ordre : on m'attire au pied de sa plateforme. Dans l'aurore naissante, je vois des personnes côte à côte qui forment un cercle écarlate si vaste que je distingue à peine celles en face de moi. Ce cordon de braise ourle le bord d'un gigantesque gouffre. Je m'approche, éberlué. Les parois verticales s'enfoncent profondément dans le noir, jusqu'à une eau glauque, terrifiante, où se mirent les dernières étoiles. Ce trou... ce n'est pas un puits ! On dirait une gueule... grande ouverte : la bouche des dieux, prête à m'engloutir !

Je tente d'évaluer le danger. La corde à la clairière mesurait vingt pas. J'ai l'impression que ce puits est encore plus creux. J'ai quand même une chance de survivre, sauf si un monstre s'y cache ou si un courant m'entraîne vers les abîmes. La musique reprend. Les participants agitent des ramures au-dessus de leurs têtes : une forêt danse en transe sous le vent. Des enfants accroupis coassent encore ces « Chaaac, Chaaac »…

Le religieux armé du sceptre récite des incantations et lance des objets dans le puits. Il arrache le disque d'or qui brille sur sa poitrine, le tend vers moi, puis le précipite dans le vide. Une clameur monte. Les gens l'imitent et jettent des bijoux, des pièces de métal, d'os ou de céramique. La musique gronde pour simuler une tempête et réveiller Chac ; mais du dieu de la pluie, nulle trace, il n'y a pas un nuage dans le ciel.

Sans prévenir, les gardes me fixent une lourde plaque de pierre dans le dos. Je me débats et proteste :

– Injustice !

On me frappe en plein ventre. Je plie en deux, le souffle coupé, puis je m'effondre dans l'herbe drue. Je devais pouvoir nager, mais, avec ce poids, impossible d'échapper à la mort. Tezco voulait ma perte, mais pas à Tollan où le risque d'une rébellion planait toujours. Voilà pourquoi il m'a envoyé crever au loin. Je revois le sourire carnassier du capitaine toltèque. Il pouvait bien se réjouir…

Le dignitaire lève son sceptre pour faire taire le murmure de désapprobation qui parcourt la foule. Le silence se fait. Il parle. Il associe mon nom à celui de Chac. Malgré la pierre, je parviens à me redresser. Je l'interromps en nahuatl :

– Prêtre de Chac ! Pourquoi déplaire à Vénus qui te regarde ? Les envoyés de Tezcotlipoca mentent ! Ils veulent que je meure à Chichen pour déshonorer ta ville plutôt que Tollan…

Les Toltèques tentent de me faire taire, tandis que les Itzas se consultent à voix basse. Hun-Pik-Tok s'agite au milieu des nobles. Après une discussion orageuse entre les deux groupes, le prêtre déclare :

– Les Toltèques te croient maléfique. Hun-Pik-Tok affirme le contraire. Nous, Itzas, te donnons une chance de prouver ta divinité. Enlevez la pierre ! Au coucher du soleil, si tu es encore vivant, les dieux auront prouvé que tu es un des leurs.

Sur ces paroles, on me libère du lest. Je reprends courage.

Le grand prêtre annonce l'arrivée imminente du soleil. On me place en équilibre sur un tabouret, à quelques pieds du précipice. Les quatre gardiens s'éloignent de façon à tendre les cordes attachées à mon corps. La musique tempête en rafales, les visages rouges m'acclament. Un premier rayon transperce l'immensité du ciel : le bâton emplumé s'abaisse. Ensemble, les guerriers poussent un hurlement et foncent devant eux en longeant les bords du gouffre. Leur élan m'entraîne avec force. Je tombe dans le vide, les yeux exorbités de surprise, et parviens à rester à la verticale, grâce à de rapides rotations des bras. L'eau saute à toute vitesse à la rencontre de mes pieds.

Un choc puissant, une gerbe étincelante m'enveloppe : j'ai l'impression de m'écraser contre un mur de pierre. Étourdi, je coule dans l'obscurité.

Je dérive. Des grottes menaçantes s'ouvrent devant moi, des courants m'aspirent. La fraîcheur des eaux souterraines dissipe ma torpeur. Mon cœur palpite, mes poumons brûlent, j'ai besoin de respirer. Je lutte pour regagner la surface, remonte aussi vite que je le peux mais, au-dessus de moi, la clarté s'enfuit. Une douleur aiguë me transperce la poitrine. Une lance? Des monstres qui me poursuivent? Sur le point d'éclater, j'arrive enfin à l'air libre. J'inspire avidement, je crache des gorgées d'eau. J'assène des coups de poing et de pied autour de moi; aucune créature n'apparaît, je suis seul. L'eau se calme, moi aussi.

Là-haut, en bordure du puits, la plateforme se hérisse de panaches. De sentir ces gens flairer ma mort me donne le goût de vaincre. Par bravade, je reste au milieu du large cercle: un dieu ne s'accroche pas aux herbages comme un rat qui se noie! Je barbote en rond doucement. Dans l'air sombre et humide du matin, je distingue mal les formes. Des vaguelettes se dispersent autour de moi, l'eau frémit jusqu'aux parois verticales, striées de craie, et son mouvement se communique aux rayures de la pierre qui ondoient elles aussi. Tout vibre, jusqu'à la frange de têtes qui se découpent en pointes noires sur le bleu cru du ciel. Ballotté par ces flux, je me sens étranger à moi-même. J'ai des nausées et un affreux mal de tête. Je ferme les yeux pour apaiser mon esprit.

À garder le visage hors de l'eau, je m'essouffle rapidement. Je suis affaibli, amaigri par les privations depuis la chute brutale qui m'a jeté du trône jusqu'à ce puits sans fond. Les cordes à mes jambes et à mes poignets me gênent. Je rentre sous l'eau, réussis à les détacher et à les enrouler autour de ma taille. Elles pourront servir. Avant de m'épuiser complètement, je nage vers le mur de pierre. Je tâtonne, scrute la roche lisse et vermoulue à la recherche d'un point d'appui. Je parviens à placer le gros orteil sur une saillie. Je m'agrippe à un maigre feuillage, me hisse lentement, mais j'ai à peine le temps de prendre une grande respiration que je retombe, les mains pleines d'herbes. Il me faudra donc nager toute la journée. Il n'y a pas d'échappatoire.

Le soleil paraît à la bordure, puis rejoint enfin l'eau. Comme je commence à sentir le froid dans cette soupe noire, je vais me réchauffer dans la tache lumineuse, croissant radieux qui s'étire et s'arrondit peu à peu jusqu'à effacer toute trace d'ombre. L'astre de feu darde au fond du trou sa clarté que réverbère la surface de l'eau. Bientôt, cette lumière me brûle la face et le crâne ; j'enlève mon vêtement et l'enroule sur ma tête. Plus tard, c'est la faim qui m'assaille. Je me console un peu en croquant de minuscules feuilles d'un vert tendre qui flottent à la surface. Malgré la coiffe humide, mes lèvres se fendillent, mes yeux se consument.

Déguisée en oiseau noir à longue queue, Mère plane au-dessus du puits à quelques reprises. Elle me lance des couac d'encouragement et me rafraîchit de son ombrage. Je lui jure de ne plus jamais l'oublier, de penser à elle jusqu'à la fin de mes jours si elle me sort de ce bourbier.

Le soleil descend lentement. Je suis son déplacement, je me tiens à la frontière de l'ombre et de la lumière. Je me sens exténué, las de jouer au lézard des marais. En haut, les têtes emplumées se relaient sur la plateforme. Les féroces Toltèques commencent sans doute à craindre que je survive. Avec raison, car je me promets de les faire cruellement souffrir. Ce désir de vengeance me redonne une étincelle de force, tandis que la boule de feu sombre derrière le bord du puits. Patience, le supplice achève.

Encore un peu et je serai de nouveau sacré dieu. Mère, sorcière futée, détenait une recette excellente pour rendre un dieu impérissable. Mais jamais dans toute sa perspicacité elle n'a envisagé la nage pour confirmer un statut divin…

Le ciel flamboie dans des délires de rose et de jaune, puis l'obscurité s'installe brusquement. Là-haut, personne ne bouge. Quelle mauvaise foi répugnante! On espère vraiment me retrouver sans vie. Il me reste assez d'énergie pour houspiller mes bourreaux:

– Il fait noir, les peureux! Dépêchez-vous avant que je me fâche. Sortez-moi de ce maudit trou!

Les Toltèques ne peuvent feindre plus longtemps de me croire mort. Des torches virevoltent comme des lucioles entre des silhouettes grouillantes. On sonde l'obscurité. Je devine l'anxiété de mes ennemis et j'en ressens le plus vif des plaisirs.

Des mottes de terre et des pierres dégringolent, quelque chose rebondit sur la paroi. Je m'éloigne un peu. Une éternité s'écoule, puis des fagots enflammés aux deux bouts sont descendus lentement de chaque côté de ce qui ressemble à une échelle de corde. Le fond du puits s'illumine faiblement.

Un homme menu descend, une torche à bout de bras. Avec précaution, il atteint l'eau. Il élève son bâton enflammé. Sans arme, dévêtu, il appelle d'une voix craintive, dans un langage inconnu. Sa terreur est palpable. Il m'aperçoit, enroule un bras dans le cordage et tend vers les eaux obscures sa main libre que je saisis. Il me hale. J'émerge avec difficulté. J'essaie de prendre pied sur les échelons mouvants, glisse, me rattrape d'un coup. La secousse fait tomber son feu à l'eau. Je m'écorche contre la pierre. L'homme empoigne les cordes enroulées à ma taille pour me hisser hors de l'eau. Ensemble, nous haletons dans l'échelle qui se balance. Je me sens trop faible pour une telle escalade, mais, tenace, le courtaud parvient à me faire monter quelques échelons. Je m'arrête pour souffler un peu. Cette épreuve est pire que celle du puits !

Mon pauvre sauveur murmure d'une voix imprégnée de compassion quelques mots que je ne comprends pas. Il fouille dans un petit sac à sa taille, en sort un objet informe qu'il me tend en faisant signe de le mettre dans ma bouche. J'obéis. La pâte rugueuse se défait sur ma langue, son parfum de miel m'emplit d'extase. Dans le noir constellé des éclats de feu des fagots suspendus de chaque côté de l'échelle, l'homme et moi restons accrochés l'un à l'autre. Il me sourit et frotte mon dos pour calmer mes frissons. Les cordages tressaillent, des cris déboulent de la falaise : on s'inquiète depuis la plateforme. Nous reprenons l'ascension.

Une fois au sommet, j'ai peine à me tenir debout, mais je ne laisse pas paraître ma fatigue. J'ai froid. On me couvre d'une épaisse cape brodée, on me passe un somptueux collier autour du cou : l'or des dieux ! Je savoure chaque instant de cette première victoire en terre itza. Hun-Pik-Tok est là, à genoux, le visage dans ses mains ; il verse des larmes de joie. Huemac me fixe droit dans les yeux, fier de n'avoir jamais douté de ma filiation divine. Je lui rends un regard de reconnaissance, comme à un frère. Nulle part je ne vois Chantico. J'insiste pour que l'homme venu me chercher reste à mes côtés. Hun-Pik-Tok se ressaisit et m'honore d'un long salut cérémoniel :

— Nous t'avons fait préparer une maison au centre de la ville. Tu pourras te reposer.

On me fait asseoir sur un trône à porteurs. Huemac, sa troupe de fidèles et mes deux garçons, tous libérés à la suite de mon exploit, se serrent autour de moi, ivres de joie et d'orgueil. La foule en liesse module un chant où s'entremêlent deux noms :

— Chaaac Kukulkan Chaaac ! Chaaac Kukulkan Chaaac !

J'attire Huemac vers moi.

— Qui invoquent-ils ?

Huemac hausse les épaules, il ne sait pas. Il appelle Hun-Pik-Tok à la rescousse, qui trottine devant nous, rougeaud et hors d'haleine. Le commerçant retient mes porteurs un instant. Huemac lui répète ma question. Il fait un sourire éclatant.

— Les Itzas chantent ton nom, mon Prince !

— Quel nom ?

— Kukulkan, mon Seigneur. C'est Quetzalcoatl traduit dans notre langue. Kan est le serpent. Maintenant, les Itzas peuvent se glorifier autant que les Toltèques : les dieux nous envoient aussi leur messager…

Le serpent aux plumes de quetzal devenu Kukulkan ! Je ferme les yeux, bercé par le pas des porteurs et par le chant de gloire entonné en mon honneur.

Entends-tu, Grimhildr ? Tu peux t'enorgueillir, ici aussi on croit en ma divinité.

CHAPITRE XXIV

Terre itza

Les porteurs s'arrêtent devant une construction aux murs de stuc ornés de dessins aux couleurs contrastées. L'épais toit de chaume descend si bas qu'on dirait un chapeau trop enfoncé sur une tête. Des esclaves s'agenouillent devant les marches du portail. Harassé, je m'extirpe difficilement du trône. J'essaie d'entrer avec dignité, malgré mes jambes chancelantes. À l'intérieur, je me laisse tomber sur le premier banc venu.

– J'ai une telle faim!

Presque aussitôt on m'apporte des fruits, de l'hydromel, du chocolat. J'avale le tout goulûment. Pendant ce temps, Huemac fait transporter à l'intérieur nos biens, en apparence de banales poches. La moustache plongée dans la mousse de chocolat vanillé, je hoche la tête dans sa direction. Le trésor est bien arrivé en lieu sûr : une épine de moins au pied et une deuxième victoire sur le mauvais sort.

Un guerrier surgit et chuchote à l'oreille de Huemac, qui devient soucieux et se tourne vers moi, les yeux brillants de colère.

– L'otage s'est échappé!

– Pas surprenant, la ville grouille de traîtres. Des partisans de Tezco l'auront aidé à fuir.

– Mais il ne doit pas être loin, j'envoie mes hommes à sa poursuite.

– Dis-leur d'être prudents. Ces ordures peuvent frapper n'importe quand. Avertis nos garçons…

Huemac sort à grands pas. Je termine mon deuxième chocolat quand Chantico se montre, la chevelure défaite, les yeux rougis.

– On nous a donné un soporifique tellement puissant que les enfants et moi avons dormi toute la journée. À mon réveil, on m'a dit que les dieux t'avaient pris. J'ai eu si peur…

Elle a dû s'imaginer offerte en sacrifice avec Kiou et Eztli, la vengeance de Tezco aurait été alors parfaite. La terreur a balayé la rancune de mon épouse. En larmes, elle s'assoit à mes pieds, enlace mes doigts, les embrasse. Je lui caresse la joue, soulagé qu'elle me pardonne d'avoir provoqué notre déchéance. Je suis incapable de parler, abruti d'épuisement. Chantico se reprend. Elle m'entraîne dans une autre pièce et fait détacher un hamac. Je m'y étends, enroulé dans la cape, le collier toujours au cou. Un sommeil immédiat et douloureux clôt cette longue journée d'épreuves.

Les cauchemars habituels ressurgissent. Dans un paysage de lames et de sang, je m'abrite sous une pointe de glace si translucide que le bleu du ciel la traverse. Je tends les lèvres vers les fraîches gouttes qui dégoulinent du cristal. Un filet de sueur tiède me roule sur la langue, j'ouvre les yeux en sursaut.

Sitôt que je lève la tête, des gens tombent à genoux devant moi. Je ne me soucie pas de ces curieux, mais de mes enfants entre les griffes de l'assassin. J'essaie de sortir du hamac avec prestance.

— Je veux des messagers! Les plus rapides, maintenant! J'ai assez perdu de temps.

Personne ne bouge, tous gardent la tête penchée. Un capitaine itza s'avance et demande:

— Seigneur Kukulkan, où veux-tu faire parvenir ton message?

La réponse jaillit comme une volée de flèches:

— À Tollan! Qu'on parte aujourd'hui même!

Perplexe, l'homme hésite, peut-être comprend-il mal le nahuatl. Sa lenteur m'irrite, je le houspille:

— Qu'est-ce que tu attends, tortue? Où sont Huemac et Hun-Pik-Tok?

Le capitaine s'incline et détale comme un lapin pourchassé. Des esclaves entrent avec le repas du matin. Je m'impatiente. Hun-Pik-Tok accourt, à peine vêtu et, après une génuflexion bien sentie, déclame haut et fort:

— Salut, ô Kukulkan, envoyé de Chac. Que puis-je pour toi?

Malgré ses yeux cernés, il conserve sa verve. J'aime bien cet homme. Ses bijoux, ses manières et ses déclarations excessives m'amusent.

— Enfin, te voilà! Il faut dépêcher quelqu'un à Tollan. Tezco doit savoir que je me porte férocement bien. Son plan a échoué.

Hun-Pik-Tok me prend par la taille, à défaut de pouvoir rejoindre mes épaules, et murmure pour que moi seul entende:

– Envoyé des dieux, les Itzas aiment réfléchir. Si tu les rudoies, ils se cabrent. Crois-moi, je les connais. D'où tu viens, on tempête pour obtenir ce que l'on désire. Pas ici. Au contraire, il faut user de douceur, de civilité. Tout finit par s'arranger.

– Je veux envoyer un message à Tezco !

– Oui, oui, je préviens les nobles itzas. Ils voudront sûrement collaborer avec toi.

– Je ne suis pas un mendiant, je peux payer moi-même l'expédition.

– Bien sûr, je sais. Mais il vaut mieux procéder par alliance, si tu veux que ton ennemi te craigne. Je vais te présenter les chefs de cette ville.

À l'entendre, une profonde lassitude m'envahit. Encore discuter, négocier, alors que mes femmes risquent la mort ! J'espère que le roi Chalchiu réussira à protéger sa fille et ses petits-fils. Déçu, je me laisse retomber dans mon hamac. J'aimerais retrouver ma vigueur d'antan pour me comporter tel un dieu et contraindre les événements à m'obéir, mais les dernières épreuves m'ont laissé sans force. Je ne peux qu'accepter mon sort et suivre mon destin. Je soupire :

– Arrange les choses à ta guise. En attendant, fais-moi servir de cet hydromel que j'ai goûté hier, mais je le veux pur, sans ce poison hallucinant qu'on y avait ajouté. J'en aurai besoin pour me donner courage… et patience.

Le vin de miel dissipe mon angoisse. Un flûtiste égaie l'atmosphère. Médecins et herboristes se relaient pour me gaver, me soigner : mes os craquent, mais j'embaume comme une fleur à l'aurore. Je me laisse dorloter sans trouver la sérénité. Dehors, le soleil brille avec fureur. La chaleur accablante me rive au hamac où je gis dans un sommeil tourmenté. Sous mes paupières, un vent de feu m'empêche d'approcher d'un littoral étincelant de neige fraîche.

Un bruissement métallique met une fin abrupte à mon repos. Le nez entre les mailles de corde, je vois Hun-Pik-Tok avec une cape aux couleurs délirantes, le visage collé au mien.

— Seigneur Kukulkan, à la suite de nombreuses consultations, j'ai le plaisir de t'annoncer que les Itzas les plus en vue viennent lier connaissance avec toi. Il faut te préparer…

Heureux de la nouvelle, je saute sur mes pieds, bond qui se répercute tout le long de mon squelette endolori.

— Très bien. Peux-tu aller chercher Huemac pour qu'il assiste à l'audience ?

Hun-Pik-Tok sort en agitant les deux mains au ciel, avec un air affolé ; j'ignore s'il l'est réellement ou s'il s'amuse. Lorsqu'il revient avec mon compagnon, trois hommes richement vêtus, au front aplati vers l'arrière, attendent déjà devant la maison. En maître du palais, Hun-Pik-Tok les reçoit et nous les présente comme des commerçants responsables de la ville. Il les fait asseoir et enchaîne, en alternant les deux langues, avec des considérations sur le climat, les conditions de voyage et la valeur des grains de cacao. Après de longs échanges de politesse où les nobles s'expriment dans un nahuatl correct, je tente de tirer la situation au clair.

– Je suis flatté de votre visite, mais j'aimerais savoir… Qui est votre roi?

Hun-Pik-Tok toussote d'embarras. Imperturbables, les hommes échangent des regards, ponctués de brefs soupirs. Maintenant que j'y pense, aucun souverain n'a jamais figuré dans les innombrables histoires de Hun-Pik-Tok que je maudis en silence de ne m'avoir rien expliqué. Nerveux, celui-ci s'évente de la main et démêle ses colliers. Le plus âgé des trois marchands fait une légère flexion du tronc.

– Kukulkan, il n'y a pas de roi ici, personne n'en veut…

D'une voix douce, il explique que la fondation de Chichen remonte à plus de huit katuns, ces cycles courts qui durent vingt ans. Je pense vite. Chichen aurait donc été fondée voilà cent soixante ans. Le noble poursuit l'historique de la ville: ses premiers habitants provenaient de Palenque et de Tikal; ils fuyaient le Peten où les rois belliqueux guerroyaient sans cesse. Son élégant voisin aux yeux bigles remarque:

– Nos ancêtres ont erré longtemps avant de s'installer ici.

J'apprécie la leçon d'histoire, mais c'est le présent qui me préoccupe. Je fixe l'aîné.

– Alors, qui gouverne?

– Au début, répond celui-ci, il y avait le Conseil du grand Kakupacal et de son frère, puis leurs cinq fils ont présidé aux destinées de cette ville. Tous sont morts, maintenant. Cette tâche nous revient à présent, à nous, commerçants, descendants du grand Kakupacal.

Sa réponse me stupéfie autant qu'elle m'émerveille. Un conseil de marchands à la tête de la ville! Comme l'Assemblée des hommes libres chez mon père ou chez les Islandais. Ce sont les dieux ou Mère qui m'ont conduit jusqu'ici ! Je m'incline à mon tour avec respect, trop content de trouver un point commun avec ces dignitaires.

— J'admire votre sagesse. Vous régnez en conseil et vous êtes alliés aux meilleurs combattants.

Un éclair de connivence m'unit alors aux trois hommes. Ils se consultent à voix basse, puis acquiescent en silence. Le troisième, le plus jeune, s'adresse à moi :

— Kukulkan, ta présence nous honore. Tous les Toltèques sont bienvenus. Nous avons une dette envers les rois de Tollan : leurs guerriers nous ont aidés à conquérir le puits sacré et à y bâtir notre ville. Depuis, ils garantissent la sécurité de Chichen.

Le deuxième, assis au milieu, continue sur le même ton paisible :

— Il faut cependant que vous sachiez : la vie est difficile en ces lieux. Coba et Uxmal nous livrent une lutte sans merci. Et Chac se montre impitoyable : il retient ses pluies une année sur deux.

L'aîné esquisse un geste d'impuissance et enchaîne :

— Les sacrifices demeurent sans effet. Tellement que les prêtres doutent de leur propre pouvoir.

J'en déduis qu'il est temps d'interpréter la volonté des dieux. Je tais à la triade itza que le seul message à tirer du puits était de me laisser en vie. Je n'exprime aucune rancœur pour cet épisode. Je les remercie de leur hospitalité et leur résume mon rôle à Tollan. Quant aux augures des eaux sacrées, je reste le plus vague possible à leur sujet :

— Hier, les dieux m'ont parlé d'abondance : j'ai vu que Chichen deviendra puissante. Il y a suffisamment de ressources pour ériger une ville aussi splendide que Tollan. À la condition de travailler fort et d'obéir à la volonté divine.

Dans un même élan, les nobles se courbent, heureux de la bonne nouvelle. L'aîné me répond :

– Maintenant que toi, Kukulkan, messager de Chac, tu habites parmi nous, nous accorderons la préséance à tes paroles. Nous n'aurons plus d'oreilles pour celles de Tezcotlipoca.

Son affirmation a pour moi le doux parfum de la vengeance. Il poursuit :

– Nous avons appris la fuite de l'otage. Sache que nous n'avons pas collaboré à cette évasion et que nous avons envoyé des guerriers pour l'intercepter. Il sera ramené.

Le deuxième visiteur, celui au regard imprécis, enchaîne :

– Une expédition partira bientôt pour Tollan, dès qu'arrivera le convoi de jades et de plumes que nous attendons. Nous te proposons d'expédier plusieurs de ces produits magnifiques à Tezcotlipoca pour qu'il libère tes gens retenus prisonniers.

L'amertume m'étreint. Me voilà réduit à racheter mes femmes avec une partie du trésor. Malgré l'exploit du puits, les dieux m'écrasent sans pitié. En dépit de mon accablement, je remercie mes visiteurs qui s'apprêtent à partir lorsqu'une pluie torrentielle s'abat sur la ville. En peu de temps, l'eau couvre le sol ; seules émergent les pierres blanches qui dessinent des lignes pointillées entre les habitations. Les nobles se rassoient avec leur plus beau sourire, comme pour me féliciter de l'heureux événement dont ils m'attribuent l'origine. Ils reprennent le suave ronron de la conversation, jusqu'à ce que la pluie cesse. Après plusieurs salutations, Hun-Pik-Tok et les Itzas se retirent, non sans promettre à Huemac et à moi de nous faire visiter la ville tôt le lendemain. Leurs capes déployées comme des voiles de knorrs, les quatre hommes louvoient avec élégance d'une pierre à l'autre, sans souiller leurs précieux vêtements dans la boue. Huemac me fait un signe de connivence, puis emboîte le pas aux visiteurs.

Ces gens n'ont peut-être plus de roi, mais ils ont conservé les manières pompeuses de la royauté. Je me recouche, brisé d'épuisement et de découragement, avec le sentiment que le sort ne court plus en ma faveur. J'ai quarante et un ans, l'essentiel de ma vie serait-il derrière moi? Je roule mes pierres vertes dans ma main pour tenter de cerner l'avenir. Je ne vois rien, peut-être à cause de la fatigue. Cependant, à l'idée d'avoir triomphé des eaux profondes, j'ai la conviction que mon destin est d'être roi. Peu importe ce qu'en pensent les Itzas.

Tel que promis, Itzas et Toltèques me font visiter le centre cérémoniel. Stoïque, Chantico nous accompagne, drapée dans sa dignité de reine en exil. La nuit de sommeil m'a fait du bien. Je jette un œil nouveau sur la place et ses édifices, parés d'un halo de pureté dans la lumière rosée du matin. Bercé par les chants des oiseaux, notre petit groupe se rend au temple sur la pyramide. De là-haut, nous avons une vue splendide. La dernière pluie a eu un effet magique: les différents quartiers sont parsemés d'arbres en fleurs. Autour, une mer de verdure infinie exhale une légère brume laiteuse. Les nobles au langage affecté entretiennent Chantico des merveilles de la région. Sous le charme, elle leur répond avec une grâce qui semble innée chez elle.

On nous conduit ensuite à l'intérieur de la pyramide, jusqu'à une grotte qui rejoint des eaux souterraines, loin en bas. Là, au bord de ce qui ressemble dans la pénombre à un lac, des prêtres lancent de petites offrandes aux dieux de l'inframonde. Leurs rituels rappellent ceux des Toltèques. Conquise par la similitude des cérémonies et la courtoisie des nobles, Chantico entonne un hymne en jetant ses perles à l'eau. Sa voix intense résonne sur les parois rocheuses avec l'ampleur d'un chœur céleste. Prêtres et nobles louent son initiative. Chantico leur offre un visage illuminé, heureuse de se retrouver contre toute attente en bonne compagnie.

Malgré la réticence des notables, j'insiste pour parcourir les alentours de la ville. Après avoir traversé les quartiers réservés aux artisans, nous marchons presque toute la matinée avant d'atteindre, à l'est, des rues jonchées d'amas calcinés, des maisons en partie démolies et habitées par une population famélique, en haillons. L'odeur de putréfaction est intolérable. L'un des distingués commerçants frémit d'indignation :

— Il y a quelques années, nous avons été attaqués par Coba. Quand ces forcenés ont terminé la route blanche qui relie leur ville à Yaxuna, le bourg voisin, des milliers de guerriers ont déferlé sur Chichen. Nous n'avons pu sauver la ville que grâce à la vaillance et à l'endurance des Toltèques. Leur population disparue, ces quartiers n'ont jamais été reconstruits.

Bien que je méprise les alliés de Tezco, je m'enorgueillis du courage des guerriers que j'ai fait entraîner. Le noble poursuit :

— Maintenant, les paysans qui souffrent de la sécheresse s'entassent dans ces abris dans l'espoir de trouver un peu de travail et de nourriture. Nous, marchands et artisans, vivons de nos négoces.

Les notables, qui entre eux utilisent leur langue maternelle, semblent se justifier de l'état lamentable des lieux. Je ne comprends rien, car Hun-Pik-Tok n'est pas là pour traduire. Une femme et deux enfants décharnés nous tendent la main. Chantico et les autres détournent les yeux, le nez pincé, un comportement qui me hérisse. Je contiens mal mon irritation :

— Il faudrait faire travailler ces bras inutiles ! Et puis, en ma présence, on parle nahuatl. Quand je voudrai entendre autre chose, je le demanderai !

À la fois surpris et offusqués, les Itzas me tournent le dos, tandis que les Toltèques sourient, heureux d'entendre confirmer leur supériorité. Les dignitaires regagnent leurs résidences. Mon épouse et moi quittons aussi cet endroit de misère et nous hâtons vers notre agréable maison située au milieu d'un jardin fleuri.

Chantico tient à rentrer au plus vite, car elle s'inquiète des enfants. Malgré tous les soins, Eztli reste très faible, d'une maigreur et d'une pâleur cadavériques. Sa sœur Kiou ne va guère mieux. Avec le chant dans la grotte et l'offrande de perles, ma femme tentait sûrement de changer le cours du destin. Mais rien ne semble pouvoir le renverser : douze jours après l'arrivée, Eztli succombe à la fièvre des marais. Il allait avoir quatorze ans. Chantico avait failli perdre cet enfant à la naissance, il en était resté fragile. Elle pleure sa mort en silence; elle me jette des regards accusateurs, mais je n'assiste pas, cette fois, à une grande scène d'affliction. Elle se conforme à la volonté divine et conserve sans doute l'espoir de sauver sa fille malade.

Devant le brasier qui dévore le cadavre du pauvre Eztli, je jure à tous les dieux que je punirai ceux qui ont provoqué sa mort et mon bannissement.

L'otage demeure introuvable. Les hommes de Huemac reviennent bredouilles de Port-Caïman. Tellement de pistes traversent cette forêt épaisse que l'avorton du traître a pu s'enfuir par la ville de T'Ho ou par celle de Campeche. Personne ne reparle de l'incident.

Le convoi des commerçants itzas s'amène enfin avec son chargement de jades et de plumes. Une expédition s'apprête donc à repartir pour Chololan et Tollan. Après d'intenses négociations, je réussis à leur adjoindre deux émissaires qui doivent obtenir, par tous les moyens possibles, la libération de mes femmes. Juste avant le départ, je manœuvre de telle sorte que le capitaine à la face de coyote, celui qui m'a reçu le premier jour, soit contraint de les accompagner. Il s'en va, chargé d'un message ambigu pour Tezco qui, je l'espère, aveuglé par la rage, le fera exécuter.

Les lunes se succèdent et il fait toujours aussi chaud. Hommes et bêtes s'arrêtent au cours de la journée comme s'ils étaient en pleine nuit, alors que, au même moment, dans les Hauts-Plateaux, Tollan et sa région fourmillent d'activité. Ici, les oiseaux se taisent, les animaux se terrent, les humains dorment en attendant que l'air se rafraîchisse. Nous apprenons à vivre à l'aube et à la brunante, à dormir quand le soleil est au zénith et lorsqu'il fait nuit noire. Nous adoptons des vêtements de coton blanc léger. Les délices de la cuisine locale nous aident à apprécier ce nouveau monde. Je reprends des forces, tout comme Huemac et ma Kiou adorée qui vient d'accomplir ses seize ans. D'une beauté éclatante, Kiou ne regrette pas son prince de Chololan. Les nobles de Chichen lui font une cour assidue. Ainsi, nous nous accoutumons tous peu à peu à la ville et aux Basses-Terres.

Les fidèles migrants qui ont cheminé jusqu'au fleuve Tabasco parviennent peu à peu à Chichen. Ils emmènent avec eux les derniers blocs d'obsidienne concédés par le traître de Tollan. Les Itzas reçoivent à bras ouverts ces gens réputés pour leur adresse et leur savoir-faire. Heureusement pour nous tous, le dieu de la pluie se montre plutôt généreux. Plusieurs variétés de plantes poussent vigoureusement : maïs, fèves, courges, tomates, poivrons, herbes, fruits et noix. Grâce aux récoltes abondantes, il devient possible de nourrir la population en pleine croissance et même de constituer des réserves de semence.

Les pluies et les récoltes terminées, les paysans commencent à bûcher. Ils laissent sécher sur place les arbres coupés qui seront brûlés avant la prochaine saison des pluies. La cendre enrichira les clairières ainsi dégagées.

La survie des paysans dépend de la bonne volonté de Chac. De tous les problèmes observés, dont la fièvre des marais, la chaleur et l'absence d'obsidienne, celui de l'eau paraît le plus grave, surtout pendant la longue saison sèche. Le précieux liquide est puisé jarre par jarre, non du puits sacré, mais d'un autre, moins profond, appelé Xtoloc. Devant cette eau verte qui luit, indolente sous un soleil féroce, je ne peux m'empêcher d'interroger les femmes qui emplissent leurs cruches :

– Le puits s'assèche-t-il quand il ne pleut pas ?

Les dames se cachent la bouche du revers de la main pour sourire. Une jeune, plus dégourdie que les autres, indique la surface de l'eau et finit par dire « Rivière souterraine » dans un nahuatl hésitant. Je repense à mon plongeon. Il y avait tellement d'eau que je n'ai jamais atteint le fond, comme si ce pays de roche pâle flottait sur une mer d'eau douce. Un scribe itza qui nous accompagne prend un air à la fois savant et inspiré pour pontifier :

– Jamais les puits ne se vident, puisque les dieux de l'onde y vivent.

J'attaque le suffisant :

– S'il y a de l'eau, pourquoi les récoltes brûlent-elles au soleil ?

– Les femmes sortent des puits autant d'eau qu'elles peuvent pour cuisiner, laver, arroser les jardins, mais les champs dépendent de Chac, répond-il avec une calme assurance.

Je n'ai pas confiance en ce dieu. Les trois jades à mon cou me disent qu'il ne faut rien espérer de cette divinité capricieuse et sanguinaire. J'essaie plutôt d'imaginer une nouvelle façon d'extraire l'eau du sol. Je revois les cultures en terrasses autour de Tollan et toutes les récoltes qui nourrissaient une armée importante. Ici, les gens recueillent l'eau de pluie dans des citernes souterraines creusées à même le roc, mais c'est insuffisant. J'en discute avec des architectes et des savants qui ne me proposent rien de neuf.

Un peu après le solstice d'hiver, les émissaires reviennent enfin de Tollan, leur périple a duré quatre lunes. Ils sont accompagnés de guerriers loyaux, mais n'ont ni les hachettes ni les épouses promises, tel que je le craignais. Mes compagnons d'exil se rassemblent pour accueillir nos alliés. Devant cette foule de fidèles, j'oublie la déchéance et les jours difficiles. Je me sens prêt à relever d'autres défis et à recréer en ce lieu les splendeurs d'autrefois. Face à cette copieuse grappe de Toltèques qui fraternisent, je parle comme si j'étais sur les marches de mon palais :

— On nous a chassés de Tollan par jalousie. Mais nous reconstruirons une deuxième Tollan, encore plus magnifique que la première. Le minable qui se fait appeler Tezcotlipoca regrettera amèrement sa perfidie. Il ne sera pas le seul : Coba et Uxmal se repentiront d'avoir voulu détruire Chichen. Nous ne pouvons tolérer que l'ennemi viole le puits sacré.

Les guerriers approuvent en lançant les cris propres aux divers ordres guerriers. Ils sont prêts à reprendre le combat. Le chef des nouveaux venus s'avance au-devant du groupe.

— Là-bas, on prétend qu'aucun de tes enfants n'a été sacrifié, mais j'en ai vu des dizaines soumis aux croyances du traître. On le dit très inquiet à l'idée que tu aies survécu à l'épreuve du puits.

– C'est sans doute pourquoi il a consenti à vous libérer. Tezco a bien raison de s'inquiéter. Il vient de perdre des comptoirs fort profitables!

Grâce aux alliances avec les marchands qui transportent les plumes, le jade et le cacao, j'aurai bientôt assez de guerriers pour contrôler le commerce des Basses-Terres. Tezco devra puiser dans son trésor pour se procurer ces produits, alors que la valeur de son obsidienne va chuter. Je vais jouer sur la rivalité entre les villes des Hauts-Plateaux pour parvenir à mes fins. Et je retrouverai palais, temples, jeux de balle et, surtout, l'adoration des foules.

L'idée d'anéantir Tezco me redonne le goût du travail. Tant de migrants affluent à Chichen que les Toltèques surpasseront bientôt en nombre les Itzas qui devront alors collaborer étroitement avec moi. Le Conseil de Chichen deviendra une assemblée où je siégerai avec les capitaines qui m'ont suivi. Je réunis les dignitaires itzas pour mettre au point des actions communes et leur annoncer mes projets:

– Chichen dominera les Basses-Terres. Il faut d'abord se rendre maître du commerce depuis le fleuve Tabasco jusqu'à la mer du Levant, pour taxer les marchandises qui circulent à l'intérieur et autour de notre territoire. Coba et Uxmal ne recevront plus d'obsidienne puisqu'elle nous sera réservée. Les clans voisins se soumettront ou seront décimés afin de satisfaire les dieux et servir d'exemple.

Au lieu de se réjouir, les nobles restent cois devant une telle audace. Hun-Pik-Tok agite ses mains. La mine déconfite, il remarque:

– Seigneur Kukulkan, je regrette, mais ici les gens voyagent d'un village à l'autre pour s'échanger des biens.

Il faudrait des centaines de guetteurs le long des pistes. Même alors, on pourrait les éviter en passant par la forêt.

— Il ne s'agit pas de taxer les produits d'usage quotidien, mais ceux destinés à Tollan. Il faut intercepter les pirogues qui voguent le long du littoral ou sur le fleuve.

Les sourcils de Hun-Pik-Tok s'agitent de tics nerveux. Je me fais rassurant auprès des nobles :

— Bien entendu, les Itzas et leurs alliés, tels Hun-Pik-Tok et vous tous, seront exemptés de cette taxe.

Hun-Pik-Tok se détend, l'assemblée respire. Si les marchands m'approuvent, j'obtiendrai l'accord de tous. Il me faudra rétribuer grassement les services de Hun-Pik-Tok, afin qu'il vante mes idées auprès des siens. Encouragé par son sourire suave, j'enfonce un dernier clou :

— J'ai besoin de contacts sûrs au sein de la population locale. Il faut démasquer les complices du prétendu Tezcotlipoca, nous ne pouvons vivre entourés de traîtres. Je vous promets de faire de Chichen la cité la plus puissante des Basses-Terres. Ayez confiance, Huemac et moi avons l'habitude de la victoire. Et vous en profiterez tous.

Les Itzas chuchotent et discutent entre eux. Finalement, le plus éminent membre du Conseil, un de ceux que j'ai déjà rencontrés, se lève. Il prend une profonde respiration avant de parler :

— Kukulkan, les dieux ont confirmé tes pouvoirs et nous connaissons les prodiges que tu as accomplis. Aussi, nous nous réjouissons que tu mènes l'armée conjointe itza-toltèque. Cependant, il est clair que nous, Itzas, veillerons à la gestion de Chichen et que nos savants interpréteront les volontés divines.

– J'ai un immense respect pour le savoir remarquable de vos astronomes. Je compte sur eux et sur votre sagesse. Ensemble nous ferons de Chichen une ville impressionnante!

Les nobles m'acclament poliment. La majorité semble se rallier, même si quelques craintifs s'inquiètent des représailles toujours possibles de leurs ennemis séculaires.

Au milieu du jour, alors que je me prépare à me reposer après avoir expérimenté différents types d'osier qui pourraient servir à l'irrigation, un messager se présente. Il tient à s'entretenir seul avec moi.

– Kukulkan, on m'envoie te dire que des hommes aussi grands que toi, avec des cheveux autour du visage, sont débarqués hier à Port-Caïman.

Je sursaute. Se peut-il que des Islandais accostent ici, après tant d'années? Mes frères auraient enfin remonté le courant d'eau chaude! J'ai donc vu juste en venant m'installer sur cette péninsule. Je pétris mes pierres nerveusement.

– Arrivent-ils dans un très grand bateau à voile? Combien sont-ils?

– On m'a parlé de géants aux faces chevelues. C'est le message qu'on m'a remis à l'escale, dans la plus grande discrétion. Seigneur, je ne les ai pas vus, je répète…

Je le fais taire d'un mouvement de la main. Des géants à barbe… Ce sont eux, assurément! Une bouffée de grand air nordique me soulève. La nouvelle me transporte tellement de joie que j'engage sur-le-champ deux équipes de porteurs rapides pour aller à leur rencontre. Nous partons aussitôt, tant pis pour le somme!

Avant la tombée de la nuit, nous atteignons la première halte. Je fais inspecter abris et hamacs où se reposent des voyageurs : personne ne correspond à la description du messager. Un doute surgit. M'aurait-on tendu un piège? Si oui, j'y ai foncé tête baissée. Pourtant, mes guerriers occupent toute la piste depuis Chichen jusqu'à la mer. À cause de l'obscurité, nous devons passer la nuit là. Je me couche sans trouver le sommeil, en essayant de me remémorer des souhaits de bienvenue en norois. Ces Islandais seront peut-être des connaissances, ou même des parents. Ils pourraient savoir ce qu'il est advenu de Mère ou de mes frères. J'en tremble d'excitation.

Le lendemain, la deuxième escale s'avère aussi décevante que la première. Nous continuons ensuite vers Port-Caïman. Là, personne n'a vu ni entendu parler d'hommes ressemblant à Kukulkan. Contrarié, je remarque alors au bord de l'eau des gens entourés de gardes en armes. J'interroge le capitaine. Il m'explique qu'il vient d'arrêter des traîtres arborant les insignes de Tezco :

— Et ils m'ont payé le droit d'amarrage avec du cacao frelaté!

Il me tend une poignée de grains. Il en croque un et me montre l'intérieur en crachant.

— Regarde, ces canailles ont enlevé la pulpe et l'ont remplacée par de la terre! En plus, ils transportent quantité d'armes...

Convaincu de leur félonie, je m'approche d'eux. Ma vieille soif de vengeance éclate :

– Le Prince de la Nuit est-il si désespéré qu'il envoie une bande de malfaiteurs semer la rébellion? Vous êtes ici sur le territoire de Kukulkan! Vous paierez pour tous les traîtres! Attachez-les bien en vue!

Contenus avec peine par mes guerriers, les captifs se jettent à genoux pour implorer pitié. Dans le brouhaha, j'entends crier «Huracan!»

Cette voix aiguë me semble familière, mais la personne qui m'a interpellé est noyée dans la mêlée. Je descends de ma chaise, fais écarter les gardes et cherche un visage connu parmi la bande de rebelles. Je rejoins la femme, au maigre visage foncé, à demi caché par une écharpe. Elle trébuche, l'étoffe tombe. Cette bouche charnue, ces yeux me rappellent…

– Malinalli!

L'ancienne esclave me tend les bras. Je pousse les gêneurs et la sort de la meute avant qu'on la piétine. Je l'étreins avec une joie immense, elle pleure dans mes bras. Elle paraît sur le point de se casser, si fragile, le visage ridé, sa belle prestance flétrie. Sans prendre le temps de parler, elle m'attire vers une embarcation au mince toit de chaume. Là, elle soulève un vilain rideau. Au fond gît un homme à la barbe grise. Malgré des joues affreusement entaillées, je le reconnaîtrais entre mille. Il lève les mains dans ma direction, je me précipite à ses côtés.

– Melkolf! Toi! Je te croyais mort…

Mon compagnon! Des larmes roulent sur ses cicatrices. Étranglé d'émotion, je le presse sur ma poitrine. Je pleure avec lui. Il me broie les épaules. Quel bonheur! Melkolf étouffe un sanglot, émet des sons inarticulés. Sans dire un mot, il reste là, à grimacer un sourire torturé, ses bras contre les miens. Dans son regard, je lis qu'il ne peut ni marcher ni parler. J'appelle mes porteurs. Ils emportent l'infirme qui frissonne de douleur et l'installent sur ma chaise. Malinalli insiste pour que nous retournions vers les malfaiteurs.

— Il faut sortir ma marmaille de la mêlée!

Elle fonce vers les guerriers. Je laisse Melkolf pour la rejoindre à la hâte. Elle désigne deux grands gaillards parmi le groupe et ordonne aux gardiens de les laisser partir. Le capitaine m'interroge du regard, je lui fais signe de s'exécuter. Il libère deux jeunes hommes à la crinière noire hirsute, légèrement barbus et moustachus, qui traînent à leur suite trois fillettes crottées. Les voilà donc, les géants à barbe! Intimidés, ils se penchent en même temps devant moi, aussi gauches que des poulains. L'aîné a peut-être vingt ans, l'autre garçon, à peine quinze. Tous deux ont la même largeur de poitrine, d'épaules et de poings, le même air renfrogné que leur père! Je retiens un sourire. Malinalli me regarde, les yeux brillants.

— Seigneur Huracan, voici mes deux hommes… et leurs sœurs!

Je les embrasse avec chaleur, comme des enfants retrouvés. Le capitaine intervient:

— Kukulkan, veux-tu toujours faire tourmenter ces gens?

Je voudrais régler l'affaire rapidement. Je m'adresse à l'ensemble du groupe:

— Êtes-vous fidèles à Tezcotlipoca?

Un murmure de protestation s'élève et un homme répond:

— Non! Il nous a ruinés! Mais nous devions porter ses couleurs pour sortir de Tollan.

– Le problème est de savoir quand les enlever, grogne un autre.

La remarque m'amuse. Devant le regard sévère du capitaine, je poursuis l'enquête :

– Si vous êtes honnêtes, pourquoi avoir payé avec du faux cacao ?

Cette fois, c'est l'aîné de Melkolf qui répond :

– Ce sont des commerçants de Tollan qui nous ont passé ces grains sans qu'on remarque rien d'anormal.

L'autre frère intervient :

– Ces crapules nous ont trompés ! Nous leur avons vendu la moitié de nos hachettes pour une poignée de terre !

– Le fameux cuivre ! dis-je. C'est donc vous qui l'aviez ! Tezco s'en est emparé à bon compte. Que transportez-vous d'autre ?

– Il nous reste une vingtaine de hachettes et surtout de l'obsidienne. Il paraît que les bonnes lames sont rares par ici, alors nous en avons apporté un plein chargement.

Le plus vieux ajoute avec emportement :

– Le capitaine se trompe en disant que les blocs viennent de Tollan ! Nous les avons pris directement à la mine.

Sans attendre, les garçons déballent quantité de pierres d'excellente qualité. J'ordonne qu'on leur en donne un juste prix. Je félicite le capitaine d'avoir découvert les faux grains et lui demande de les brûler ; j'exige aussi qu'il trouve un gîte à ces marchands. J'envoie un messager à Chichen pour annoncer notre retour et j'entraîne mes amis, sales et maigres, vers le meilleur hôtel du port.

Ils ont droit au bain de vapeur le plus grand, à des vêtements neufs, aux plats les plus raffinés. Je les laisse manger. Après la dernière gorgée de chocolat, je n'y tiens plus et laisse libre cours à ma curiosité.

– Alors, Malinalli, dis-moi ce qui s'est passé. À partir du complot.

Elle se tord les mains, les yeux pleins d'eau.

– Te souviens-tu que ma fille Xicoco était partie avec Melkolf pour l'aider à transporter les hachettes ? Ce jour-là, elle a disparu. Volatilisée ! Personne ne l'a jamais revue.

Sous le choc, je baisse la tête. Ma fille… Je m'étais pourtant engagé à la protéger. Melkolf frémit, Malinalli s'essuie les joues dans un silence douloureux. Ensuite, elle narre leur cauchemar. Au cours de la journée même, un serviteur l'a informée de la trahison. Pendant la nuit, son plus vieux est revenu seul, sans père ni sœur. Il avait fui Tollan avec un seul serviteur et les hachettes restantes. Xicoco, qui en avait dix, n'est jamais réapparue. Aidée par les garçons et les artisans, Malinalli s'est emparée de toutes les pièces de métal, dont les sacs d'or que j'avais enterrés il y a très longtemps. Puis, ensemble, ils sont allés à Tollan pour participer au soulèvement et ont réussi à sortir Melkolf de prison. Ensuite, tous se sont dispersés et elle s'est enfuie avec les enfants vers les montagnes, où ils ont vécu pendant trois lunes grâce aux pépins de métal qu'ils échangeaient parfois contre des vivres. Elle replace ses cheveux rêches.

– Melkolf a survécu à ses blessures et au voyage, mais il ne s'est jamais rétabli.

Sa voix s'abîme dans un long soupir. L'aîné des garçons continue :

– De passage à Tollan, nous avons su que l'Homme-dieu avait envoyé des émissaires depuis Chichen. Nous avons réussi à les approcher. Ils disaient que l'obsidienne était rare là-bas. Nous avons alors décidé d'écouler une partie du cuivre pour nous procurer la meilleure obsidienne et nous nous sommes mis en route avec un groupe de fidèles. Parvenus à Port-Caïman, nous avons dépêché un messager à Chichen pour t'avertir, ne sachant trop qui régnait ici. Tant de rumeurs circulent. Pendant que nous attendions des nouvelles, un capitaine nous a arrêtés. Il a bien failli faire tout échouer.

Après l'émotion des retrouvailles, le retour prend l'allure d'une marche victorieuse. À la jonction de la piste et de la grande route, Chantico, Mimix, Ye-Olin et Kiou nous attendent avec des fleurs et des visages radieux. Mon épouse embrasse Malinalli et ses enfants avec un bonheur évident; mes garçons et ceux de Melkolf se retrouvent avec joie. Chantico, qui ne lâche plus son alliée, la nomme aussitôt à la tête de ses suivantes. Les deux femmes, de nouveau complices, rentrent enlacées, babillant et riant. Derrière elles, les huit enfants font de même et forment une joyeuse chaîne: Mimix, Ye-Olin et Kiou s'intercalent entre leurs amis. Je prends le bras de Melkolf à demi assis sur son brancard et nous fermons le défilé. Sans attendre de réponse, je lui raconte notre installation à Chichen où nous vivons depuis six lunes. Melkolf me sourit. Mon cœur déborde de contentement.

CHAPITRE XXV

Chichen Neotoltèque

Les dernières vagues de migrants réchappés des prisons de Tezco atteignent Chichen. Le plus souvent, les hommes débarquent seuls. Des huttes sont rénovées à leur intention. Un beau matin, mon épouse itza réapparaît, aussi fraîche qu'une fleur éclose avec la rosée, contente de rentrer chez les siens. Je suis aussi heureux de la revoir, j'étais sans nouvelles d'elle depuis le jour de la trahison, il y a presque un an maintenant. Avec ce regard qui louche vers on ne sait quelle direction, elle tire de ses bagages mon casque de fer au nasal et aux yeux cerclés de bronze. Devant une telle surprise, j'échappe un cri :

— Grands dieux! Coquine, comment as-tu réussi un tel coup de maître?

Le heaume sur la tête, je l'étreins et fais virevolter ses petits pieds comme des oiseaux autour de moi. Mutine, elle baisse le nez, sans rien révéler de son secret.

Je l'installe dans ma demeure pour la remercier d'être revenue, alors que presque toutes les autres épouses sont restées à Tollan. Je continue quand même à guetter la piste, cependant, aucune prêtresse en vue. Ainsi, Xilonen et ses semblables se sont ralliées à Tezco. Scélérate! Après tout ce que j'ai fait pour cette pauvre danseuse d'un coin perdu du littoral. Le fait qu'elle reste là-bas constitue un aveu de traîtrise: elle préfère se terrer. J'avais tout de même espéré qu'elle se repentirait. Je rumine ma déception. Jamais je ne reverrai la bande de prêtresses avec leurs enfants qui me ressemblent. Tant pis. Que Xilonen se transforme en vieille balourde! Tezco n'aura gagné qu'une terrible mégère!

Pas de temps à perdre en regrets. Pour la grandeur de Chichen et de Kukulkan, il faut nourrir et mettre au travail les centaines de nouveaux venus. Les réserves de grains s'épuisent et la prochaine récolte est encore loin. Il faut donc trouver des denrées ailleurs, entre autres en pillant les provisions de nos ennemis, dans les villages autour de Coba et d'Uxmal. Ces communautés fournissent aussi leurs lots de prisonnières. Les Toltèques n'ont pas seulement besoin de maïs, il faut aussi des femmes pour l'égrener, le bouillir, le moudre et le cuire!

La rareté des aliments est attribuable en grande partie au manque d'eau. J'organise des bataillons de travailleurs qui se relaient jour et nuit au bord du puits où une structure de bois est plantée dans l'eau. Grâce aux esclaves qui emplissent, hissent et vident des jarres, le liquide surgit en permanence. Il est acheminé dans les différentes citernes au moyen de tiges d'osier emboîtées sur de longues distances. Maisons et jardins attenants sont ravitaillés en eau, mais il est impossible d'atteindre les champs dispersés en forêt. La saison sèche avance et l'approvisionnement en grains devient plus problématique. Je dois me résoudre à acheter du maïs qui vient de loin, au prix fort, sans parvenir à satisfaire tout le monde.

Les familles des exilés sont encouragées à cultiver des jardins suspendus sur des lits de branches, tout comme le font les Itzas. De ces carrés de terre, ils tirent d'étonnantes quantités de légumes, de fruits et d'herbes aromatiques. Ces provisions individuelles s'ajoutent aux plantes, aux racines et aux fruits cueillis en forêt, ce qui permet de justesse d'éviter la famine. Au moment choisi par les astronomes, les arbres abattus sont brûlés, des clairières apparaissent ; par bonheur, les pluies viennent arroser les semences au moment propice. Les prochaines récoltes s'annoncent abondantes.

Moi qui rêvais d'aller au bord de la mer me construire un bateau, je suis retenu en permanence à Chichen par des problèmes sans fin. Il y a tant de travail à faire que le solstice d'été passe presque inaperçu. Sans souligner l'événement, je sais que j'entre dans ma quarante-deuxième année, soit presque l'âge des vieillards d'ici, alors que je me sens à nouveau plein de force et d'énergie. Suffisamment pour ériger une autre Tollan. Surtout que je m'appuie sur nos jeunes, mes fils, ceux de Melkolf et de Huemac, qui s'impliquent activement dans la gestion de la ville. Au moyen d'« arguments » en jade, je convaincs Hun-Pik-Tok de s'installer définitivement à Chichen. Il accepte surtout parce qu'il en a assez des longues expéditions et que je l'intègre au sein du Conseil, privilège que les Itzas lui avaient refusé jusqu'à présent. Étant donné sa connaissance approfondie des routes commerciales, je le charge de percevoir l'impôt des marchands, au nom de Kukulkan.

Pour pouvoir les taxer, il faut consolider notre armée, décimée par la défection des traîtres de Tezco. La majorité des nouveaux arrivants ne demande qu'à se battre, cependant, je ne connais pas leur valeur et je ne peux risquer de promouvoir des incompétents. À Tollan, il y avait des écoles pour déterminer les plus valeureux. Ici, je manque de temps pour les trier. Tout à coup, la solution s'impose d'elle-même : faire des compétitions comme celles qui se déroulaient à la Terre-Verte durant mon enfance. Huemac est enthousiasmé par l'idée.

– Bien sûr! Organisons des concours, mais il faut que les hommes puissent s'entraîner avant.

– C'est vrai. Les épreuves pourraient avoir lieu dans quelques lunes… Tiens! Pourquoi pas à la fête des récoltes? Nous pourrions souligner ainsi notre arrivée à Chichen il y a un cycle solaire!

À la Terre-Verte, il y avait deux périodes par an, l'hiver et l'été, établies à partir des solstices. Ici, les astronomes effectuent des calculs si précis qu'ils savent exactement quand le jour équivaut à la nuit. Ils plantent un bâton spécial dans le sol : quand il ne fait pas d'ombre lorsque le soleil est au zénith, ils proclament l'équinoxe. Ils peuvent ainsi diviser l'année en quatre saisons. Les Itzas certifient qu'à l'équinoxe des récoltes les dieux lancent parfois leurs tempêtes dévastatrices. Je ne m'en souviens que trop bien! Voilà pourquoi je choisis ce moment pour le tournoi, même si je sais pertinemment que nous sommes déjà à Chichen depuis plus d'un an. Je préfère affirmer que notre arrivée remonte à l'équinoxe, coïncidence qui confirme mon statut divin. J'aime bien qu'un événement majeur marque mon apparition en ces terres.

Huemac et moi réunissons sur la place centrale tous ceux qui pourraient intégrer l'armée. Je détaille la foule disparate et clame :

– Je lance un défi à tous ceux qui voudraient devenir guerriers. Dans trois lunes, nous fêterons notre arrivée à Chichen. D'importants concours détermineront les meilleurs hommes au tir à l'arc et à la lance, à l'épée, à la course et à la bataille. Selon leur mérite, les vainqueurs de chaque catégorie seront nommés capitaines ou guerriers. Que ceux qui n'ont peur de rien commencent à se préparer !

L'annonce provoque une grande agitation, tant chez les Toltèques que chez les Itzas. Tous veulent faire partie de la future élite. On fabrique les armes les plus redoutables et on s'exerce au combat. Les artisans itzas sont sollicités de toutes parts pour trouver les bois les plus flexibles ou les plus durs, les racines, les cordes ou les nerfs les plus résistants. Nos quatre garçons rêvent d'exhiber leur force et leur talent ; ils travaillent sans relâche, au point d'en perdre le sommeil. J'ai confiance, mes pierres divinatoires leur prédisent un avenir glorieux.

Les candidats parcourent les rues au pas de course. Melkolf observe leurs allées et venues, silencieux comme lorsque son visage se dessinait dans les nuages ou la frondaison des arbres pendant le voyage d'exil. Les potions qu'on lui donne l'apaisent. Malinalli en prend grand soin : elle le lave, le change, le nourrit. Les guérisseurs ont bandé ses jambes et l'installent le jour dans une petite chaise à porteurs, ce qui lui permet de se faire promener où bon lui chante. À mesure que ses souffrances s'atténuent, mon compère se divertit en recommençant à sculpter. S'il ne peut plus mouvoir ses jambes, au moins il exerce ses bras et ses épaules en travaillant le bois. Ses porteurs lui dénichent les matériaux les plus divers: andouiller, osier, écorces, aubier foncé, pâle ou rougeâtre. Ses créations, maintenant presque grandeur nature, représentent des héros chrétiens, semblables à ceux qu'il avait taillés au campement des mines. Il obtient le même succès qu'auparavant: les habitants de Chichen vénèrent ses statues comme des effigies divines. Le sculpteur peut contempler ses personnages des jours durant, comme s'il discutait avec eux.

Pendant que Melkolf se crée un monde, Chantico gère le sien. Secondée en tout par Malinalli, elle embrigade les enfants dans des écoles. Grâce à ses soins, les nobles garçons toltèques et itzas étudient les tactiques de guerre, l'astronomie, l'écriture et le calcul. Les fillettes apprennent à entretenir les temples et à tenir maison. Tous les enfants de l'élite sont ainsi initiés aux us et coutumes des deux communautés. J'insiste auprès de Chantico pour que l'enseignement se fasse en nahuatl, afin que tous les futurs chefs comprennent bien la langue de commandement. Cependant, trop souvent, j'entends parler itza dans les écoles et un peu partout en ville.

À mon grand étonnement, c'est Chantico que je surprends ainsi à converser avec des seigneurs aux manières délicates. Avant que j'aie le temps de protester, elle m'entraîne vers ses appartements.

– Viens voir le dernier codex que l'on m'a tout juste apporté. La finesse des dessins est prodigieuse. Cette terre porte bien son nom…

Je lève un sourcil interrogateur. Elle sourit.

– Souviens-toi, on l'appelle le pays de l'encre rouge et noire, à cause de ses savants qui écrivent sans arrêt.

Savais-tu que tous les habitants de cette péninsule sont ordonnés en lignages ? Les clans de nom Xiu ou Cocom forment des familles étendues, rattachées à des ancêtres communs. Personne ailleurs n'hérite du nom de son père.

Tandis qu'elle parle avec admiration des érudits itzas, de leurs filiations et de leurs calendriers, je vois défiler mes frères et tous les Eriksonn de la Terre-Verte. Je pense à voix haute :

— De l'autre côté de l'océan, les enfants reçoivent aussi le nom de leur père, de telle sorte qu'on peut retrouver les ancêtres de chacun à travers toute la suite des générations.

Ravie que j'abonde dans son sens, Chantico acquiesce, sans chercher à en savoir davantage sur mes origines. Elle y a renoncé depuis longtemps ; elle sait que je viens d'un autre clan et non du ciel, et cela lui suffit.

Nous arrivons dans la pièce où elle conserve ses documents, beaucoup plus complexes que ceux d'Ocelotl. Comparés aux runes des Norvégiens ou des Islandais, ces codex paraissent issus d'un esprit génial. Les caractères de cette écriture, parfois alignés en de longues colonnes incompréhensibles, comportent de nombreux signes, symboles et dessins qui représentent des personnes, des lieux ou des sons. Les codex sont difficiles à lire, peut-être est-ce ce que souhaitaient ceux qui les ont écrits. Les plus explicites relatent les victoires des anciens rois du Peten. De quoi m'inspirer pour la gestion de Chichen !

Chantico, qui apprécie la déférence des Itzas à son égard, essaie de me faire aimer ce peuple de nabots :

— Tu vois ? Sur cette page, le roi est relié par de fins traits aux hommes de sa descendance.

— Tu reconnais les icônes et les couleurs, mais tu ne parviens pas à tout expliquer. D'ailleurs, les scribes en font des interprétations contradictoires. Quoi que tu en dises, la grandeur des Itzas est révolue, il ne reste plus que des avortons. Pourtant, toi, à t'entendre, j'ai l'impression que tu rêves de devenir comme eux.

Elle relève lentement la tête, le regard dur, comme si je l'avais frappée avec un gourdin. Elle rage :

— J'ai perdu Tollan. Malgré tout et malgré toi, je vais perpétuer la descendance de mes ancêtres. Les Itzas sont issus des grandes dynasties du Peten qu'on appréciait à Teotihuacan. Ils m'aideront. Tu ne peux pas comprendre, tu ne proviens pas d'une lignée royale…

Sa voix vibre de colère. Je préfère ignorer sa provocation. Son ambition ne contrarie nullement mes plans pour Kukulkan. Au contraire.

Elle se replonge dans son document qui semble si vieux, trop pour venir de Tollan. Chantico a sans doute raison : les anciens de Tikal ou d'ailleurs ont pu léguer leurs connaissances aux habitants de Teotihuacan qui les auraient transmises aux Toltèques. Elle médite sur le codex enluminé et remarque, ayant retrouvé son calme habituel :

— Les savants itzas ont une connaissance approfondie des astres et des plantes. À chaque maladie son remède. Sur cette page, le prince alité est entouré des végétaux qui permettent de le guérir. N'oublie pas que ces médecins ont sauvé Kiou ! On ne peut mépriser un tel peuple à cause de la petite taille de ses hommes !

Sa réflexion me laisse de glace. Les Itzas sont de bons astronomes, j'en conviens, mais ils font de piètres guerriers et de mauvais guérisseurs. Chantico semble avoir déjà oublié la mort de notre garçon. Ces gens m'apparaissent ennuyeux, lents, figés dans leurs bonnes manières, tournés vers le passé. Et c'est précisément ce qu'aime en eux Chantico, qui papote en langue itza et se passionne pour leurs codex poussiéreux.

La saison des pluies se déroule dans la fébrilité, les averses qui tombent en fin de journée ne ralentissent pas nos activités. Au milieu de cette agitation, je remets à plus tard la construction du bateau. Dans la fraîcheur d'un soir étoilé, je déguste un hydromel avec quelques capitaines venus discuter de la meilleure façon de répartir les novices dans notre future armée. Je me sens d'humeur festive.

– Maintenant que nous voilà bien installés, pourquoi ne pas célébrer notre alliance avec les Itzas?

À cette idée, mes compagnons jubilent, chacun enivré de souvenirs particuliers. Avant qu'ils puissent répondre, Hun-Pik-Tok se joint à nous. Il ne rate jamais une occasion de bavarder :

– Voilà justement ce que je voulais proposer : une fête ! Après le tournoi, j'aimerais inviter tous les nobles. Nous pourrions prier alors avec vigueur !

Cette perspective me réjouit au plus haut point.

– Je t'avoue que j'en ai assez des privations. Tant de lunes à vivre sous une chaleur écrasante, sans danse ni festin ! N'y a-t-il pas des prêtresses qui s'occupent des dieux ici ?

Hun-Pik-Tok me glisse une œillade malicieuse, mes camarades rigolent, Huemac se racle la gorge, embarrassé.

– Je comprends qu'on veuille s'amuser, dit-il. Un homme doit manifester sa virilité. Cependant... il ne faudrait pas répéter nos erreurs passées.

Devinant son malaise, j'interviens :

– Tu penses à la nuit de la trahison ?

– Oui, ce genre de situation m'inquiète. Qu'on se retrouve tous ivres en même temps...

Honteux, Huemac pétrit son menton ; les autres se taisent, la mine basse. Il est temps d'en finir avec ces remords. Je tourne mes perles sous mes yeux et cherche les mots justes dans la pureté du jade.

– Depuis l'exil, j'ai beaucoup réfléchi. Je regrette sincèrement d'avoir laissé une bande de rapaces s'approprier le pouvoir. Tollan méritait mieux que cet hypocrite de Tezco. Mais je n'ai pas écouté les avertissements de mes amis et j'ai négligé mes devoirs. Les dieux ont sévi. J'ai appris, les délires qui s'étalaient des jours durant ne reviendront plus.

Un jeune capitaine lève la tête et propose :

– Peut-être que nous pourrions festoyer, mais seulement une moitié des hommes à la fois ?

Tous s'esclaffent. Je laisse passer la diversion, puis j'appuie de nouveau Huemac :

– À Chichen, nous restons des étrangers. Il nous faut être plus vigilants que jamais. La paix n'existe ni entre les Itzas ni entre les différents clans de la péninsule. Seule la guerre permet de survivre. Les entraînements vont reprendre comme à Tollan et nous soumettrons les cités décadentes.

– Et tu seras à nouveau installé chef des braves ! clame Huemac.

Les capitaines approuvent et applaudissent. Nous formons un cercle d'amis soudés par les mêmes souvenirs et par le goût du pouvoir. Enfin, un peu d'action s'annonce dans ce pays, trop imprégné à mon goût de simplicité et de calme.

Les prêtres préparent avec zèle les cérémonies en vue de l'équinoxe qui approche. La question des sacrifices humains revient encore. Cette fois, je laisse les religieux travailler comme ils l'entendent, à la condition expresse qu'ils ne désignent aucun Itza ou Toltèque pour nourrir les idoles. Chantico insiste pour que cette protection s'étende à tous les dignitaires de la région, quel que soit leur clan d'appartenance. Elle espère ainsi épargner ceux qui pourraient rétablir, du moins en partie, la mémoire des codex. J'ordonne donc aux prêtres de choisir leurs victimes parmi les esclaves et les paysans des nombreux autres clans, ce qu'ils acceptent sans trop de difficulté.

Pour la deuxième année consécutive, Chac a démontré sa satisfaction en arrosant abondamment la région de Chichen. Les récoltes s'annoncent suffisantes, ce qui constitue une nette amélioration par rapport aux sombres prévisions des prêtres. On commence à ramasser les premiers épis, les courges et les fèves et à faire sécher les grains. Le coton pousse aussi à merveille. Les femmes des clans soumis pourront tisser pendant toute la saison sèche et nos nouveaux guerriers auront des cuirasses neuves. Nous pourrons affronter Uxmal et Coba, occupées à honorer leur souverain plutôt qu'à entraîner leur armée.

Quelques jours avant le grand événement de l'équinoxe, j'intercepte Hun-Pik-Tok qui trottine vers le marché.

– Mon accession au pouvoir dérangera forcément certains chefs locaux. Ai-je quelque chose à craindre des gens que tu as invités ?

L'énergique bonhomme souffle :

– Non, les Itzas sont réservés et pieux. Ils respectent Kukulkan. Cependant, malgré leurs manières douces, ils peuvent devenir des combattants féroces.

Il évoque en détail la destruction des cités du Peten. J'ai l'impression que Hun-Pik-Tok me sert un avertissement voilé : ne deviens pas roi, car alors la vanité t'emporterait et tu provoquerais la ruine de Chichen. Parvenu aux étals du marché, je coupe court à ses explications de fin du monde :

– Bon, nous reparlerons des ancêtres une autre fois. Pour l'instant, je rêve de dizaines de belles femmes ! J'ai été fort privé depuis mon départ de Tollan. Pourras-tu dénicher des prêtresses ?

Avant de s'engouffrer dans le marché, le marchand caresse ses doigts potelés en susurrant :

– Quelle impatience, Kukulkan ! Sache que les manières toltèques nous intimident, surtout au sujet des femmes. Mais ne t'inquiète pas, je ferai apparaître ce qui te manque.

Il s'évanouit au milieu de la foule. Je m'en retourne en rêvant aux troupes de Xilonen, endurantes comme des guerriers. Dans cette ville éloignée, comment Hun-Pik-Tok pourrait-il faire revivre les sensuels excès de Tollan ?

Une fois rentré, j'ai à peine le temps de me rafraîchir qu'un homme se présente dans la cour. Trapu, la peau parsemée de taches pâles irrégulières, il fait avancer à coups de bâton une vingtaine d'esclaves attachées les unes aux autres par une corde nouée au cou de chacune. Plusieurs ont le visage tuméfié, des membres en sang, d'autres ont peine à se tenir debout. Certaines ont des jupes maculées, les autres ne portent rien : plusieurs sont si chétives qu'elles ressemblent à de la volaille. D'ailleurs, ça empeste la fiente. La colère me démange. Je fonce pour barrer le passage au gardien du troupeau.

– Misérable ! Que fais-tu ici ? Je ne veux pas de ces animaux, même pour un seul instant. Sors !

Le serviteur se jette à mes pieds.

– Pardonne-moi, Kukulkan. On m'a demandé de t'amener des esclaves sans tarder. Alors, j'ai fait vite, on ne m'a pas laissé le temps de les préparer.

Une voix rauque s'élève au bout de la file d'indigentes :

– Oh ! si ! On nous a préparées… en nous fouettant ! Tu as raison, Seigneur, on nous traite comme des animaux. En cage. Affamées, assoiffées, après une marche forcée en forêt.

Une de ces pauvresses qui parle ma langue ! Curieux, je m'approche de celle qui a osé élever la voix.

– Qui es-tu ?

– Xicchel, du clan des Cochuahs. Il y a six jours, tes guerriers ont brûlé mon village. Nous sommes les seules survivantes d'un lieu sacré qui n'est plus que cendres. Pourquoi avoir massacré nos familles ? Vous auriez pu avoir accès à la lagune Chichankanap sans tout détruire.

La femme qui m'adresse la parole est un peu plus grande que les autres, avec des jambes effilées et le visage empreint d'une certaine dignité malgré le collier d'esclave. Ses seins se dressent avec impertinence ; je ne peux résister et j'en effleure un du bout du doigt. Ma main frôle ensuite la peau lisse du ventre, au-dessus de la jupe qui bâille sur des hanches amaigries.

— Tu n'as pas d'enfants, n'est-ce pas?

— Non. Mon père régnait là-bas et j'étais vouée aux dieux de la lagune.

— J'aime les prêtresses qui ont du courage. As-tu des suivantes?

Elle désigne ses voisines immédiates. Je lance un ordre à l'affreux bâtonneur:

— Détache ces trois-là, elles resteront ici et ramène les autres. Lorsqu'elles seront présentables, tu les distribueras selon les indications que te donnera Huemac, le chef des capitaines.

— Seigneur, je devais les garder pour les sacrifices.

— Qui t'a donné cet ordre?

— Les prêtres...

— Est-ce que ce sont eux qui les ont capturées?

— Euh... je ne sais pas...

— Moi, je sais! Ce sont mes capitaines qui les ont prises, donc elles m'appartiennent! Tu diras à tes prêtres qu'ils auront bientôt assez d'esclaves pour en gaver les idoles. Inutile d'emprisonner ces créatures, elles peuvent servir à quelque chose! Deviens vite plus avisé, sinon c'est toi qui seras offert en sacrifice!

Malinalli, qui a tout vu et tout compris, entraîne les trois élues dans la maison. Le serviteur prend le large avec les autres. Hun-Pik-Tok les croise en entrant. Il fait la moue, vaguement gêné par cet arrivage de mauvaise qualité, et s'évente pour chasser l'odeur fétide avant de filer vers les cuisines avec ses paquets. Je voudrais lui poser une question, mais j'y renonce, car l'explication serait interminable. Je me contente de me gratter le crâne: comment une femme cochuah peut-elle parler nahuatl aussi bien?

La première fête d'équinoxe à Chichen s'ouvre dans l'allégresse et dans l'espoir des splendeurs à venir. Tout commence par les concours. Après une journée épique, où l'on rivalise de force, de vitesse et d'adresse, Huemac et moi désignons une vingtaine de maîtres armuriers, une cinquantaine de capitaines et cinq cents hommes particulièrement robustes. À mon grand plaisir, nos fils figurent parmi les meilleurs; Chantico, Malinalli et la matrone de Huemac rayonnent d'orgueil. La prestation du serment clôt les célébrations de la journée. Les appelés jurent fidélité à Kukulkan, le chef des braves, et renient à jamais Tezcotlipoca.

Le lendemain, les prêtres nous invitent à gravir la montagne sacrée pour assister aux cérémonies qui se déroulent sur la grande place. De là-haut, nous suivons les affrontements de parade: l'armée toltèque-itza s'engage dans des luttes en apparence féroces contre des captifs pris dans les clans voisins et qui tiennent là leur dernier rôle. La victoire acquise, les capitaines font monter les vaincus à l'autel. Plusieurs rituels entourent leur mise à mort. J'y assiste, casqué de bronze, ce qui impressionne l'assistance. Au soleil couchant, un immense festin est servi à la population en liesse, exaltée par la présence de l'Homme-dieu.

Les festivités arrangées par Hun-Pik-Tok ont lieu le troisième jour. Depuis ma demeure, j'observe les riches invités qui défilent assis sur des chaises à porteurs.

Représentants des clans alliés de la péninsule, ils arborent des coiffures de coquillages et de plumes chargées de bandeaux brodés. Plusieurs portent de lourds colliers de pierres précieuses. Ils se rassemblent à l'extérieur de la maison de Hun-Pik-Tok ; lorsqu'ils y entrent et que le bourdonnement des conversations s'atténue, j'y vais à mon tour, paré comme un roi, accompagné de Chantico qui a l'allure d'une reine.

Dès les premiers pas dans la salle, un encens à l'odeur insistante nous assaille. L'air vibre de mélodies légères jouées à la flûte et au tambourin. Tout paraît excessif : les fleurs en masses compactes, la multitude de torches aux murs, l'immense lit de braises rougeoyantes. Des tables basses en osier croulent sous les bols de fruits, les jarres d'hydromel et de jus fermenté. Des tripodes débordent de préparations à la viande, conservées au chaud par de minuscules feux placés entre les pattes ; les fumets des viandes épicées se mêlent aux parfums de l'encens. Sans avoir bu une goutte de vin, je me sens déjà enivré par le délire de fragrances et de lumière.

Aussitôt qu'il m'aperçoit, Hun-Pik-Tok fait taire les convives et me présente avec éloquence. Je les salue, Chantico en rajoute. En itza, elle les remercie de leur hospitalité. Les épouses des invités roucoulent à mon approche. Respectant mon désir, tous s'adressent à moi en nahuatl. Une telle obéissance prouve la grande flexibilité de ces gens ; ils seront faciles à manipuler. En réalité, je les terrifie. En cas de différend, je n'aurai qu'à montrer les crocs ou à brandir les poings. Je leur souris de toutes mes dents.

Des aliments d'une grande finesse nous sont apportés par petits services successifs, chaque mets se distinguant du précédent. La cuisine locale m'éblouit par la variété des saveurs et le contraste des couleurs. Les bouchées de viande baignent dans d'épaisses sauces rouge feu, jaune or ou vert tendre ; des arômes de noix, de cacao grillé, de fruits macérés comblent l'odorat et le goût. Entre les services, on récite des poèmes, on exécute des danses en l'honneur du dieu du maïs, l'hydromel coule à flots. Le bruit des conversations s'amplifie, les invités rient sans retenue ni gêne. Puis, on apporte des fruits et des gâteaux au parfum de fleurs. À ce moment, Hun-Pik-Tok cligne de l'œil dans ma direction. Je me lève et déclare :

— Nobles Itzas, nobles Toltèques, le réputé Hun-Pik-Tok, ami du roi de Chololan, nous reçoit avec générosité. Je découvre avec bonheur que la région recèle des trésors de charme insoupçonnés. Je profite de l'occasion pour partager avec vous certaines de mes préoccupations quant à l'armée, à l'approvisionnement en eau, à l'architecture. Pour ne pas ennuyer toutes ces beautés, je propose que les femmes se retirent avant que commencent les délibérations.

Sans insister davantage, je me rassois. S'ensuit une délicate rumeur. Repues de vin et de gâteries, les femmes déambulent sagement vers la sortie, dans le sillage de Chantico qui, sans être dupe, échappe à l'épilogue qu'elle connaît trop bien. Des porteurs les raccompagnent. Le calme revenu, je reprends la parole :

— Mes amis, grâce à nos alliances, nous dominerons les Basses-Terres. Nous érigerons une ville splendide.

Gavés, les nobles acquiescent mollement. Je poursuis :

— Nous aborderons les questions pratiques plus tard. Pour l'instant, il semble que notre hôte ait préparé un spectacle dans le style de ceux que j'offrais à Tollan…

Excité comme un enfant, Hun-Pik-Tok tape joyeusement des mains. Aussitôt, des essaims de clochettes bruissent de partout. Surpris, les invités regardent de tous côtés, cherchant l'origine de ces tintements. Comme par magie, des musiciens apparaissent autour du grand feu, trépignant d'une impatience contenue. Avec des cris d'allégresse, des danseurs vêtus de morceaux d'écorce bondissent par-dessus les flammes ; des danseuses, couvertes de petites capes et de grelots, tourbillonnent, enlacées par les volutes des bâtonnets d'encens qu'elles tiennent entre leurs doigts.

D'aimables servantes à la peau luisante, aux bras et aux jambes surchargés de bijoux, distribuent des bols d'une pâte rougeâtre. Elles remplissent les gobelets d'hydromel en chantant avec entrain. Comment a-t-on réussi à rendre aguichantes des esclaves aussi laides ? Les capitaines découvrent avec plaisir ces femmes qui leur ont été attribuées. Quant aux trois esclaves que je me suis accordées, elles dansent pour moi avec des sourires prometteurs. La musique s'accélère et s'amplifie. Les convives toltèques reconnaissent l'hymne à la virilité et le chantent en chœur. Pendant les couplets, encens, écorces et capes volent tour à tour dans les braises où ils disparaissent dans de légers crépitements.

Les danseurs frétillent autour des danseuses ; silhouettes furtives devant le feu, en couples, en groupes, qui se font et se défont rapidement, ils semblent s'accoupler. Mais copulent-ils vraiment ? La fumée et les ombres mouvantes empêchent d'en avoir la certitude, cependant, ces cris et ces mouvements échauffent l'assistance. Les grelots accentuent les trémoussements saccadés, qui se concluent par d'impétueux râlements de jouissance. Je félicite Hun-Pik-Tok par-dessus la clameur :

– Cher ami, on sait bien s'amuser à Chichen !

Il rougit et se tortille de plaisir.

– Ces danses se pratiquent assez peu ici. Mais tout s'apprend. Je suis très heureux que celles-ci te plaisent, Kukulkan.

La prêtresse cochuah, à demi étendue devant moi, se laisse caresser. Elle sourit, distante, un peu trop hautaine à mon goût. Je ne peux m'empêcher de lui pincer la taille.

– T'ennuies-tu de ta cage, Xicchel ?

Ses yeux lancent de brefs éclairs, mais son sourire reste suave. Ses suivantes m'entourent aussitôt d'attentions. Je prends un peu de pâte rouge dans le petit bol. Je connais bien l'effet de cette mixture à base de mollusque. J'en frotte les seins et le sexe des deux servantes, leurs mamelons rougissent et se dressent. Elles rient et se pressent contre moi. Mes doigts se faufilent entre les chairs palpitantes avec une envie irrésistible. Elles gémissent de plaisir. L'une lance sa jupe au feu pour dévoiler des fesses rondes et dorées. Elle s'agenouille de dos à moi, la croupe relevée. Je l'enlace, la penche vers l'avant et glisse mes genoux entre les siens. Je l'empoigne par les hanches, la soulève en fourrant mon sexe en plein milieu de sa fleur. Bien cabrée, elle m'agrippe les bras et obéit à ma cadence qu'elle ponctue de plaintes lascives. Comme si mon assaut donnait un signal, les hommes se jettent sur les danseuses. Les tambours nous entraînent dans un rythme animal. Je jouis en même temps que la musique répand ses trilles extatiques.

Certains Itzas quittent alors la joyeuse réunion, sans que je m'en offusque. À mon grand bonheur, les principaux marchands restent à se divertir. Je mémorise leurs visages, ceux-là me seront de bon conseil.

La soirée se poursuit dans l'allégresse. Les danseurs rivalisent de souplesse. Après quelques bons gobelets, je prends la tête de l'autre suivante et la penche sur mon sexe. Docile, elle m'aspire avec application. Je remets de la pâte rouge entre ses cuisses, puis je la pousse sur une natte où elle roule. Je m'enfonce en elle. Elle jouit avec exubérance, ses ongles plantés dans mes épaules. Je ne peux qu'admirer tant d'ardeur ; des deux femmes, elle est la plus excitante. Dans cette frénésie effervescente, je retrouve la folle ambiance de Tollan.

Le matin, légèrement engourdi par les vapeurs d'hydromel, je mignote ma prêtresse un peu rebelle, dont je me suis réservé les faveurs pour le réveil. Bien sûr, Xicchel n'est pas Xilonen, mais Chichen n'est pas encore Tollan. En même temps que je la savoure, je rêve de grandeur et de volupté : transformer Chichen en Tollan et dresser les captives comme il se doit.

La nouvelle de mon règne sur Chichen se propage dans toute la péninsule. Malgré des réticences, sévèrement matées, les commerçants finissent par s'incliner devant l'omniprésence de mes guerriers à Port-Caïman et aux autres points de ravitaillement. Ils paient parfois jusqu'à la moitié de leur cargaison pour obtenir le droit de passage. Les Itzas, ravis par la tournure des événements, collaborent avec efficacité, étant les premiers à bénéficier du contrôle accru de Chichen sur le commerce, sans en subir les désagréments. Dévoué, Hun-Pik-Tok mène une troupe de percepteurs agressifs.

Melkolf reprend les cérémonies du baptême qu'il célèbre avec modestie au bord du puits Xtoloc. Il bénit les nouveau-nés qu'on lui emmène, les dote de petites croix sculptées afin de les unir à Dieu. Les Itzas associent plutôt ces croix à l'eau envoyée par Chac. Peu importent les croyances, les crucifix plaisent à tous et les gens prennent l'habitude de marquer l'emplacement des puits avec des croix semblables à celles de Melkolf.

La vie à Chichen s'organise, une ville prend forme. Les quartiers des artisans sont rénovés, de nombreux chantiers, surtout dans le centre, préfigurent de grandioses transformations. Mes garçons ont envoyé à Tollan des architectes déguisés en marchands afin qu'ils étudient de près les édifices et puissent les reproduire ici. Dans l'agitation qui annonce la naissance d'un nouvel empire, personne ne regrette Tollan.

CHAPITRE XXVI

Glorieux crépuscule

La vénération sans bornes que les Toltèques vouent à Quetzalcoatl, devenu Kukulkan, fortifie et enthousiasme la population de Chichen. Les terribles sécheresses évoquées par les prêtres se raréfient. Après plusieurs années de travail soutenu, Huemac et moi avons formé une armée redoutable. Nos troupes, installées aux principaux points d'échange avec l'extérieur, ceinturent maintenant la péninsule. Chichen gère l'ensemble du commerce sur les Basses-Terres à partir du fleuve Tabasco. Nos guerriers protègent les marchands itzas dans toutes leurs expéditions, alors qu'ils malmènent et taxent les autres. Appuyés par les puissances divines, Kukulkan et ses disciples triomphent. Les clans insoumis sont écrasés sans pitié. Les combats fournissent prisonniers et richesses.

À mon grand plaisir, Tollan doit payer beaucoup plus cher qu'autrefois pour obtenir les produits sous notre contrôle. Nous dédaignons les produits toltèques, tandis que nous privilégions ceux des cités rivales : Chololan en profite, Tollan périclite. De même, Coba et

Uxmal étouffent sous la pression. Nous détruisons progressivement les villages autour de Coba, plus puissante qu'Uxmal, et ainsi les sources d'approvisionnement de cette cité se tarissent. Les Itzas nourrissent une haine tenace contre cette noblesse traditionnelle et l'attaquent à la moindre occasion.

On me raconte les hauts faits de ces combats, car je n'y participe pas. Contrairement aux lois des hommes, l'âge m'impose des restrictions que je ne peux transgresser. Je ne parviens plus à brandir une épée d'obsidienne et mon ancienne blessure à la cuisse freine mes élans. Souvent, terrassé par la fatigue, je renonce à certaines prérogatives et délègue mes fils aux séances du Conseil. La vigueur de la jeunesse m'a quitté, et aucune potion ne semble capable de la faire ressurgir. Je ne peux plus honorer les prêtresses comme autrefois, d'autres le font à ma place. Les années nous affaiblissent tous, par chance, l'hydromel calme mes douleurs aux os.

Hun-Pik-Tok ne gère plus le commerce que de son fauteuil où il dort la majeure partie du temps. Huemac aussi paraît las. Il commande encore les expéditions, mais de loin. Il se fait porter pour observer les affrontements. Ce sont nos garçons, dont les deux gaillards de Melkolf, aussi forts que leur père, qui mènent les troupes. Riches de notre expérience, ils appliquent la stratégie de l'attaque-surprise et foudroient les armées ennemies habituées à de longs rituels de guerre. Ainsi, nos enfants voguent de conquête en conquête et consolident la suprématie de la cité.

Coba, qui nous disputait le contrôle du cacao, finit par s'écrouler. Nous avons d'abord dû batailler ferme pour vaincre la ville de Yaxuna. Immédiatement après, nos troupes ont parcouru la large route, aussi démesurée que l'orgueil des rois de Coba, qui conduisait droit au but! Stimulés par l'appât du butin, nos hommes sont arrivés devant la ville à l'aube; d'un seul élan, ils ont franchi les palissades, au nez des sentinelles endormies. Nos garçons rapportent qu'ils ont massacré tous les guerriers avant que la défense s'organise. Ensuite, le carnage a duré deux jours.

Cette douce victoire a toutefois un prix élevé. Lorsque Huemac a voulu planter la bannière de Chichen devant le palais, le roi, dans un sursaut de rage, a échappé à ses gardiens. Il a foncé sur Huemac et l'a blessé fatalement à la tête, avant d'être terrassé à son tour par nos capitaines. J'apprends la mort de mon compagnon avec la plus grande affliction. Son départ creuse un vide terrible à mes côtés, comme si on m'arrachait un bras. Cet homme si dévoué, que je considérais comme mon frère, a cru en moi dès le premier instant. Malgré les vicissitudes, mon indéfectible allié ne m'a pas trahi, jamais il ne s'est plaint de la fin tragique de mon règne à Tollan. Il a quitté sa patrie pour toujours, sans une seule récrimination, puis il a travaillé d'arrache-pied pour recréer un empire dans les Basses-Terres. Si je l'avais accompagné à Coba, peut-être voguerais-je avec lui vers le paradis des braves.

Contrairement aux autres nobles de la péninsule, les vaincus de Coba refusent de s'allier à Chichen et préfèrent être offerts aux dieux. En l'honneur de Huemac, j'insiste pour enlever moi-même les ornements aux victimes avant le sacrifice. Avec les guerriers et la foule, je me réjouis de voir couler le sang de cette dynastie arrogante qui refusait tout commerce avec nous. Toujours préoccupée par les secrets du passé, Chantico dépêche des équipes de scribes pour tenter de récupérer les codex royaux dans les décombres.

Peu après la mort de Huemac, un messager arrive un jour pour annoncer le décès de Tezco, à Tollan. J'espère qu'on l'a enterré avec Xilonen afin qu'elle le poursuive à jamais! Les capitaines et moi buvons à la bonne nouvelle. Je suis vivant, à la tête d'une cité prospère, et le traître est mort! Cet événement favorable est inscrit sur mes plaques du temps.

L'astronome incise la nouvelle date sans que je puisse la distinguer des autres. Ma vue a tellement baissé que je ne peux dénombrer les entailles moi-même; à ma demande, le savant les additionne. Il manipule avec célérité boules, barres et coquillages, puis déclare que je vis à Chichen depuis onze ans. S'est-il écoulé tant de temps? J'ai pourtant l'impression qu'hier encore j'émergeais en vainqueur du puits sacré! Des années évaporées dans le tourbillon des guerres et des constructions. À contempler le passé, j'éprouve un vertige. J'exige que l'homme recommence ses calculs, mais à partir des plaques les plus anciennes, celles gravées depuis mon passage à Mictlan. Il entreprend le compte demandé et conclut:

— Seigneur, tu as vécu vingt-trois cycles solaires à Tollan et à Mictlan. Si nous ajoutons ceux de Chichen, tu vis depuis trente-quatre années.

— Ah! non! Depuis bien plus longtemps! Si je me souviens bien, j'avais dix-huit ans lorsque les dieux m'ont poussé sur les océans.

Le jeune savant ouvre de grands yeux. Sans autre commentaire, il manie rapidement ses petits instruments. Il termine avec deux boules devant un coquillage, deux barres et deux autres boules.

– Seigneur, si nous n'avons pas oublié de cycles, tu en aurais traversé cinquante-deux !

Devant l'air incrédule de son beau visage lisse, je suis frappé de plein fouet par la réalité : je suis un vieillard. L'allégresse amenée par la mort de Tezco se dissipe. Je me console : Hun-Pik-Tok est encore plus âgé que moi et Melkolf, plus impotent. Mes douleurs reviennent me tourmenter. Je ne survivrai pas longtemps au traître, surtout si je demeure dans un endroit aussi torride. Qu'espérer ultimement de cette vie ? Je ne pourrai voguer en Terre-Verte. Je n'en ai plus la force. Il me reste à souhaiter que les Islandais débarquent sur la côte. Si je ne peux me rendre chez eux, qu'ils viennent à moi. J'irai donc les attendre au bord de la mer.

Hun-Pik-Tok et Chantico désapprouvent mon idée de voyage. J'insiste :

– Je ne parle pas de fonder une ville, seulement une petite garnison face au soleil levant.

Ridé comme un singe, Hun-Pik-Tok fait tinter ses bracelets extravagants.

– S'installer sur le littoral ? Impensable ! C'est là où les tempêtes frappent le plus fort à l'équinoxe. Elles arrachent toits, arbres, récoltes. La mer envahit les terres, toutes les créatures soulevées dans les airs disparaissent à jamais, dévorées par le dieu du vent.

Emporté par sa verve, il crie, les bras en l'air. S'il n'était cloué à sa chaise en raison de la maladie, je crois qu'il pirouetterait sur lui-même, comme autrefois quand on imitait mon arrivée. Chantico s'oppose aussi à mon départ, mais avec calme :

— Tu ne peux partir, les prêtres ont besoin de ta présence pour invoquer les dieux.

L'opposition unanime de Hun-Pik-Tok et de Chantico consolide ma résolution. Je leur souris.

— Mes amis, j'irai m'installer au bord de la mer. Pour contenter les religieux, je reviendrai avant les pluies et je ne retournerai là-bas qu'à la fin de la saison des ouragans. Je compte m'établir sur l'île de Cozumel, plus facile à défendre que les marécages qui bordent la péninsule. Ainsi, je n'aurai pas à craindre les attaques des rescapés de Coba qui hantent cette région. De plus, l'air du large chasse les moustiques porteurs de fièvre.

Tous deux me regardent bouche bée. Mon projet chemine dans leurs esprits d'abord contrariés par l'éventualité d'un changement. À court d'arguments, ils cèdent à regret. Hun-Pik-Tok, qui polit une de ses bagues, remarque :

— Nos marchands apprécieront sûrement le confort d'une nouvelle halte.

— Pour pallier tes absences, les prêtres pourraient avoir recours à une effigie, soupire Chantico, distante.

— Et toi, ma dame, te contenteras-tu d'une statue de bois et d'osier ?

— Puisqu'il le faut. Si tu pars, quelqu'un devra rester pour gouverner.

— Tu sais bien que Mimix et le Conseil gèrent efficacement Chichen sans que nous ayons à intervenir.

— Peut-être… Mais je reste ici. Kiou attend son cinquième enfant, je vais l'aider. Je n'irai pas m'exiler encore dans un comptoir lointain. Je tiens à inculquer les traditions toltèques à nos descendants. Sais-tu seulement combien de petits-enfants tu as ?

À mon tour de rester coi : je n'ai pas la moindre idée du nombre de rejetons qu'élèvent mes épouses, ma fille et mes fils. Ils en ont tellement que je les confonds les uns avec les autres. Je hausse les épaules. Je n'aime pas que ces discussions intimes aient lieu devant mon principal conseiller. Je chasse une mouche.

— Puisque nous sommes d'accord, que des architectes aillent préparer le terrain où je ferai construire ma retraite.

Hun-Pik-Tok se retire, suivi de Chantico. Il ne reste plus que Melkolf, qui somnole à côté de moi. Je lui touche l'épaule.

— Viendrais-tu avec moi au bord de la mer ?

Mon compère sourit gauchement. Sa bouche difforme émet un vague grognement affirmatif.

— Combien de petits-enfants as-tu ?

Il se tortille sur sa chaise, sa joyeuse grimace laisse entrevoir ses dents noircies. Hilare, il montre ses dix doigts, puis ouvre et ferme les mains à plusieurs reprises.

Cette image est la dernière que je conserve de mon vieil ami.

Il me quitte une nuit, sans prévenir personne. Au matin, on le trouve inerte, les mains serrées sur une de ses petites croix, un sourire figé pour l'éternité sur ses lèvres déchirées. On érige un bûcher pour brûler son pauvre corps cassé en plusieurs morceaux. Courbée sur sa canne, Malinalli insiste pour placer autour du cadavre les personnages de bois que mon compagnon a sculptés.

— Melkolf y tenait beaucoup. Ils le réconforteront dans l'au-delà.

Mon cœur se serre à l'idée de perdre en même temps Melkolf et ses œuvres.

– Dommage de détruire un si beau travail. Ses idoles paraissent vivantes! Je vais au moins garder un crucifix. Et en faire dresser un grand, en pierre, pour marquer l'emplacement de ses cendres.

Malinalli se rebiffe:

– Seigneur Huracan, pourquoi se souvenir de ceux qui meurent? Une croix de bois suffit. Je mourrai bientôt. Nos os pourriront, la croix aussi. Inutile d'en faire plus. Les hommes sont faits de maïs: en mourant, ils retournent à la terre... pour en ressurgir plus tard en nouveaux grains de maïs.

Ses paroles me font l'effet d'un coup de massue. Je prends conscience que je vais bientôt disparaître moi aussi. Melkolf a laissé sa marque: tous les puits des Basses-Terres arborent maintenant des croix que les gens entretiennent avec respect. Elles sont autant d'ouvrages à sa mémoire. Je veux, moi aussi, laisser des traces, des signes qui seront compréhensibles pour les prochains explorateurs qui accosteront ici. La ville de Chichen est un monument à ma grandeur. Mais quel Islandais le comprendra? Puisque les symboles ne sont pas gravés sur les pierres, ma mémoire doit être transmise d'une autre façon.

Pressé par le temps, j'entreprends les préparatifs de mon propre départ vers les dieux.

J'ai besoin de sentir la puissance de l'océan, de humer la brise marine pleine d'odeurs, de laisser les vagues attendrir mon squelette raidi. Je veux voir l'étoile du Nord au-dessus de l'horizon marin.

Les Itzas ont construit mon gîte au fond de la baie aux Langoustes, à la sortie nord de l'île de Cozumel, un peu dans les terres, pour m'abriter des vents et des rebelles. J'y vais chaque année, au début de la saison sèche. Mon imposante procession emprunte la large route qui mène de Yaxuna à Coba, où nous faisons halte. On me hisse sur un de leurs trois temples, chacun juché au sommet d'une pyramide. De là-haut, la forêt se déploie à la ronde, comme un océan d'où émergent seulement les deux autres temples, tels de frêles esquifs blancs.

À cette occasion, et à celle-là seulement, je préside aux sacrifices et je goûte avec plaisir à la chair de ces misérables ennemis pour venger la mort de Huemac. Un rite cruel, mais combien doux, qui, pour moi, honore la mémoire de ce grand guerrier. Et qui maintient les peuplades barbares dans la terreur. Je me moque de mes anciens émois, lorsque j'ai assisté à mes premières mises à mort cérémonielles. Depuis, j'en ai vu tellement qu'elles m'indiffèrent ; ces pratiques font partie du jeu cosmique de la vie et de la mort que dirigent les dieux. Quel innocent j'étais alors ! Penser que je pourrais faire cesser les sacrifices…

Après Coba, nous rejoignons la mer. J'aime ces traversées. Affronter les courants, entouré de troupes fidèles et de suivantes dévouées, me rajeunit, me semble-t-il. Nous croisons des embarcations à plusieurs rameurs ; certaines se dirigent vers le sud, d'autres vers le nord ou même vers la haute mer. Celles qui prennent le large, je les suis en esprit, car ni moi ni mes pirogues ne serions en état de voguer sur de longues distances. De nombreux canots accostent en même temps que nous, chargés de poissons, de tissus, d'outils. La plage grouille de gens, mon arrivée provoquant chaque fois des attroupements. Et chaque fois, on m'accueille avec le même respect un peu craintif.

Installé dans une simple maison en carrés de terre, je passe des jours tranquilles à ressasser mes souvenirs. Du village au fond de la baie, il ne faut qu'une brève course à l'aurore – les porteurs sont jeunes – pour assister au triomphe du soleil sur la nuit. L'onde chatoie alors de toutes les nuances de bleu, de vert et dérobe au ciel un peu de ses roses. La brise piquante me stimule. J'emplis mes poumons d'arômes salins. Les vagues tièdes pétrissent mon corps. Je baigne dans cette mer qui s'étale de Cozumel jusqu'au fjord où j'ai grandi. J'en ai acquis la certitude en voyant l'étoile du Nord : je suis en droite ligne avec la Terre-Verte. L'astre qui m'éclaire se lève en même temps sur Brattahlid. Si les fils de mes frères et ceux de Leif ou de Bjarni poussent leur exploration un peu plus loin que l'île Sans Gibier, je les verrai passer au large.

En repensant à ma vie depuis Brattahlid, je me rends compte que j'ai suivi les traces de mon belliqueux père. Cependant, à tous points de vue, j'ai mieux réussi que lui. J'ai accumulé plus de richesses qu'il ne l'a jamais fait, j'ai régné sur des cités mille fois plus puissantes que sa colonie et j'ai eu encore plus de femmes et d'enfants que lui. Cependant, Le Rouge, Mère ou Leif, que j'ai toujours rêvé d'égaler, ne le sauront pas. De toute façon, ils sont probablement déjà morts.

Au plus profond de mon être, j'espère quand même des nouvelles de mes frères. En regardant chaque matin le halo de feu s'extirper de l'océan, j'appelle mes semblables et leurs descendants afin qu'ils viennent à ma rencontre. Je scrute l'horizon en imaginant que de jeunes marins islandais pleins d'énergie accostent ces terres en conquérants. Cependant, malgré un guet établi à longueur d'année, aucun bateau à voile n'est jamais annoncé.

À la suite du saccage de Coba, la ville d'Uxmal a perdu ses appuis et capitule après une brève résistance, afin d'éviter la ruine. Une joute cérémonielle oppose Chichen à Uxmal pour l'inauguration du plus vaste jeu de balle jamais construit de mémoire d'homme. À l'issue de la partie rituelle, les joueurs d'Uxmal sont sacrifiés et leurs têtes ornent le mur des crânes. Nos gens peuvent maintenant circuler librement à travers toute la région. Une paix relative règne entre les principales familles des Basses-Terres, unifiées sous la bannière toltèque-itza. Je ne prétends pas que tous les clans de la péninsule aiment Kukulkan; au contraire, la plupart me craignent et même me détestent, mais ils ont l'intelligence de se soumettre.

Alimentée par les victoires, la croissance de Chichen s'accélère. Les garçons veulent supplanter Tollan en magnificence et ils s'occupent de l'édification d'œuvres majestueuses. Je sais que des architectes toltèques et itzas conçoivent à leur demande un nouvel édifice pour recouvrir celui de la place centrale, afin de marquer la descente de Kukulkan sur terre.

Les anciens monuments itzas, dont l'observatoire et le palais orné de fresques, qui sont conservés pour plaire au peuple fondateur, donnent une allure particulière à la ville. Cependant, là s'arrête la copie du style itza. Je refuse qu'on érige des stèles comme le faisaient les rois du Peten : personne ne peut comprendre ces messages composés de symboles compliqués. Je fais plutôt peindre, sur le stuc des murs et des colonnades, des personnages identifiés selon leur importance par les insignes de groupes. Les nobles sont flattés de se voir ainsi représentés et le peuple accepte l'ordre imposé par les dieux.

Grâce à toutes ces constructions, Chichen est en voie de devenir une cité grandiose. Il n'y manque qu'une rivière où l'on pourrait se baigner le matin.

Après des années de labeur, peut-être huit, temps que j'ai surtout passé à Cozumel, la nouvelle pyramide de la place centrale attend son inauguration. Par sa perfection, cet édifice relègue dans l'ombre les prétendues merveilles de Tollan et des Hauts-Plateaux. Fidèles à la tradition que j'ai établie, les prêtres consacreront le monument lors de l'équinoxe des récoltes. Plus le grand jour approche, plus architectes et prêtres tremblent d'exaltation.

Au matin de l'équinoxe, au milieu du tonnerre persistant des grands tambours, les religieux entonnent des hymnes pendant que le soleil monte en force. La grande place déborde de guerriers et de nobles, de commerçants et d'artisans, de prêtres et de gens du peuple. Lorsque l'astre atteint le zénith, le phénomène tant attendu se produit : par un habile jeu d'ombres, le serpent géant qui borde l'escalier central se dessine de tout son long, depuis sa queue pointée vers le ciel, en haut du temple, jusqu'au sol où s'ouvre sa gueule aux crochets saillants. La foule frémit devant le prodige, la musique et les chants explosent en clameur victorieuse. Le prêtre abat son couteau sur la première victime et bientôt le sang de nombreux vaincus rougit l'escalier où descend le serpent divin. Les dignitaires de tous les clans – aucun d'eux ne sera immolé – assistent aux offrandes d'esclaves affligés. Les gens en transe pleurent de joie.

Le vestibule aux colonnes peintes, le temple des guerriers et les hommes-autels rappellent Tollan. La multitude se pâme d'admiration pour Kukulkan et ses œuvres, les tribus décadentes des alentours adorent le Serpent emplumé : le culte de l'Homme-dieu atteint un nouveau sommet.

Les hommes-autels reçoivent les dons du sang en l'honneur de Chac. Mais qui est au juste ce dieu que mes garçons adorent avec tant de dévotion ? Mes propres fils et ma fille vénèrent une divinité dont je ne connais rien, sauf qu'elle se terre quelque part au fond d'un puits aux eaux noires. Ils ont marié de nobles itzas, descendants du mythique Kakupacal, lui-même issu, dit-on, des rois les plus puissants de Palenque. Ces alliances poussent mes enfants à se comporter comme s'ils étaient eux-mêmes liés à ce roi ; ils vivent et s'habillent comme des Itzas. Ils parlent comme eux, même en ma présence, comme si je ne comptais plus, moi dont l'esprit reste imperméable à cette langue affectée. À cause de leurs épouses, ces étrangères que j'aime terrifier, mes petits-fils et arrière-petits-fils ne parlent que l'itza. Quelle horreur ! Je ne peux même pas converser avec eux. Ils me sourient bêtement et mâchent avec effronterie du chiclé, comme tous les vauriens de Chichen.

Chantico, arrière-grand-mère extravagante qui manie la langue du peuple comme si elle l'avait tétée du sein de sa mère, règne sur eux tous sans me consulter. Elle brûle ses dernières forces à papillonner entre les palais, les réceptions, les écoles et sa nuée de petits-enfants. Tant d'enthousiasme m'agace, alors que, moi, j'attends la fin, amer de n'avoir jamais pu retourner au pays de mes ancêtres couvert de la gloire de mes découvertes.

Mes séjours dans le merveilleux refuge de Cozumel s'allongent et il m'est difficile, à la fin de la saison sèche, de revenir à Chichen pour présider aux implacables cérémonies en l'honneur de Chac, afin de garantir des pluies généreuses. Les prêtres emplissent alors la grande place de fidèles et me font déambuler comme une vieille statue. On me prie comme un dieu, mais je me sens impuissant devant les forces divines. Je suis devenu si laid avec ces pustules noires qui me rongent le visage que, les jours de parade, on me fait porter un masque de jade afin de n'effrayer personne. En dépit des sacrifices, les récoltes brûlent encore souvent, faute de pluies, et la faim tenaille alors la populace.

Autour de moi, les jeunes s'agitent au sujet des cultures, du commerce et des guerres. Mes garçons s'imposent au Conseil et prennent toutes les décisions, privilège que je leur laisse avec bonheur. J'évite les délibérations, car je ne peux plus tenir sur mes pieds, enflés comme des courges, et je dois me déplacer en litière.

Je ne veux pas qu'on me voie ainsi. Je préfère m'isoler avec un bon gobelet d'hydromel, en rêvant à mon prochain voyage à Cozumel. Je me sens seul au milieu de cette foule itza. En vérité, je ne suis bien qu'avec mes anciens compagnons d'armes, noyau de fidèles qui s'effrite au fil des ans.

Les multitudes à mes pieds, l'adoration et la terreur qu'on éprouve à mon égard, la vie de palais, tout m'ennuie. Le soleil tape trop dur et je vis de plus en plus dans l'ombre, car j'en ai assez de cette terre poussiéreuse qui colle partout. Mon isolement convient à tous. Mimix et Ye-Olin me cachent, ils ont honte de moi. L'équinoxe que nous venons de célébrer est mon dernier. Que les prêtres s'inventent un autre dieu ! À mon âge respectable, j'ai eu soixante-deux ans au dernier solstice, j'ai le droit de choisir. Je renonce définitivement à Chichen pour retourner vers la mer.

Mais cette fois, trop fragile, je ne peux affronter l'exténuante traversée jusqu'à Cozumel et je vais plutôt me réfugier à Tulum, le seul port important sur la côte. La beauté de ce lieu m'enchante et m'apaise ; j'aime observer l'arrivée des pirogues, le débarquement des marchandises, les embarquements, les départs.

Bercé par la brise du large, dans mon hamac accroché aux palmiers, je ne m'ennuie ni des richesses ni de l'agitation de Chichen que je ne reverrai pas, n'ayant plus ni le temps ni la force de retourner vers elle. Mon état se dégrade si vite. Je ressens continuellement des douleurs au côté droit, une lance me transperce les entrailles. Les plaies des mutilations rituelles suppurent sans jamais s'assécher. Ma vue se trouble, mon ouïe faiblit. Je mange à peine, me contentant surtout d'hydromel sacré auquel les médecins ajoutent une mixture qui engourdit le mal. Je peux ainsi voguer parmi les sphères divines en oubliant ma carcasse souffrante.

Là, face à la mer qui baigne la terre de mes ancêtres, j'ai envie de parler aux Islandais de la Terre-Verte, de leur raconter ce qui m'est arrivé, car, un jour, forcément, quelqu'un suivra le chemin que j'ai emprunté. Que ce soient des frères ou des cousins, ces explorateurs devront profiter de mon expérience. Cette pensée a occupé mon esprit depuis la mort de Melkolf il y a huit ans. Sous la supervision de plusieurs prêtres d'expérience, qui m'ont toujours accompagné afin d'interpréter et de mémoriser les vérités sacrées, mes paroles ont été transcrites avec zèle dans un long codex. Ce document donne un sens aux jours qu'il me reste à vivre. Enluminé de dessins explicites, il atteste mon origine et témoigne de mon itinéraire. Les Islandais sauront ce que j'ai vécu, le grand destin qui a été le mien.

Le patient travail de mémoire achève. Le dernier passage à Tulum aura été le plus fructueux : j'ai erré à souhait dans mon passé, ne transmettant aux scribes que les souvenirs dignes de l'Homme-dieu. Car mon codex sera aussi lu par les Itzas et les Toltèques. Je les ai bien avertis : ils savent qu'un jour des êtres identiques à moi surgiront depuis l'est du premier ciel.

Lorsque ces hommes du Nord débarqueront, ils seront reçus comme des dieux.

CHAPITRE XXVII

Enfin vers l'est

À cet endroit précis, sous les cocotiers qui surplombent la plage, ombre et lumière sont parfumées de mousse et d'algue : mer et forêt s'emmêlent sous mon nez. J'éprouve encore du plaisir à humer les arômes d'un matin baigné de lumière dorée, le regard bercé par les vagues qui soupirent à mes pieds.

Submergé par la douceur de l'instant et de l'hydromel, je regarde des hommes s'affairer au bord de l'eau autour d'un embryon de barque. Depuis plusieurs jours déjà, j'ai donné ordre de construire ce radeau, mais les dignitaires en retardent l'exécution, invoquent le manque de bois, la lenteur des esclaves, le mauvais temps. Malgré ma fragilité, ils tentent de me retenir en ce monde, car leur puissance repose sur ma supposée divinité. Je sens leur peur : sans moi, que deviendront-ils face aux meutes affamées ?

En attendant que le bateau soit terminé, j'erre seul dans le labyrinthe de mes souvenirs, là où personne ne peut me suivre. Après tant de temps et d'aventures, j'ai dû faire un effort immense pour me remémorer le pays de mes ancêtres, si longtemps renié. Au début, ma mémoire rouillée refusait de livrer ses secrets, les événements et les gens se confondaient. Mais, peu à peu, les images se sont enchaînées les unes aux autres.

Avec mon arrivée dans ces contrées lointaines, mon destin s'est accompli. J'ai vu se réaliser les prophéties de Mère, elle qui m'avait prédit une vie de roi et qui m'y avait préparé comme on éduque un prince. Malgré les trahisons, les jalousies et les guerres, je suis demeuré souverain. Maintenant que je suis vieux et malade, je comprends toute la force de la vision maternelle.

Les vagues claquent sur le sable impassible. Bien calé dans des coussins de plume, au creux de mon trône d'osier, j'observe les scribes qui finissent de transcrire mon histoire. Assis avec leur tablette et leurs pots de couleurs, ils travaillent en équipe ; le long document déplié glisse de l'un à l'autre. Le premier scribe choisit les différentes scènes, trace les principaux traits en noir et inscrit la date en haut à gauche ; ses assistants ajoutent les teintes et les détails. De nombreux esclaves se tiennent en retrait, prêts à intervenir. Je n'ai encore rien vu de l'œuvre, car j'ai voulu terminer mon récit avant de l'examiner. Finir la tâche pour ensuite me reposer à jamais.

Sur le rivage, le bateau prend forme. D'immenses troncs placés côte à côte forment une large embarcation, semblable à un radeau plutôt qu'à un knorr. J'interpelle le grand prêtre :

— Fais venir le chef du chantier.

Peu après, l'homme arrive au pas de course et s'age-nouille à une distance de plusieurs pieds, le front dans le sable, les bras allongés devant lui. Je parviens à me redresser sur mon trône.

— Alors, aurez-vous bientôt fini ?

— Seigneur Kukulkan, les grands cèdres rouges que j'ai envoyé chercher dans la forêt ont été creusés et unis avec de la poix et des attaches, comme tu l'as commandé.

— Quand aurez-vous terminé ?

— Il nous reste à installer les têtes emplumées de la proue et de la poupe, demain, quand le goudron de pitch sera sec. Nous hisserons le mât et tendrons la voile. J'ai aussi fait sculpter un trône avec les bois les plus fins. Lorsque tu vogueras vers le premier ciel, le bateau sera digne de toi.

— Réponds à ma question : quand sera-t-il terminé ?

— Le bateau sera prêt... Peut-être dans deux jours.

— Pas de peut-être, je le veux dans deux jours ! Si-non... vous ne serez plus de ce monde pour l'admirer. N'oublie pas d'étendre une couche de résine partout. Dépêche-toi !

L'homme se relève, le regard toujours fixé au sol et re-cule jusqu'au bas de la dune, puis détale en courant. On m'aide à quitter la raideur du trône pour le confort du hamac où je m'allonge avec un soupir de soulagement. Tout arrive à son terme : le codex, le bateau, la maladie.

Dans la tiède clarté du matin, on me porte pour la dernière fois jusqu'à la butte de sable doré, dont le pied s'enfonce dans les eaux cristallines. Les esclaves ne peinent pas sous mon poids, car je ne suis plus qu'un pauvre squelette desséché, vidé par la maladie. Depuis longtemps, je suis incapable d'avaler autre chose que l'hydromel miraculeux des médecins. Toutefois, il réussit de moins en moins à atténuer mes souffrances. Il me reste tout juste assez de force pour parcourir mon codex, mais les prêtres n'en finissent plus d'ergoter au sujet des derniers plis du document. La journée s'écoule à contempler les balancements de l'onde, jusqu'à ce que s'épuise ma patience.

– Assez! Je veux le réviser. Maintenant!

Prestement, le premier scribe souffle pour sécher les plus récentes touches de couleur. Il se lève, secoue le sable de sa tunique. Il se place à côté de moi, un de ses assistants de l'autre côté, pour tendre sous mes yeux le codex qui comprend une impressionnante série de plis parallèles reliés les uns à la suite des autres. La couverture apparaît, merveilleusement décorée de l'arbre de vie, avec ses branches aux couleurs distinctes pour chaque direction du ciel et son oiseau de turquoise vis-à-vis du cœur. On ouvre l'œuvre avec délicatesse. La peau, épaissie de plusieurs couches de vernis, craque légèrement. On étale ma vie, telle que l'ont comprise les scribes: je n'ai plus à sonder ma mémoire pour en extraire la sève, les images parlent d'elles-mêmes.

Sur le premier pli, mon père trône tel un dieu, rouge comme Chac, avec une barbe de feu. Ses cheveux, de flammes tressées, sortent de sous un casque foncé et pointu. D'une main, il brandit une longue épée de fer, de l'autre, il tient un bouclier rond. De chaque côté se dresse un animal. Les scribes ont plus ou moins réussi à dessiner le cheval et l'ours, des animaux pour eux fantastiques. Comme ils ont l'habitude de peindre des bêtes qui allient les caractéristiques de plusieurs animaux, tels le poisson-papillon ou le poisson-grenouille, le cheval a des pattes hautes et raides comme celles des hérons roses et un museau comme celui d'un caïman. Quant à l'ours polaire, il ressemble à un croisement d'homme et de jaguar, avec un pelage blanc. Devant Père s'allonge un bateau ventru, à la proue et à la poupe couvertes de têtes de serpent, avec sa grande voile déployée.

À cheval sur le pli se dresse l'arbre sacré, la ceiba. Mère occupe la deuxième page. Elle porte une tunique retenue par deux broches rondes, symboles du soleil, et un collier à plusieurs rangs de pierres vertes. Ses tresses pâles ressemblent à des épis de maïs bien mûrs. Dans sa main gauche, elle tient un bouquet de ramures fleuries, dont les propriétés médicinales m'échappent ; de l'autre, elle exhibe les cordons ombilicaux des bébés qu'elle a mis au monde. Derrière elle s'élève une montagne qui se termine en un cône blanc d'où jaillit le feu. Elle est debout sur un animal marin aux longues défenses pointues.

Autour des deux plis, dans de petits carrés, apparaissent les symboles des principaux dieux : guerre, soleil, mort, pluie, vent, ivresse, enfantement, foyer, fleurs, maïs. Les deux illustrations principales m'emplissent d'une joie enfantine. Le nez collé dessus, je les célèbre par une longue gorgée d'hydromel. Le mal s'atténue grâce à l'élixir et au plaisir de revoir des images de mon enfance. Malgré les ajouts à saveur toltèque et itza, les Islandais reconnaîtront le knorr, le heaume, la tunique, les broches rondes et les tresses blondes. Ils sauront que le glacier en fusion indique l'Islande, l'ours et le morse, la Terre-Verte. Pour éviter toute confusion, j'ai fait inscrire en runes les noms d'Erik le Rouge et de Grimhildr sous leur dessin respectif. Une musique suave se mêle aux volutes d'encens qui montent lentement dans le ciel d'un bleu infini. Béat, je reste long-temps à admirer les animaux mythiques des dessins.

Je relâche la pression, les scribes ouvrent un autre pli. Je vois un serpent ailé affrontant l'océan en furie. Sa queue repose à l'est sur une terre vague et lointaine. Le corps du serpent s'arque au-dessus des flots déchaînés, tandis que sa tête rejoint la côte. Sur un fond noir, des points blancs indiquent la position de l'étoile du Nord. Mes compatriotes comprendront.

L'image me ramène à ces jours d'effroi : hurlements du vent, soubresauts, frères happés par les vagues cruel-les. Mon esprit s'embrume. Les flammes avides dévorent mon épave, les monstres de l'onde se repaissent des cada-vres de mes frères. Visions maléfiques. Je pleure malgré moi. Mes mains tremblent. On me sert à nouveau un hy-dromel parfumé. On éponge délicatement les filets de sueur qui baignent mon visage. Je fais approcher le pre-mier scribe pour lui chuchoter :

— Vous avez fait du bon travail. J'aime ce serpent qui relie la terre des dieux à celle des hommes.

Le scribe s'incline et baise le sol de contentement. Je murmure à la jeune servante qui me reverse du vin :

— J'ai hâte de retourner au premier ciel. On m'y attend.

La belle fille caresse ma main et soutient le gobelet, le temps que j'en prenne une bonne lampée.

Un autre pli du codex montre mon bateau, sans mât ni voile, se découpant devant le soleil levant, entouré de pirogues aux bannières multicolores. Je sais maintenant que ces enseignes représentaient les ordres des guerriers et les villages des alentours. Sur la plage, une petite maison symbolise la garnison établie en bordure du fleuve Tecolutla. Derrière, une maison plus grande indique la cité de Mictlan. Plus loin encore, de l'autre côté d'un trait montagneux, apparaît le signe désignant Tollan. Une ligne sinueuse comme un sentier réunit les deux villes, le village et le bateau pour indiquer que le maître de Tollan est arrivé dans un knorr depuis l'est.

Ailleurs, Tollan est illustrée dans toute sa splendeur avec ses pyramides, ses places et ses marchés. J'éprouve une grande fierté en songeant que c'est moi qui ai fait ériger toutes ces merveilles, qui ai inondé cette cité de jade, d'or, d'argent et de cuivre, qui ai étendu le réseau d'irrigation. Il y avait de la nourriture en abondance pour tous, même pour les flots de migrants qui arrivaient chaque jour.

Les pages suivantes détaillent ma descendance, si nombreuse qu'elle remplit la moitié du document. J'ai semé tellement d'enfants qu'un jour ils me vengeront de l'infamie subie à Tollan. Quelle ironie, tous ces Toltèques qui essaient de se rattacher à l'Homme-dieu! Pourtant, ils n'ont pas voulu de moi. Ils aimaient trop faire couler le sang, l'automutilation ne suffisait pas. Et l'oncle hargneux ne pouvait supporter que tant de richesses et de femmes lui échappent. Je me souviens avec amertume de mon bannissement.

— Enlevez ce pli où les ténèbres triomphent à Tollan. Dessinez plutôt mon armée qui voyage vers les Basses-Terres pour s'installer à Chichen et y fonder un empire.

Les scribes s'énervent, les prêtres tergiversent et finalement les apprentis coupent le pli et en cousent un autre.

Au bord de l'eau, des pêcheurs rentrent leurs filets sous un ciel immensément rose, strié de fins nuages d'un jaune effervescent virant au rouge. Les pages sur l'épreuve du puits sacré, celles sur Coba, Uxmal et Cozumel m'indiffèrent. D'ailleurs, je ne peux les regarder, l'encre de la page ajoutée n'est pas encore sèche. Il se fait tard, je frissonne.

– Passez-moi une cape. Je suis fatigué. Mon départ se fera à l'aurore.

On soupire, on range les pots et les pinceaux. On me craint toujours autant. Ces gens à courte vue ne comprennent pas que je travaille en pensant aux prochains explorateurs qui accosteront ici. Trop tard, hélas, pour assister à mes derniers moments de grandeur.

J'avale un ultime gobelet et me laisse aller, emporté par la magie bienfaisante. Le jour bascule dans la nuit au son des grognements épouvantables d'un ours blessé sur la banquise. Des chevaux affolés hésitent à sauter par-dessus un précipice entre deux glaciers. Mon cheval piaffe et finit par m'emporter vers les neiges de mon enfance.

Des Itzas, j'ai appris à agir avant que le soleil paraisse. À la lueur des torches, dans la fraîcheur de l'aube, on me dit que le bateau m'attend. Les divinités auront veillé sur moi jusqu'à la fin.

De ma pièce, je vois les groupes de dignitaires alignés depuis le temple jusqu'au sable de la plage. L'embarcation de cèdre rouge se dresse, superbe. Elle ne pourrait pourtant affronter la mer plus de deux jours sans se disloquer, car je n'ai jamais trouvé de fer pour les rivets. Que valent des attaches de paille contre le roulis de l'océan? Vénus brille sur un ciel violacé qui pâlit à l'horizon. Tout repose immobile entre nuit et matin. Le moment parfait pour rejoindre les dieux.

Puisque c'est ma dernière sortie, on m'habille en grand roi. J'ai fait reteindre en rouge ma barbe que jamais personne n'a vue complètement blanche. Je demande qu'on accroche entre mes pierres vertes la croix de Melkolf que j'ai conservée en souvenir. Si le paradis des chrétiens existe, mon compagnon la reconnaîtra. Mon énorme coiffe d'or et de plumes est attachée au dossier du trône pour que je n'aie pas à endurer ce poids. Mais cela, jamais les scribes ne le décriront.

J'avale suffisamment de peyotl pour m'envoler sans douleur. Les médecins m'injectent dans les intestins un mélange de poudres aux effets fulgurants et, comme on le fait aux sacrifiés, on m'enduit le visage d'une crème qui provoque des hallucinations. Mon corps disparaîtra, mais mon esprit restera vivant, puisqu'il ne retrouvera rien au retour. J'abandonnerai sans regret cette vieille charpente d'os qui m'a tant fait souffrir.

Sur un petit autel, je fais une ultime offrande de sang. Déjà, le peyotl court dans mes veines : mes maux s'estompent, ma conscience s'éveille. On m'assoit sur le magnifique trône à porteurs qui embaume la résine de pin. Comme un guerrier, je vais sans peur au-devant de la mort. Tel un dieu qui commande son destin, je joue ma sortie du monde.

Les esclaves soulèvent le trône et descendent lentement vers la plage. Les tambours battent un rythme lent et sourd, accompagnés de flûtes, de conques et de tambourins. Tous les prêtres et les dignitaires de Chichen, dont mes fils et petits-fils, ceux de Huemac et de Mel-kolf, se tiennent dans un strict ordre hiérarchique, parés de leurs plus beaux vêtements brodés, rehaussés de somptueux bijoux. Chantico, petit amas de chair fragile au regard perçant, est assise dans un fauteuil devant les femmes et les enfants. Orgueilleuse jusqu'à la fin, elle tient son arrière-petit-fils dans les bras. Dans un silence oppressé, une foule de paysans s'est amassée derrière les nobles.

Je montre l'étoile du matin qui luit avec bienveillance pour me souhaiter la bienvenue et, faisant appel à mes dernières forces, je déclare:

— Souvenez-vous que je reviendrai un jour pour rétablir mon règne. Je réapparaîtrai du côté du soleil levant avec mon casque. Que les Toltèques et les Itzas conservent mon souvenir pour que leurs petits-enfants jusqu'à la cinquième génération me reconnaissent et me vénèrent. Les dieux m'appellent, embarquons!

Des esclaves, debout dans l'eau claire jusqu'aux genoux, retiennent le bateau aux têtes de serpent emplumé. Une oriflamme à mon effigie flotte en haut du mât, des fleurs tapissent la plateforme qui retient les troncs entre eux. On place le trône au pied du mât, face à la proue, et on entasse des fagots enduits de résine en dessous, devant et derrière. Quatre esclaves, deux de chaque côté de l'embarcation, sont arrimés par les genoux et les chevilles. On leur donne des rames. Depuis leur enfance, ils sont engraissés pour servir au sacrifice. Prostrés, sans expression, ils gardent la tête baissée, un peu d'écume aux lèvres.

De nombreuses torches sont plantées sur les bords de mon dernier bateau. Les superbes plumes de quetzal frémissent, irisées par la lueur des flammes. Une musique fantastique jaillit de la plage. Des milliers de voix entonnent un chant de gloire. Quelle magnificence! Nous prenons le large, halés par les puissantes pirogues des guerriers. Le bruit des vagues et du vent se mêle à la clameur. Une fois le courant marin atteint, les capitaines royaux coupent les amarres et retournent vers la terre ferme. Les quatre esclaves rament en silence en direction du soleil qui lance ses premiers traits scintillants au-dessus de l'horizon. Je m'envole pour admirer sa montée victorieuse. De là-haut, je vois le feu des torches s'étendre à toute la pirogue. Les pauvres hommes hurlent. L'embarcation incandescente dérive sur les eaux turquoise. Je la laisse et vole vers la plage débordante de fidèles.

Respectant l'ordre que je lui ai donné, le grand prêtre lit le nouveau codex debout devant l'assemblée respectueuse. Tous écoutent, les yeux rivés sur le bateau de feu. Avec solennité, le religieux résume la vie de Kukulkan. L'avant-dernier pli porte la date du jour même: on y voit l'Homme-dieu s'élever vers Vénus dans un serpent de flammes et mon nom écrit en runes d'or pour que les Islandais m'identifient à leur arrivée comme un des leurs. Le dernier pli ne porte aucune mention. On y a dessiné une immense embarcation où s'entassent des hommes casqués et armés, devant l'astre à demi sorti de l'océan: les guerriers de Kukulkan reviendront un jour de l'est venger les affronts dont on l'a accablé.

Je ris, seul entre les nuages. Je les terrifierai encore longtemps. De la plage, le bateau, devenu un point lumineux, se confond avec l'embrasement du soleil qui éclabousse le monde de toute sa splendeur.

POSTFACE

L'hypothèse selon laquelle Quetzalcoatl serait un Viking déifié par les Toltèques, puis par les Aztèques et d'autres peuples d'Amérique, s'appuie sur différents documents. D'une part, sur les sagas qui narrent les découvertes de ceux que l'on appelle maintenant Vikings et, d'autre part, sur les chroniques de la conquête écrites par les Espagnols. Du monde toltèque lui-même, il ne reste à ma connaissance aucun témoignage écrit. Seuls des sculptures, des artefacts et des ruines révèlent la grandeur passée de Tollan.

Les documents qui nous sont parvenus ont tous été rédigés des siècles après la mort des explorateurs nordiques et de l'Homme-dieu. Le premier récit des découvertes du Vinland et du Markland a été transcrit vers le milieu du XIVe siècle[1]. Les chroniques qui font

---

1. La première référence au Vinland se trouve dans le Livre des Islandais (*Íslendingabók*), écrit entre 1122 et 1133. Viennent ensuite deux sagas qui racontent la découverte d'un continent. La première, la saga des Groenlandais (*Groenlendinga Saga*), s'insère dans l'œuvre intitulée *Flateybók*, rédigée au milieu du XIVe siècle. La deuxième, la saga d'Erik le Rouge (*Eiriks Saga Rauda*), fait partie d'un récit plus ample, *Gudrid's Saga,* écrit entre 1420 et 1450. Ces deux histoires sont parfois présentées ensemble sous le nom de *Vinland Sagas*.

mention de Quetzalcoatl ont été rédigées vers le milieu du XVIᵉ siècle, soit environ cinq cents ans après la disparition de l'Homme-dieu. Malgré ces écarts de temps et les inévitables déformations qui en découlent, il est encore possible de suivre ses traces.

Autour de l'an mil, les Vikings, établis en Terre-Verte (Groenland) sous l'autorité d'Erik le Rouge, atteignent des terres à l'ouest de l'océan. Appelés Markland et Vinland, ces riches territoires attirent les explorateurs pendant presque deux cents ans, jusqu'au début du XIIᵉ siècle[2]. Or les traversées de l'Atlantique pourraient avoir commencé plus tôt, car, selon l'écrivain Farley Mowat[3], les Vikings n'auraient rien découvert. Ils auraient plutôt été à la poursuite des Hauturiers d'Alba, ces gens issus des îles de Grande-Bretagne qui fuyaient l'avancée viking. Poussés par la peur, les Hauturiers auraient précédé de deux cents ans les Vikings au Groenland et, de là, auraient migré jusque sur les côtes du Labrador.

Que l'on retienne ou non cette hypothèse, le fait demeure que les côtes de l'Amérique ont été visitées par des Européens du Nord peu avant l'an mil. Les Vikings auraient atteint la Floride, ainsi qu'une ou plusieurs îles, impossibles à identifier, où il n'y avait pas de grand

2. Voir à ce sujet William W. Fitzhugh et Elizabeth I. Ward, *Vikings: The North Atlantic Saga*, Washington et Londres, Smithsonian Institution Press et National Museum of Natural History, 2000; Kare Prytz, *Christophe Colomb n'a pas découvert l'Amérique*, Nyon, Éditions Esprit ouvert, 1992; Erik Wahlgren, *The Vikings and America*, Londres, Thames and Hudson, 1986; Tryggvi J. Oleson, *Early Voyages and Northern Approaches (1000-1632)*, Toronto, McClelland and Stewart, 1963.
3. Farley Mowat, *Les Hauturiers*, Montréal, XYZ éditeur, 2000.

gibier[4], particularité qui s'appliquait à la région de la Caraïbe. Les Vikings étaient donc rendus à proximité du Mexique. Les ouragans de septembre, généralement en direction est-ouest, ont pu les aider à franchir le golfe.

Ainsi, un être hors du commun apparaît à Tollan au moment où les Vikings longent les côtes de l'Amérique. Certains archéologues supposent que le roi Ce-Acatl To-piltzin Quetzalcoatl serait né vers 935 ou 947 et que sa fuite de Tollan remonterait aux alentours de 999[5]. Un autre chercheur situe sa mort en l'an 1156 ou 1208[6]. Impossible de savoir qui détient la vérité. Cependant, je remarque que, sauf pour les dates limites de 935 et de

4. Kare Prytz, ouvr. cité, p. 42-43.

5. Stuart Fiedel, *Prehistory of the Americas*, Cambridge, Cambridge University Press, 1992. Il s'agit des mêmes dates avancées par César A. Sáenz, selon qui la naissance de Quetzalcoatl aurait aussi eu lieu en 935 ou en 947. Sáenz suppose que le règne sur Tollan a commencé en 975 ou en 987, pour se terminer en 987 ou en 999 (voir *Quetzalcoatl*, México, Instituto Nacional de Antropología e Historia, 1962, p. 12). Sáenz préfère les dates les plus reculées (935, 975, 987), qui correspondent au calendrier mixtèque qu'auraient adopté les Toltèques. D'après Richard E. Blanton, Stephen A. Kowalewski, Gary M. Feinman et Laura M. Finsten, l'apogée de Tollan aurait duré de 950 à 1200 (voir *Ancient Mesoamerica. A Comparison of Change in Three Regions*, 2ᵉ éd., Cambridge, Cambridge University Press, 1983, p. 138). Richard Diehl, dans *Tula. The Toltec Capital of Ancient Mexico* (New York, Thames and Hudson, 1983), estime que Tollan est à son zénith entre 900 et 1200. Dan Healan, lui, dans *Tula of the Toltecs. Excavations and Survey* (Iowa, University of Iowa Press, 1989), parle de la «phase Tollan» à partir de l'an 950.

6. Alfredo Lopez Austin, cité dans Davíd Carrasco, *Quetzalcoatl and the Irony of Empire. Myths and Prophecies in the Aztec Tradition*, Chicago et Londres, University of Chicago Press, 1982.

1208, la vie de Quetzalcoatl se déroule pendant l'exploration viking de l'Amérique.

La naissance, le règne, puis la disparition de Quetzalcoatl sont à la source d'une mythologie complexe créée par les Aztèques et les autres élites qui se disaient héritiers de cet Homme-dieu. Légendes, codex ou chants le relient à la fertilité, à la pluie, au vent, à la végétation et à l'ivresse. On le reconnaît à son casque conique, au symbole de Vénus et au serpent emplumé. D'autres déités empruntent parfois ses attributs. En dépit de ses multiples représentations, certains faits perdurent : l'arrivée du côté du soleil, le règne sur Tollan, l'œuvre grandiose et civilisatrice, la fuite ultime vers l'est.

Les Aztèques ont pillé Tollan vers 1200. Ils se sont approprié les insignes de Quetzalcoatl et leur premier roi fut choisi parce qu'il avait du sang toltèque. Ainsi, l'empereur aztèque pouvait prétendre avoir une origine divine, ce qui justifia l'édification d'un empire (1325-1521).

Cependant, cette croyance prévoyait le retour du dieu, pour venger l'offense du bannissement et reprendre son trésor. Le culte de Quetzalcoatl facilita donc la conquête espagnole, car l'empereur Moctezuma[7] reconnut Cortés comme un descendant du Serpent emplumé. Cette étonnante situation est qualifiée par l'auteur Davíd

7. L'empereur, de son vrai nom Motecusoma II Xocoyotzin, est le cinquième héritier du trône depuis la fondation de Tenochtitlan en 1325 ; voir Hernan Cortés, *Cartas de relación*, présentation de Mario Hernández, Madrid, Historia 16, 1985, note 8, p. 82. Motecusoma II régna de 1502 à 1520. Les Espagnols comprenaient souvent mal le nahuatl qu'ils déformaient. Ainsi le nom de l'empereur bafoué est-il passé à l'histoire comme Moctezuma.

Carrasco d'ironie de l'empire[8]. Ironie parce que la puissance aztèque reposait sur un mythe qui allait provoquer sa destruction.

Les réactions de l'empereur Moctezuma à l'arrivée du conquistador constituent les indices les plus révélateurs que nous ayons de Quetzalcoatl. Bernal Díaz del Castillo, un soldat qui accompagnait Cortés, fit une description détaillée de la conquête entre 1544 et 1568[9]. Il nous est donc possible de comprendre un peu mieux ce qui s'est passé.

Inquiété plutôt que réjoui par l'arrivée des navigateurs barbus, Moctezuma dépêcha un ambassadeur pour les rencontrer. L'envoyé avait pour mission de rapporter le casque du chef de l'expédition, ce qu'il fit. En consultant ses archives, documents historiques peints sur des draps de henequen, l'empereur reconnut que le heaume du capitaine surgi de l'est était bien de même lignage que celui de ses ancêtres[10].

En 1519, comment pouvait-on reconnaître un casque de métal à Tenochtitlan, endroit où il n'y avait ni fer ni bronze? Comment un tel objet pouvait-il figurer dans les archives royales? Une seule réponse logique: un ou des hommes portant des coiffures militaires semblables avaient déjà atteint les côtes du Mexique. Il y a assez longtemps pour se trouver dans les archives.

Des rapports de ses espions, Moctezuma acquit la conviction que les Espagnols étaient bien les descendants

8. Davíd Carrasco, ouvr. cité.

9. Bernal Díaz del Castillo, *Historia verdadera de la conquista de la Nueva España*, México, Alianza Editorial, 1991.

10. *Id.*, *Historia verdadera de la conquista de la Nueva España*, Madrid, Historia 16, 1984, p. 163.

du Quetzalcoatl que dépeignaient ses archives. Comme les Vikings, les Espagnols avaient un teint pâle, de la barbe, des armes de métal et étaient très combatifs. Bernal Díaz del Castillo relate comment l'empereur essaya par tous les moyens d'empêcher leur venue à Tenochtitlan. Il leur envoya de nombreux ambassadeurs, des hommes qui, pour lui, ressemblaient aux Espagnols[11]. Les riches Aztèques étaient plus grands, ils auraient aussi eu le teint plus pâle que les paysans et les artisans. Grâce à ses représentants, choisis pour leur taille et leur carnation, Moctezuma voulait prouver à Cortés que tous deux avaient un ancêtre commun : Quetzalcoatl.

L'empereur fit parvenir des présents d'or et de pierreries d'une valeur inestimable à Cortés, promettant de lui payer un tribut élevé si celui-ci renonçait à se rendre à Tenochtitlan. Au contraire, attiré par l'or, le conquistador pénétra dans la capitale aztèque en novembre 1519. Sans livrer bataille. Moctezuma le reçut en lui disant que les Espagnols étaient bien ceux dont ses ancêtres avaient parlé et qui devaient arriver par l'est pour gouverner leur terre[12]. L'empereur se laissa emprisonner et même torturer par Cortés, qui craignait une trahison ; Moctezuma endura tout, puisque ses dieux le permettaient.

Ainsi, le mythe de Quetzalcoatl a traversé les siècles. L'homme s'est confondu avec le dieu. Déjà sous Moctezuma, Quetzalcoatl disparaissait derrière son aura divine. Ensuite, les religieux espagnols prêtèrent des valeurs chrétiennes à ce dieu vénéré afin de mieux chris-

11. *Ibid.*, p. 164.
12. *Ibid.*, p. 190-191, 257-258, 262, 279, 301, 307, 316-320, 373.

tianiser les autochtones. La conquête puis la colonisation auront épaissi le mystère de l'Homme-dieu, sans toutefois en effacer complètement la trace.